Le MOYEN ÂGE

et

Le XVIᵉ siècle

en littérature

D1530709

Xavier Darcos   Jean-Pierre Robert   Bernard Tartayre

COLLECTION
PERSPECTIVES ET CONFRONTATIONS

HACHETTE

81. 58,00

Le livre mode d'emploi

Ce livre a été conçu dans le cadre du programme d'enseignement du français en seconde, première et terminale tel que le définissent les Instructions Officielles les plus récentes (B.O. nº 1 du 5 mars 1981, nº 3 du 22 avril 1982 et nº 1 du 5 février 1987). Il ne s'agit donc pas d'une revue exhaustive de tous les écrivains du Moyen Âge et du XVIe siècle, mais d'un « **choix d'auteurs** qui se recommandent par leur caractère représentatif ou par leur originalité ».

Le plan de l'ouvrage est dicté, pour l'essentiel, par l'évolution chronologique. Ainsi les auteurs sont-ils abordés, chapitre après chapitre, au fil de leur apparition dans les siècles. Cependant, il semblait fructueux d'accompagner cette **présentation chronologique** d'une **perspective thématique,** lorsque l'ensemble d'une œuvre s'y prêtait : dans la plupart des cas donc, un chapitre consacré à un auteur est organisé selon les thèmes majeurs qui parcourent son œuvre.

La **priorité** a été accordée **à l'œuvre** et **au travail de l'auteur,** mais toutes les informations biographiques utiles à leur compréhension sont fournies dans les « approches » au cours du chapitre. D'autre part, l'étude est conclue par un tableau chronologique donnant les dates essentielles de la vie et de la production littéraire de l'auteur.

Par ailleurs, aucune approche ne devant être négligée, surtout pas celle à laquelle l'histoire ou la sociologie peuvent donner lieu, un chapitre entier a été d'emblée consacré aux conditions de la production littéraire, en préambule à chacune des deux grandes périodes.

C'est un recueil d'EXTRAITS d'œuvres que nous proposons ici. Ils sont accompagnés :

— d'une **information** qui prépare à les aborder : cette **« approche »** situe le morceau choisi dans l'œuvre et l'œuvre dans le siècle ou dans les mouvements de création ;

— de DOCUMENTS : ils complètent «l'approche» et aident à juger de l'intérêt esthétique, intellectuel, historique des extraits, en offrant des éléments empruntés à la critique moderne. La réflexion sur la réception du texte en son temps et de nos jours s'en dégagera naturellement.

L'**iconographie** participe à cette documentation. Elle ne doit pas être perçue comme décoration. Elle a été choisie pour rendre visible l'imaginaire commun à diverses formes de création, le plus souvent concomitantes ; par exemple : miniatures et manuscrits du Moyen Âge ; art roman et *Chanson de Roland ;* art flamand et lyrisme courtois ; art religieux du XVe siècle et Mystères ; Bruegel ou Bosch face à Rabelais ou d'Aubigné ; italianisme des années 1520-1560 ; A. Caron et les *Tragiques,* etc.

Selon le niveau de la classe et selon l'exigence du travail entrepris, le professeur jugera s'il suffit de s'en tenir aux morceaux choisis ou d'avoir recours à telle présentation ou à tel document, permettant diverses **perspectives et confrontations.**

— Les extraits sont tous accompagnés de PISTES DE RECHERCHE. L'expression est à saisir dans son sens le plus concret. Ces pistes invitent à une traversée du texte et ne sauraient être confondues avec un questionnaire dont la réponse serait préalablement connue. Toutefois, certains textes abstraits (par exemple, des passages assez longs des *Essais* de Montaigne), denses et difficiles, sont suivis de questions qui permettent de reconstituer et de saisir pas à pas le raisonnement.

Les mots les plus nécessaires au bon usage du travail critique ont été signalés par un • et définis dans un LEXIQUE page 365.

Ce livre s'adresse à tous et notre **objectif** premier a été d'ordre **méthodologique.** Les diverses démarches que nous proposons ne prétendent pas épuiser le texte, ni en découvrir un sens caché. Elles doivent permettre au lecteur — à l'élève surtout — de **construire un ou des sens.** Une telle ambition impose une **diversification des méthodes d'approche.**

© Hachette, 1987
I.S.B.N. 2-01-012268-2

Nous avons retenu en particulier :

— L'ÉTUDE D'ŒUVRES COMPLÈTES :
soit par l'approche progressive de la démarche de l'écrivain et des thèmes qu'il privilégie (Chrétien de Troyes, pp. 58-71 ; Rabelais, pp. 210-240 ; Montaigne, pp. 324-364) ; soit par une étude détaillée accompagnée de quelques extraits significatifs (*La Chanson de Roland,* pp. 18-35 ; *Le Roman de Renart,* pp. 74-87 ; *Tristan et Iseut,* pp. 52-57 ; *Le Roman de la Rose,* pp. 149-152 ; *Les Tragiques,* pp. 308-322) ; soit par une fiche récapitulative qui vient au terme d'une étude générale de la production de l'auteur (*Essais,* III, 9, pp. 362-364).

— L'ÉTUDE THÉMATIQUE ET DIACHRONIQUE D'UN GENRE : épopée et chanson de geste (pp. 18-47) ; courtoisie (pp. 48-72) ; théâtre et mystères (pp. 103-127) ; fabliaux (pp. 88-92) ; chroniqueurs (pp. 93-100) ; poésie des troubadours et trouvères (pp. 128-152) ; la sottie (pp. 178-185), etc.

— L'ÉTUDE D'UN MOTIF RÉVÉLATEUR D'UN MOMENT DE CRÉATION : la « fine amor » (pp. 64-72) ; la satire (pp. 80-92) ; le lyrisme (pp. 128-165) ; l'écriture féminine (pp. 186-189 et 204-208) ; le baroque naissant (pp. 284-294) ; le tragique (pp. 295-322).

— L'ÉTUDE SUR DOSSIER : conditions de la production littéraire (pp. 10-16 et 168-176) ; dramaturgie des mystères (pp. 117-122) ; la Pléiade (pp. 242-247) ; crise et guerres religieuses (pp. 295-307).

— Dans la perspective de la **préparation aux nouvelles épreuves orales de français au baccalauréat** (B.O. n° 27 du 7 juillet 1983), outre l'étude d'œuvres complètes, nous suggérons des **regroupements thématiques** récapitulés dans l'INDEX THÉMATIQUE, page 7. Ces classements permettent de faire le bilan d'un thème propre à un auteur (le rire de Rabelais, le doute de Montaigne, le tragique de d'Aubigné) ou à une œuvre (la fatalité dans *Tristan et Iseut,* la dérision dans le *Roman de Renart*), ou bien de voir l'évolution d'un thème abordé par divers écrits (l'idéal chevaleresque, les croisades, la pédagogie, la satire, l'image et le rôle de la femme, la critique politique, etc.).

Nous remercions vivement les nombreux collègues qui nous ont fait part de leurs souhaits et de leurs critiques pour nous aider à faire de ce livre un élément de travail le plus utile possible.

Les Auteurs

Portraits d'écrivains reproduits en couverture : Montaigne, Rabelais, Ronsard, du Bellay, Marguerite de Navarre, Marot.

TABLE DES MATIÈRES

INDEX DES AUTEURS 6
INDEX THÉMATIQUE 7

Le Moyen Âge

Les conditions de la production littéraire au Moyen Âge 10-16
■ La renaissance de l'Occident chrétien, p. 10. ■ La société féodale, p. 10. ■ La naissance des langues nationales, p. 11. ■ La diffusion des genres littéraires, p. 12. ■ Littérature et société, pp. 13-16.

L'univers féodal et sa littérature 17

Les chansons de geste 18-47
■ La première et la grande épopée• française : La Chanson de Roland, pp. 18-35. ■ Le grand arbre de la geste, pp. 36-39. ■ Le temps des synthèses : œuvre-carrefour et épopée• fleuve, pp. 40-47.

La littérature courtoise 48-72
■ Magie et mélancolie des lais : Marie de France (XIIe siècle), pp. 50-51. ■ Tristan et Iseut : une passion tragique, pp. 52-57. ■ Courtoisie et mysticisme• : l'univers chevaleresque de Chrétien de Troyes (XIIe siècle), pp. 58-71. ■ Parodie• et décadence courtoise : Aucassin et Nicolette (premier tiers du XIIIe siècle), p. 72.

La littérature narrative et l'essor de la prose 73
■ Le Roman de Renart (1174-1250), pp. 74-87. ■ Les fabliaux (XIIIe et XIVe siècles), pp. 88-92. ■ La littérature historique au Moyen Âge, pp. 93-100.

Florilège dramatique et poétique 101

Le théâtre au Moyen Âge 102-127
■ Naissance du théâtre religieux dans la cérémonie : le drame liturgique (X-XIIe siècles), pp. 102. ■ Un théâtre en voie d'émancipation : le drame semi-liturgique (XIIe siècle), pp. 102-103. ■ Le théâtre comique du XIIIe siècle : une génération spontanée?, p. 104. ■ Le théâtre en liberté d'Adam de la halle (dernier quart du XIIIe siècle), pp. 104-109. ■ Un poète au théâtre : Rutebeuf († 1280) ou la distinction des genres, pp. 110-113. ■ Tous au théâtre pour un théâtre total : les Mystères du XVe siècle, pp. 114-122. ■ Au pays de la farce, pp. 123-127.

La poésie lyrique• du Moyen Âge 128-165
■ La chanson d'amour des troubadours occitans, pp. 128-134. ■ L'éveil de la poésie lyrique• en langue d'oïl (XIIe et XIIIe siècles), pp. 135-140. ■ Lyrisme• et morale au XIIIe siècle, pp. 141-152. ■ Formalisme et virtuosité des rhétoriqueurs• (XIVe et XVe siècles), pp. 153-159. ■ Sarcasmes et désarroi de François Villon (vers 1431 - après 1463), pp. 160-165.

Le XVIe siècle

Les conditions de la production littéraire au XVIe siècle 168-176
■ Retour aux sources écrites : l'Antiquité et l'Évangile, pp. 168-171. ■ Le modèle italien et le poète courtisan, pp. 172-173. ■ L'idéal humaniste et le rêve contrarié, pp. 174-176.

Survivance et novation 177

La Sottie 178-185
■ Survivance et aboutissement : le rire dérangeant de la sottie, *p. 178.* ■ La corrosion par le dialogue perverti, *pp. 179-180.* ■ Un théâtre de la distance critique, *pp. 181-185.*

Marguerite de Navarre (1492-1549) 186-189

Une forte personnalité et son influence : Marot (1496-1544)
et les « marotiques » 190-208
■ Le changement dans la continuité, *pp. 190-193.* ■ Le courtisan contestataire, *pp. 194-196.* ■ Un jeu qui devient un genre : le blason, *pp. 197-200.* ■ Le foyer littéraire de Lyon : Maurice Scève, *pp. 201-203.* ■ Les fragments féminins du discours amoureux : Pernette du Guillet, *pp. 204-205 ;* Louise Labé, *pp. 206-208.*

François Rabelais 209

François Rabelais (1483 ?-1553) 210-240
■ Un grand écrivain controversé, *pp. 210-218.* ■ Deux lectures pour deux Rabelais, *pp. 219-240 ;* Rabelais tenté par l'affirmation : *Gargantua* et *Pantagruel, pp. 220-230.* Au gré des mots et des flots : un Rabelais dubitatif, *pp. 231-240.*

La révolution poétique de 1550 241

Remue-ménage littéraire 242-247
■ *La Défense et Illustration de la langue française* (1549), *pp. 242-245.* ■ De la théorie à la pratique : la Pléiade, *pp. 246-247.*

Joachim du Bellay (1522-1560) 248-263
■ L'imitation, au risque de l'artifice : *L'Olive, pp. 248-252.* ■ La leçon romaine : une spontanéité très concertée, *pp. 253-255.* ■ La magie du verbe face au pouvoir du temps : *Les Antiquités de Rome, pp. 256-258.* ■ Le fiel, le miel et le sel : *Les Regrets, pp. 259-263.*

Pierre de Ronsard (1524-1585) 264-283
■ Un solitaire engagé, *pp. 264-266.* ■ Le «devin» philosophe, *pp. 267-270.* ■ Le technicien de l'émotion, *pp. 271-274.* ■ *Les Amours* : célébration amoureuse à trois voix, *pp. 275-281.* ■ Le clair-obscur final, *pp. 282-283.*

Le sillage de Ronsard et la crise des valeurs 284-294
■ La création : énigme et frémissements, *pp. 284-287.* ■ Amour cruel, amour charnel, *pp. 288-290.* ■ Macabres tourments, *pp. 291-294.*

Le retour du tragique 295

Aux confins du tragique 296-307
■ Le roi au cœur du débat, *pp. 296-298.* ■ La satire, revers du tragique, *pp. 299-302.* ■ Quand la tragédie élude le tragique : les certitudes de Robert Garnier (1545-1590), *pp. 303-307.*

Agrippa d'Aubigné (1552-1630) 308-322
■ À travers le tragique, par un long poème, *pp. 308-322.* Des choses vues à l'art visionnaire, *pp. 311-313.* Un poème bien composé, *pp. 313-315.* Histoires signifiantes, *pp. 315-317.* Autobiographie et élection prophétique, *p. 317.* Poésie d'apocalypse, *pp. 318-322.*

Montaigne 323

Michel Eyquem, seigneur de Montaigne (1533-1592) 324-364
■ L'autoportrait et l'aparté, *pp. 324-328.* ■ La perpétuelle balançoire : « la branloire pérenne », *pp. 329-331.* ■ L'univers livresque : attirance et répulsion, *pp. 332-334.* ■ La méthode des *Essais* : une nouvelle écriture, *pp. 335-337.* ■ « Je ne vois le tout de rien » (I, 50) : les certitudes en miettes, *pp. 338-341.* ■ Deux conséquences du doute : le conservatisme et la tolérance, *pp. 342-346.* ■ Le remède au doute : l'amour de soi, l'amour d'autrui, *pp. 347-348.* ■ Illustration de l'amour - remède : l'amitié, le voyage, *pp. 349-351.* ■ Le leitmotiv des *Essais* : savoir mourir pour savoir vivre, *pp. 352-356.* ■ La condition humaine dans son épanouissement : l'enfant, l'adulte, *pp. 357-361.* ■ Étude d'une œuvre complète : *De la vanité (Essais,* III, 9), *pp. 362-364.*

LEXIQUE 365-367

Recherche iconographique : MOSAÏQUE

Les noms et pages en italique signalent des auteurs cités en documents.

Adam de la halle, 104-109.
Alain, 212.
Anacréon, 272.
Annales royales, 25.
Archipoète, 14.
Aristote, 112.
Aubailly (J.-C.), 125, 178, 181.
Aubigné (Agrippa d'), 293-294, 298, 301-302, 308-322.
Aucassin et Nicolette, 72.
Auerbach (E.), 337.

Badel (P.-Y.), 13, 16.
Baïf (A. de), 273, 277.
Bakhtine (M.), 218.
Balmas (E.), 245.
Baty (G.), 114, 115.
Bec (P.), 135, 138.
Bellay (J. du), 172, 242-245, 248-262.
Belleau (R.), 273, 285.
Béroul, 56.
Bertrand de Bar s/Aube, *36,* 41-44.
Bogaert (J.), 116.
Born (B. de), 134.
Bossuat (R.), 83, 86.
Bourget (P.), 281.
Boutet (D.), 11.
Brienne (J.), 136.

Champion (P.), 242.
Chanson de Guillaume (La), 36-38.
Chanson de Roland (La), 18-35.
Charroi de Nîmes (Le), 15-16.
Chauveau (J.-P.), 289.
Chrétien de Troyes, *13,* 58-71.
Cioran, 346.
Commynes (Ph. de), 100.
Conon de Béthune, 139-140.
Coulet (H.), 64.

Davenson (H.), 128.
Delbouille (M.), 142.
Demerson (G.), 210, 214, 220.
Deschamps (E.), 154.
Desportes (Ph.), 286.
Dubois (C.-G.), 292, 301.
Dufournet (J.), 141, 144, 165.
Durand, 88-90.

Éginhard, 26.
Érasme, 170-171, *174.*

François Ier, 245.
Frappier (J.), 59, 61, 93, 140.
Friedrich (H.), 337.
Froissart (J.), 98-99.

Gace-Brulé, 137.
Gadoffre (G.), 274.
Garapon (R.), 179.
Garnier (R.), 303-307.
Gide (A.), 361.
Giraud (Y.), 119, 186, 210.
Gréban (A.), 116-118.
Grévin (J.), 281.
Gringore (P.), 178, 184-185.
Guillaume d'Aquitaine, 129.
Guillet (Pernette du), 204-205.

Horace, 271.
Hugo (V.), 42.

Jeu d'Adam (Le), 102-103.
Jodelle (E.), 288.
Joinville (J. de), 96-97.
Jung (M. R.), 119, 186, 210.

Labé (L.), 206-208.
La Boétie (E. de), *289,* 297.
Lazard (M.), 181.
Lebègue (R.), 279, 281.
Le Goff (J.), 15.
Lestringant (F.), 313.
Lorris (Guillaume de), 149-150.

Machaut (G. de), 153.
Madelénat (D.), 18.
Magny (Olivier de), 206.
Marie de France, 50-51, 54.
Marot (Cl.), 190-197, *199.*
Mellin de Saint-Gelais, 199.
Menéndez Pidal (R.), 19.
Meung (J. de), 151-152.
Micha (A.), 341.
Michel (J.), 120-122.
Monluc (B. de), 312-313.
Montaigne (M.), *258,* 324-364.
More (Th.), 229.
Morel (J.), 303.
Muset (C.), 12.

Navarre (M. de), 186-189.
Nykrog (P.), 91.

Orléans (Ch. d'), 157-159.

Papillon de Lasphire (M. de), 290.
Paris (J.), 236, 239.
Passeron (J.), 116.
Pauphilet (A.), 150.
Payen (J.-C.), 63, 71, 289.
Peletier du Mans (J.), 247.
Pisan (Ch. de), 155-156.
Poirion (D.), 159.
Poulet (G.), 327.

Quatre Fils Aymon, 45-47.
Queneau (R.), 281.

Rabelais (F.), 169-170, *174,* 210-240.
Raoul de Cambrai, 38-39.
Renaud de Montauban, 45-47.
Revel (J.-F.), 334.
Rey-Flaud (H.), 119, 122.
Ribard (J.), 55.
Rigolot (F.), 212, 214, 223, 229.
Robert (F.), 168.
Roman de Renart (Le), 74-87.
Ronsard (P. de), 264-283, 299-300.
Rousseau (J.-J.), 327, 346.
Rousset (J.), 356.
Rudel (J.), 130-131.
Rutebeuf, 110-113, 141-148.
Ruwet (N.), 206.

Sainte-Beuve, 361.
Saulnier (V.-L.), 231, 236, 238, 239, 256.
Scève (M.), 198, 201-203, *272.*
Schmidt (A.-M.), 203.
Spitzer (L.), 236.
Sponde (J. de), 291-292.
Starobinski (J.), 331.
Strubel (A.), 11.

Théocrite, 272.
Thibaudet (A.), 327.
Tristan et Iseut, 52-57.
Tyard (Pontus de), 286.

Ventadour (B. de), 132-133.
Vigne (A. de la), 179, 182.
Vigny (A. de), 31.
Villehardouin (G. de), 93-95.

Weber (H.), 249.

Zinc (M.), 137.

Reportez-vous aux pages 9 et 167 pour la chronologie des siècles et des principales œuvres.

INDEX THÉMATIQUE

A

AILLEURS — 130-131, 214, 224-225, 229-230, 234-237.
AMBIGUÏTÉ — 60-61, 164, 183, 202-203, 204-205, 207, 275-276, 288, 300.
AMOUR — 50-51, 54-56, 58-59, 60-61, 65, 107-109, 129-133, 136-138, 149-150, 153, 154, 157, 186-189, 193, 197-198, 201-203, 204-205, 207, 248-251, 275-278, 288, 347.
ANCIENS — 172, 228, 244, 247, 253, 271, 344-345.
ARGENT — 12, 15, 162, 196, 344-345.
AUTOBIOGRAPHIE — 158, 194, 317, 332, 334.
AUTOPORTRAIT — 324.

B

BALLADE — 156, 158, 162, 164, 195.
BAROQUE — 198, 267, 292, 308, 326, 329-330, 340-341, 359.
BIBLE — 102-103, 114, 303-305, 315, 317.
BONHEUR — 50-51, 120-123, 261, 344-345, 360.
BURLESQUE — 72, 75-79, 88-92.

C

CARNAVAL — 262.
CHANSON DE GESTE — 18-47.
CHARLEMAGNE — 21-47, 306.
CHEVALERIE — 13, 15, 27, 41, 58-59, 67-68, 84, 94-95, 98-99.
CIVILISATION — 344-346.
COMÉDIE — 104, 112.
COMÉDIE SOCIALE — 82-83, 91-92, 107-109, 136, 146-147, 152, 162, 182-183, 326-327.
COSMOPOLITISME — 201, 344-345, 350-351.
COUP DE FOUDRE — 50, 53, 69, 201, 277, 349.
COUR — 48, 80-81, 107, 128, 172.
COURTOISIE — 48, 58, 84, 149, 159.
CROISADES — 10, 93-97, 139-140.
CRUAUTÉ — 39, 63, 100, 134, 187-188, 288, 303, 311-312, 344-345, 348.

D

DAME — 129-133, 154, 157, 248-251.
DESTIN — 23-24, 54, 57, 60-61, 142, 144, 163, 257, 277.
DIABLE — 110, 117.
DIEU — 33, 37-38, 47, 70, 96-97, 163, 188-189, 320, 360.
DRAME — 102-106.

E

ÉCRITURE — 212, 220, 247, 251, 253, 329-330, 332-337.
ÉDUCATION — 67, 169-170, 221, 227-229, 324, 357, 360.
ÉGLISE — 170-171, 316.
ENFER — 321-322.
ÉPICURISME — 341, 360.
ÉPOPÉE — 18-47, 84.
ÉROTISME — 197, 255, 290.
ÉVANGILE / ÉVANGÉLISME — 168-170, 231.
EXOTISME — 72, 80, 113, 214, 237.

F

FABLIAUX — 88.
FANATISME — 344.
FANTASTIQUE — 63, 66, 237-238, 293-294, 302.
FARCE — 123-127.
FÉMINISME — 156, 204-205, 208.
FEMME — 30-31, 50, 69. 88-90, 106, 123-124, 126-127, 145, 151, 161, 187-188, 197-198, 204-205, 288.
FEMME ÉCRIVAIN — 155, 186, 204-208.
FOI — 70, 96-97, 111, 139-140, 163, 186, 282.
FOLIE — 39, 178-183.

G

GÉANT — 215-237.
GUERRE — 15-16, 30-34, 93-99, 134, 158, 226-227, 234-235, 311-312, 343-345.

H

HAGIOGRAPHIE — 96-97.
HÉROS — 20, 31, 66, 84-85.
HISTOIRE — 25-28, 93-100, 315.
HUMANISME — 168-170, 174-176, 227, 284, 329.
HUMOUR — 41-42, 88-92, 164, 190, 192, 194, 204-205, 353-354.
HYPOCRISIE — 21, 23, 60-61.

I

IMITATION / INNUTRITION — 112, 244, 248-252, 271-273, 277, 357-358.
ITALIE / ITALIANISME — 172.

J

JÉRUSALEM — 40, 93-95, 139.
JONGLEURS — 12, 29, 85-86, 141-143.
JUSTICE — 80-81, 87, 96-97, 187-188.

L

LATINE [LITTÉRATURE] — 14, 104.
LIBERTÉ — 23-24, 60-61, 151, 201, 297, 326-327, 352-353.
LOI — 342-343.

M

MÉLANCOLIE — 50, 129, 130-133, 137-138, 147-148, 153-158, 259-261, 268-269, 282-283.
MERVEILLEUX — 47, 50-51, 53, 66, 70, 234-235, 237-238.
MÉTAMORPHOSE — 264, 320.
MORT — 33-35, 57, 96-97, 100, 122, 138, 163, 201, 216, 234-235, 270, 279, 282-283, 291-294, 350, 352-356.
MYSTÈRES — 114-122, 303.

N

NATURE — 78, 132, 151, 238, 268-270, 276, 285, 293-294.
NOUVELLE [genre litt.] — 187-189.

O

OBSCÉNITÉ — 105, 113.

OPINION — 58-59.

ORIENT — 60, 93-95, 130-131, 139-140, 169.

P

PARODIE — 72, 84-86, 113, 126-127, 146-147, 215-218, 239-240, 251.
PASSION — 53-57, 188-189, 202, 206-207.
PASSION DU CHRIST — 115.
PÉTRARQUISME — 250-251, 275-276.
PHILOSOPHIE — 151, 232, 338, 352-353, 355-356.
PLATONISME — 252.
POÈTE — 14, 172, 190, 192-193, 253, 260, 265-267, 286.
POUVOIR — 21, 100, 194, 227, 298, 326-327, 343-345.
PROTESTANTISME — 231, 296-300, 308-322.
PROVIDENCE — 96-97, 303.

R

RÉFORME — 171, 231, 299.
RELATIVISME — 224, 342, 344-346, 358-359.
RELIGION — 33-34, 70, 96-97, 170-171, 176, 188-189, 231, 238, 303, 360.
RÉVOLTE — 38, 60-61, 100.
RHÉTORIQUE — 106, 164, 276.
RIRE — 74-79, 85-86, 88-92, 178-180, 215, 217.
ROMAN — 46, 74.
ROME — 253-254, 256-258.
RUINES — 256.

S

SATIRE — 72, 75-77, 87, 92, 124-126, 146-147, 152, 170-171, 191, 217-218, 227-229, 262, 299.
SENSATIONS — 254-255.
SOLITUDE — 33-34, 37-38, 129-131, 143, 147-148, 156, 159, 259-260.
SONGE — 149, 248, 286.
SUZERAIN — 10-11, 80-81, 128.

T

TERRE SAINTE — 40, 93-95, 139-140.
THÉÂTRE — 102-127, 178-185, 303-307.
TOLÉRANCE — 342-346, 350-351, 358-359.
TROUBABOURS — 128-134.
TROUVÈRES — 135, 139-140.

U

UTOPIE — 130-133, 158-159, 214, 229-230, 236-237.

V

VASSAL — 10-11, 80, 87, 128.
VÉRITÉ — 329-331, 338-346, 347, 358-359.
VERTU — 60-61, 67, 96-97, 136, 188-189, 205, 303.
VOYAGE — 176, 225, 349-351, 358-359.

Y

YEUX — 198-199.

Cest le liure de mess lancelot du lac ou al liure some
temus tous les fais et les chsiues du dit mess lacel
z la este du s. graal haute ple dit mess lacel. le roy
artus galaor le lo chlir z les epaignon de la table ronde

qui se tient et iuge au plus pe
tit et au plus pecheur de tous
mande salut au commence
ment de ceste histoire a tous
ceulx qui le cuer ont et leur
entente en la sainte trinite cest
ou pere et ou filz et ou saint
esprit. Ou pere par qui toutes
choses sont establies. et recoiuent commencement
de vie. Du filz par qui toutes choses sont deliurez
des paines denfer et ramenees a la ioye pardurable.
Du saint esperit par qui toutes choses sont mises hors
des mains au maligne esprit et exemple de ioie par
leulluminement de lui est vray enlumineur et vray
confort. le nom de cellui qui ceste histoire fist nest mie
nomme au commencement mais par les paroles qui

cy apres seront dites pourres bien apperceuoir le nom
de lui et le pays dont il fu ne et vne grant partie de son
lignaige. mais au commencement ne se veult pas del
couurir Et si y a trois raisons pour quoy. la premier
est pour ce que sil se nommast et il deist que dieu lui
eust descouuerte si haulte histoire les felons et les
mieux le tenroient en vielte. la seconde raison si est
pour ce que se on sauoit son nom tel le pourroit ouir
nommer qui le cognoistroit si en puseroit moins lestoi
re pour ce que par tant petite personne eust este mise
en escript. la tierce raison si est que sil eust mis son
nom en lhistoire et trouuast aucune chose deslaue
nante par mieete des mauluais escriuains qui apres
le translatast dun liure en aultre tout le blasme en
fust sur moy Car on dist plus voulentiers le mal
le bien. Et plus est du homme blasme dun seul mal
sil le fait quil ne seroit de cent biens Et pour ces in
choses que vous aues oyr ne veult il mie que son no
soit du tout descouuert ia soit quil le vueille couurir
le sen a plus congneu quil ne vouldroit mais il dira

Le Moyen Âge

843	Traité de Verdun
987	Avènement d'Hugues Capet
1095	Le pape Urbain II prêche la 1re croisade
1099	Prise de Jérusalem
1137	Louis VII, roi de France, épouse Aliénor d'Aquitaine
1145	Saint Bernard prêche la croisade
1152	Aliénor épouse Henri II, roi d'Angleterre
1165	Canonisation de Charlemagne
1180	Philippe Auguste, roi de France
1191	Prise de St-Jean d'Acre par les croisés
1204	Prise de Constantinople
1208	Début de la croisade des Albigeois
1226	Saint Louis, roi de France
1248	Croisade de Saint Louis en Égypte
1257	Robert de Sorbon fonde la Sorbonne
1270	Mort de Saint Louis à Tunis
1271-1285	Voyages de Marco Polo en Extrême-Orient
1314	Louis X, roi de France
1328	Philippe VI, roi de France
1364	Avènement de Charles V
1380	Mort de Charles V et de Du Guesclin
1431	Jeanne d'Arc est brûlée
1440	Invention de l'imprimerie
1461	Mort de Charles VII

Date	Auteur	Œuvre
842		Les serments de Strasbourg
vers 880		*Séquence de sainte Eulalie*
vers 900		*Vie de saint Léger*
vers 940		*Sermon sur Jonas*
vers 1040		*Vie de saint Alexis*
vers 1065		*La Chanson de Roland*
vers 1080		*La Chanson de Guillaume*
1140	Jaufré Rudel	**Poèmes**
vers 1150	Wace	*Roman de Rou*
		Le Roman de Thèbes
vers 1160	Chrétien de Troyes	**Premières œuvres**
		Jeu d'Adam (?)
1170-1175	Thomas	*Tristan*
	Chrétien de Troyes	*Cligès*
vers 1175		*Le Roman de Renart* **(premières laisses)**
	Marie de France	*Lais*
	Bertrand de Born	**Œuvres**
vers 1180	Chrétien de Troyes	*Le Chevalier de la charrette, Yvain, Le Conte du Graal*
1192	Béroul	*Tristan*
vers 1195	Jean Bodel	*Jeu de saint Nicolas*
vers 1200		*Aucassin et Nicolette*
1207-1213	Villehardouin	*Chroniques*
vers 1225		*Tristan*, en prose
1234	Guill. de Lorris	*Le Roman de la Rose*
1262	Adam de la halle	*Jeu de la Feuillée*
1275	Jean de Meung	*Le Roman de la Rose*
1282	Adam de la halle	*Jeu de Robin et Marion*
1304-1309	Joinville	*Histoire de Saint Louis*
1340	Guill. de Machaut	*Remède de Fortune*
1373	Froissart	*Chroniques* (début)
1456	Villon	*Lais*
1461	Villon	*Le Testament*

Les conditions de la production littéraire

La renaissance de l'Occident chrétien

Le terme de Moyen Âge recouvre une longue période de notre histoire étalée sur dix siècles, depuis l'effondrement de l'Empire romain d'Occident (en 476) jusqu'à la capitulation de Constantinople devant les Turcs en 1453. Dès le Ve siècle de notre ère avaient déferlé sur l'Europe occidentale les invasions successives de peuples barbares venus de l'Est qui avaient ébranlé puis ruiné les fondements de la civilisation romaine. Malgré l'éphémère vigueur du règne de Charlemagne (768-814), le monde chrétien connaît un déclin sévère et durable. L'insécurité vide les campagnes, paralyse les échanges commerciaux, démantèle la société galloromaine de naguère. **L'unité politique est rompue ;** à l'autorité des institutions impériales se substitue une mosaïque anarchique de chefs féodaux belliqueux. Les épidémies, la guerre ou les famines déciment les populations. Lorsque le roi Hugues Capet succède en 987 au dernier souverain carolingien, le pays est exsangue et le nouveau monarque dispose d'un pouvoir politique fort limité.

Il faut attendre le XIe siècle pour observer les premiers signes de renouveau. Les invasions se font plus rares ; les épidémies sont en régression ; ainsi se dessine une expansion démographique qui va favoriser l'essor des villes et le développement du commerce. La productivité de l'agriculture s'améliore grâce à l'utilisation de techniques nouvelles et à l'ampleur du défrichement entrepris par les communautés monastiques : progressivement taillis et forêts cèdent la place aux terres cultivées. Sûre de ses forces retrouvées, **la chrétienté se fait plus audacieuse et plus militante :** la fondation de royaumes chrétiens (Navarre, Castille, Aragon) accompagne la reconquête de l'Espagne dont le territoire était occupé aux deux tiers par les Arabes qui avaient établi au VIIIe siècle le califat de Cordoue. La première croisade (1096-1099) associe plusieurs grands seigneurs (dont Godefroy de Bouillon, duc de Basse-Lorraine) pour aller reprendre aux peuples musulmans la Palestine et les Lieux Saints et créer le royaume latin de Jérusalem.

Dès le XIIe siècle les marchandises commencent à circuler régulièrement à travers l'Europe et confirment le tracé de grands axes commerciaux. L'Angleterre et les Flandres se partagent le négoce du textile ; les vallées du Rhône et du Rhin drainent les échanges établis entre les Pays-Bas et la Méditerranée ; à Venise affluent les épices, la soie et le riz importés d'Orient. Peu à peu la prospérité économique fixe des foyers de création artistique soit dans les cités où l'on tisse le drap, soit dans les bourgs (comme Troyes, en Champagne) où, au carrefour des grandes routes commerciales, se tiennent d'importantes foires.

La société féodale

La féodalité se définit essentiellement par l'hommage et le fief. L'**hommage** est la cérémonie par laquelle s'établissent des liens personnels entre deux membres des couches sociales dominantes. Le vassal affirme qu'il « devient l'homme » du suzerain et lui jure fidélité. En vertu du contrat vassalique, il doit désormais participer aux assemblées que réunit le seigneur (c'est le « conseil ») et lui apporter son « aide » pour l'administration, la justice et la guerre. En échange de ces services, le suzerain accorde sa protection et concède le bénéfice d'une terre, le **fief**, par un acte symbolique — cette époque reste, pour une large part, une civilisation du geste — au cours de la cérémonie d'investiture. À l'origine le fief ne consiste qu'en un droit d'usufruit mais, dès le XIe siècle, en France, il tend à devenir héréditaire. Ces liens, qui unissent entre eux les chevaliers et étendent leur réseau jusqu'au niveau supérieur des rois, apportent au système social sa solidité. Ce serait rigidité si un même vassal ne l'était à la fois de plusieurs seigneurs. Le jeu politique retrouve ainsi ses droits. Pour les couches inférieures, la mise en place de la féodalité se traduit par une dépendance plus rigoureuse pour une exploitation plus rentable des terres. La protection du château se paie par un pesant service en travail accompagné et progressivement remplacé par des redevances. Elle se double d'une domination qui s'exerce dans tous les domaines, publics et privés, sur des paysans maintenant réduits en une classe uniforme de manants, alors que l'époque carolingienne distinguait encore les hommes libres des serfs.

Avant le XIIIe siècle les distinctions à l'intérieur de la société sont rudimentaires et s'en tiennent aux fonctions de chaque groupe dans la communauté plus qu'à sa situation réelle. Trois ordres se partagent le monde et en épuisent la signification : ceux qui prient, ceux qui combattent, ceux qui travaillent. Il est vrai que la spécialisation est une apparition tardive : la division du travail naît avec la ville. À l'époque carolingienne, dans l'économie domaniale des *villae*, qui repose sur la division entre *ingenui* et *servi* (hommes libres et paysans des tenures liés indissolublement au propriétaire), le pouvoir royal émane d'une suprématie militaire et vit des ressources des domaines les plus vastes. L'encadrement des sociétés rurales par la seigneurie foncière l'oblige à tenir, personnellement, par la faveur ou par la contrainte, quelques centaines de grands seigneurs. Les Carolingiens s'imposent grâce aux expéditions à l'étranger, où, de mai à octobre, ils remplissent leur rôle de chefs de guerre ; entre les campagnes, leur influence prévaut grâce à des amis sûrs, qu'ils s'attachent par des liens de parenté. Peu à peu, la parenté artificielle va se substituer à la parenté familiale : c'est le début des rapports de vassalité, par lesquels un homme libre s'engage envers un autre, échangeant son dévouement et ses services contre un bénéfice. La royauté se pare de plus en plus de couleurs religieuses par la cérémonie du sacre, tandis que les théoriciens célèbrent cette union du trône et de l'Église.

À partir du XIe siècle, le système est constitué, mais menacé par ses contradictions internes, sources de conflits permanents : l'absence de pouvoir politique et judiciaire régulateur, en dehors de l'Église dont la puissance est d'abord spirituelle ; la guerre endémique dans la logique des *faides*[1] ; le problème des cadets sans terre et sans vocation ecclésiastique, chevaliers non *chasés*[2]. Comme la cohésion de ce monde est essentiellement morale, la littérature tient, dans le maintien de son unité, une place de choix. Dans le roman et l'épopée• elle en célèbre les valeurs, mais aussi les déchirements. L'office royal fascine les auteurs : seigneur parmi les seigneurs, *primus inter pares*, mais sanctifié par le sacre, le roi est partagé entre la médiocrité effective de ses pouvoirs et sa haute mission théorique, véritable magistère moral. La littérature de ce temps s'intéresse donc surtout à cette aristocratie guerrière dont elle célèbre les idéaux et les préoccupations. Les négociants et les serfs sont confondus dans la même réprobation.

Dominique Boutet et Armand Strubel, *Littérature, Politique et Société dans la France du Moyen Âge*, P.U.F., 1979.

(1) représailles menées par des clans ennemis   (2) pourvus d'un fief

Ambrogio Lorenzetti († en 1348), *Le Bon Gouvernement*, Sienne, Palais public, ph. Giraudon.

■ La naissance des langues nationales

La littérature du Moyen Âge est caractérisée par la coexistence de deux langues : le latin, d'une part ; la langue vulgaire, d'autre part. Le monopole du savoir a été longtemps réservé à l'Église qui confiait à la langue latine la continuité d'une tradition écrite, à la fois religieuse et scientifique. Durant de longs siècles, seuls les clercs• ont eu accès à la culture et ont été capables de perpétuer, d'animer et de renouveler la vie intellectuelle. Puis le brassage des peuples et des civilisations a fait lentement émerger des langues nouvelles qui vont lentement entrer en concurrence avec le latin et exprimer les idéaux et les valeurs d'une culture profane. Les premières œuvres littéraires du Moyen Âge composées en langues vulgaires ne sont pas fixées dans un texte écrit ; destinées à être récitées, psalmodiées ou chantées elles se propagent oralement de génération en génération sous forme de contes, d'épopées• ou de chansons. Les premiers textes écrits dans une langue vernaculaire sont des documents juridiques ou des récits hagiographiques•. Ainsi, à partir du IXe siècle, voit-on apparaître les *Serments de Strasbourg* (qui consacrent à la fois en langue romane et en langue germanique le partage de l'Empire entre les fils de Charlemagne, en 842), puis la *Séquence de sainte Eulalie* (865), le *Sermon sur Jonas* (vers 940), la *Vie de saint Alexis* (vers 1040).

La diffusion des genres littéraires

Lorsqu'ils finissent par accéder à l'écrit, **les genres littéraires initialement livrés au public par tradition orale sont généralement l'objet d'incessants remaniements** destinés à les rendre conformes à l'attente d'une petite élite aristocratique. La multiplicité des variantes que l'on peut relever entre les différentes copies d'un même manuscrit rend illusoires les efforts déployés par les érudits pour essayer de reconstituer l'état primitif d'un texte. En effet, le copiste peut involontairement accumuler des erreurs matérielles de transcription dues à l'inattention ou aux défaillances de la mémoire. Mais il peut aussi être amené à modifier délibérément le texte qui lui est soumis. Tantôt il développe de sa propre main telle anecdote lui paraissant peu claire. Tantôt il prend l'initiative de regrouper au sein d'un même cycle plusieurs textes distincts : la nécessité d'aménager des transitions ou de supprimer des épisodes devenus incompatibles avec la cohérence logique ou chronologique d'un ensemble artificiellement élaboré conduit inévitablement à trahir et à mutiler le texte authentique.

Plus grave encore, **la notion de propriété littéraire n'existe pas au Moyen Âge.** Dès qu'un sujet est accueilli favorablement par le public des lettrés, l'œuvre primitive tend généralement à être plagiée et sombre donc tôt ou tard dans l'oubli, victime de la concurrence engagée par les nombreuses adaptations qu'elle a inspirées. Seul un hasard exceptionnel a fait parvenir jusqu'à nous quelques fragments des deux premiers *Tristan* en vers composés par Béroul et Thomas (cf. p. 52) : contre toute attente, le succès considérable de l'adaptation en prose, plus tardive (cf. p. 52), n'a pas réussi à éclipser totalement le modèle initial.

L'un des médiateurs indispensables à la diffusion des œuvres littéraires est le **jongleur.** Amuseur public aux dons multiples (cf. p. 48), il se produit aussi bien dans les châteaux que sur les places publiques ou sur les champs de foires. Cet artiste a appris par cœur des chansons de geste, des fabliaux, des poèmes lyriques• qu'il interprète au gré de sa fantaisie et en fonction des goûts d'un public toujours renouvelé. Une chanson de Colin Muset (XIIIᵉ siècle) permet d'imaginer l'existence aventureuse de ces conteurs itinérants.

EXTRAIT

Pol de Limbourg (XVᵉ siècle), *Très Riches Heures du duc de Berry*, «janvier», «Le Duc à table», Chantilly, musée Condé, ph. H. Josse.

I. Seigneur comte, j'ai joué de la viole devant vous, en votre demeure, et vous ne m'avez rien donné, vous n'avez pas payé mes gages. C'est une honte. Par la foi que je dois à sainte Marie, je ne vous suivrai plus. Mon aumônière est mal garnie et ma bourse est dégonflée.

5 II. Seigneur comte, vous exigez de moi que j'exauce votre désir. Qu'il vous plaise donc, seigneur, d'être généreux, par courtoisie! J'ai l'intention, n'en doutez pas, de retourner auprès des miens : mais quand j'arrive la bourse vide, ma femme ne me sourit guère.

III. Mais elle me dit : «Maître empoté, dans quel pays avez-vous été pour 10 n'en avoir rien rapporté? Vous êtes allé vous amuser à travers la ville. Voyez comme votre valise plie; elle est toute farcie de vent. Honni soit qui désire vivre en votre compagnie!»

IV. Mais quand je rentre chez moi et que 15 ma femme a aperçu derrière moi le sac gonflé et qu'elle me voit moi-même bien vêtu de robe fourrée [de petit-gris], sachez qu'elle a vite fait de poser là sa quenouille. Elle me sourit sans retenue et me jette les bras autour du cou.

20 V. Ma femme va détacher de la trousse ma valise sans perdre un instant. Mon garçon va abreuver et panser mon cheval, et pour me plaire ma servante va tuer deux chapons qu'elle cuira à la sauce à l'ail. Ma fille m'apporte un 25 peigne de sa propre main, aimablement. Alors je suis le maître en ma maison, dans la joie et loin des querelles, plus que nul ne le pourrait dire.

Colin Muset, traduction de Guillaume Picot in *La Poésie lyrique au Moyen Âge*, tome II, Larousse, 1965.

■ Littérature et société

Clercs• et chevaliers

Les clercs• apparaissent comme les intellectuels les plus cultivés du Moyen Âge. Ils ont habituellement fréquenté les écoles abbatiales et épiscopales où ils ont reçu un enseignement organisé selon deux cycles successifs ; le *trivium*, à dominante littéraire, les a plongés dans l'étude de la grammaire, de la rhétorique• et de la dialectique• ; le *quadrivium*, à dominante scientifique, leur a inculqué les acquis fondamentaux de l'arithmétique, de la géométrie, de l'astronomie et de la musique. S'ils appartiennent à l'Église, les clercs• ne sont pas tous nécessairement investis d'une fonction sacerdotale. Leur foi n'est pas incompatible avec les enseignements hérités de l'antiquité grecque et latine. Beaucoup d'entre eux vivent de leur activité de professeur, de savant ou se font les collaborateurs recherchés de seigneurs laïcs soucieux de promouvoir une culture profane autonome. Aussi voit-on progressivement le savoir des clercs• s'allier à l'éthique• des chevaliers. Lancelot (cf. p. 64) de Chrétien de Troyes représente le degré achevé de cette synthèse.

DOCUMENT 1

Vers 1175, dans le prologue de Cligès *(cf. p. 60), Chrétien de Troyes associe dans un même hommage clercs• et chevaliers, héritiers communs de la civilisation léguée par l'Antiquité.*

Cette histoire que je veux vous raconter, nous la trouvons écrite dans un des livres de la bibliothèque de monseigneur Saint Pierre à Beauvais ; de là fut tiré le conte qui atteste la véracité de l'histoire : aussi mérite-t-elle d'autant mieux d'être crue. Par les livres que nous possédons nous connaissons les faits et gestes des Anciens et du monde qui fut jadis. Nos livres nous ont appris que la Grèce eut le premier renom de chevalerie et de science. Puis la chevalerie passa à Rome, et avec elle la somme de la science, qui maintenant sont venues en France. Dieu fasse qu'elles y soient retenues et que le séjour leur plaise tant, que jamais ne sorte de France la gloire qui s'y est arrêtée. Dieu ne l'avait que prêtée aux autres, car des Grecs, ni des Romains on ne parle plus du tout, tous propos sur eux ont cessé, et elle est éteinte, leur vive braise.

Chrétien de Troyes, *Cligès*, traduit de l'ancien français par Alexandre Micha, Honoré Champion, 1969.

DOCUMENT 2

Toute la poésie médiévale a été conçue, écrite et conservée par l'infime minorité qui détient le pouvoir, et pour elle. Quand bien même le public d'une épopée•, d'un fabliau ou d'un jeu théâtral s'étend à un auditoire plus populaire, c'est encore les valeurs de cette minorité que cet auditoire est invité à partager. Il est clair qu'elles font peu de cas du peuple. Des genres entiers, la pastourelle, le fabliau, *Renart*, témoignent de l'amusement qu'inspirent aux chevaliers les velléités d'honnêteté d'une jeune paysanne ou les efforts pour s'élever à plus de courtoisie chez les bourgeois.

Pierre-Yves Badel, *Introduction à la vie littéraire du Moyen Âge*, Bordas, 1969.

Pieter Bruegel (1525?-1569), *La Tour de Babel*, Vienne, Kunsthistorisches Museum, ph. E. Lessing - Magnum.

L'écho des tensions sociales

L'univers des clercs• est loin d'être un milieu social homogène. Beaucoup d'entre eux, arrivés au terme de leurs études, ne peuvent trouver d'emploi stable. Ignorés ou rejetés par la hiérarchie ecclésiastique, ils deviennent des marginaux, appelés *goliards* ou *vagants,* parce qu'ils vagabondent de ville en ville, menant une vie de bohème parfois misérable. Le jeu, le vin et les plaisirs sont souvent les seuls moyens illusoires de faire diversion à leur détresse. Les plus révoltés prennent aussi la plume pour dire leur amertume ou faire avec cynisme• l'apologie• de l'anticonformisme.

EXTRAIT

C'est en latin qu'écrit un goliard qui dissimule son identité sous le pseudonyme de l'Archipoète.

Il y a des poètes qui évitent les lieux publics
Et cherchent des demeures secrètes et cachées ;
Ils travaillent, ils s'acharnent, ils veillent, ils peinent dur
Et arrivent à peine à rendre leur œuvre illustre.
5 Les chœurs des poètes jeûnent et font maigre !
Ils évitent les rixes publiques, le tumulte des places,
Pour faire une œuvre qui ne puisse mourir :
Ils crèvent eux-mêmes, écrasés de travail.

La nature donne à chacun le don qui lui convient.
10 Moi, je n'ai jamais pu écrire à jeun :
Un bambin me bat quand je suis vide :
Je hais la soif et le jeûne comme la mort.

La nature fait à chacun le don qui lui convient.
Moi, en faisant des vers, je bois du bon vin ;
15 Celui que les tonneaux des aubergistes ont de plus pur,
C'est ce vin-là qui donne l'abondance à mes discours.

Tel vin je bois, tels vers je fais.
Je ne peux rien faire sans nourriture :
Ce que j'écris à jeun ne vaut rien,
20 Après boire, mes vers valent mieux que ceux d'Ovide.

Je n'ai jamais le souffle poétique
Tant que mon ventre n'est pas bien plein ;
Dès que Bacchus[1] domine dans ma tête,
Phœbus[2] entre en moi et m'inspire des merveilles.

(1) dieu de la vigne et du vin
(2) dieu de la poésie

Traduction de Jean-Charles Payen et Jean-Pierre Chauveau in *La Poésie des origines à 1715,* A. Colin, 1968.

Souvent aussi les *goliards* attaquent avec virulence le clergé, les institutions ecclésiastiques et l'autorité du pape. L'opposition entre séculiers et réguliers trouve un terrain particulièrement sensible dans les problèmes liés au fonctionnement de l'université et au recrutement de ses maîtres. Rutebeuf (cf. p. 141) s'engage résolument dans cette polémique• qui embrase l'université de Paris au milieu du XIIIe siècle et révèle ainsi **les profondes dissensions qui déchirent le monde des intellectuels** ; mais la défense passionnée des intérêts corporatifs menacés par les ambitions des ordres mendiants ne saurait masquer l'ampleur des enjeux idéologiques• et politiques âprement disputés au sein d'une société jeune et instable.

Une grave crise, qui secoua les universités au XIIIᵉ siècle et au début du XIVᵉ, révéla l'ambiguïté de la situation des intellectuels et le mécontentement de beaucoup. Ce fut la querelle des réguliers et des séculiers, la violente opposition des séculiers à l'extension de la place prise dans les universités par des maîtres appartenant aux nouveaux ordres mendiants. [...] Au plus fort de la lutte un maître séculier Guillaume de Saint-Amour publia une violente attaque contre les frères dans un traité intitulé : *Les Périls des Temps Nouveaux.* Condamné par le Pape, il fut banni malgré la vive résistance d'une partie de l'Université en sa faveur.

Quels étaient les griefs des maîtres séculiers à l'égard des Mendiants ?

Dans une première période, de 1252 à 1254, ces griefs sont presque exclusivement d'ordre corporatif. Les séculiers reprochent aux Mendiants de violer les statuts universitaires. Ils obtiennent les degrés en théologie et les enseignent sans avoir acquis préalablement la maîtrise-ès-arts. [...]

La lutte rebondit, devint plus âpre, se transporta sur un autre plan, non plus corporatif mais dogmatique•. Les maîtres séculiers, Guillaume de Saint-Amour au premier rang, et des écrivains comme Rutebeuf (dans des poèmes de circonstance) et Jean de Meung (dans *Le Roman de la Rose*) attaquèrent les ordres dans les fondements mêmes de leur existence et de leur idéal.

Les Mendiants sont accusés d'usurper les fonctions du clergé : confession et enterrement notamment ; d'être des hypocrites qui recherchent plaisir, richesse, pouvoir : le fameux *Faux-Semblant* du *Roman de la Rose* est un Franciscain ; et finalement d'être des hérétiques : leur idéal de pauvreté évangélique est contraire à la doctrine du Christ et menace de ruine l'Église.

Jacques Le Goff, *Les Intellectuels au Moyen Âge*, Le Seuil, 1965.

La caste des grands seigneurs aristocratiques est elle-même menacée dans sa cohésion. Si les fils aînés sont assurés de recueillir en héritage le patrimoine familial, les cadets, en revanche, sont largement défavorisés par les règles de succession. Après avoir été entraînés au métier des armes et avoir été admis au nombre des chevaliers — au terme d'une longue initiation consacrée par le rite de l'adoubement (cf. p. 67) — ces fils de famille ne peuvent souvent prétendre à la possession d'un fief étendu que par le biais du mariage. Voués à l'errance, ils passent en général de longues années au service d'un ou plusieurs suzerains avant de finir par épouser une héritière plus ou moins fortunée qui leur apportera, en dot, une terre avidement convoitée. Durant ces années de célibat prolongé, **les jeunes aristocrates constituent le public privilégié auquel sont destinées les œuvres littéraires que diffusent les jongleurs.** Certains seront même des auteurs lyriques de renom (cf. p. 139). L'ardeur de ces fringants bacheliers ne se satisfait pas toujours du champ clos des tournois où les défis et exploits individuels ne sauraient échapper à l'attention admirative des dames. Les plus valeureux mettent leur fougue et leur goût de la prouesse au service de la foi ; leurs rangs ne cesseront de grossir les colonnes de guerriers et de croisés qui, en Espagne ou en Orient, participent à la défense ou à l'expansion de la chrétienté.

EXTRAIT

En 1066, de nombreux chevaliers se pressent pour répondre à l'appel de Guillaume le Conquérant.

Guillaume est monté sur une table
Et s'est mis à crier de sa voix claire :
« Écoutez-moi, barons de France.
Aussi vrai que je demande l'aide de Dieu, je peux me vanter
5 D'avoir plus de terre que trente de mes pairs réunis,
Mais je n'en ai pas encore libéré un journal⁽¹⁾.
Je le dis aux jeunes gens pauvres
Qui ont des roussins éclopés et des vêtements déchirés,
Et qui ont servi sans rien conquérir ;
10 S'ils veulent, en ma compagnie, faire leurs preuves à la bataille,
Je leur donnerai argent, domaines,
Châteaux, terres, donjons, forteresses,
Pourvu qu'ils m'aident à conquérir le pays,
À exalter et à glorifier la loi divine.
15 Voilà ce que je veux dire aux jeunes gens pauvres,
Aux écuyers qui ont des vêtements usés :
S'ils viennent avec moi conquérir l'Espagne,
M'aident à libérer le pays,
À exalter et à glorifier la loi divine,
20 Je leur donnerai en abondance deniers, argent brillant,
Châteaux, terres, donjons, forteresses,
Destriers d'Espagne, et ils seront armés chevaliers. »
À ces paroles, ils sont joyeux et contents ;
Ils se mettent à crier à voix très haute :
25 « Seigneur Guillaume, pour Dieu, ne tardez pas.

(1) Mesure de surface qui désigne ce que l'on peut labourer en une journée.

Celui qui est sans cheval ira à pied avec vous.»
Il fallait voir les écuyers pauvres,
Et avec eux les chevaliers pauvres !
Ils rejoignent Guillaume, le marquis au fier visage.
30 En peu de temps il réunit trente mille hommes,
Équipés d'armes selon leurs possibilités,
Qui tous ont promis et juré
De ne pas lui faire défaut même si on devait leur couper les membres.
À la vue de cette armée, le comte est joyeux et content ;
35 Il leur dit merci au nom du Dieu de gloire.

Le Charroi de Nîmes, chanson de geste anonyme du XIIe siècle, vers 635 à 669 ; traduction de Fabienne Gégou, Honoré Champion, 1971.

Au fil des siècles, **les prétentions hégémoniques de l'aristocratie vont être progressivement remises en cause par l'émergence de forces sociales impatientes de faire valoir leurs droits.** C'est ainsi que le développement des échanges commerciaux, devenu décisif à partir du XIIe siècle, encourage l'essor de l'artisanat. Les villes du Nord, spécialisées dans la fabrication des textiles, vont graduellement acquérir une certaine prospérité et permettre l'éclosion d'une petite bourgeoisie de négociants. Jaloux de leur autonomie, ces bourgeois font pression sur les seigneurs, dès la fin du XIe siècle, pour obtenir des franchises municipales en rachetant les droits féodaux qui, jusqu'alors, leur étaient imposés. La naissance de puissants corps de métiers, l'ambition des notables issus de leurs rangs auront pour effet d'étendre rapidement les prérogatives de la commune au détriment des privilèges traditionnellement réservés à l'aristocratie.

DOCUMENT

Dans l'épopée• on passe du *Roland*, où la cohésion de la chevalerie ne semble pas faire problème, au cycle de Guillaume, où l'on voit un vassal turbulent, mais encore loyal, sauver du désastre une chrétienté menacée par la lâcheté du roi Louis qui a congédié avec ingratitude tous les bons conseillers de son père pour s'entourer de parvenus intéressés. [...] Le roman fait entendre les mêmes plaintes contre les mauvais conseillers dont s'entourent les rois. [...] L'ordre social idéal est positivement exalté dans l'œuvre de Chrétien (cf. p. 58). La cour d'Artu s'offre comme un modèle proposé aux princes. À la Table Ronde, le roi n'est que le premier parmi ses égaux. Il ne peut rien sans ses chevaliers. [...] Ainsi l'idéologie• diffusée par les romanciers courtois tente de concilier des forces antagonistes. Plus ces dernières s'accroissent, plus grand est l'effort du romancier pour faire considérer comme naturel le mythe• de l'unité de destin de la classe chevaleresque. Le roman en prose s'épuise à cette tâche impossible.

Pierre-Yves Badel, *Introduction à la vie littéraire du Moyen Âge*, Bordas, 1969.

Pieter Bruegel (1525?-1569), *Les Proverbes allemands*, ph. J.-P. Anders-Gemäldegalerie Staatliche Museen Preußischer Kulturbesitz, Berlin.

L'univers féodal et sa littérature

Les chansons de geste

La littérature courtoise

Les chansons de geste

■ La première et la grande épopée française :
La Chanson de Roland

Le genre de la chanson de geste

Genre littéraire autonome, les chansons de geste ne sont pas pour autant sans ascendance ni appartenance. **Qu'est-ce en effet qu'une chanson de geste?** Les mots eux-mêmes le disent. Chanson signifie ici communication orale d'un poème (défini par le vers décasyllabe, le plus souvent, la strophe de longueur variable ou laisse et l'assonance, plus fréquente que la rime, dans les débuts). Quant au mot geste, il a le triple sens de notre mot histoire : narration, série d'événements, importance et dignité du narré justifiant la narration. La chanson de geste est donc un poème narrant des hauts faits, autrement dit une épopée.

Et les **conditions socio-historiques** où naissent les chansons de geste rappellent étrangement l'époque où furent créées les épopées homériques (IXe-VIIIe siècles av. J.-C.) : expansion territoriale manifestant le dynamisme retrouvé d'une nation, c'est la colonisation grecque sur les bords de la Méditerranée, ou la croisade chrétienne contre les infidèles, affirmation d'une civilisation nouvelle dont l'expression artistique est l'art géométrique ou l'art roman, système social où aristocratie guerrière et prêtres établissent des liens de collaboration concurrentielle. Dans cet âge épique, le poème vient, semble-t-il, apporter à la jeunesse d'une communauté tendue vers la réalisation d'un grand dessein la caution d'un passé, évidemment idéalisé et retravaillé. Artiste de la mémoire, le poète épique, dans la France médiévale comme dans la Grèce antique, nourrit le rêve présent de la nostalgie des anciens temps.

DOCUMENT

Éléments pour une définition du genre épique

Sur le plan du langage, l'énonciation épique se caractérise par l'omniscience et l'objectivité d'un narrateur qui s'efface derrière ses descriptions et ses personnages et par la situation d'oralité du poète à l'égard de son public. [...] Si l'on passe à l'énoncé proprement dit, la quantité verbale, importante (plusieurs épisodes, répartis en chants ou en journées-séances de récitation), s'accompagne de qualités stylistiques [...] : emploi de la parataxe (les événements, également éclairés par le poète, sont appelés à l'existence l'un après l'autre et situés dans un présent permanent, sans discours explicite qui les subordonne l'un à l'autre) ; récurrence d'expressions figées (épithètes de nature, métaphores ou images conventionnelles) ; prédominance de certaines figures (hyperboles et comparaisons) ; choix d'un vocabulaire élevé ; mètre régulier (décasyllabe ou alexandrin), fortement accentué pour soutenir la récitation. [...] Mieux vaut, puisque l'épopée est essentiellement «poésie de l'action», [...] analyser [...] cette syntaxe des actions qui est l'armature de toute œuvre épique. Un héros, chef d'une communauté d'importance variable [...], se voit déléguer par une puissance régulatrice et ordonnatrice qui donne à l'œuvre sa dimension transcendante (dieux, destin ou providence) une mission : atteindre un objet (en général une victoire) à travers une série d'aventures et de conflits violents, en vue d'une finalité qui est, en fin de compte, un meilleur rapport de sa communauté à un environnement transformé. Des auxiliaires et des adversaires (forces humaines, magiques ou divines) interviennent pour dramatiser cette action positive et ascendante qui révèle la grandeur d'un homme, le pouvoir des dieux, la cohésion d'un groupe.

Les constellations thématiques qui se dégagent de la masse épique peuvent se classer [...] selon leurs affinités de sens avec les genres voisins, en trois ensembles : du côté de la tragédie, l'austère grandeur des «situations-limites» [...] : mort, souffrance, combat, faute ; [...] Du côté du conte, qui, lui aussi, relate l'émergence d'un héros prédestiné, avec [...] son ingéniosité, son appétit de vie [...]. Du côté du roman, avec les voyages extraordinaires, les épisodes sentimentaux, toute la pittoresque individualisation d'un protagoniste qui s'éloigne de l'hiératisme premier.

D. Madelénat, article «Épopée» dans Beaumarchais, Couty, Rey, *Dictionnaire des littératures de langue française*, Bordas, 1984.

Les origines d'une chanson de geste

La Chanson de Roland nous est surtout connue par un texte retrouvé à Oxford par un jeune chercheur français, Francisque Michel, et publié par ses soins en 1837. C'est le fameux manuscrit d'Oxford que l'on date généralement autour de 1150. Mais il existe d'autres manuscrits (plus récents) proposant d'autres versions, parfois notablement différentes. Ce fait, parmi d'autres, tend à faire penser que le manuscrit d'Oxford offre la transcription en dialecte anglo-normand d'une œuvre composée antérieurement. À quelle date ? On répond le plus souvent dans les dernières années du XIᵉ siècle, c'est-à-dire dans l'ambiance idéologique• de la première croisade. Mais c'est déjà prendre implicitement parti dans la délicate question des origines que *La Chanson de Roland* pose avec une particulière acuité : cette chanson de geste n'est-elle pas à la fois la plus ancienne et une des plus belles, sinon le chef-d'œuvre du genre, reconnu tel lors de sa redécouverte, mais aussi à l'époque de son apparition ? Mystère excitant, assez semblable à celui des épopées d'Homère. Nous nous contenterons ici de résumer **les principales solutions proposées** sans nier l'importance d'une question qui met aussi en jeu l'unité du texte (poème créé en une seule fois ou résultant d'apports multiples, quelque peu disparates ?) et la nature de sa production (écrite ou orale ? individuelle ou de quelque façon collective ?).

À la fin du XIXᵉ siècle, Gaston Paris pense que des légendes, constituées autour de faits historiques essentiellement carolingiens, se sont perpétuées jusqu'au XIᵉ siècle sous la forme de chants lyriques•, assez brefs et à contenu héroïque, les **cantilènes**. Comme elles auraient été exclusivement orales, il ne faudrait pas s'étonner que nous n'ayons sur elles aucun témoignage. Au début du XXᵉ siècle, Joseph Bédier insiste sur l'importance accordée par les chansons de geste au thème de la croisade et attribue un rôle essentiel dans l'élaboration des légendes épiques aux monastères, étapes des pèlerinages, et à leurs clercs•. Mais très sensible à l'unité de *La Chanson de Roland* et à son art concerté, il la considère comme l'œuvre d'un poète remplissant toutes les fonctions d'un authentique créateur et puisant les éléments de sa technique artistique dans les *Vies de saints*, genre antérieur selon lui. Ainsi une **thèse «individualiste»** impliquant un primat de l'écrit (le jongleur fait un poème de la légende transmise par les moines) s'oppose à une **thèse dite «traditionaliste»** mettant au premier plan l'oral et ce qu'on appelle, de façon assez floue, la création collective (le peuple chante les hauts faits des grands hommes de jadis). Par la suite, la discussion s'organise autour de ces deux pôles : les uns comme Ramón Menéndez Pidal, attentifs aux mécanismes de la littérature orale voient la production des chansons de geste comme l'incessant remaniement d'une matière épique par des générations de jongleurs en contact étroit avec leur public. D'autres comme Pierre Le Gentil présentent la chanson de geste que nous connaissons comme le résultat d'une mutation : à partir de la tradition orale un poète utilisant l'écriture aurait recréé, en exploitant des chansons plus anciennes (selon un chroniqueur, une chanson de Roland aurait, par exemple, été chantée avant la bataille d'Hastings en 1066). Cette dernière hypothèse qui rappelle l'élaboration souvent proposée pour les épopées d'Homère, paraît plus particulièrement adaptée à *La Chanson de Roland* où une composition savante se conjugue à des techniques d'origine orale. Mais pas plus que les autres, elle ne dispose de preuve irréfutable et la critique récente a tendu à se détourner d'une discussion qui risquait de tourner en rond et d'un problème qui appelle peut-être des solutions diverses pour chaque chanson de geste, puisque aussi bien les textes dont nous disposons s'étalent sur deux siècles.

DOCUMENT _____

Le *Roland* est une œuvre collective, élaborée au cours des siècles. [...] Les œuvres collectives d'intérêt général résultent d'une succession de créations et d'agencements, dus à plusieurs poètes qui reçoivent en héritage la conception initiale, dont ils tirent des ressources primitivement imprévues. La contribution personnelle de chaque chanteur ne s'intègre au capital commun qu'au moment où, grâce aux variantes, elle a perdu tout caractère individuel sans que le chant tombe pour autant dans une insipide monotonie. La grandeur poétique et l'unité d'inspiration s'obtiennent grâce à l'apport de plusieurs auteurs anonymes dont la collaboration successive est animée des mêmes mobiles idéaux.

Ramón Menéndez Pidal, « *La Chanson de Roland* » et la Tradition épique des Francs, A. et J. Picard, 1960.

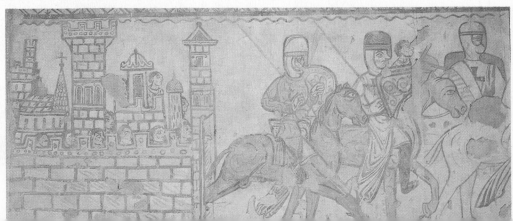

Départ pour la deuxième croisade, fresque de la chapelle de Cressac (Charente), ph. H. Josse.

À la recherche de l'humanité épique : le héros collectif

Ce qui nous frappe d'abord dans l'épopée, au point qu'on risque parfois de l'y réduire, c'est une vision de l'homme, à nos yeux singulière, sinon exotique, et *La Chanson de Roland* participe largement de cette anthropologie• particulière, même si en l'approfondissant, elle peut la mettre en question. Soulignons d'abord que **le héros reste un homme** dont il a les besoins, les sentiments et les faiblesses ou excès. Mais il s'agit d'un homme exemplaire : il porte des valeurs, plus exactement il les met en application plutôt qu'il ne les figure. Heureuse manière de les manifester puisqu'elles sont valeurs de l'action. **Le héros a un rôle d'éveil ;** il rend à l'action vraie un groupe menacé par la torpeur ou l'habitude, il fait réagir. **Qu'est-ce donc qu'agir vraiment,** à l'école du héros ? Chez ces êtres juvéniles, c'est d'abord déployer **l'énergie de la vie,** d'où l'insistance sur les exploits physiques et la vertu de force ; c'est ensuite **affronter tous les obstacles,** qui convergent en la mort , d'où le motif majeur de la bataille dont la forme pure ne saurait être que succession de combats singuliers ; c'est aussi, revers positif de l'affrontement, produire à l'être, **créer** (et ici il nous faut admettre, en suivant les poètes épiques, que la victoire à la guerre est créatrice, par exemple de conquête ou de conversion) ; c'est enfin **se montrer généreux,** s'oublier par amour d'autrui, d'où l'amitié virile et le sacrifice. Pur homme d'action, le héros limite son domaine aux modalités et aux moyens. Certes, il n'est pas coupé des fins, mais n'ayant rien d'un inventeur spirituel, **il accepte l'idéologie•** qui sert de cadre à son activité. Habité par des certitudes, jamais le héros n'hésite vraiment (mais il peut connaître le revirement). Aussi son **psychisme** nous paraît-il **singulier :** comme sujet d'action, nous attendons chez lui une intériorité, mais l'épopée ne cultive guère la dimension psychologique : elle se borne à indiquer, parfois avec beaucoup de finesse, des motivations, elle ne décrit pas des états d'âme. C'est que le personnage du héros se conçoit essentiellement non comme une personne, mais comme un actant• qui accueille des impulsions d'ordre divers (transcendant, idéologique•, sentimental). Homme comme les autres, aimant les autres, soumis à l'idéologie• du groupe, ne se percevant nullement comme source spirituelle, tout donne bien au héros le caractère collectif. Mais pour tenir son rôle d'exemple il lui faut aussi se distinguer, plus exactement **il doit exceller** à l'intérieur des cercles concentriques de la société épique : foule indistincte, mais souvent dénombrée, guerriers seulement nommés, compagnons ou pairs de l'action militante. Ainsi se suggère l'optimisme de l'épopée : autour du héros pullulent des héros potentiels et qui en effet, le deviendront dans d'autres récits. Ainsi s'explique également le **pouvoir d'entraînement** de l'héroïsme : à la générosité du héros répond chez ceux qui l'entourent le désir d'admirer.

Sarrasins contre chrétiens, manuscrits fr. 22495, fol. 105, Paris, Bibl. Nat.

XII

Gane[1] est venu... pour trahir, ô douleur !
Alors se tient ce conseil de malheur.

XIII

« Seigneurs barons, dit l'empereur très sage,
Le roi païen m'a transmis un message.
5 Il me promet grands dons sur ses trésors :
Des lévriers, des lions et des ours,
Sept cents chameaux et mille beaux autours[2],
Plus quatre cents mulets, traînant encore
Cinquante chars au moins, tout chargés d'or.
10 Mais il entend que je m'en aille en France.
Il me suivra dans Aix, ma résidence,
Y recevra notre loi salutaire,
Et, fait chrétien, de moi tiendra ses terres,
Quel est le fond de son cœur ? Je ne sais.
15 — Prenons bien garde ! » exclament les Français.

XIV

Quand l'empereur a fini ses raisons,
Le preux Roland, qui ne peut y souscrire,
En pied se dresse et vient y contredire :
« Croire Marsile ! ah ! quelle déraison !
20 Voilà sept ans qu'en guerre nous passons [...]
Toujours en traître agit le roi Marsile [...]
Poursuivez donc la guerre commencée :
En Saragosse amenant votre armée,
Assiégez-la plutôt jusqu'à mourir,
25 Et vengez ceux qu'un félon[3] fit périr. »

Tapisserie de Bayeux, XIe siècle,
« Les Normands s'avancent en ordre
de bataille », musée de Bayeux,
ph. H. Josse.

XV

Pensif, le roi, dont l'œil au sol s'attache,
Flatte sa barbe et tire sa moustache,
À son neveu ne disant oui ni non.
Tous les Français se taisent... Ganelon
30 En pied se dresse et s'en vient devant Charles,
Et fièrement à l'empereur il parle :
« N'écoutez pas les insensés, — ni moi,
Ni d'autres —, mais votre seul avantage.
Lorsque Marsile ici vous mande, ô Roi,
35 Qu'à jointes mains il veut vous faire hommage,
Qu'il veut tenir de vous l'Espagne en don
Et recevoir la loi que nous gardons, —
Qui vous exhorte à rejeter ces gages,
Point ne lui chaut quelle mort nous attend.
40 Conseil d'orgueil est toujours imprudent.
Laissons les fous, et nous tenons aux sages. »

(1) Ganelon
(2) oiseau rapace utilisé
pour la chasse
(3) celui qui trahit le serment féodal

La Chanson de Roland, traduction Henri Chamard, A. Colin,
1919.

Pistes de recherche

1. Comment s'impose ici un temps du destin caractéristique de la tragédie ?
2. Quelle image est ici proposée de Charlemagne et de son pouvoir ? Roland et Ganelon s'opposent idéologiquement•. Définissez leurs positions respectives et analysez leur argumentation. Le narrateur fait-il pencher la balance ?
3. Dégagez la structure dramatique du débat. Son aboutissement est-il logique ?
4. Peut-on parler d'opposition psychologique entre Roland et Ganelon ? Par quels indices et dans quelles limites l'auteur nous informe-t-il ?

L'unité complexe d'une œuvre d'art

Face à l'homme épique, le sentiment des modernes, dont la mentalité et l'art sont si différents, a pu hésiter entre la nostalgie ou le rejet. Mais la qualité esthétique du poème semble plus difficile à contester. Ces quelque quatre mille vers imposent, en effet, par leur composition, l'impression de l'objet d'art, c'est-à-dire, au premier regard, l'évidence d'une très forte unité qu'un examen plus scrupuleux vient pourtant contester ou inquiéter.

v. 1-813	Le roi Marsile, roi de Saragosse offre la paix à Charlemagne qui a conquis presque toute l'Espagne. Roland fait désigner Ganelon son beau-père pour la dangereuse mission de l'ambassade. Pour se venger, Ganelon trahit et fait donner à Roland le commandement de l'arrière-garde.
v. 814-1016	Retour en France de Charlemagne et de son armée. Les Sarrasins se préparent à attaquer l'arrière-garde.
v. 1017-1187	Roland s'oppose à Olivier et refuse de sonner du cor pour rappeler Charlemagne.
v. 1188-1448	Première bataille où les compagnons de Roland l'emportent.
v. 1449-1690	Deuxième bataille où ils sont décimés.
v. 1691-1850	Contre l'avis d'Olivier, Roland se décide à sonner du cor.
v. 1851-2258	Les derniers Français sont écrasés. Mort d'Olivier et de l'archevêque Turpin.
v. 2259-2396	Mort de Roland et fuite des Sarrasins.
v. 2397-2569	Retour de Charlemagne qui rejoint et détruit les troupes de Marsile.
v. 2570-3674	L'émir Baligant autrefois appelé au secours par Marsile arrive en Espagne. Il est défait et tué par Charlemagne qui rend les derniers honneurs à Roland et à ses compagnons.
v. 3675-3733	Obsèques des héros et retour de Charles à Aix-la-Chapelle.
v. 3734-3974	Procès et mise à mort de Ganelon et de ses parents.
v. 3975-4002	Épilogue.

Action liée et organisation problématique

Dans cet ensemble, on peut distinguer facilement **quelques grands moments** qui ponctuent l'action : les délibérations initiales où le drame se noue, l'affrontement entre l'arrière-garde et Marsile où meurt Roland, l'élimination du péril sarrasin, le châtiment du traître Ganelon. Il est difficile également de méconnaître le soin extrême apporté aux transitions (840-1016, 2397-2569, 3675-3733) qui donnent au récit un cours très continu. Mais on s'accorde moins aisément sur la structure du poème ; **tantôt on distingue deux parties** : le combat de Roland et le châtiment des païens, entourées d'un prologue et d'un épilogue, **tantôt trois** : mise en place du drame, épisode central, double conclusion. Esthétiquement, le débat n'est pas négligeable puisqu'il oppose à une organisation binaire, un principe ternaire. Il n'est d'ailleurs pas évident qu'il faille s'acharner à le trancher si l'on pense que bien des œuvres d'art, les sonnets de Baudelaire par exemple, puisent une bonne part de leur dynamisme dans les structures antagonistes qui les organisent.

Problème et logique complexes

Comme il est constant en littérature, la complexité de la forme traduit celle de la signification. Car le problème n'est pas simple : à une querelle de famille entre Roland et Ganelon se superpose un débat politico-religieux sur la guerre contre les Sarrasins. De même la conclusion se révèle double — défaite des Sarrasins puis châtiment de Ganelon — et double aussi la bataille : Roland contre les troupes de Marsile, puis Charles contre Baligant. Pourtant *La Chanson de Roland*, comme toute épopée, a en vue l'unité : ici la réunion de tous les hommes en un seul pouvoir et une seule religion, préfiguration du règne de Dieu. La structure ternaire du poème peut alors apparaître, selon une logique que connaissent les analystes des mythes•, comme le moyen de résoudre en unité une question constamment double. Ainsi se comprendrait mieux l'épisode de Baligant qui semble perturber le récit et qu'on a parfois proposé de considérer comme interpolé. Placé au cœur du texte, en charnière, il oppose certes la victoire de Charles à la mort de Roland, mais il montre aussi comment la faute de Roland peut se prolonger en triomphe sacré du roi.

La symétrie antithétique• des reflets

L'épisode de Baligant offre un premier exemple du reflet, comme voie et moyen de l'unité. Mais le poème se plaît à multiplier ces reprises où se combinent la similitude et le contraste, comme dans les deux batailles de l'arrière-garde aux issues opposées ou comme les deux épisodes du cor où Roland et Olivier inversent leurs rôles. Ce que confirment des passages de moindre importance : par exemple, la conversion de l'infidèle sous la contrainte (v. 3668-3674) face à la conversion par raison et amour (v. 3975-3987). À un autre niveau du texte, la technique orale de la répétition incomplète (cf. p. 29) relève d'un principe comparable selon lequel l'unité se défait et se refait sans cesse. De cette recherche de l'un toujours approché, mais jamais pleinement atteint, témoigne également la fin ouverte du poème où le vieil empereur se voit convié à de nouveaux efforts héroïques (dernière laisse). *La Chanson de Roland* offre dans la complexité de son organisation le signe d'un art savant très éloigné de cette simplicité rudimentaire, parfois hâtivement attribuée aux œuvres premières d'une littérature.

XVIII

*L'avis de Ganelon l'a
emporté. Dès lors
Charlemagne se
demande quel messager
désigner. Naimes se
propose, mais l'empe-
reur refuse.*

« Seigneurs barons, qui de vous enverrai-je
À Saragosse, auprès du Sarrasin ?
— Moi, dit Roland, de très bon cœur irai-je.
— Non pas, s'écrie Olivier son voisin.
5 Votre courage est fier et téméraire :
Vous vous feriez, j'en ai peur, quelque affaire.
S'il plaît au roi, j'irai bien volontiers. »
Le roi reprend : « Taisez-vous donc chacun.
Ni vous ni lui n'y porterez les pieds.
10 Par cette barbe aux poils blanchis, aucun
Des douze pairs ⁽¹⁾ n'aura la préférence. »
Tous les Français observent le silence.

*Turpin est à son tour
volontaire et vivement
rejeté.*

XX

« Francs chevaliers, à vous je m'en réfère :
Élisez donc un baron de ma terre,
15 Qui pour Marsile emporte mon message. »
Roland s'écrie : « Eh ! prenez mon beau-père ! »
Et les Français : « Oui, Gane peut bien faire ;
Vous n'en sauriez envoyer un plus sage. »
Le comte Gane à l'angoisse est en proie.
20 Jetant les peaux de martre, sa fourrure,
Il n'a gardé que son bliaud⁽²⁾ de soie.
Il apparaît, corps gent⁽³⁾, large carrure,
Et fier visage où brillent des yeux vairs⁽⁴⁾.
Il est si beau qu'il frappe tous ses pairs.
25 « Roland, dit-il, pourquoi cette colère ?
On le sait bien, que je suis ton beau-père.
Tu veux que j'aille à Marsile !... Au retour,
Si Dieu permet que j'en revienne un jour,
Je te vouerai telle haine à mon tour,
30 Qu'elle n'aura d'autre fin que ta vie. »
Roland répond : « C'est orgueil et folie.
On sait assez si j'ai peur des menaces.
Il faut là-bas un messager sagace :
S'il plaît au roi, je pars à votre place. »

XXI

35 Gane reprend : « Tu n'iras point pour moi.
Tu n'es mon homme et je ne suis ton sire.
Servant de Charle en tout ce qu'il désire,
J'irai trouver Marsile au nom du roi.
Oui, mais, là-bas, je ferai, par ma foi,
40 Quelque folie, tant est grande mon ire⁽⁵⁾. »
En l'entendant, Roland se met à rire.

Grandes Chroniques de France, XIVᵉ siècle, « Adieux de Roland à Charlemagne »,
Castres, musée Goya, ph. Giraudon.

XXII

Quand Gane voit qu'on rit à ses dépens,
De deuil et d'ire il souffre au dernier point,
Et peu s'en faut qu'il ne perde le sens.
45 « Roland, dit-il, je ne vous aime point :
Vous m'avez fait choisir perfidement !...
Droit empereur, vous me voyez présent :
Je veux remplir votre commandement. »

(1) Élite épique dont le
nombre rappelle les douze
apôtres. Elle n'est pas sans
rapport avec les jeunes
hommes qui entouraient
un seigneur féodal et aussi
avec les représentants des
nobles familles qui sié-
geaient au conseil des rois
capétiens. (Exemple des
rapports complexes que
l'épopée entretient avec la
réalité historique.)
(2) longue blouse
(3) noble
(4) changeants
(5) colère

XXIII

«En Saragosse, où mon devoir m'appelle,
50 J'irai. Mais qui va là n'en revient pas.
Or, votre sœur est ma femme ; j'ai d'elle
Un fils — si beau qu'il n'est tel ici-bas :
C'est mon Baudoin, qui promet d'être un preux.
À lui mes fiefs. Gardez-le bien, hélas !
55 Car plus jamais ne le verront mes yeux. »
Charles répond : «Trop avez le cœur tendre.
Où je vous dis d'aller, il faut vous rendre. »

XXIV

(6) Symbole de la main, de la puissance personnelle.
(7) Symbole du sceptre.

Puis il ajoute : «Avancez, Ganelon,
Et recevez le gant(6) et le bâton(7) [...] »

La Chanson de Roland, traduction de Henri Chamard, A. Colin, 1919.

Pistes de recherche

1. Le poète prend soin de préparer ici la démesure de Roland et la trahison de Ganelon. Comment ébauche-t-il en évitant de préfigurer ?

2. Relevez tout ce qui réfère aux institutions féodales. Quel rôle attribuer à ces indices réalistes ? Ne jouent-ils pas différemment pour les auditeurs du XIIe siècle et pour les lecteurs d'aujourd'hui ?

3. Parmi les divers moyens de la révélation psychologique (description par un autre personnage, dialogue, analyse par le narrateur), que préfère l'auteur ? Pourquoi Roland propose-t-il Ganelon ? En réponse à cette désignation, quels sont les sentiments de Ganelon ?

4. Quelle image de la condition humaine (part faite à la liberté et aux divers destins) nous est ici donnée ?

Grandes Chroniques de France, XIVe siècle, «Comment Charlemagne trouva Roland mort», Castres, musée Goya, ph. Giraudon.

Chanson de geste et histoire

Les épopées montrent des hommes impliqués dans des situations collectives, mêlés à des événements et contribuant à les produire. Ainsi les scénarios qu'elles proposent sont-ils fort semblables à ce que nous appelons l'histoire. De plus, il arrive fréquemment que les faits racontés soient empruntés aux chroniques des actions humaines. Mais il est aussi très apparent que les événements ont des effets — ou des causes — qui se situent à un autre niveau, sacré ou transcendant. Certains protagonistes eux-mêmes peuvent se placer sur ce plan, qu'on pense aux dieux des poèmes homériques. L'épopée entretient donc **un double rapport avec l'histoire et avec le mythe•**. Mais décrire ces relations est souvent ardu. Par exemple, on aura garde d'oublier que **tout récit historiographique** — les historiens actuels y insistent volontiers — **obéit à une idéologie•**, si forte soit la volonté d'objectivité, et que justement un mythe• peut se réduire à ne plus être qu'une idéologie•, à donner seulement forme à une vision des faits. On pourra aussi vouloir faire sa place à la subjectivité individuelle, notamment celle de l'auteur. Cela reconnu, il convient d'ajouter que les épopées, et en particulier les chansons de geste, constituent **un remarquable laboratoire** — et ceci d'autant plus que les croyances dont elles sont animées se sont éloignées de nous et par là sont plus faciles à reconnaître — pour étudier ces délicates et importantes questions même si les efforts aboutissent plus souvent à des controverses qu'à des certitudes.

La Chanson de Roland semble très caractéristique de la complexité précédemment soulignée. Comme toutes les chansons de geste, elle baigne dans la **culture chrétienne** (cf. le rôle et les paroles de l'archevêque Turpin, notamment laisse 89, anges, prières, etc.) et ses textes majeurs que sont les récits de la Bible (Ancien et Nouveau Testament), mais il ne faudrait pas exclure des **influences indo-européennes** au niveau idéologique• et même narratif si l'on en croit Hugo Meyer qui rapproche le poème médiéval d'un mythe• nordique. Dans ce dernier, une divinité solaire Roldo qui posséderait parmi ses attributs l'épée et le cor s'opposerait à un traître Gamalo et en serait la victime. Après avoir été blessé involontairement par un certain Oller, il meurt dans la vallée des Épines. On aura là reconnu des personnages et des péripéties très caractéristiques de *La Chanson de Roland* et qui justement semblent manquer de fondement historique ou, du moins, le trouver bien tardivement. Car un autre fait majeur est que *La Chanson de Roland* se rencontre avec **une tradition historiographique** en langue latine dont on trouvera ci-dessous les textes les plus importants. S'il paraît sûr qu'un événement historique fournit son cœur à la chanson, comme sans doute la guerre de Troie pour l'*Iliade*, les modalités de la relation entre histoire et poème prêtent à bien des conjectures. Transmission orale et transmission écrite ont pu se développer parallèlement, mais aussi interférer l'une sur l'autre et dans les deux sens : la légende se fondant sur la chronique ou y puisant, mais aussi bien la chronique s'enrichissant d'événements, de personnages ou les transformant pour s'accorder avec la vision qui s'est imposée dans la mémoire collective. Enfin, dans le cas où on accorde un rôle important à un poète créateur, resterait à déterminer sa part personnelle dans l'élaboration en récit de la matière historico-légendaire.

DOCUMENTS

Dans les Annales royales *(chroniques contemporaines de Charlemagne) poursuivies jusqu'en 801, on trouve à l'année 778 :*

Alors monseigneur le roi Charles pénétra en Espagne par deux routes : l'une, par Pampelune, par où ce grand roi parvint lui-même jusqu'à Saragosse ; — et là vinrent des troupes de Bourgogne et d'Autriche, ou de Bavière, de la Provence et de Septimanie[(1)] et des Lombards, — et les armées venues des deux côtés se rejoignirent devant ladite cité ; là, après avoir reçu des otages d'Ibn Al Arabi et d'Abu-Thawr, et de nombreux Sarrasins, ayant détruit Pampelune et soumis les Basques d'Espagne et les Navarrais, Charles revint en France.

_____

(1) Région entre Rhône, Massif central et Pyrénées.

Dans une version postérieure, Annales royales *poursuivies jusqu'en 829, on peut lire la première mention d'une destruction de l'arrière-garde.*

Alors Charles, concevant non sans raison, sur la foi dudit Sarrasin [Ibn Al Arabi], l'espoir de prendre des cités en Espagne, rassembla une armée et partit ; ayant franchi les Pyrénées dans le pays des Basques, il attaqua d'abord la place forte navarraise de Pampelune et en reçut la reddition. Puis, passant l'Èbre à gué, il parvint à Saragosse, la principale cité de cette région ; ayant reçu des otages que lui donnèrent Ibn Al Arabi, Abu-Thawr et d'autres Sarrasins, il retourna à Pampelune. Pour que cette ville ne pût se rebeller, il en rasa les murs jusqu'au sol, et, décidant de repartir, il pénétra dans les défilés des Pyrénées. Les Basques avaient placé une embuscade sur les sommets : ils attaquent l'arrière-garde et mettent une grande perturbation dans toute l'armée. Et bien que les Francs parussent l'emporter sur les Basques tant par le courage que par les armes, ils eurent cependant le dessous par le désavantage de la situation et la nature inégale du combat. Dans cette bataille la plupart des comtes du palais, que le roi avait mis à la tête des troupes, furent tués ; les bagages de l'armée furent pillés et l'ennemi, grâce à sa connaissance des lieux, se dispersa. Cette défaite obscurcit dans le cœur du roi une grande partie des succès remportés en Espagne.

Textes cités et traduits par Gérard Moignet, *La Chanson de Roland*, Bordas, 1969.

Vie de l'empereur Charlemagne, *vers 830, par Éginhard.*

Tandis qu'on menait contre les Saxons une guerre soutenue et presque ininterrompue, Charles, ayant disposé aux endroits propices des garnisons le long des frontières, attaque l'Espagne avec toutes les forces qu'il peut employer. Il franchit les Pyrénées, reçoit la soumission de toutes les places et de tous les châteaux forts rencontrés sur sa route, puis revient, ramenant son armée saine et sauve, à ceci près que, dans la traversée des Pyrénées, il lui arriva au retour d'éprouver quelque peu la perfidie des Basques. Son armée cheminait étirée en une longue file, ainsi que l'exigeait l'étroitesse de la route. Les Basques avaient dressé une embuscade au faîte de la montagne : le lieu, couvert de bois épais, s'y prêtait à merveille. Ils dévalent sur les derniers convois et sur les troupes d'arrière-garde qui couvraient le gros de l'armée. Ils les refoulent dans une vallée, engagent la lutte, tuent les nôtres jusqu'au dernier. Puis, ayant pillé les bagages, ils se dispersent très vite dans toutes les directions, à la faveur de la nuit qui tombait. Ils avaient pour eux, en cette circonstance, la légèreté de leur armement et la configuration du terrain ; au contraire, les Francs furent empêchés par la lourdeur de leurs armes et par leur position en contrebas. Dans cette bataille furent tués le sénéchal Eggihard, Anselme, comte du Palais, et Roland[1], duc de la marche de Bretagne, entre beaucoup d'autres. Et cette agression ne put être châtiée sur-le-champ, parce que l'ennemi, le coup fait, se dispersa de telle sorte que personne ne sut seulement dire en quelle direction on eût pu le chercher.

Texte cité par Pierre Le Gentil, *La Chanson de Roland*, Hatier, 1969.

---

(1) La mention de Roland peut être une addition tardive.

Nota Emilianense *(note figurant sur un feuillet détaché, il y a un siècle, d'un manuscrit trouvé dans un monastère espagnol). Son authenticité a pu être discutée ; on la date d'environ 1065.*

En l'année 778, le roi Charles vint à Saragosse ; il avait à ce moment-là douze neveux (ou petits-fils ?) et chacun d'eux avait avec lui trois mille cavaliers armés ; parmi eux on peut nommer Roland, Bertrand, Ogier-à-l'épée-courte, Guillaume-au-courbnez, Olivier et l'évêque Turpin. Chacun d'eux servait le roi un mois par an avec ceux de sa suite. Il arriva que le roi s'arrêta à Saragosse avec son armée. Au bout de peu de temps, conseil lui fut donné par les siens d'accepter de nombreux présents afin que l'armée ne pérît pas de faim et pût rentrer dans sa patrie. Ce qui fut fait. Le roi décida ensuite que, pour le salut des hommes de l'armée, Roland, le courageux guerrier, se tiendrait à l'arrière-garde. Mais lorsque l'armée franchissait le port de Cize, à Roncevaux, Roland périt tué par les Sarrasins.

Texte cité et traduit par Pierre Le Gentil, *La Chanson de Roland,* Hatier, 1969.

Comparez ces textes entre eux et avec *La Chanson de Roland.* Cherchez notamment quels événements paraissent propres à l'œuvre littéraire.

Jérusalem Céleste, manuscrit lat. 8878, fol. 207 et 208, Paris, Bibl. Nat.

Si la tendance — fréquente — à ne retenir de La Chanson de Roland *que la bataille de Roncevaux réduit la complexité et la profondeur de l'œuvre, ce combat dans la montagne qui semble son meilleur fondement historique constitue aussi son cœur. Les Sarrasins approchent de l'arrière-garde.*

LXXXII

Olivier dit : «Que de païens j'ai vus !
Jamais nul homme en terre n'en vit plus.
Ils sont bien là cent mille avec écus,
Heaumes lacés, de blancs hauberts vêtus,
5 Lances en l'air et bruns épieux luisants.
Vous connaîtrez combat sans précédent.
Seigneurs Français, Dieu vous donne vertu !
Tenez au champ, pour n'être pas vaincus !»
Français s'écrient : «Malheur à qui fuira !
10 S'il faut mourir, nul ne vous manquera !»

LXXXIII

Olivier dit : «Les païens sont bien forts,
Et nos Français bien peu pour cet effort.
Ami Roland, sonnez de votre cor !
Charle entendra, ramènera l'armée.»
15 Roland répond : «Je ne serais qu'un fou.
En douce France adieu ma renommée !
Non ! Durendal frappera de grands coups ;
Sanglant sera son fer jusques à l'or[1].
Pour leur malheur païens viennent aux ports[2] :
20 Je vous le dis, tous sont jugés à mort.

LXXXIV

— Ami Roland, sonnez de l'olifant[3] !
Charle entendra, ramènera l'armée.
Barons et roi viendront, nous secourant.
— Au seigneur Dieu ne plaise, dit Roland,
25 Que mes parents pour moi se voient blâmés,
Et que la honte en vienne à douce France !
Non ! Durendal frappera d'importance,
Ma bonne épée, que j'ai ceinte au côté ;
Vous en verrez le fer ensanglanté.
30 Pour leur malheur païens sont assemblés :
Je vous le dis, tous sont à mort livrés.

Tapisserie de Bayeux, XIe siècle, «Guillaume donnant les ordres à ses messagers», musée de Bayeux, ph. H. Josse.

LXXXV

— Ami Roland, sonnez votre olifant !
Charle entendra, qui est aux ports passant.
Je garantis que reviendront les Francs.
35 — Ne plaise à Dieu, répond le preux Roland,
Qu'il soit redit par nul homme vivant
Que pour païens on m'ait ouï cornant[4] !
Nul n'en fera reproche à mes parents.
Quand je serai dans la bataille, alors
40 Je frapperai mille coups et sept cents ;
De Durendal l'acier sera sanglant.
Nos bons Français frapperont, fiers et forts ;
Rien n'ôtera ceux d'Espagne à la mort.

LXXXVI

Olivier dit : «Quel blâme craignez-vous ?
45 Je les ai vus, les Sarrasins d'Espagne :
Ils couvrent tout, le val et la montagne,
Et, par delà, la lande et la campagne.
Grande est l'armée étrangère ; mais nous,
Que faire avec si faible compagnie ?»

(1) or de la garde
(2) cols
(3) cor d'ivoire
(4) entendu sonner

50 Roland répond : « Plus grande est mon ardeur.
À Dieu ne plaise, à ses anges bénis,
Que France, en moi, perde de sa valeur !
Plutôt mourir que souffrir déshonneur !
Qui frappe bien est cher à l'empereur ! »

LXXXVII

55 Roland est preux[5] mais Olivier est sage.
Ils ont tous deux merveilleux vasselage[6],
Et, dès qu'ils sont à cheval, sous l'armure,
Mourraient plutôt qu'esquiver l'aventure.
Ils sont hardis, et fier est leur langage...
60 Félons païens chevauchent avec rage.
Olivier dit : « Voyez un peu, Roland.
Ils sont tout près ; Charle est trop loin. Si vous
Aviez daigné sonner votre olifant,
Il serait là : tout irait mieux pour nous.
65 Aux ports[2] d'Espagne, ah ! regardez les nôtres,
L'arrière-garde, à grands périls promise :
Ceux qui sont là n'en verront jamais d'autres. »
Roland répond : « Ne dites pas sottise.
Mal soit du cœur atteint de couardise !
70 Nous tiendrons pied sans nous laisser abattre ;
À nous ici de battre et de combattre ! »

(5) hardi
(6) courage

La Chanson de Roland, traduction Henri Chamard, A. Colin, 1919.

Pistes de recherche

1. La composition unitaire du passage : organisation concentrique, reprises, synthèse finale. Pourquoi, selon vous, un tel soin ?

2. Laisse LXXXII (82) : une évocation épique : concision, choix des éléments, tendance à l'hyperbole•, accord de l'individuel et du collectif.

3. En quoi Olivier et Roland s'opposent-ils ? Comment, par la psychologie, mais aussi par la forme, le poète maintient-il une forte union entre les deux héros ? Pour le lecteur, une identification avec un des deux héros vous paraît-elle imposée par le texte ?

4. Illustrez par des exemples empruntés à ce texte les indications données sur les techniques « jongleresques » (cf. p. 29). Comment l'exaltation de Roland est-elle transmise ? Quel rôle l'épopée donne-t-elle aux objets ?

La Mort de Roland, manuscrit fr. 95, fol. 24 v°, Paris, Bibl. Nat.

L'art de l'oral dans *La Chanson de Roland*

Dans un monde où la lecture est le privilège d'une étroite minorité, la communication de masse ne peut être qu'orale. C'est ici qu'interviennent les **jongleurs** (cf. p. 12). Interprètes qui psalmodiaient, semble-t-il, les textes que nous connaissons, en s'accompagnant de la vielle à archet, ont-ils participé à la création des poèmes ? On en discute.

Techniques « jongleresques »

En tout cas, qu'il s'agisse de traces, directes ou lointaines, de leur élaboration orale ou d'une prise en compte par les auteurs des conditions de communication, les chansons de geste usent de techniques particulières mises en évidence par Jean Rychner (*La Chanson de geste, essai sur l'art épique des jongleurs*, Droz et Giard, 1955).

Au niveau de la forme, la chanson de geste est caractérisée par la laisse et l'assonance. **La laisse** est un couplet ou strophe de longueur variable (entre cinq et une trentaine de décasyllabes rythmés généralement 4/6). **L'assonance** consiste en l'identité de son de la dernière voyelle tonique, sans qu'on tienne compte de ce qui peut la suivre, consonne ou *e* dit muet. Pour les lecteurs que nous sommes, c'est l'assonance qui fait la laisse puisque tous les vers d'une même laisse se terminent par la même assonance. Il en allait autrement dans la réalisation orale où le récitatif était soutenu par une mélodie, peut-être identique de strophe en strophe. L'assonance ne doit pas être tenue pour une forme rudimentaire de la rime, mais correspond à une conception mélodique différente liée, elle aussi, à l'oralité. Mais *La Chanson de Roland* tire de l'assonance, comme d'autres poèmes de la rime, des effets de signification et d'émotion, témoins les laisses similaires lors de l'entrevue avec Marsile où Ganelon fait attendre la révélation de ce qui constitue l'obstacle majeur à la paix avant de faire éclater le nom de Roland dans une laisse en [ã].

À l'aide de ces instruments se construit une **technique narrative originale**. Le récit s'appuie d'abord sur l'unité très forte de la laisse. Celle-ci se présente comme un ensemble thématique complet d'autant plus perceptible qu'il est encadré par deux vers que leur facture distingue nettement. Le **« vers d'intonation »** commence très souvent par le nom de l'actuel protagoniste que suivent des notations descriptives, psychologiques ou une première action (« Le comte Roland parmi le champ chevauche », v. 1338). Type concurrencé par l'intonation descriptive où un motif descriptif tient le rôle du personnage (« Hauts sont les monts et les vaux ténébreux », v. 814). Le premier vers peut aussi faire la synthèse de la laisse précédente. Le dernier vers, **« vers de conclusion »,** résume la laisse (« Grand perte y eut parmi les chrétiens », v. 1885) ou arrête l'action sur un point d'orgue (« Il dit ces mots et à cheval se pâme », v. 1988). Mais bien entendu la continuité narrative ne peut se développer que par l'enchaînement des laisses. Et c'est ici qu'intervient un **art de la répétition** à considérer comme tel, même s'il surprend. Jean Rychner distingue quatre types principaux : **l'enchaînement simple** où le premier vers reprend ou résume le dernier vers de la laisse précédente tout en changeant d'assonance ; **l'enchaînement bifurqué** où, négligeant les derniers vers de la précédente laisse, la nouvelle reprend des vers situés en son centre et leur donne une suite différente ; **l'enchaînement par laisses parallèles** où, par exemple, un protagoniste parle ou agit de la même façon à l'égard de personnages différents ; **l'enchaînement par laisses similaires** où, d'une laisse à l'autre, la variation se réduit à des détails, tend à s'annuler. On soulignera la richesse des **effets obtenus** :
— intensification dramatique du répété ;
— secours pour la mémoire de l'auditeur, mais aussi liaison plus étroite avec l'interprète et son récit, notamment lorsque les variations, même ténues, conduisent à une connaissance approfondie de l'action et des personnages ;
— plaisir d'une combinaison du même et du nouveau, qui s'apparente à celui de la modulation musicale ;
— forme originale et peut-être fondamentale du parallélisme caractéristique de la fonction poétique telle que la définit Jakobson dans les *Essais de linguistique générale*. Car la répétition n'est pas l'apanage de la chanson de geste, mais se retrouve avec insistance chez les poètes de notre XXe siècle, Éluard ou Aragon notamment ;
— suspension du temps successif et ouverture à une autre temporalité émotive ou sacrée ;
— contribution à une recherche métaphysique qui privilégie l'unité.

Enfin *La Chanson de Roland* emprunte — moins que d'autres chansons de geste semble-t-il — au **style formulaire** bien connu des spécialistes de l'épopée. Elle utilise aussi bien les formules proprement dites que les schémas narratifs et descriptifs. Les **formules** qui correspondent toujours à un hémistiche consistent à utiliser les mêmes mots dans des situations identiques (« l'écu [il] lui rompt »). Mais chaque formule admet des variantes (« le haubert lui démaille »). Les **schémas** découpent une action en une série stéréotypée. Ainsi l'attaque à la lance se raconte en sept phases : éperonner le cheval, brandir la lance, frapper, briser l'écu, rompre le haubert, transpercer le corps, faire tomber l'adversaire du cheval. Mais ici encore la variation s'introduit (érafler le corps et non le transpercer) et tous les schémas n'ont pas la raideur du précédent (ainsi les divers « regrets », déploration des compagnons perdus ou de Durandal qu'il faut abandonner). Le style formulaire se prête à des **interprétations diverses** : secours pour la mémoire du récitant, répertoire où puise un improvisateur de l'épopée orale, mais également moyen proprement stylistique, par exemple pour donner l'impression du collectif dans la succession des affrontements individuels ou encore pasticher l'épopée orale dans l'épopée écrite. Il s'accorde aussi avec l'art de la répétition précédemment analysé.

*La deuxième bataille
de l'arrière-garde est
maintenant perdue.*

CXXVIII

Roland, devant cette immense tuerie,
Vers Olivier se tourne et l'interpelle :
« Beau cher ami, pour Dieu, je vous en prie,
Voyez quels preux[1] gisent dans la prairie !
Plaignons, hélas ! douce France la belle,
Qui va rester veuve de tels barons !
Que n'êtes-vous, ô Roi que nous aimons,
À nos côtés ?... Cher Olivier, mon frère,
Pour lui mander nouvelles, comment faire ?
— Je n'en sais rien, répond le noble comte,
Plutôt mourir que d'encourir la honte ! »

CXXIX

Et Roland dit : « Je sonnerai du cor.
Charle entendra, tandis qu'il passe aux ports[2]
Je garantis que reviendront les Francs. »
15 Mais Olivier : « L'opprobre serait grand,
Et le reproche irait à vos parents,
Et durerait tant qu'ils seraient vivants.
Quand je l'ai dit, vous avez résisté ;
Vous le ferez sans mon gré maintenant.
20 Si vous cornez, ce sera lâcheté.
Puis, vous avez les deux bras tout sanglants.
— C'est que j'ai bien frappé ! » répond Roland,

CXXX

Et Roland dit : « Rude est notre combat.
Je cornerai ; le roi Charle entendra. »
25 Mais Olivier : « Ce ne serait courage.
Quand je l'ai dit, vous l'avez dédaigné.
Le roi présent, nous n'aurions eu dommage.
Ceux qui sont loin ne sont pas à blâmer... »[3]
« Par cette barbe, a repris Olivier,
30 Si je revois ma sœur Aude là-bas,
Vous ne serez jamais entre ses bras. »

CXXXI

Et Roland dit : « Pourquoi donc ce courroux ? »
L'autre répond : « La faute en est à vous :
Car le courage est bon sens, non folie ;
35 Mieux vaut toujours mesure que furie.
Français sont morts par votre légerie[4],
Charle n'aura plus service de nous[5].
Le roi, si vous aviez daigné m'en croire,
S'en fût venu ; nous aurions la victoire,
40 Et pris ou mort serait Marsile. Certes,
Vous fûtes preux, mais c'est pour notre perte.
Et plus n'aura notre aide Charlemagne,
Ce roi sans pair[6] jusqu'au grand Jugement.
France sera honnie[7] et vous, Roland,
45 Mourrez. Ici, notre amitié compagne[8]
Avant ce soir finira tristement. »

CXXXII

Turpin, oyant les preux se disputer,
D'éperons d'or pique son destrier[9].
Il vient vers eux et se prend à gronder :
50 « Sire Roland, et vous, sire Olivier,
Veuillez, pour Dieu, ne vous pas quereller !
Plus n'est besoin que l'on sonne du cor ;
Mais néanmoins cela vaut mieux encore.
Vienne le roi, il pourra nous venger.
55 Pour ceux d'Espagne, adieu toute liesse[10].
Quand nos Français, à terre ayant mis pied,
Nous trouveront morts et taillés en pièces,
Ils nous mettront en bières, sur sommiers[11]
Et, nous pleurant de deuil et de pitié[12],
60 Nous coucheront aux parvis des moutiers,
Bien à l'abri des loups, des porcs, des chiens. »
Roland répond : « Sire, vous parlez bien. »

CXXXIII

Roland met donc à sa bouche le cor,
L'ajuste bien, et sonne à grand effort.
65 Hauts sont les puys[13] et très loin va le son :
À trente lieues au moins, l'écho répond.
Charles entend la voix qui se prolonge :
« Nos hommes ont bataille », dit le roi.
Mais Ganelon lui réplique : « Ma foi,
70 D'autre que vous, on dirait : C'est mensonge ! »

CXXXIV

Péniblement, le preux comte Roland
À grand'douleur sonne son olifant ;
Et par la bouche a jailli le clair sang,
Et du cerveau la tempe aussi se fend.
75 Mais loin, très loin porte le son du cor.
Charles l'entend, qui va passant aux ports[2]
Et, comme lui, le duc Naime et les Francs.
« Ah ! dit le roi, c'est le cor de Roland.
Il n'en sonna jamais que combattant. »
80 Gane répond : « Bataille ? Non, vraiment.
Vous, un vieillard, vous, tout fleuri, tout
[blanc, [...]

La Chanson de Roland, traduction Henri Chamard,
A. Colin, 1919.

---

(1) vaillants guerriers (2) cols (3) Reprise du v. 1174. (4) légèreté (5) ne recevra plus notre service (6) sans égal (7) désho-
norée (8) de camarades (9) cheval (10) joie (11) bêtes de
somme (12) avec douleur et pitié (13) monts

Mort de Roland, manuscrit fr. 6465, fol. 113, Paris, Bibl. Nat.

Âmes des chevaliers, revenez-vous encore ?
Est-ce vous qui parlez avec la voix du cor ?
Roncevaux ! Roncevaux ! Dans ta sombre vallée,
L'ombre du grand Roland n'est donc pas consolée !

Alfred de Vigny, *Le Cor*, 1825.

Pistes de recherche

1. Comment interprétez-vous les vers 10 et 11 de la laisse 129 ? le vers 6 de la laisse 130 ?

2. Notez les échos de la scène précédente (extrait 3) et les annonces du futur. Relevez les reflets et rapprochez-les du motif dominant (le cor).

3. Quelle place et quel rôle sont donnés, dans le monde épique, à la femme ? Comment dans une situation de séparation et de conflit, l'aspiration épique à l'unité est-elle ici maintenue ?

4. Comment et pourquoi Olivier souligne-t-il l'inversion des positions entre Roland et lui ? Comment la progression des laisses CXXVIII à CXXXI (128 à 131) marque-t-elle l'aggravation dans l'opposition des deux héros ? Décrivez le progrès spirituel de Roland (laisses CXXVIII à CXXXII [128 à 132]).

L'épopée au bord et au-delà du tragique

Thèmes et structures tragiques

Une tradition solidement établie veut qu'il ne soit pas de tragédie sans **fatalité** autrement dit sans nécessité transcendante. De fait, *La Chanson de Roland* nous donne à connaître un rigoureux enchaînement de causes et d'effets. Mais la fatalité, pas plus qu'ailleurs, ne se réduit ici à un simple déterminisme ; ce dernier, pour insistant qu'il soit, est pris dans une prédiction d'autant plus impérieuse que son origine se dérobe. Cette parole mystérieuse prend ici la forme des annonces (v. 9, 178, 716...), des prémonitions (v. 823...), des prodiges (v. 1423-1437) ou bien encore des songes de Charlemagne (v. 717-736 et v. 2525-2591). L'intervention de cette puissance impose aux relations entre hommes des **structures d'opposition : débats** comme les conseils de Charles, mais aussi assauts de paroles qui préludent aux joutes individuelles (v. 3589-3601) et plus déchirante encore la controverse entre Olivier et Roland ; **combats** individuels ou collectifs en quoi se résument les relations entre peuples, qui appartiennent aux institutions mêmes de la société chrétienne (duel judiciaire pour décider du sort de Ganelon) et qui peuvent opposer jusqu'aux amis eux-mêmes (Olivier frappant Roland) ; **séparation** des hommes dans l'espace (lors des épisodes du cor), dans les volontés et dans les cœurs (dont la trahison est la forme éminente) et bien entendu dans la mort (motif du regret funèbre).

C'est pourtant **au cœur même du héros** que s'affirme la proximité la plus étroite avec le tragique. Roland n'échappe pas à la contradiction qui chez le personnage tragique accole grandeur et faiblesse, au renversement d'une histoire personnelle où le succès le plus brillant est suivi de la plus noire déchéance. C'est qu'il est lui-même sujet à la démesure et à la faute. La faute consiste à compromettre gravement le sort de la Chrétienté en permettant à l'Espagne infidèle qui vient d'être soumise de relever la tête et de retourner au mal. Et c'est la démesure qui l'y a poussé : contre Olivier, le « sage » (mais cette sagesse pourra se retourner en rancune), il décide de combattre les Sarrasins avec ses seules forces, trompé par l'orgueil déchaîné du guerrier. Cette affirmation outrancière du moi peut s'interpréter aussi comme un **conflit de valeurs** : la prouesse chevaleresque en arrive chez Roland à s'opposer au service de Dieu, alors même que le devoir religieux se présente sous une forme bien connue du guerrier féodal, celle du nécessaire dévouement aux intérêts de son suzerain, bras temporel de Dieu. On est là tout près de ces deux valeurs inconciliables qui font le déchirement et l'impuissance du héros racinien, selon Lucien Goldmann.

Le tragique dépassé, mais non effacé

L'**inspiration chrétienne** de l'œuvre l'oriente vers l'espérance et la positivité. La souffrance ne réduit pas ici ses effets à élargir la conscience, comme dans la tragédie. Elle conduit à une **purification individuelle** (Roland se sacrifie et meurt vainqueur) et à une **transformation du monde** selon le vouloir de Dieu (Baligant vient, comme à point nommé, se faire battre et les païens sont convertis). Transformation dès longtemps engagée dont la stricte hiérarchie opposant la « douce France », « terre majeure », pays des preux aux peuples infidèles voués au mensonge a marqué une étape. Car face à une divinité qui intervient certes moins directement que les dieux de l'*Iliade*, mais qui ne se limite pas au langage mal codé des oracles, prodiges ou songes et n'hésite pas à déléguer ses anges, se distinguant ainsi nettement du « dieu caché » de la tragédie, **l'humanité n'est pas objet de perdition et le héros seul exemple de dignité**. Il est le premier, le meilleur dans toute une échelle d'êtres dont la hiérarchie ne masque pas la continuité. De manière très cohérente, l'action n'est pas centrée sur un seul protagoniste, mais Roland et Charlemagne se succèdent, mieux collaborent pour donner l'orientation décisive. Certes la victoire n'est possible que grâce au retour de Charles et c'est l'**empereur qui en étend la portée** au plan temporel par l'écrasement des Sarrasins de Baligant après ceux de Marsile, mais aussi **au plan spirituel : les correspondances entre le texte épique et la Bible se multiplient alors** (miracle du soleil arrêté comme pour Josué, dans l'Ancien Testament ; sommeil lourd de Charles comme celui des disciples durant la nuit de Gethsémani), signe d'une approche de l'absolu. **Mais de ce triomphe Roland a été l'initiateur** actif en préconisant dès le début le refus de tout compromis et sa prouesse démesurée se retourne maintenant en modèle, comme le confirment l'admiration dont tous l'entourent, et Charlemagne au premier chef, et aussi la mort autonome et spontanée de la « Belle Aude ».

Ce renversement d'une signification, si fréquent dans la tragédie grecque, signale que **la référence au tragique n'est jamais rompue** dans *La Chanson de Roland*. Et la **relance finale de l'action** en témoigne également : Charlemagne est appelé vers de nouveaux combats, défensifs cette fois, preuve que la victoire n'est pas totale ni le mal définitivement éliminé. De surcroît **la lassitude de Charlemagne** qui « voudrait bien ne pas y aller », renforce l'inquiétude en faisant réapparaître au cœur de l'homme une faiblesse déjà esquissée dans les hésitations pusillanimes du début et un penchant sporadique au sommeil. Quand dans le grand roi le héros est fatigué, il faudra d'autres Roland pour apporter leur juvénile ardeur au combat encore renaissant contre le mal. **Absence d'une solution définitive, mais dominante laissée à l'espérance** : l'épopée ne nous propose pas exactement cette résurgence d'une scandaleuse contradiction (par exemple la justice se redécouvrant injuste) à quoi convient souvent les dernières scènes des tragédies.

CLXXIII

*Roland, resté seul
sur le champ de
bataille après la fuite
des Sarrasins et la
mort de Turpin, s'est
traîné dans une prairie.
Il va mourir des efforts
consentis à sonner du
cor le plus fort possible.*

Il frappe encor sur une pierre bise[1],
Dont il abat un énorme quartier :
L'épée toujours grince, — mais ne se brise,
Et vers le ciel a rebondi l'acier.
5 Roland, voyant qu'il ne la peut briser,
Très doucement renouvelle sa plainte :
« Ah ! Durendal, que tu es belle et sainte !
Ton pommeau d'or a reliques de prix :
Dent de saint Pierre et sang de saint Basile,
10 Cheveux coupés à Monsieur saint Denis,
Et vêtement de la Vierge Marie.
Sur toi n'ont droit païens à l'âme vile ;
De chrétiens seuls devez être servie.
Nul ne vous ait, qui fasse couardise !
15 Oh ! grâce à vous, que de terres conquises,
Que détient Charle à la barbe fleurie,
Et qui lui sont très riche seigneurie ! »

CLXXIV

Roland sent bien que la mort l'entreprend,
Que de la tête au cœur elle descend.
20 Dessous un pin il court, encore alerte ;
La face au sol, s'étend sur l'herbe verte ;
Pose sous lui son cor et son épée ;
Vers les païens tient la tête tournée.
S'il fait ainsi, le preux, c'est qu'il entend
25 Que Charles dise avec toute sa gent[2] :
« Le gentil[3] comte est mort en conquérant. »
Battant sa coulpe[4] et puis la rebattant,
Pour ses péchés il offre à Dieu son gant[5].

CLXXV

Roland sent bien que son temps est fini.
30 Sur un haut puy[6], devers l'Espagne, il gît
Et d'une main bat sa poitrine. Il dit :
« Mea culpa[7], mon Dieu ! par tes vertus[8],
Pour mes péchés, les grands et les menus[9],
Ceux que j'ai faits dès l'heure où je naquis
35 Jusqu'à ce jour, où j'en suis repentant ! »
Et, de sa dextre[10], il tend vers Dieu son gant[5].
Anges du Ciel descendent près de lui.

Mort de Roland, manuscrit fr. 2813, fol.
122 vº, Paris, Bibl. Nat.

(1) gris-brun
(2) armée
(3) noble
(4) exprimant son repentir
en se frappant la poitrine
(5) geste de soumission
(6) mont
(7) je me repens
(8) en m'adressant à tes
vertus
(9) petits
(10) main droite
(11) ensemble des parents
(12) proclame son repentir
(13) ami de Jésus qui le
ressuscita, frère de Marthe
et Marie-Madeleine
(14) Héros biblique jeté
dans la fosse aux lions.

CLXXVI

Dessous un pin gît le comte Roland,
Les yeux tournés vers l'Espagne. Il se prend
40 À rappeler mainte ressouvenance :
Tant de pays conquis par sa valeur,
Les gens de son lignage[11], et douce France,
Et l'empereur, qui nourrit son enfance.
Il ne retient ses soupirs et ses pleurs.
45 Mais il ne met son salut en oubli,
Clame sa coulpe[12], et crie à Dieu merci :
« Vrai Père ! ô toi qui jamais ne mentis,
Qui ranimas Lazare pour ses sœurs[13]
Et des lions sauvas Daniel[14], Seigneur !
50 De tous périls sauve mon âme aussi,
Pour les péchés qu'en ma vie j'ai commis ! »

Sa dextre, alors, présente à Dieu le gant,
Et, de sa main, saint Gabriel le prend.
Le chef[15] penché sur son bras, le doux preux
55 S'en est allé, mains jointes, à sa fin.
Dieu lui envoie son ange Chérubin
Et saint Michel du Péril. Avec eux,
Vers lui s'en vient encor saint Gabriel ;
Et tous les trois portent son âme au Ciel.

(15) la tête

La Chanson de Roland, traduction Henri Chamard, A. Colin,
1919.

Pistes de recherche

1. Peut-on parler d'une mort solitaire ? Comment valeurs guerrières et valeurs religieuses sont-elles ici orchestrées (expression en majeure, en mineure, liaison) ? Étudiez la fusion du matériel et du spirituel dans la laisse CLXXVI (176).

2. Par quels moyens, le poète rend-il acceptable le surnaturel (v. 1 à 4 de la laisse 173 et les sept derniers vers de la laisse 176) ? Dans quel domaine, naturel ou surnaturel, situez-vous le discours à Durandal et celui adressé à Dieu ?

3. Quels sont les effets de la simplicité descriptive et psychologique ? Quels sont les effets des répétitions, notamment sur la liaison narrative (laisses CLXXIV à CLXXVI [174 à 176]) et dans le domaine du temps ?

4. Rapprochez cette scène d'un autre témoignage de l'art roman (chapiteau ou enluminure).

Pieter Bruegel l'Ancien (1525?-1569), *Le Triomphe de la mort,* Madrid, musée du Prado, ph. H. Josse. *Bruegel rejette ici l'espérance et la consolation : le tableau n'est qu'un vaste panorama de diverses formes d'extermination. La Mort chevauche au centre, entraînant tous les hommes, depuis l'empereur et les hauts dignitaires de l'Église, jusqu'aux plus humbles. Seul un couple d'amoureux, en bas à droite, semble inconscient de cette horreur.*

L'art varié du poète : dernière gerbe

CXXXVII

Esclargiz est li vespres e li jurz.
Cuntre le soleil reluisent cil adub,
Osbercs e helmes i getent grant flabur,
E cil escuz, cil ben sunt peinz a flurs,
E cil espiez, cil oret gunfanun.
Li empereres cevalchet par irur
E li Franceis dolenz e curoçus;
N'i ad celoi ki durement ne plurt,
E de Rollant sunt en grant poür.
Li reis fait prendre le cunte Guenelun,
Sil cumandat as cous de sa maisun.
Tut li plus maistre en apelet, Besgun :
«Ben le me guarde, si cume tel felon!
De ma maisnee ad faite traïsun.»
Cil le receit, s'i met .C. cumpaignons
De la quisine, des mielz e des peiurs.
Icil li peilent la barbe e les gernuns,
Cascun le fiert .IIII. colps de son puign,
Ben le batirent a fuz e a bastuns
E si li metent el col un caeignun,
Si l'encaeignent altresi cum un urs;
Sur un sumer l'unt mis a deshonor.
Tant le guardent quel rendent a Charlun.

(1) cottes de mailles
(2) casques enveloppant toute la tête
(3) boucliers
(4) bannières attachées au bout de la lance
(5) collier de fer

Effigie du prince Noir (1330-1376), Cathédrale de Canterbury, ph. The Bridgeman Art Library.

La mort d'Aude la Belle
CCLXVIII

L'empereur est revenu d'Espagne,
il vient à Aix, le meilleur siège de France.
Il monte au palais, il est venu dans la salle.
Voici venue à lui Aude, une belle demoiselle.
Elle dit au roi : «Où est Roland le capitaine,
qui jura de me prendre pour sa femme?»
Charles en a douleur et peine,
il pleure de ses yeux, tire sa barbe blanche :
«Sœur, chère amie, tu me demandes des nouvelles d'un
[homme mort.
Je te donnerai en échange un fiancé encore plus prestigieux;
ce sera Louis, je ne saurais dire mieux :
il est mon fils, un jour il tiendra mes marches[1].»
Aude répond : «Cette parole est pour moi bien étrange.
Ne plaise à Dieu, à ses saints ni à ses anges
qu'après Roland je demeure vivante.»
Elle perd sa couleur, elle tombe aux pieds de Charlemagne,
elle est morte sur-le-champ. Que Dieu ait pitié de son âme !
Les barons français en pleurent et la plaignent.

La Chanson de Roland, texte et traduction de Gérard Moignet, Bordas, 1969

(1) provinces frontières

CXXXVII

La fin de la journée est pleine de clarté,
Au soleil, les armes brillent,
hauberts[1] et heaumes[2] jettent de grand feux,
ainsi que les écus[3], qui sont bien peints de fleurs,
et les épieux, les gonfanons[4] dorés.
L'empereur chevauche, plein de colère,
et les Français, peinés et courroucés;
il n'en est aucun qui ne pleure amèrement,
tous sont remplis de crainte pour Roland.
Le roi fait prendre le comte Ganelon,
il le remet aux cuisiniers de sa maison.
Il appelle leur grand chef, Besgon :
«Garde-le moi bien, comme un félon qu'il est.
Il a fait trahison des miens.»
Celui-ci le reçoit, il y met cent compagnons
de la cuisine, des meilleurs et des pires.
Ceux-ci lui arrachent la barbe et la moustache,
chacun le frappe de quatre coups de poing,
ils le battent bien à coups de triques et de bâtons,
ils lui mettent au cou un carcan[5]
et l'enchaînent tout comme un ours;
ils l'ont monté pour sa honte sur une bête de somme.
Ils le gardent jusqu'au moment de le rendre à Charles.

CCLXVIII

Li empereres est repairet d'Espaigne
E vient a Ais, al meillor sied de France;
Muntet el palais, est venut en la sale.
As li Alde venue, une bele damisele.
Ço dist al rei : «O est Rollant le catanie,
Ki me jurat cume sa per a prendre?»
Carles en ad e dulor e pesance,
Pluret des oilz, tiret sa barbe blance :
«Soer, cher'amie, d'hume mort me demandes.
Jo t'en durai mult esforcet eschange.
Ço est Loewis, mielz ne sai a parler;
Il est mes filz e si tendrat mes marches.»
Alde respunt : «Cest mot mei est estrange.
Ne place Deu ne ses seinz ne ses angles
Après Rollant que jo vive remaigne!»
Pert la culor, chet as piez Carlemagne,
Sempres est morte. Deus ait mercit de l'anme !
Franceis barons en plurent e si la pleignent.

Le grand arbre de la geste

La grande œuvre qu'est *La Chanson de Roland* ne doit pas faire oublier le foisonnement créateur dont elle participe. Autour d'elle et après elle, au XIᵉ siècle sans doute (dans des versions orales probables, mais non attestées formellement), en tout cas aux XIIᵉ et XIIIᵉ siècles, se multiplient les chansons de geste, une centaine au total. À la différence de l'*Iliade* et de l'*Odyssée*, chefs-d'œuvre isolés, c'est donc toute **une littérature épique, d'une riche diversité,** que le Moyen Âge nous a léguée. Dans cet ensemble exubérant qui fournit une ample matière pour l'étude du genre épique, les trouvères et jongleurs ont voulu, dès la fin du XIIᵉ siècle, mettre de l'ordre. Ce goût de l'organisation, très caractéristique d'une littérature maintenant de plus en plus écrite, a ainsi abouti à un classement en **trois cycles ou gestes** et finalement l'image d'un arbre à trois branches maîtresses convient assez bien à la vigoureuse poussée de l'épopée médiévale, plus disciplinée à l'époque de son accomplissement.

Chanson de Garin de Monglane, manuscrit fr. 1460, fol. 116, Paris, Bibl. Nat.

N'y eut que trois gestes en France la garnie[^1] [...]
Des rois de France est la plus seignorie[^2]
Et l'autre après [...]
Fut de Doon à la barbe fleurie [...]
De toute France eussent seignorie[^3]
S'ils ne fussent pleins d'orgueil et d'envie [...]
La tierce geste qui molt fit à prisier[^4]
Fut de Garin de Monglane au vis fier[^5] [...]
Leur droit[^6] seigneur se peinèrent[^7] à aider.

Bertrand de Bar-sur-Aube, *Girard de Vienne* (fin du XIIᵉ siècle).

---

(1) riche
(2) noble, illustre
(3) les membres de cette lignée auraient eu domination sur la France
(4) mérite bien d'être prisée
(5) au fier visage
(6) légitime
(7) les membres de cette lignée se peinèrent...

La forme de liaison adoptée est donc celle d'une généalogie, ce qui ne peut surprendre dans une culture où l'idée du lignage prend une telle place. Mais le classement obéit surtout à des critères thématiques (les divers comportements des héros), ce qui est loin de manquer de légitimité, tant le principe thématique est important dans la législation du genre épique (cf. document p. 18).

La geste de Guillaume ou l'épopée pathétique•

Autour de Guillaume-au-courb-nez, personnage dont le seul nom semble historique, se rassemblent des chansons de geste intégrées au cycle de Garin de Monglane. Parfois à peine postérieures d'une cinquantaine d'années, elles se distinguent de *La Chanson de Roland* comme des **épopées moins problématiques,** moins proches de la tragédie, et offrent peut-être une image moyenne du genre. Les deux ressorts principaux de la chanson de geste : guerre sainte et lien féodal y sont moins étroitement noués ; placés l'un à côté de l'autre, ils fonctionnent plutôt comme mutuel faire-valoir. Le péril sarrasin contre lequel ces grands vassaux mènent des combats défensifs reste la pierre de touche qui révèle la valeur des héros et leur courage est d'autant plus glorieux qu'ils doivent l'affronter seuls. En échange, les souffrances et les deuils éprouvés dans les fréquentes défaites infligées par les infidèles exaltent une constance difficile dans la foi féodale. Car le souverain, fils de Charlemagne, éternel absent — est-ce indifférence ou indolence ? — laisse le devant de la scène à un grand seigneur, très fier de son lignage, qui envers et contre tous se fait le champion de la Chrétienté. Le drame est alors dominé par **une double question** : le héros parviendra-t-il à vaincre avec ses seules forces et pourra-t-il jusqu'au bout rester le fidèle vassal qu'il veut être ? L'épopée trouve dans les peines des personnages souffrant dans leur corps et dans leur cœur la source d'**un pathétique• souvent vigoureux** et la solitude du héros devient un thème majeur dans l'action comme dans la psychologie. En la personne de Guibourc, l'épouse sarrasine convertie par amour, **la femme accède au rang de protagoniste.** Contribuant à compenser la solitude et jouant un rôle de médiation entre les héros, elle participe pleinement à l'univers héroïque de fidélité militante. Elle apporte aussi à l'épopée une sensibilité élargie qui s'accorde bien au pathétique maintenant dominant, et parfois aussi une sorte d'intimisme ou même le sens de l'humour•.

La Chanson de Guillaume (milieu du XIIᵉ siècle) semble assez mal composée. Elle est faite d'épisodes juxtaposés qui mettent en valeur trois héros, Vivien dans la première partie, Rainoart le colosse à la massue dans la troisième et Guillaume d'Orange dans la partie centrale. Le sujet en est une invasion des Sarrasins, débarqués à l'Archamp (peut-être les Aliscamps près d'Arles). En l'absence du roi Louis, fils de Charlemagne, qui tarde longtemps à envoyer des secours, Guillaume et ses compagnons multiplient les batailles, souvent désastreuses, et s'ils perdent parfois la vie comme Vivien, ils ne perdent jamais longtemps courage.

[^1]: riche

CXL

Revenu seul à Orange, après une défaite, Guillaume a d'abord de la peine à se faire reconnaître de sa femme Guibourc, venue elle-même à la porte : n'est-il pas revêtu d'armes sarrasines et ne supporte-t-il pas de voir cent prisonniers chrétiens maltraités par sept mille païens ? Quand Guillaume a délivré les prisonniers, le doute est dissipé et Guibourc fait ouvrir les portes.

«Qui êtes-vous, vous qui criez à la porte ?
— Dame, dit-il, vous me connaissiez bien ;
C'est moi Guillaume, le marquis au courb nez.»
Guibourc dit : «Vous nous mentez !
5 Truand païen, vous savez bien inventer !
Avec de tels titres, vous n'entrerez pas ici dedans,
Car je suis seule ; avec moi il n'y a pas homme vivant.
Si vous aviez été Guillaume au courb nez,
Avec vous seraient arrivés sept mille hommes armés,
10 Des Francs de France, des barons de naissance ;
Tout autour de vous auraient chanté les jongleurs,
On aurait entendu sonner rotes⁽¹⁾ et harpes.
— Hélas ! malheureux ! dit Guillaume au courb nez,
J'avais coutume de marcher au milieu d'une telle joie,
15 Dame, dit-il, vous le savez bien :
Autant que Dieu le veut, on a de la richesse
Et quand il ne lui plaît plus, on retrouve pauvreté.

Ici se place l'épisode des prisonniers et de leur délivrance.

CXLVI

Puis il prend son amie par ses manches de soie,
Ils montèrent les escaliers de marbre.
20 Ils ne trouvent personne qui leur fasse service ;
Dame Guibourc court lui porter de l'eau,
Et lui tendit ensuite la serviette ;
Puis ils se sont assis à la plus basse table,
Par deuil ils ne pouvaient s'asseoir à la plus haute.
25 Il voit les bancs, les sièges et les tables,
Où avaient coutume de s'asseoir ses nombreux barons ;
Il n'en vit point jouer dans cette salle
Ni s'amuser aux échecs ni au jacquet.
Il les regrette, comme doit faire un gentilhomme.

CXLVII

30 «Ah ! belle salle, que vous êtes longue et large !
De toutes parts, je vous vois si bien ornée,
Bénie soit la dame qui l'a ainsi apprêtée.
Ah ! hautes tables, que vous êtes bien dressées !
Nappes de lin je vois jetées dessus,
35 Et ces écuelles emplies jusqu'au ras du bord
De cuisseaux et d'épaules, de friandises et d'oublies⁽²⁾.
Ils n'en mangeront pas, les fils de franches mères
Qui a l'Archamp ont la tête coupée !»
Guillaume pleure, et Guibourc s'est pâmée.
40 Il la relève, il l'a réconfortée :

CXLVIII

«Dame Guibourc, vous n'avez pas à pleurer,
Puisque vous n'avez perdu aucun ami de votre sang
Moi, je dois exhaler mon deuil et ma tristesse,
Puisque j'ai perdu là ma noble parenté.
45 Maintenant je fuirai en royaume étranger,
À Saint-Michel du Péril de la mer,
Ou à Saint-Pierre de Rome, le bon apôtre de Dieu,
Ou en un désert où jamais plus je ne sois retrouvé.
Là je deviendrai ermite consacré.
50 Et toi, deviens nonnain, et fais voiler ta tête.
— Sire, dit-elle, nous le ferons assez tôt,
Quand nous aurons achevé notre temps dans le monde !»

Le Cheval de Troie,
manuscrit fr. 22552, fol.
277 v°, Paris, Bibl. Nat.

⁽¹⁾ sorte de cithare
⁽²⁾ petites gaufres

Guibourc pousse alors son mari à partir demander du secours au roi Louis.

CL

« Qui défendra pour moi le terrain et les murs ?
— Sire, dit-elle, Jésus et sa puissance,
55 Et sept cents dames que j'ai céans, et plus.
Elles auront au dos vêtu les blancs hauberts,
Et sur leur tête les heaumes verts aigus,
Elles se tiendront pour les batailles sur les murs
Lanceront lances, pierres, et épieux aigus.
60 En peu de temps votre voyage sera achevé.
Si Dieu le veut, le secours sera venu.
— Ah ! dit Guillaume, que le seigneur te soutienne,
Qui demeure là-haut, et montre ici-bas sa puissance ! »

Traduction Bogaert et Passeron, *Moyen Âge*, Magnard, 1954.

Pistes de recherche

1. Le personnage de Guibourc : en quoi reste-t-il conforme au rôle épique de la femme ? Qu'y ajoute-t-il ? Comment l'union entre les deux époux est-elle suggérée ?

2. Orchestration du thème de la solitude : solitude à deux, projet d'une double solitude totale, séparation pour le salut de la collectivité.

3. Grâce à quels moyens le thème épique du regret des compagnons tués est-il ici traité avec originalité ?

4. Comment le devoir envers le lignage s'exprime-t-il chez Guillaume ? Quelle conception les deux personnages semblent-ils avoir du service de Dieu (laisses CXLVIII et CL [148 et 150]) ?

Le Siège d'Antioche, manuscrit fr. 5594, fol. 47, Paris, Bibl. Nat.

Raoul de Cambrai : l'épopée noire du révolté (seconde moitié du XIIe siècle)

Dans le cycle de Doon de Mayence auquel on a tôt rattaché le traître Ganelon, le ciel épique s'assombrit considérablement. Un vassal s'y dresse contre son suzerain et la légitimité de cette révolte fait l'essentiel du problème. Le récit développe alors les ravages de la démesure et fait tournoyer la **spirale vertigineuse de la violence** : la vengeance conduit au crime parfois le plus gratuit et l'affrontement guerrier débouche sur la trahison (Ganelon), sur l'apostasie (Isembart le renégat) ou sur le sacrilège (Raoul de Cambrai). Tant il est vrai que la révolte contre les lois des hommes ou leur application a son aboutissement logique dans la contestation du garant suprême, Dieu. Du même coup, se fait jour une tendance vers un réalisme plus descriptif pour frapper l'imagination et dans l'évocation des états d'âme un goût pour l'intense jusqu'au frénétique et pour les brusques renversements jusqu'au convulsif. Si le conflit épique se simplifie, **la signification idéologique•** du poème gagne au contraire **en ambiguïté** : faut-il lire dans les affres du révolté qui souvent connaît une mort solitaire, mais souvent aussi se repent de ses fautes en ses derniers moments, une remise en cause du lien féodal ou au contraire une paradoxale, mais éclatante justification ?

Raoul a été dépossédé par son oncle, le roi Louis, de son fief de Cambrai. Le roi lui promet qu'il recevra, quand il atteindra l'âge adulte, le fief du premier comte qui mourra. Raoul se trouve ainsi en guerre avec les fils du comte Herbert dont il s'est attribué le fief. Surtout Raoul a comme écuyer un bâtard, Bernier, qui n'est autre que le neveu des adversaires de son suzerain. Double drame féodal, comme on voit. Le récit se concentre surtout sur le second et nous montre comment Bernier, d'abord fidèle à son serment, s'en estime délié par les crimes et violences de son seigneur. Par la suite, Bernier tuera Raoul dans une bataille. Mais cette mort suscitera un vengeur, Gautier, neveu de Raoul, et le cycle des violences continuera jusqu'à ce que tous se retournent contre le premier responsable, le roi, dont ils incendient le palais.

Dans l'épisode où figure notre extrait, Raoul a d'abord épargné le bourg d'Origny, sur les instances de Marsent, la mère de Bernier, qui lui offre les vivres de son monastère. Mais il prend prétexte d'une escarmouche pour brûler le village et le couvent dans l'incendie duquel meurt la mère de Bernier (notre extrait). Après quoi il commande un festin (c'est pourtant le Vendredi saint !) puis fou de colère quand son écuyer lui reproche son crime, il le frappe, ce qui rompt le lien féodal. Bernier le quitte non sans que Raoul, changeant d'attitude, le supplie et lui propose une humiliante réparation.

Raoul jura par Reims l'Archevêché
Qu'il ferait tout ce qu'il faudrait,
Que tous brûleraient avant la fin du jour [...]
Il a bien mal agi, le comte Raoul.
5 Le jour avant, il avait juré à Marsent
Qu'elles ne perdraient pas même un drap plié
Et aujourd'hui il les brûle, tant il est enragé ! [...]

Le comte Raoul qui avait le cœur farouche
Fait bouter le feu parmi les rues.
10 Les bâtiments brûlent, les planchers s'effondrent,
Le vin se répand, les cuves flottent,
Le bacon[(1)] brûle, les lardiers[(2)] s'écroulent.
La graisse nourrit et renforce le grand feu.
Il se jette sur les tours et le maître clocher
15 Les toits ne peuvent que crouler à terre.
Entre deux murs était une grande réserve de charbon.
Les nonnes brûlent : si violent est le brasier,
Toutes les cent elles brûlent, elles ne peuvent s'échapper ;
Marsent brûle, la mère de Bernier
20 Et Clamados, la fille du duc Rénier.
Dans l'incendie, elles n'ont pu que s'enflammer.
Ils pleurent de pitié, les rudes chevaliers.
Quand Bernier voit le malheur arriver,
Il en a telle douleur qu'il perd la raison.
25 Il aurait fallu le voir saisir son écu ;
L'épée au clair, il s'est élancé vers le monastère,
À travers les portes, il voit la lumière des flammes,
Aucun homme ne peut s'approcher du feu
À moins d'une portée de flèche.
30 Bernier jette les yeux du côté d'un marbre précieux,
C'est là qu'il voit sa mère reposant sur le sol,
Son tendre visage repose sur le sol,
Sur sa poitrine il voit brûler son psautier.
Alors dit l'enfant : « Je veux être fou,
35 Aucun secours ne lui est plus utile
Ha ! Douce mère, vous m'avez embrassé hier,
Je suis vraiment un héritier indigne,
Moi qui ne peux venir à votre aide.
Raoul, tu es un félon, le ciel t'en punisse.
40 Je ne veux plus te prêter l'hommage,
Si je ne peux tirer vengeance de cette honte.
Et pourtant jamais je n'ai pris la valeur d'un denier. »
Il ressent si grande douleur que l'épée d'acier lui échappe.
Trois fois il se pâme sur le cou de son destrier.

(1) lard salé
(2) endroit où on conserve le lard

Raoul de Cambrai, seconde moitié du XIIe siècle.

Pistes de recherche

1. Montrez comment l'expression de l'horreur emprunte au réalisme descriptif (précision, vraisemblance), à une énonciation particulière (le narrateur se contente-t-il de raconter l'événement ?), à des recherches stylistiques (rupture et juxtaposition, rappels obsédants, nudité « naïve » de la phrase).

2. Le pathétique•
a/ Définissez la situation poignante dans laquelle Bernier est placé. Comment expliquer qu'il ait attendu pour intervenir ? b/ Le discours de Bernier : est-il ordonné ? Quelle impression se trouve ainsi créée ? Sous quelle forme s'y exprime le conflit des devoirs ? Montrez qu'il mêle des tons différents. Est-ce maladresse ?

3. Comment les deux laisses s'enchaînent-elles ? Quel effet naît de la confrontation du récit de l'incendie avec son annonce ?

■ Le temps des synthèses : œuvre-carrefour et épopée-fleuve ▬▬▬▬▬▬

Après le temps de la création éparse, puis celui de la mise en ordre (les cycles) voici venue, à la fin du XIIe siècle et dans le courant du XIIIe siècle, l'époque où des trouvères cherchent à **rassembler les thèmes dispersés** dans les chansons de geste antérieures. Certes on pourrait montrer que l'essentiel des poèmes postérieurs se trouve déjà dans *La Chanson de Roland*. Mais c'était bien souvent à l'état de germes, car cette grande œuvre se caractérise aussi par une vigoureuse concentration du récit autour du combat à Roncevaux et des thèmes dans l'inspiration dominante, patriotique et religieuse. Maintenant il s'agit d'associer plutôt que de fondre et l'épopée prend de plus en plus le **goût des épisodes** que permet de relier un propos narratif désormais étendu à toute la vie d'un homme. Concurremment s'accentue la **diversité des registres** : l'optimisme épique ose aller jusqu'à l'humour•, le surnaturel s'épanouit en une recherche consciente du merveilleux, l'émotion jusque-là confinée aux fortes régions du pathétique• ne s'interdit plus tout à fait des excursions encore discrètes du côté de l'amour et de ses intrigues. Le narrateur veut aussi **montrer davantage** (récit mimétique•) alors qu'il préférait auparavant seulement dire ou esquisser (récit diégétique•) ; tendance nouvelle qui se traduit par une vraisemblance plus scrupuleuse, par des descriptions plus étendues, visant à la fois le réalisme et le pittoresque, par un souci de faire connaître davantage pensées et sentiments chez les personnages. Au niveau thématique, l'évolution se reconnaît à un **élargissement de l'espace** qui donne à l'œuvre une respiration plus ample et permet de lancer personnages et lecteurs sur les chemins de l'aventure. On constate aussi un **renchérissement sur l'héroïsme,** au sens le plus strict : dans une même œuvre les héros se multiplient, expansion d'un individualisme qui réduit sans l'annuler la dimension collective de l'œuvre.

Les **changements subis par deux motifs** plus précis de la chanson de geste : la guerre et le roi, permettent d'illustrer l'évolution du genre. Nous sommes maintenant bien loin de la guerre sainte, premier souci et suprême pensée ; **l'affrontement avec l'infidèle** ne tient plus qu'une place marginale : il fournit matière à un épisode dans *Renaud de Montauban* (le pèlerinage guerrier de Renaud en Terre sainte) et dans *Girard de Vienne*, il vient parfaire la réconciliation générale en se proposant comme but commun aux barons chrétiens et à leur souverain. **Le personnage de Charlemagne** s'est lui aussi considérablement transformé. Empereur majestueux dont la prodigieuse vieillesse garantissait une autorité indiscutée, monarque doté par ses rapports privilégiés avec la transcendance divine d'une stature sacrée, son image traduisait la nostalgie d'un pouvoir monarchique fort et d'une France plus unie, alors que la réalité politique était vouée au morcellement. Dans les épopées nouvelles, Charlemagne s'humanise, par là prête à l'ambiguïté et à la discussion, jusqu'à la démystification parfois, quand dans *Renaud de Montauban* par exemple, ses torts paraissent soulignés.

La forme de la chanson de geste **ne reste pas non plus intangible.** La rime se généralise aux dépens de l'assonance, l'alexandrin se substitue parfois au décasyllabe *(Renaud de Montauban)*. Surtout dans un texte qui devient de plus en plus long, les laisses elles-mêmes prennent plus d'étendue et peuvent même, comme dans *Renaud de Montauban*, disparaître. L'art original de la répétition s'estompe alors pour laisser place à un enchaînement narratif plus conforme à nos habitudes de lecteur moderne, signe supplémentaire d'une évolution qui peut se résumer en un glissement de l'épopée vers ce que nous appelons le roman. Avant que par un juste retour, le roman ne se fasse épique au XIXe siècle, avec Hugo et Zola notamment.

◀ *Jérusalem.* Enluminure de Jean Miélot pour le manuscrit de Guillaume Adam, *Avis pour faire le passage d'outre-mer,* 1455, Bibl. Nat. Paris, ph. Hachette.

Une danseuse, manuscrit lat. 1118, fol. 114, Paris, Bibl. Nat. ▶

Girard de Vienne (fin du XIIe siècle)

Joliment signée, au début du texte par Bertrand de Bar-sur-Aube :

«Ce fut en mai, qu'il fait chaud et séri[(1)]
À Bar-sur-Aube, un castel seignori[(2)],
Là sist[(3)] Bertrand en un verger fleuri,
Un gentil clerc• qui cette chanson fit.»

(1) serein
(2) seigneurial
(3) s'assit

cette épopée de 8 000 décasyllabes rimés, répartis en laisses, conte surtout les démêlés de Girard soutenu par sa famille avec Charlemagne appuyé sur ses barons. L'origine du conflit ne manque ni de bizarrerie ni de complexité puisque, outre des promesses mal tenues par l'empereur et un service féodal mal rendu par Girard et ses frères, le motif principal est une affaire d'honneur : la nouvelle reine, quand Girard venait baiser le pied de l'empereur, aurait substitué, par rancune amoureuse, son propre pied ! De là découle le récit tumultueux d'une **guerre aux multiples rebondissements**. D'autres héros d'envergure, célèbres dans les gestes, viennent disputer aux protagonistes le devant de la scène. Aymeri multiplie les coups de main audacieux, Olivier, neveu de Girard et Roland, neveu de Charles s'opposent en un long duel. Un des charmes de l'œuvre tient d'ailleurs à la large place faite à ces **combattants juvéniles**, aussi ardents que généreux, mais également un peu naïfs ; l'atmosphère de l'épopée s'éclaire d'une sorte de gaieté, d'autant plus que Roland et Aude y découvrent mutuellement leur amour dans des situations très romanesques. Ainsi la périphérie de l'œuvre prolifère et chatoie tandis que curieusement — paradoxe qui signale un artiste original — son cœur tend à s'évider. Non seulement le duel de Roland et Olivier se termine sans vainqueur, expérience qui transforme nos héros en champions de la paix, mais l'affrontement des oncles fondé sur les tensions du lien féodal est contesté, en la personne des neveux, par la reconnaissance d'un lien plus profond, plus largement humain, l'amitié des grands cœurs. Victoire à la Pyrrhus de la **morale féodale, dépassée au moment où elle se trouve confirmée** par l'événement de la réconciliation.

EXTRAIT 1

Charlemagne, après la mort du duc de Bourgogne, a promis à Girard de lui octroyer la main et le fief de la veuve. La belle duchesse y consentirait volontiers, mais Charlemagne se ravise et fait d'elle sa nouvelle épouse. En dédommagement Girard reçoit le fief de Vienne où il est accueilli triomphalement. Un jour, il voit arriver son neveu Aymeri qui deviendra plus tard Aymeri de Narbonne (Bertrand de Bar-sur-Aube est probablement l'auteur de la chanson de geste qui porte ce titre).

Tout à coup, à ses yeux viennent par la campagne
Trois jeunes gens montés sur des mulets d'Espagne,
Dont mainte fleur d'argent décore les arçons
Et des clous d'or les freins et les caparaçons[(1)].
5 Peu à peu, le trio de cavaliers s'approche,
Il longe le grand fleuve, il contourne la roche ;
Le premier d'entre eux porte au poing un épervier
Plus blanc que feuille d'aulne et que givre en janvier ;
Et ses deux serviteurs s'avancent sur sa trace.
10 À son aspect, Girard a reconnu sa race :
Ce doit être Aymeri, son neveu, ce baron ! [...]
Il s'avance et commence à dire à haute voix :
«Que Monseigneur Jésus, que Madame Marie
Donnent leur sainte garde à cette Seigneurie !»
15 Nul ne dresse la tête et nul ne lui répond.
Il s'aventure donc un peu plus sur le pont ;
«Nous demandons, dit-il, ce grand seigneur qu'on nomme
Le Duc Girard de Vienne, illustre gentilhomme.»
Écuyers et sergents se taisent sans broncher.
20 Le chevalier alors commence à se fâcher,
Apostrophant les gens sur un ton de dispute :
«Marauds, fait-il, licheurs[(2)], losangiers[(3)], fils de pute !
Que maudit soit celui qui vous fit la leçon !
J'ai quinze livres d'or pour louer ma maison
25 Et me faire héberger malgré vous dans la ville !
Mais je me vengerai de vous, engeance vile !»
Girard l'entend crier. Il en rit de bon cœur
Puis se montre et lui dit d'un petit air moqueur :
«Mon frère, quel es-tu ? Ces gens, que l'on révère,
30 Sont en train de causer d'une très grave affaire.

(1) armures des chevaux
(2) gloutons
(3) dupeurs

Ils ne craignent de toi, mon frère, aucun danger ;
Mais, parle ! es-tu jongleur ? et je vais t'héberger.
Dis-nous une chanson ! Qu'as-tu fait de ta vielle ?
Vends-tu cet épervier qui sur toi bat de l'aile ?
35 Je t'offrirai matière à me remercier. »
Puis ayant appelé son maître dépensier :
« Prends-lui son épervier, mets-le sur une perche.
Car il ne comprend pas ce que son oiseau cherche ! »
Le jeune homme, à ces mots, se fâche pour de bon ;
40 Il éclate et rougit comme un feu de charbon.
« Croquant, fait-il, maraud, ribaud, fils de truande,
Dis, le fils de Garin, Hernaut duc de Beaulande[4],
A-t-il tenu jamais un si pauvre métier ?
Est-ce ainsi qu'on accueille ici son héritier ?
45 Ce n'est point là mon oncle ! À le voir je diffère !
Mais je te montrerai ce que nous savons faire ! »
Alors, à l'épervier ôtant le chaperon,
Il en frappe Girard par le milieu du front,
Des griffes de l'oiseau lui maltraite la mine
50 Et lui met tout en sang sa pelisse d'hermine.
« Holà, criait Girard, arrêtez ce glouton !
Aux fourches pendez-le par-dessous le menton ! »
Et cinquante soldats s'y donnèrent carrière.
Mais lui se débattit, seul contre tous : « Arrière !
55 Cria-t-il, je suis fils de Hernaut et neveu
De Monseigneur Girard, le maître de ce lieu ! »
Alors, Girard, joyeux, lui saute au cou, l'embrasse :
« Aymeri, mon neveu, vous êtes de la race,
Lui dit-il ; vous avez un vrai cœur de baron ! »

(4) père d'Aymeri

Girard de Vienne, traduction très libre de G. Armelin, Flammarion.

Pistes de recherche

1. Comment la plaisanterie est-elle préparée et mise en scène ?
2. Comment ce texte souligne-t-il la brutalité des temps épiques ?
3. Le sens de l'humour• : différences entre les deux personnages dans la connaissance de la situation, art de créer la connivence chez le lecteur, discordances dans les actes, les paroles, les sentiments.
4. Comment les deux colères d'Aymeri s'expliquent-elles ? Comment les vertus du lignage sont-elles ici mises en valeur ?
5. Comparez Aymeri chez Bertrand et chez Hugo ; n'y a-t-il pas là deux conceptions de la jeunesse ?

DOCUMENT

Les barons consternés fixaient leurs yeux à terre.
Soudain, comme chacun demeurait interdit,
Un jeune homme bien fait sortit des rangs, et dit :
« Que monsieur saint Denis garde le roi de France ! »
L'empereur fut surpris de ce ton d'assurance.
Il regarda celui qui s'avançait, et vit,
Comme le roi Saül lorsque apparut David,
Une espèce d'enfant au teint rose, aux mains blanches,
Que d'abord les soudards dont l'estoc bat les hanches
Prirent pour une fille habillée en garçon,
Doux, frêle, confiant, serein, sans écusson
Et sans panache, ayant, sous ses habits de serge,
L'air grave d'un gendarme et l'œil froid d'une vierge.
« Toi, que veux-tu, dit Charle, et qu'est-ce qui t'émeut ?
— Je viens vous demander ce dont pas un ne veut :
L'honneur d'être, ô mon roi, si Dieu ne m'abandonne,
L'homme dont on dira : "C'est lui qui prit Narbonne."

L'enfant parlait ainsi d'un air de loyauté,
Regardant tout le monde avec simplicité.
Le Gantois, dont le front se relevait très vite,
Se mit à rire, et dit aux reîtres de sa suite :
« Hé ! c'est Aymerillot, le petit compagnon.
— Aymerillot, reprit le roi, dis-nous ton nom.
— Aymery. Je suis pauvre autant qu'un pauvre moine ;
J'ai vingt ans, je n'ai point de paille et point d'avoine,
Je sais lire en latin, et je suis bachelier.
Voilà tout, sire. Il plut au sort de m'oublier
Lorsqu'il distribua les fiefs héréditaires.
Deux liards couvriraient fort bien toutes mes terres,
Mais tout le grand ciel bleu n'emplirait pas mon cœur.
J'entrerai dans Narbonne et je serai vainqueur.
Après, je châtierai les railleurs, s'il en reste. »

Victor Hugo, « Aymerillot », *La Légende des siècles*.

Le Siège d'Antioche, manuscrit fr. 5594, fol. 148, Paris, Bibl. Nat.

EXTRAIT 2

Girard a été averti que Charlemagne irait chasser le lendemain dans une forêt qui fait partie de son fief. Il quitte Vienne par un antique souterrain.

(1) Le « vers orphelin », vers de six syllabes, à terminaison féminine apparaît dans les plus anciennes chansons de geste. Il semble y jouer un rôle de refrain ou indiquer une clausule musicale.

Ils allument de riches chandeliers,
Entrent en un souterrain dessous le mur épais.
Longtemps y a que des païens l'ont fait,
Plus blanc paraît que neige sur gravier.
5 Dedans ils s'enfoncent, tous les vingt chevaliers.
Dessous la terre si bien ont chevauché
Qu'un peu avant le jour, les voici arrivés
Chez ce Bérart, au fond de la forêt,
Qui dans le bois devait faire le guet.
10 Tous les chevaux laissés dans la forêt
À paître l'herbe et à prendre le frais,
Avec leurs lances ils vont dans des lauriers.
De bon matin, quand le jour va briller,
Le roi se lève pour se faire apprêter,
15 De solides houseaux il veut être chaussé,
Il prend son cor, couple ses lévriers.
Avec lui ses vassaux en selle sont montés,
Dans la forêt, ils sont allés chasser.
Si Dieu n'y veille, il ne pourra rentrer,
20 Notre empereur Charles[1]. [...]

Histoire de Charlemagne, Cathédrale de Chartres, XIIIᵉ siècle, ph. Giraudon.

Girard a réussi à capturer Charlemagne qui, lancé à la pour-suite d'un sanglier s'est séparé de sa suite.

Vite il saisit son épieu bien fourbi
Puis il lui dit : « Sire roi, me voici !
Vous avez cru que j'étais endormi
Dedans Vienne, par la faim affaibli...
25 À moi était le porc, sans droit vous l'avez pris ;
Mes chevaliers en seront réjouis
Et mon épouse au corps noble et joli.
Et vous, le roi, viendrez en mon logis. »
Mais Aymeri : « Oncle, qu'il soit occis,
30 Coupe sa tête maintenant et ici !
La guerre sera finie et le débat aussi.
— A Dieu ne plaise, dit Girard à Aymeri.
Son homme je serai, s'il a de moi merci,
Je veux tenir de lui ma terre et mon pays,
35 Et s'il refuse, par le corps saint Moris,
Je m'en irai jusques en Arabie.
Honte sur moi, si par moi est honni
Notre empereur riche !(1)

Quand Charles entend ce Girard le courtois
40 Qui crie merci en toute bonne foi
Vers le ciel il lève les yeux plus de trois fois.
« Mon Dieu, dit Charles, sur tous vous êtes roi,
Plus d'un miracle vous avez fait pour moi
Cette guerre là, contre le Viennois,
45 Par-dessus tout me donnait de l'effroi.
Dieu me confonde si jamais le guerroie(2) !
Avancez-vous, Girard le Viennois.
— Pourquoi seigneur ? dit Girard le courtois.
— Je vais le dire, répondit le grand roi.
50 La paix sera dictée par votre loi,
En douce France, vous aurez tous les droits. »

(2) si jamais je le guerroie

Girard de Vienne, fin du XIIᵉ siècle.

Pistes de recherche

1. Comment l'auteur fait-il rebondir l'action, mais aussi attendre l'acte décisif du drame ?

2. Romanesque et réalisme : des situations inattendues (en quoi ?), équilibrées par des notations pittores-ques et la vraisemblance dans l'enchaînement des actions et dans la psychologie des personnages.

3. Comment la fidélité de Girard est-elle mise en valeur ? Peut-on parler de contagion héroïque dans le cas de Charlemagne ?

4. L'art des effets symboliques• : étudiez, dans cette perspective, quelques motifs : le souterrain, chasse et chasseur chassé, nature riante.

Renaud de Montauban ou *Les Quatre Fils Aymon* (XIIIᵉ siècle)

Promise à une longue postérité, comme l'histoire de Roland, à travers de multiples transformations : manuscrits en prose, versions imprimées dès l'apparition de la nouvelle technique, livrets de colporteur, sans parler d'avatars plus artistiques : *Orlando furioso (Roland furieux)* de l'Arioste, *Il Rinaldo (Renaud)* du Tasse et, de là, opéras de Gluck, Haydn, Haendel, Rossini entre autres, c'est une des plus célèbres légendes épiques médiévales. La chanson de geste originale est d'auteur anonyme et ne comporte pas moins de 18 000 alexandrins rimés. Une telle masse défie le résumé. On dira seulement qu'elle aussi oppose Charlemagne et une famille de vassaux, quatre frères dominés par la figure de Renaud, avec cette variante originale toutefois que leur père Aymon se montre si fidèle à son suzerain qu'il prend le plus souvent le parti de l'empereur contre ses propres fils. Comme dans *Girard de Vienne* le conflit débouche sur une réconciliation des belligérants, mais ce n'est pas le terme de l'œuvre et le long épilogue qui suit la paix approfondit la portée du poème.

Exubérance de l'intrigue, tendance au **réalisme descriptif**, **exaltation du héros** dans ses efforts surhumains comme dans sa grandeur d'âme trouvent ici leurs formes maximales. On remarque aussi facilement un goût marqué pour le **merveilleux féerique** et les agents principaux en sont : Maugis, enchanteur spécialisé en délivrances et captures acrobatiques avant de quitter le monde pour devenir ermite, et le prodigieux cheval Bayard tout aussi capable d'exploits militaires que de réveiller ses cavaliers quand le péril presse. Cet art, caractéristique de l'épopée médiévale finissante, pour puissant et peut-être un peu voyant qu'il soit (ce qui en fait l'ancêtre du roman populaire), n'est pas étalage gratuit, parce que mis au service **d'une forte signification**. Inspirée par un christianisme qui maintenant paraît fermement évangélique, l'œuvre tend à condamner la violence mauvaise et sans issue, et à dépasser l'héroïsme par la sainteté : Renaud renie sa vie de guerrier pour choisir la condition, honteuse aux yeux d'un chevalier, de manœuvre occupé à construire la cathédrale de Cologne et y trouver une mort misérable ; cette ascèse, couronnée par le martyre et sanctionnée par le miracle, fait de lui saint Renaud.

Les Quatre Fils Aymon, manuscrit de 1480, Paris, Bibl. Nat. réserve Y2.364.

Renaud, frappé d'abord par Bertolai, neveu de Charlemagne, puis par l'empereur lui-même, a tué Bertolai. Il s'enfuit de la cour avec ses frères et se réfugie dans un château que Charlemagne prend par trahison. Les quatre frères s'enfoncent alors dans la forêt d'Ardenne.

Tandis qu'Aymon quittait la cour, plein de rancœur, Renaud et ses frères franchissaient le défilé et s'enfonçaient dans la forêt d'Ardenne avec leurs hommes. C'est le dénuement le plus complet qui les y attend, car il n'est pas un seul château, un seul bourg, un seul hameau, une seule citadelle où ⁵ils osent pénétrer. Ils n'ont pas d'autre nourriture que le produit de leur chasse, ni d'autre boisson que l'eau des sources et des ruisseaux. La viande crue des chevreuils dont ils réussissent à s'emparer et l'eau les rendent malades. Le vent et le mauvais temps aussi leur font la guerre. Que pourrais-je ajouter ? Peu à peu tous succombent. Il ne reste que les quatre frères, mais ¹⁰très mal en point, avec trois de leurs compagnons, Rénier, Gui et Fouque le barbu, tous trois résolus et endurants. À eux sept, ils n'ont que quatre chevaux, pas un de plus, si grande est leur misère. Et en fait de fourrage, ni avoine ni foin séché au soleil, seulement des feuilles et des racines. Bien contents de trouver de la fougère. À ce régime, les chevaux maigrissent, à ¹⁵l'exception de Bayard qui demeure gros, gras et dispos : les feuilles lui profitent plus que le grain aux autres !

Cependant, ils mettent le pays à feu et à sang. De Senlis à Orléans et à Paris, de Laon à Reims, il n'est personne pour se risquer hors des tours et des forteresses, tant Renaud s'y entend à faire régner la terreur ; avec ses frè-²⁰res et leurs trois fidèles compagnons, ils multiplient les expéditions contre les Français. Les quatre frères vont à cheval et les trois autres à pied, portant les arcs. Et, quand ils doivent franchir une rivière ou un passage difficile, ils montent tous sur les chevaux déjà épuisés, mais Bayard à lui seul en porte quatre quand il le faut. Ils n'ont pas même construit de cabanes ²⁵dans le bois, mais se contentent de s'abriter sous des hêtres ou des chênes. Leurs vêtements sont réduits en guenilles. À force de porter leurs cottes de mailles à même la peau, ils sont devenus plus noirs que de l'encre et plus velus que des ours. Le cuir qui attachait leurs beaux étriers d'or a cédé et les freins de leurs selles pourrissent aux intempéries. Avec de l'osier qu'ils ³⁰trouvent en abondance, ils fabriquent des liens dont ils se servent comme étrivières et comme sangles pour les chevaux. Tant que cela dure, ils s'estiment heureux ; et grâce aux arcs, le gibier ne manque pas. Mais une fois les cordes pourries, c'est la disette. Et l'hiver les met à si rude épreuve qu'ils songent à tuer leurs chevaux pour les manger. Il n'est personne au monde ³⁵qui, à les voir, ne serait pris de pitié. Dès qu'ils sortent de la forêt, il se trcuve quelqu'un pour les apercevoir et les prendre en chasse. Charles a fait proclamer partout qu'on doit, si on peut mettre la main sur eux, les faire prisonniers et les lui remettre, et que c'est la pendaison qui les attend. Voilà pourquoi les fils Aymon restent dans la forêt d'Ardenne, alors même qu'ils ⁴⁰n'ont plus rien à se mettre. Qu'il pleuve, qu'il vente ou qu'il grêle, chacun s'abrite sous un arbre, bouclier suspendu au cou, casque rouillé en tête, épieu au côté. Leurs chevaux ont perdu leurs fers, leur harnachement est en pièces. La longueur de l'hiver le rend encore plus accablant. Avec quelle ardeur, ils souhaitent le retour de la belle saison !

Renaud de Montauban ou *Les Quatre Fils Aymon*, XIIIᵉ siècle, traduction de M. de Combarieu du Grès et J. Subrenat, Gallimard, 1983.

Pistes de recherche

1. Le texte s'organise en trois tableaux. Quel est, en chaque cas, le point de vue adopté ?

2. L'aventure : en quoi un tel passage donne-t-il, dans une chanson de geste, une impression de nouveauté ? Quels traits fondamentaux de la condition épique persistent ?

3. Comment le texte fait-il empirer progressivement la situation des héros ? Comment la participation émotive du lecteur est-elle sollicitée ? Comment la peinture d'un dénuement est-elle rendue intéressante ?

4. Essayez de montrer (en empruntant des exemples à quelques romans) qu'épopée et roman ont tendance ici à se rejoindre.

EXTRAIT 2

La longue guerre s'est enfin terminée... Renaud qui a partagé ses fiefs entre ses fils travaille comme manœuvre à la construction d'une cathédrale, à Cologne. Il montre tant d'ardeur à porter d'énormes pierres aux maçons et demande un salaire si modique qu'il suscite l'irritation des autres ouvriers. Quelques-uns d'entre eux s'entendent pour lui défoncer le crâne à coups de marteau et jettent son cadavre dans le fleuve.

Pendant ce temps, du fait des traîtres, le corps était dans l'eau. À force de tournoyer au hasard, il tomba au plus creux et au plus noir du lit du fleuve. Frémissant comme la flèche encochée, il allait s'ébranler et descendre au fil du courant. Mais alors, Dieu fit un miracle digne de s'inscrire dans toutes
5 les mémoires : tous les poissons se rassemblèrent en troupe autour du corps. Sur une distance d'une lieue, il n'en manqua pas un de tous ceux qui avaient quelque force : telle est la volonté de Jésus. Ils convergèrent tous là où ils savaient qu'ils étaient attendus, les plus grands et les plus forts en tête. Et sur l'ordre de Dieu le Père, ils maintinrent le corps de Renaud immobile
10 et le firent flotter entre deux eaux jusqu'à la nuit tombée. Alors ils le font émerger à la surface du fleuve et, par la volonté de Jésus, il se met à irradier une telle clarté que l'on aurait cru voir brûler clair trois cierges ; et on entendait résonner le haut chant des anges qui célébraient un office digne de lui. La puissance de Dieu, Père et Rédempteur, émettait tout alentour
15 un tel rayonnement de lumière que l'on croyait voir l'eau en feu. Toute la ville en est frappée de stupeur : hommes et femmes accourent pour contempler le prodige. Une procession se forme, guidée par l'archevêque qui marche derrière la statue de monseigneur saint Pierre. Le clergé le suit, chantant des cantiques. Ils s'arrêtent sur la berge qui domine la rivière, n'osant
20 s'avancer davantage et regardant le corps qui flottait.

« Voilà une grande merveille, se disent-ils les uns aux autres. Quel est ce corps-là, dans l'eau, auquel Dieu manifeste un tel amour ? »

Et l'archevêque, en homme d'expérience, d'expliquer : « C'est celui d'un très saint marchand de très grande vertu, ou d'un prêtre, ou d'un moine, ou
25 encore d'un pénitent. Dieu le Père tout-puissant l'aime tant qu'il ne veut pas qu'il soit anéanti, cela est clair. Dépêchez-vous d'aller chercher un bateau. C'est la volonté de Dieu qui l'empêche de couler. »

Quand les anges eurent achevé de chanter l'office, les poissons se mirent aussitôt en branle. D'un seul mouvement, ils dirigent le corps vers la rive.
30 À cette vue, le clergé s'étonne.

« Si Dieu, dit l'archevêque s'adressant au doyen Thibaud, fait tant pour ce corps, c'est à cause de la perfection de celui qui l'a animé. Voilà qu'il nous l'amène ; il n'y a plus qu'à tendre le bras. »

Renaud de Montauban ou *Les Quatre Fils Aymon*, traduction M. de Combarieu du Grès et J. Subrenat, Gallimard, 1983.

Pistes de recherche

1. Étudiez comment dans le récit tous les faits sont rigoureusement enchaînés. À qui le texte attribue-t-il ce déterminisme et sur quelles justifications appuie-t-il cette interprétation ?

2. Pourquoi le corps de Renaud doit-il être préservé ? Quelles croyances du christianisme médiéval s'accordent avec ce trait du texte ?

3. Le miracle : en quoi se distingue-t-il ici du simple prodige ? Expliquez quelques détails symboliques• : les poissons, la lumière rayonnante, les trois cierges. Le récit cultive un certain style naïf. Relevez-en des exemples. Essayez de l'analyser. Cherchez des rapprochements avec d'autres témoins de l'art médiéval.

La littérature courtoise

Une société en mutation

Vers la fin du XIᵉ siècle et le début du XIIᵉ siècle la société française connaît d'importantes mutations politiques et sociales. L'autorité de la dynastie des Capétiens subit alors un effritement progressif qui favorise l'essor et le prestige de quelques grands seigneurs provinciaux. Les tensions intérieures entretenues par d'incessantes rivalités féodales semblent enfin se relâcher grâce à la trêve d'inspiration religieuse observée vers 1095. Tandis que les hommes sont absents, retenus par des expéditions militaires lointaines, les femmes prennent, dans la vie sociale, une place plus importante, s'attribuent des responsabilités nouvelles et commencent lentement à s'affranchir de la situation d'étroite dépendance imposée jusqu'alors par un univers masculin tout-puissant. Les valeurs guerrières honorées traditionnellement par la noblesse admettent peu à peu l'émergence d'un idéal de vie moins ambitieux et moins sévère. Les croisés ont découvert en Orient un luxe inconnu, parfois somptueux, qui ne manquera pas de troubler leurs habitudes et de séduire leur goût. De retour dans leurs fiefs respectifs, ils tenteront de donner à leur existence quotidienne un peu de ce faste et de ces raffinements dont leur esprit reste ébloui. **On voit alors se développer des cours princières** où la recherche du bien-être matériel s'allie à la curiosité et à la stimulation des esprits. Sous l'impulsion d'un mécénat actif, on voit s'épanouir, tout particulièrement, le goût de la musique et de la littérature.

Cours et courtoisie

La cour se dit *cort* en ancien français. Les termes de *courteisie* ou *courtoisie* désignent un ensemble de conventions sociales et de principes moraux qui assignent à l'élite aristocratique un exigeant modèle de civilisation. **Certaines valeurs apparaissent déterminantes dans la conduite du chevalier :** l'élégance morale et physique ; l'éclat de la prouesse sportive ou guerrière ; une générosité octroyée avec largesse ; le charme de la jeunesse ; le sens de la juste mesure et de la pudeur ; le culte de l'amour ; l'exaltation de la femme. C'est d'abord dans les provinces du Midi que se fixe, dès la fin du XIᵉ siècle, le code de la courtoisie, tel que nous pouvons le découvrir dans les premières œuvres lyriques que nous ont laissées les troubadours. **Ces auteurs étaient à la fois poètes et musiciens :** ils créaient (c'est-à-dire inventaient et trouvaient ; d'où le nom de *trouvère* ou de *troubadour*) et composaient en dialecte littéraire de la langue d'oc des textes destinés à être chantés. L'interprétation des chansons était confiée à des *jogladors* (c'est-à-dire des jongleurs), artistes itinérants qui cumulaient les fonctions de comédien, conteur, chanteur, mime, bateleur et musicien. Jongleurs et troubadours étaient au centre des foyers intellectuels et culturels qui commençaient à s'organiser à la cour de quelques grands seigneurs méridionaux. Le premier de ces mécènes fut lui-même un troubadour inspiré : Guillaume IX (1071-1127), duc d'Aquitaine et comte de Poitiers.

La genèse du roman courtois

Jusqu'à la fin du XIIᵉ siècle, les descendants de Guillaume IX continuèrent à rassembler autour d'eux de nombreux auteurs et artistes. Aliénor d'Aquitaine (1122-1204), petite-fille de Guillaume IX, reine de France par son mariage avec Louis VII, puis reine d'Angleterre quand elle épousa Henri Plantagenêt (couronné roi d'Angleterre en 1154) prit une part active dans l'essor d'un genre littéraire nouveau : le roman. C'est à elle, en effet, que sont dédiés certains de nos premiers romans : le *Roman de Thèbes*, *Énéas*, les deux *Tristan* de Béroul et Thomas (cf. p. 52), les *lais* de Marie de France (cf. p. 50). C'est en hommage à la fille de la reine, Marie, comtesse de Champagne, que Chrétien de Troyes (cf. p. 64) compose *Le Chevalier de la charrette*.

Le roman marque la diffusion et la consécration d'une langue nouvelle. Dès le IXᵉ siècle, dans toute la partie occidentale de ce qui fut, jadis, l'immense Empire romain, s'était constituée une langue différenciée, appelée *lingua romana*. Il s'agit d'une langue parlée, populaire, souvent argotique, dérivée d'un latin tardif, dégradé, contaminé parfois par des emprunts à des dialectes celtiques ou germaniques. À partir du XIIᵉ siècle, cette langue — le *romanz* — se fixe dans l'écrit : elle permet à tous ceux qui ignorent le latin (réservé aux clercs•) d'avoir accès au patrimoine littéraire de la Rome classique dont les chefs-d'œuvre vont désormais pouvoir être transposés. Trois courants distincts alimentent la formation et le développement du roman courtois.

La tradition de l'Antiquité

Dès le début du XIIᵉ siècle, les érudits font connaître les légendes les plus célèbres qui ont nourri les grandes œuvres de la poésie latine : l'*Énéide* de Virgile, les *Métamorphoses* d'Ovide, la *Thébaïde* de Stace. À partir du milieu du siècle ces mythes• inspirent des adaptations écrites en français. À l'imitation de la *Thébaïde* de Stace, le *Roman de Thèbes* (vers 1150), dû à un auteur inconnu, retrace en octosyllabes le destin d'Œdipe et la malédiction qui frappe ses enfants. L'auteur anonyme d'*Énéas* (vers 1160) reprend la trame des aventures d'Énée, telles que Virgile les avait évoquées. Toutefois la transposition tend à sacrifier le caractère épique• de cette vaste fresque au profit d'un récit réaliste qui s'attache à la vérité des descriptions et à l'analyse minutieuse de la psychologie des personnages. Plus qu'une autre, cette œuvre est révélatrice du glissement progressif qui se fait de la chanson de geste (cf. p. 18) vers le genre romanesque. Parfois les premiers romanciers français utilisent de façon plus indirecte une source antique qui a déjà fait l'objet, elle-même, de résumés, d'adaptations ou de retranscriptions. Tel est le cas du *Roman de Troie* (interminable roman-fleuve de trente mille octosyllabes) composé vers 1165 par Benoît de Sainte-Maure qui reprit la légende de la guerre de Troie et le récit des aventures d'Ulysse. Tel est le cas, encore, du *Roman d'Alexandre* (utilisant des vers de douze syllabes qui donnent lieu au terme d'alexandrin), rédigé un peu plus tôt — vers 1130 — en dialecte dauphinois par Albéric de Pisançon qui exploita la traduction abrégée en latin tardif d'un roman grec consacré à Alexandre.

Les influences byzantine et orientale

Dès le Moyen Âge circulaient en France des traductions latines d'un roman grec, *Apollonius de Tyr*, dont on trouve des imitations dans la chanson de geste *(Jourdain de Blaie)* ou dans le roman *(La Fille du comte de Pontieu)*. Or, de tout temps, les légendes orientales s'étaient diffusées dans les pays riverains de la Méditerranée (la Grèce, l'Italie et l'Espagne dont une grande partie est occupée par les Arabes) et s'étaient progressivement assimilées au patrimoine culturel de l'Occident. Mais la grande aventure des Croisades fut l'occasion d'aviver la curiosité et l'émerveillement des chrétiens au moment où ils découvraient le monde oriental. L'effet de séduction exercé par cette civilisation lointaine est suffisamment puissant pour amener Chrétien de Troyes à faire de l'empereur de Constantinople l'un des personnages du roman *Cligès* (cf. p. 60).

La légende celtique du roi Arthur

Le personnage du roi Arthur renvoie à une époque immémoriale où il est difficile d'établir une frontière précise entre l'histoire et la légende. Il semble que vers le vᵉ ou le vⁱᵉ siècle de notre ère un chef celtique ait su imposer son autorité à un moment où le Sud du Pays de Galles et la Cornouailles étaient la proie de factions rivales. C'est de cette période que date la naissance d'une mythologie vivace et féconde, répandue par tradition orale à travers tous les territoires imprégnés par la civilisation celtique. Puis, progressivement, la légende va se fixer dans des textes écrits. Un chroniqueur du ixᵉ siècle, Nennius, est le premier à évoquer la personnalité du roi Arthur, guerrier valeureux et respecté, farouche défenseur de la cause celtique opposé aux conquérants saxons. Plus tard, vers 1130, un clerc• gallois, Geoffroy de Monmouth écrit en latin une *Histoire des rois de Bretagne* (la Bretagne désigne alors, au sens large, les territoires marqués par la culture celtique : Irlande, Pays de Galles, Cornouailles, Armorique) ; l'ouvrage accorde une large part à l'univers mythique• qui entoure le roi Arthur et les chevaliers de la Table Ronde. C'est par l'intermédiaire d'un jongleur• (cf. p. 48) gallois, Bréri, que vers la fin du premier tiers du xiiᵉ siècle la légende du roi Arthur se diffuse à la cour du comte de Poitiers.

Aventure et amour

Les thèmes développés par le roman courtois révèlent une volonté d'originalité et de rupture à l'égard de la chanson de geste. Au récit des événements historiques relatés par la *geste* héroïque, le roman oppose l'évocation d'un monde troublant, tantôt merveilleux, tantôt inquiétant, en proie à l'irrationnel, détraqué par des sortilèges ou embelli par des actes de magie, peuplé de personnages mystérieux et fantastiques : enchanteurs, fées ou nains.

Guerrier héroïquement dévoué à son suzerain, le chevalier du roman courtois est aussi un amoureux qui consacre à celle qu'il aime une passion dévorante. La Dame est l'objet de sentiments d'admiration, d'adoration et d'exaltation qui relèvent presque d'un mysticisme• religieux. L'intensité de l'amour courtois est telle que, pour vaincre l'indifférence prolongée de la femme aimée, le chevalier tendu dans un perpétuel effort de dépassement s'impose d'affronter et de surmonter une longue série d'obstacles. Ainsi finira-t-il par se grandir et par mériter l'élue de son cœur. **Les exploits accomplis pour conquérir la dame sont donc à la fois l'épreuve et la preuve d'une rare perfection morale.**

Chroniques de Froissart, «Entrée de Louis II à Paris en 1386 accueilli par ses oncles les ducs de Berry et de Bourgogne», manuscrit fr. 2645, fol. 321 vᵒ, Paris, Bibl. Nat., ph. Hachette.

■ Magie et mélancolie des lais : Marie de France (XIIᵉ siècle)

Nous ne savons presque rien de la vie de Marie de France, poétesse qui, au milieu du XIIᵉ siècle, fréquenta la cour d'Henri II, roi d'Angleterre. Entre 1160 et 1178 elle composa une série de *lais* dont douze sont parvenus jusqu'à nous.

Le lai était primitivement un bref poème lyrique• chanté par des jongleurs bretons s'accompagnant à la harpe. Le sujet du lai était, en général, emprunté à une vieille légende celtique que l'auteur essayait de résumer sous la forme sobre et abrégée d'une chanson. Entre la fin du XIIᵉ siècle et le milieu du XIIIᵉ siècle, le lai évolue vers la structure d'un conte en vers qui explore deux thèmes privilégiés : l'aventure et l'amour. Animaux extraordinaires et objets magiques hantent un univers imaginaire livré aux fantaisies de quelques fées bienveillantes et aux maléfices d'une épouse volage ou d'un mari vindicatif. Le lai d'*Yonec* raconte les ruses d'un chevalier métamorphosé en faucon pour aller rendre visite à sa belle, prisonnière dans une tour. Le lai de *Bisclavret* évoque la mésaventure d'un seigneur transformé en loup-garou et empêché par sa perfide femme de retrouver son apparence humaine. À la cour du roi Arthur (cf. p. 49), un chevalier esseulé est enlevé par une fée amoureuse (le lai de *Lanval*). On verra (cf. p. 54) grâce à un extrait du lai du *Chèvrefeuille* combien **les anecdotes magiques sont souvent indissociables du climat de mélancolie** qu'entretient le thème répété des amants séparés.

EXTRAIT

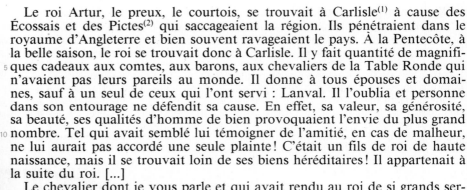

Le roi Artur, le preux, le courtois, se trouvait à Carlisle[1] à cause des Écossais et des Pictes[2] qui saccageaient la région. Ils pénétraient dans le royaume d'Angleterre et bien souvent ravageaient le pays. À la Pentecôte, à la belle saison, le roi se trouvait donc à Carlisle. Il y fait quantité de magnifi-
5 ques cadeaux aux comtes, aux barons, aux chevaliers de la Table Ronde qui n'avaient pas leurs pareils au monde. Il donne à tous épouses et domaines, sauf à un seul de ceux qui l'ont servi : Lanval. Il l'oublia et personne dans son entourage ne défendit sa cause. En effet, sa valeur, sa générosité, sa beauté, ses qualités d'homme de bien provoquaient l'envie du plus grand
10 nombre. Tel qui avait semblé lui témoigner de l'amitié, en cas de malheur, ne lui aurait pas accordé une seule plainte ! C'était un fils de roi de haute naissance, mais il se trouvait loin de ses biens héréditaires ! Il appartenait à la suite du roi. [...]
Le chevalier dont je vous parle et qui avait rendu au roi de si grands ser-
15 vices monte un jour à cheval et part se promener. Une fois hors de la ville, le voilà tout seul dans un pré. Il descend de cheval au bord d'une rivière, mais son cheval tremble de tous ses membres. Il le dessangle et s'en va, le laissant se vautrer au milieu du pré. Il plie sous sa tête le pan de son manteau et s'étend. La gêne dans laquelle il se trouve le rend très soucieux et
20 il ne voit rien qui lui soit agréable. De l'endroit où il est ainsi étendu, il regarde en bas, du côté de la rivière, où il voit venir deux jeunes filles, les plus belles qu'il ait jamais vues. Elles étaient magnifiquement vêtues de tuniques de pourpre sombre et très serrées à la taille. Leur visage était extrêmement beau. L'aînée portait deux bassins d'or pur très travaillé et très fin.
25 Je vous dirai la vérité sans faute : l'autre portait une serviette. Elles se dirigent tout droit là où s'est étendu le chevalier. Lanval, en homme d'excellente éducation, se lève à leur approche. Tout d'abord elles le saluent, puis lui transmettent leur message : « Seigneur Lanval, notre maîtresse, qui est pleine de vertu, de sagesse et de beauté, nous envoie vous chercher. Venez
30 donc avec nous ! Nous vous conduirons sans risque auprès d'elle : voyez, la tente est toute proche. » Lanval les suit sans se soucier de son cheval qui, devant lui, paissait dans le pré.
Elles le conduisent jusqu'au pavillon qui était très beau et très bien installé. Ni la reine Sémiramis[3] au comble de sa richesse, de sa puissance, de
35 son savoir, ni l'empereur Auguste n'auraient pu en acheter le côté droit. Il y avait tout en haut un aigle d'or dont je ne puis dire la valeur, pas plus que celle des cordes et des piquets qui en soutenaient les pans. Il n'est pas un roi au monde qui aurait été à même de les acquérir, quelque fortune qu'il ait pu y consacrer ! À l'intérieur se trouvait la jeune fille. Le lis et la rose

fraîche éclose au printemps lui étaient inférieurs en beauté. Elle était éten-
40 due sur un lit magnifique dont les étoffes valaient le prix d'un château et elle
était vêtue seulement de sa tunique. Son corps était harmonieux et plein de
grâce. Elle avait jeté sur elle pour avoir chaud un riche manteau de pourpre
d'Alexandrie doublé d'hermine blanche. Mais elle avait le flanc découvert
45 ainsi que le visage, le cou et la poitrine. Elle était plus blanche que
fleur d'aubépine.

Le chevalier s'avance et la jeune fille lui adresse la parole tandis qu'il se
place devant le lit : «Lanval, lui dit-elle, mon bon ami, c'est pour vous que
je suis sortie de mon pays. De bien loin je suis venue vous chercher. Si vous
50 êtes homme de bien et courtois, ni empereur ni comte ni roi n'auront jamais
éprouvé autant de joie ni de bonheur, car je vous aime plus que tout. » Il la
regarde et la trouve belle. Alors l'amour le pique de l'étincelle qui enflamme
et embrase son cœur. Il lui répond gracieusement : «Belle dame, dit-il, si
vous y consentez, et si par bonheur il m'arrivait que vous vouliez m'aimer,
55 vous ne sauriez rien demander que je ne fasse de mon mieux, que ce soit
folie ou sagesse. J'accomplirai tous vos ordres et pour vous j'abandonnerai
tout le monde. Plus jamais je ne veux me séparer de vous, c'est là ce que
je désire le plus. » Quand la jeune fille entend ainsi parler cet homme qui
l'aime tant, elle lui accorde son amour et sa personne. Voilà Lanval en
60 bonne voie. Ensuite, elle lui fait un don : désormais, tout ce qu'il voudra,
il l'aura à volonté. Qu'il donne et qu'il dépense généreusement, elle lui procurera tout en abondance. Voilà Lanval bien pourvu ! Plus il fera de dépenses fastueuses et plus il aura d'or et d'argent ! «Ami, dit-elle, faites bien
attention, c'est à la fois un ordre et une prière. Ne confiez ce secret à per-
65 sonne ! Je vais vous en dire la raison essentielle : vous me perdriez pour
toujours si cet amour était connu. Plus jamais vous ne pourriez me voir ni
me posséder. » Il lui répond qu'il se conformera exactement à ses recommandations.

Marie de France, *lai de Lanval*, v. 4-30 et 38-153, traduction de l'ancien français par Pierre
Jonin, Honoré Champion, 1972.

(1) ville du Nord-Ouest de
l'Angleterre
(2) peuple celtique originaire d'Irlande
(3) reine de Babylone

Pistes de recherche

1. Essayez de relever et de classer
les rituels sociaux, les conventions
morales et les données psychologiques qui vous paraissent définir
l'idéal de la courtoisie. Dans quelle
mesure cet idéal apparaît-il comme
une discipline imposée au chevalier ?

2. Par quels glissements successifs se précise le passage du réel
au merveilleux ? Comment est
entretenue puis amplifiée l'atmosphère d'envoûtement ?

3. Quelles sont les caractéristiques de l'amour qui unit Lanval et
la jeune fille ? À quels indices peut-
on percevoir que l'univers
enchanté reste fragile ?

◄ *Vierge sage*, Strasbourg,
musée de l'Œuvre Notre-
Dame, ph. Lauros-Girau-
don.

La Dame à la Licorne, «Le Goût», XVe siècle, Paris, musée de Cluny, ph. H. Josse.

Tristan et Iseut : une passion tragique

Dès l'Antiquité la littérature s'est emparée de tragiques histoires d'amour marquées par la fatalité et sanctionnées par la mort des amants. Le poète latin Ovide (43 av. J.-C.-17 ap. J.-C.), par exemple, avait chanté dans le poème des *Métamorphoses* les aventures de Pyrame et Thisbé dont s'est inspiré l'auteur inconnu d'un conte médiéval, intitulé *Piramus,* composé vers 1160. Un canevas comparable apparaît en Perse et en Syrie, transposé dans le folklore et la civilisation de l'Orient. Au fil des siècles la légende primitive, tout en se diffusant dans des aires géographiques de plus en plus larges, a intégré au schéma initial de nombreuses variantes locales. C'est la civilisation celtique dont l'imaginaire s'est, une fois encore, révélé particulièrement fécond qui a su donner au récit fabuleux un éclat et une vivacité exemplaires.

Le mythe• de Tristan s'est d'abord répandu sous forme de lais (cf. p. 50) qui fixaient et condensaient les divers ajouts venus enrichir l'état premier de la narration. Puis la légende celtique de Tristan a pénétré en France grâce à Bréri, jongleur gallois (cf. p. 49) introduit à la cour du comte de Poitiers entre 1130 et 1150.

Tout au long du XIIᵉ siècle, le personnage de Tristan sera au centre d'importantes œuvres littéraires écrites en français. Toutefois cette abondante production est parvenue jusqu'à nous dans des conditions très difficiles. De nombreux manuscrits ont été perdus. D'autres ont survécu, mais sont réduits à des fragments isolés, rendus souvent obscurs par de nombreuses lacunes et incohérences. Il est vraisemblable que ces textes ont été victimes d'une censure soucieuse de taire un amour illégitime inscrit dans une aventure qui bafouait les valeurs morales et politiques reconnues de tous ; en effet, non seulement Tristan est coupable d'adultère, mais encore il défie l'autorité de son oncle, le roi Marc. Cependant, l'amour de Tristan a puissamment marqué et troublé les esprits tout au long du XIIᵉ siècle au point que **la plupart des auteurs de cette période ont défini leur érotisme par référence au destin de ce couple tragique.**

Dès la deuxième moitié du XIIᵉ siècle, le mythe• de Tristan et d'Iseut a nourri plusieurs romans français. Un auteur dont on ne sait presque rien, Béroul, a composé entre 1170 et 1190 un premier roman en vers de *Tristan,* dont nous restent un peu plus de quatre mille octosyllabes ; leur discontinuité ne permet pas de reconstituer avec précision l'architecture globale du récit. Vers la même époque, Thomas, qui fréquente la cour de la reine Aliénor, rédige sur le même thème un autre *Tristan :* la tonalité épique•, propre à l'œuvre de Béroul, est moins marquée dans la version de Thomas qui préfère donner une importance nouvelle aux thèmes courtois et aux subtilités de la dialectique• amoureuse. Marie de France (cf. p. 50), qui a sans doute connu Thomas à la cour d'Aliénor, consacrera le *Lai du Chèvrefeuille* à l'un des épisodes les plus symboliques• de l'aventure de Tristan. À la même époque, deux autres œuvres, la *Folie Tristan,* dite de Berne, et la *Folie Tristan,* dite d'Oxford, racontent comment Tristan, déguisé en fou, revient d'exil pour retrouver Iseut en Cornouailles. Il faudra attendre les environs de 1230 pour qu'un *Tristan* en prose rassemble en un roman unique les divers épisodes de la légende dispersés dans les œuvres précédentes.

Le Roman de Tristan,
manuscrit fr. 112, fol. 239,
Paris, Bibl. Nat.

Tristan, fils de Rivalen et de Blanchefleur, devient orphelin alors qu'il est encore en bas âge. Son oncle, le roi Marc de Cornouailles, le recueille et confie l'éducation de l'adolescent à Governal qui lui apprend l'art du combat. En ces temps immémoriaux, la Cornouailles devait, chaque année, s'acquitter d'un tribut humain rassemblant des centaines de jeunes gens et jeunes filles livrés au roi d'Irlande. Cette servitude devait être levée le jour où un chevalier de Cornouailles réussirait à abattre le géant Morhout venu réclamer son dû au nom du roi d'Irlande. C'est Tristan qui accomplit l'impossible exploit. Au cours du combat, il est blessé par une arme empoisonnée : il ne doit la vie sauve qu'aux dons de guérisseuse que la reine d'Irlande Iseut a le privilège de partager avec sa fille Iseut la blonde. Après de nouvelles aventures, Tristan retourne en Irlande où il terrasse un fabuleux dragon qui terrorise les habitants de l'île. Démasqué comme étant le meurtrier du Morhout, Tristan réussit toutefois à ramener Iseut la blonde avec lui en Cornouailles pour qu'elle devienne l'épouse du roi Marc.

EXTRAIT 1

Le philtre magique

La reine mère Iseut prépare à l'intention de sa fille Iseut la blonde et du roi Marc un vin herbé, sorte de potion magique dont les vertus aphrodisiaques doivent inspirer aux deux futurs époux un désir impérieux et irrésistible. Le précieux breuvage est confié à Brangien, la fidèle servante qui, à bord d'un navire, accompagne en Cornouailles Iseut la blonde et Tristan.

Dès que les deux jeunes gens eurent bu de ce vin, l'amour, tourment du monde, se glissa dans leurs cœurs. Avant qu'ils s'en fussent aperçu, il les courba tous deux sous son joug. La rancune d'Iseut s'évanouit et jamais plus ils ne furent ennemis. Ils se sentaient déjà liés l'un à l'autre par la
5 force du désir, et pourtant ils se cachaient encore l'un de l'autre. Si violent que fût l'attrait qui les poussait vers un même vouloir, ils tremblaient tous deux pareillement dans la crainte du premier aveu.

Quand Tristan sentit l'amour s'emparer de son cœur, il se souvint aussitôt de la foi jurée au roi Marc, son oncle et son suzerain, et il voulut reculer :
10 «Non, se disait-il sans cesse, laisse cela, Tristan, reviens à toi, n'accueille jamais un dessein aussi déloyal.» Il songeait aussi : «Audret, Denoalan, Guenelon et Gondoïne, félons qui m'accusiez de convoiter la terre du roi Marc, ah! je suis plus vil encore et ce n'est pas sa terre que je convoite. Bel oncle, qui m'avez recueilli orphelin avant même de reconnaître le sang de
15 votre sœur, vous qui me pleuriez tandis que Governal me portait dans la barque sans rames ni voile, que n'avez-vous, dès le premier jour, chassé l'enfant errant venu pour vous trahir!» Mais son cœur le ramenait sans relâche à la même pensée d'amour. Souvent, il rassemblait son courage, comme fait un prisonnier cherchant à s'évader, et il se répétait : «Change ton désir,
20 aime et pense ailleurs!» Mais le lacet du veneur[1] le serrait de plus en plus. Quant à Iseut, toute sa pensée n'était plus que l'amour de Tristan. Jusqu'au déclin du jour, durant de longues heures, ils se cherchèrent à tâtons comme des aveugles, malheureux quand ils gardaient le silence et languissaient séparés, plus malheureux encore quand, réunis, ils reculaient devant
25 l'ivresse du premier baiser. [...]

Elle se pencha et appuya son bras sur lui : ce fut sa première hardiesse. Ses yeux clairs comme des miroirs s'embuèrent de larmes furtives, sa poitrine se gonfla, ses douces lèvres frémirent, elle inclina la tête. Il lui dit à voix basse : «Iseut, vous seule et l'amour m'avez bouleversé et m'avez pris
30 mes sens. Me voici sorti de la route et si bien égaré que jamais plus je ne la retrouverai. Tout ce que mes yeux voient me semble sans prix. Dans tout ce monde, rien n'est cher à mon cœur, vous seule exceptée.» Iseut dit : «Seigneur, tel êtes-vous pour moi.» Dans leurs beaux corps frémissaient la jeunesse et la vie. Alors que des feux de joie s'allumaient dans l'île et que les
35 marins dansaient en chantant autour des flammes rougeoyantes, les deux ensorcelés, renonçant à lutter contre le désir, s'abandonnèrent à l'amour.

(1) chasseur

Le Roman de Tristan et Iseut, renouvelé en français moderne par René Louis, d'après les manuscrits des XIIᵉ et XIIIᵉ siècles, coll. «Le Livre de poche», L.G.F., 1972.

Pistes de recherche

1. À quelles métaphores• reconnaît-on que Tristan et Iseut sont condamnés à subir passivement les effets du philtre? Quels indices révèlent l'efficacité du breuvage?
2. À quels paradoxes se perçoit le trouble qui envahit chacun des deux protagonistes? Comparez leur capacité respective à résister aux pulsions de l'amour.
3. Par quels aspects ce type de passion est-il excessif aux yeux de l'auteur?

La fatalité d'un destin commun : « ni vous sans moi, ni moi sans vous. »

Chassé de Cornouail-les par le roi Marc, Tristan a regagné le Pays de Galles, sa terre natale. Mais il ne peut pas se résigner à rester séparé de celle qu'il aime et décide de retourner clandestine-ment en Cornouailles, pour essayer de revoir Iseut. Un signe de reconnaissance ingé-nieux permet à Tristan de manifester sa pré-sence. Cet épisode constitue le thème du Lai du Chèvrefeuille de Marie de France (cf. p. 50).

Je suis très heureuse, très désireuse aussi de vous raconter la véritable his-toire du lai nommé *le Chèvrefeuille* et de vous dire avec exactitude pour-quoi, comment et à partir de quelles sources il a été composé.

Plus d'un m'en a fait le récit et, moi, je l'ai lue dans un livre, cette his-
5 toire de Tristan et de la reine, de leur amour qui fut si parfait et leur valut bien des souffrances avant de les réunir dans la mort, le même jour. Le roi, sous l'empire du chagrin et de l'irritation, chassa du royaume Tristan son neveu à cause de l'amour qu'il portait à la reine. Tristan est donc parti pour son pays natal, le sud du Pays de Galles, où il reste une année entière sans
10 pouvoir revenir sur ses pas. Dans la suite, il s'exposa à la mort et à l'anéan-tissement. N'en soyez nullement étonnés, car l'amant fidèle sombre dans la tristesse et la désolation quand il n'a pas ce qu'il désire. Tristan est donc devenu triste, soucieux, et c'est pour cela qu'il quitte son pays. En Cor-nouailles il va tout droit, c'est là que demeure la reine. Tout seul, il s'engage
15 dans la forêt, car il ne veut pas être vu. Lorsque arrive le soir, il en sort à l'heure où il faut trouver un toit. Chez des paysans, de pauvres gens, il loge pendant la nuit. Il se renseigne auprès d'eux sur le roi et leur demande ce qu'il fait. Ils lui répondent, d'après ce qu'ils ont appris, que les barons sont convoqués à Tintagel, où ils doivent venir car le roi veut y tenir sa cour. À
20 la Pentecôte, ils s'y trouveront tous, il y aura beaucoup de joie, de plaisir, et la reine sera présente. Voilà une nouvelle qui réjouit Tristan! Yseut ne pourra pas s'y rendre sans qu'il la voie passer. Le jour du départ du roi, Tristan revient dans la forêt. Sur le chemin que le cortège, il le savait, devait emprunter, il coupe par le milieu une tige de coudrier[1] qu'il équar-
25 rit[2] en la taillant. Quand il a enlevé l'écorce du bâton, à l'aide de son cou-teau il y grave son nom. Si la reine remarque le signal, elle qui y prêtait une grande attention — déjà il était arrivé, une autre fois, qu'elle remarque sa présence de cette manière — elle reconnaîtra bien, dès qu'elle le verra, le bâton préparé par son ami. Voici le sens fondamental du message écrit sur
30 le bâton : Tristan voulait lui apprendre qu'il était resté longtemps dans la forêt à attendre pour épier et connaître le moyen de le revoir, car il ne pouvait vivre sans elle. Il en était d'eux comme du chèvrefeuille qui s'enroule autour du coudrier : une fois qu'il s'y est enlacé et qu'il s'est enroulé tout autour de la tige, s'ils restent unis, ils peuvent bien subsister,
35 mais ensuite si on veut les séparer, le coudrier meurt aussitôt et le chèvre-feuille aussi. « Belle amie, ainsi en est-il de nous : ni vous sans moi, ni moi sans vous! »

Mais voici la reine qui s'avance à cheval, elle scrute du regard toute la largeur du talus, voit le bâton, le remarque fort bien et en reconnaît toutes
40 les lettres. À tous les chevaliers de son escorte, ses compagnons de route, elle fait donner l'ordre de s'arrêter : elle veut descendre de cheval et se reposer. Ils lui obéissent et elle s'éloigne de ses gens, après avoir appelé à elle Bran-gien, sa suivante qui lui était très fidèle. À quelque distance du chemin, elle trouve dans le bois celui qu'elle aime plus que tout au monde. Ils se mani-
45 festent la très grande joie qu'ils éprouvent. Tristan lui parle tout à son aise et Yseut lui dit ce qu'elle désire. Puis elle lui explique le moyen de se réconci-lier avec le roi et la grande peine que lui avait faite la façon dont il l'avait chassé. Une dénonciation en était la cause. Puis elle part et quitte son ami. Mais au moment de la séparation, ils se mirent à pleurer. Tristan retourna
50 au Pays de Galles jusqu'au jour où son oncle le rappela.

À cause de la joie qu'il avait éprouvée à revoir son amie, et par désir de se rappeler les paroles de la reine qu'il avait mises par écrit, Tristan, qui savait bien jouer de la harpe, en avait fait un nouveau lai. D'un seul mot, je vous indiquerai son titre : « Gotelef » pour les Anglais, « Chèvrefeuille »
55 pour les Français. Je viens de vous dire la véritable histoire du lai que j'ai raconté ici.

(1) noisetier
(2) ébranche

Marie de France, *Lai du Chèvrefeuille* (fin du XIIᵉ siècle), traduit de l'ancien français par Pierre Jonin, Honoré Champion, 1972.

Au-delà des motifs hérités de la légende de Tristan — l'amour-passion se nourrissant des obstacles rencontrés (ici le thème du roi), l'amour-fatalité réunissant deux êtres presque malgré eux (thème de l'«éternel retour») dans une indissociable union (symbole• du chèvrefeuille et du coudrier) pour les conduire en définitive à la mort — on retrouve, ici encore, le grand thème déjà illustré dans d'autres œuvres de Marie : un être d'élection tendu vers un ailleurs, vers un rêve impossible, et qui vient se briser sur la dure réalité de ce monde. Tristan est sorti de la forêt, ce refuge des insatisfaits ; il va rentrer dans la forêt. Comme dans le *lai du Laostic*, il semble que rien ne se soit vraiment passé. Une attente anxieuse, un espoir fou, culminant dans la communion impossible — *Ne vus sans mei, ne jeo sanz vus*[1] —, puis la retombée dans le légal et le réel, où l'Yseut de nos rêves est redevenue *la reïne*. Pour un Lanval qui a réussi son envol, combien de Laostics assassinés et de Tristans retournés à leur solitude ?

Jacques Ribard, «Essai sur la structure du *lai du Chèvrefeuille*», in *Mélanges offerts à Pierre Le Gentil*, S. E. D. E. S., 1973.

_____
(1) Ni vous sans moi, ni moi sans vous.

Pistes de recherche

1. Quelles sont les caractéristiques majeures associées par l'auteur au thème de l'amour passionné ?
2. Montrez comment ce lai mêle l'échappée dans le rêve et la résistance opposée par la réalité. Comment est entretenue la tension dramatique croissante du récit ?
3. Par quels aspects ce lai emprunte-t-il sa structure à celle d'un conte ?

Le Maître du Haut-Rhin, *Le Jardin de Paradis*, vers 1415, Francfort, Städelsch. Kunstinstitut, ph. J. Blauel-Artothek.

L'impossible repentir

Tristan et Iseut ont clairement conscience de l'interdit moral et social qui pèse sur leur amour. Mais l'effet magique de l'aphrodisiaque est si puissant que tout effort de leur volonté pour s'affranchir de la force mystérieuse qui les unit l'un à l'autre reste dérisoirement vain. La passion défie la raison. Possédés par un sortilège fatal, Tristan et Iseut savent qu'ils sont à jamais dépossédés de la liberté de mettre un terme à leur union. Ainsi leur responsabilité et leur culpabilité se trouvent-elles dégagées. Tiraillés entre le remords et le désir inassouvi, Tristan et Iseut sont condamnés à une fuite sans fin.

Un jour le hasard les amène jusqu'à l'ermitage de Frère Ogrin. Ils mènent une vie rude et difficile. Pourtant, l'amour qu'ils partagent est si profond que chacun oublie sa douleur à cause de l'autre.

L'ermite, appuyé sur sa béquille, reconnaît Tristan et l'interpelle en ces
5 termes : «Seigneur Tristan, on a juré par serment solennel dans toute la Cornouailles que tout homme qui vous remettrait au roi aurait sans faute une récompense de cent marcs. Il n'y a pas dans ce pays de seigneur qui n'ait juré au roi, la main tendue, de vous livrer à lui, mort ou vif.» Ogrin ajoute avec une grande bonté : «Crois en ma parole, Tristan, au pécheur
10 repentant Dieu accorde son pardon, grâce à sa foi et à sa confession.»

Tristan lui réplique : «Mon père, je vous le garantis, vous ne connaissez pas la raison de son amour profondément sincère. Si elle m'aime, c'est à cause du philtre. Je ne peux pas me séparer d'elle, ni elle de moi, je vous l'affirme en toute sincérité.»

15 Ogrin lui répond : «Mais quel réconfort peut-on apporter à un homme déjà mort ? Car il est bien mort celui qui depuis longtemps est tombé dans le péché, à moins qu'il ne se repente. Personne ne peut absoudre le pécheur impénitent.»

L'ermite Ogrin leur fait un long sermon et leur prêche le repentir. Il leur
20 redit à maintes reprises les prophéties de l'Écriture et bien souvent aussi leur rappelle qu'ils ont le devoir de se séparer. Tout ému, il s'adresse à Tristan : «Que vas-tu faire ? Réfléchis.

— Mon père, j'aime Iseut si éperdument que j'en ai totalement perdu le sommeil. Ma décision est bien prise. Je préfère auprès d'elle être mendiant
25 et vivre de plantes et de glands que de posséder le royaume du roi Otran. De l'abandonner, je ne veux pas entendre parler, car c'est assurément au-dessus de mes forces.»

Iseut pleure aux pieds de l'ermite. Plus d'une fois en peu de temps son visage change de couleur et bien souvent elle implore sa pitié : «Mon père,
30 au nom de Dieu tout-puissant, Tristan et moi nous ne nous aimons qu'à cause d'un breuvage dont nous avons bu tous deux. Ce fut là notre malheur. Voilà pourquoi le roi nous a chassés.»

L'ermite lui répond aussitôt : «Eh bien ! que
35 Dieu, créateur du monde, vous accorde un repentir sincère !»

Et soyez vraiment sûrs que, cette nuit-là, ils couchèrent chez l'ermite : pour eux il transgresse sa règle. Au petit matin Tristan s'en
40 va. Il reste dans le bois et délaisse les terrains découverts. Le pain leur manque et ils en souffrent beaucoup. Mais Tristan tue dans le bois quantité de cerfs, de biches et de chevreuils. Là où ils trouvent un abri, ils font la cuisine et un
45 bon feu, sans rester plus d'une nuit au même endroit.

Le Roman de Tristan et Iseut, v. 1362-1430, traduit de l'ancien français par Pierre Jonin, Honoré Champion, 1974.

Les Échecs amoureux, manuscrit fr. 143, fol. 198 v°, Paris, Bibl. Nat. ▼

Pistes de recherche

1. Comparez la rudesse de la vie menée par Tristan et Iseut en pleine forêt à l'atmosphère de cour évoquée au début de l'extrait pp. 50 et 51 : quelle fonction vous paraît attachée à l'idéal courtois d'après cette confrontation ?

2. Comment l'auteur insiste-t-il sur la culpabilité du couple maudit ?

3. Quel est le symbole• qui se dégage des effets du philtre ? À quoi tient le pathétique• de cette scène ?

La mort des amants

Au cours d'un dernier combat contre un mari jaloux, Tristan, revenu en Armorique, est blessé d'un coup de lance empoisonnée. Seule Iseut la blonde pourrait le sauver grâce à ses dons de guérisseuse. Mais l'amie est loin. Dès qu'elle est avertie par le messager Kaherdin, Iseut la blonde s'embarque pour aller guérir la blessure de Tristan. Mais elle est retardée par des vents défavorables. L'épouse légitime, Iseut aux blanches mains (en proie elle-même à un accès de jalousie), prétend que le bateau qui approche du port n'est pas celui d'Iseut la blonde. Trompé par ce mensonge, Tristan se laisse mourir de désespoir.

Le vent se leva sur la mer : il conduisit sans tarder jusqu'au rivage la nef de Kaherdin. Avant tous les autres, Iseut la blonde est descendue à terre. Elle entend de grandes plaintes s'élever dans les rues de Karhaix[1] et le glas qui tinte aux clochers des églises. Elle demande aux passants pourquoi son-
5 nent ces cloches, pour qui s'émeut tout ce peuple. Un vieillard lui répond : «Belle dame, que Dieu m'assiste! nous avons en ce lieu un grand malheur : Tristan le preux, le franc, est mort! Il vient de trépasser en son lit d'une blessure dont nul médecin n'a pu le guérir.» À cette nouvelle, Iseut la blonde reste muette de douleur. Elle court par les rues, telle une folle, sa
10 robe dégrafée, car elle veut devancer tous les autres au château. Les Bretons l'admirent sur son passage : jamais ils n'avaient vu femme d'une pareille beauté, mais ils ne savent ni qui elle est, ni d'où elle vient.

Iseut franchit la porte du château et gagne aussitôt la chambre où reposait le corps de son ami. Iseut aux blanches mains se lamentait devant le corps,
15 pleurant et poussant de grands cris. La nouvelle venue, blême et sans une larme, s'approche d'elle et lui dit : «Femme, relève-toi et laisse-moi seule en ce lieu. J'ai plus le droit de m'affliger que toi. Crois-m'en : je l'ai plus aimé!» Elle se tient debout devant la couche funèbre, la tête tournée vers l'Orient, les mains levées vers le ciel, et elle prie en silence; puis elle
20 s'adresse à lui pour déplorer son trépas : «Ami Tristan, tu es mort pour mon amour. Puisque tu n'es plus en vie, je n'ai plus moi-même aucune raison de vivre. Tout désormais me sera sans douceur, sans joie, sans plaisir. Maudit soit l'orage qui m'a retardée sur la mer! Si j'avais pu venir à temps, je t'aurais rendu la santé et nous aurions doucement parlé du tendre
25 amour qui nous unit. Mais, puisque je n'ai pu te guérir, puissions-nous du moins mourir ensemble!» Elle s'approche du lit et s'étend de tout son long sur le corps de Tristan, visage contre visage, bouche contre bouche. Dans cette étreinte suprême, elle succombe à la violence de sa douleur et expire dans un sanglot. [...]
30 À grand honneur, parmi les lamentations du petit peuple, il[2] fit mettre en terre près d'une chapelle les corps des deux amants. Sur la tombe d'Iseut la blonde il planta un buisson de roses rouges et, sur celle de Tristan, un cep de noble vigne. Les deux arbustes grandirent ensemble et leurs rameaux se mêlèrent si étroitement qu'il fut impossible de les séparer; chaque fois qu'on
35 les taillait, ils repoussaient de plus belle et confondaient leur feuillage.

Le Roman de Tristan et Iseut, renouvelé en français moderne par René Louis, d'après les manuscrits des XIIe et XIIIe siècles, coll. «Le Livre de poche», L G. F., 1972.

(1) ville d'Armorique
(2) le roi Marc

Pistes de recherche

1. Montrez comment les accélérations du récit contribuent à entretenir la tension dramatique de cet épisode.

2. Reportez-vous à l'extrait p. 54 : comment le symbole• attaché à l'union du coudrier et du chèvrefeuille est-il vérifié et amplifié ici, à la fin du roman?

3. Essayez de caractériser ce qui fait l'intensité pathétique• de cette scène finale.

Gisants (XIVe siècle), Basilique de Saint-Denis, ph. H. Josse.

Courtoisie et mysticisme° : l'univers chevaleresque de Chrétien de Troyes (XIIᵉ siècle)

Chrétien de Troyes est l'un des plus brillants romanciers du Moyen Âge. Sa biographie reste, pour l'essentiel, énigmatique. On peut avancer que sa production littéraire, orientée surtout vers des romans en vers, s'est étalée approximativement de 1160 à 1190. Il y a tout lieu de penser que **cet auteur fut un homme de cour, imprégné par l'idéologie° courtoise** (cf. p. 48), familier d'un public aristocratique. Le *Chevalier de la charrette* est dédié à la comtesse Marie de Champagne, fille d'Aliénor d'Aquitaine (cf. p. 48). *Le Conte du Graal* est composé en hommage à Philippe d'Alsace, comte de Flandre. Selon toute vraisemblance, Chrétien de Troyes est mort entre 1185 et 1190, laissant inachevé son dernier roman, *le Conte du Graal*.

Le prologue de *Cligès*, roman composé aux environs de 1175, permet de reconstituer la liste des premières œuvres de Chrétien de Troyes : aucune, à l'exception d'*Érec et Énide* ne nous est parvenue.

DOCUMENT

Celui qui fit *Érec et Énide*, qui mit en roman les *Commandements* d'Ovide et l'*Art d'amour*, qui écrivit la *Morsure de l'épaule*, le *Roi Marc et Iseut la Blonde*, la *Métamorphose de la huppe, de l'hirondelle et du rossignol*, commence un nouveau roman dont le héros est un jeune homme qui vivait en Grèce, du lignage du roi Arthur.

Chrétien de Troyes, *Cligès* (préface), traduction d'Alexandre Micha, Honoré Champion, 1969.

La malédiction conjurée

Le mythe° de Tristan (cf. p. 52) proposait de la passion amoureuse une image souvent tourmentée et douloureuse. Or Chrétien de Troyes semble, dès le début de sa carrière, récuser cette vision pessimiste, marquée par une fatalité tragique. Au couple maudit formé par Tristan et Iseut, Chrétien de Troyes oppose souvent un chevalier et son épouse unis par les liens du mariage : voués à la félicité d'une passion légitime, ils semblent à l'abri des sortilèges, de la clandestinité et de l'errance. Pourtant l'une des premières œuvres du romancier, *Érec et Énide,* marque l'ambiguïté des satisfactions offertes par l'amour conjugal.

Les ambiguïtés de l'amour conjugal : *Érec et Énide* (vers 1170)

Érec est un chevalier de la cour du roi Arthur. Au cours d'une partie de chasse organisée pour traquer le Blanc Cerf, Érec poursuit jusqu'à la ville voisine l'arrogant Yder qui l'a injurié. Hébergé chez un pauvre vavasseur, Érec est ébloui par la beauté d'Énide, la fille de son hôte. Érec demande la main d'Énide qu'il conduit à la cour fastueuse du roi Arthur. Érec épouse Énide. Les deux jeunes mariés connaissent les délices d'une lune de miel qui éveille la jalousie de quelques esprits médisants : ils accusent Érec d'avoir sacrifié aux futilités de l'amour les témoignages de prouesse dont tout chevalier valeureux doit s'acquitter. Énide, affligée par la déconsidération qui frappe son époux, lui apprend la rumeur qui circule : Érec est désormais soupçonné de *recréantise*, c'est-à-dire de lâcheté. Tel est le paradoxe qui frappe ce couple dont le bonheur est menacé par une sensualité jugée incompatible avec le code social de la courtoisie.

EXTRAIT   Le recréant

«Malheureuse, fait-elle, que j'ai eu de malchance ! Loin de mon pays, que suis-je venue chercher ici ? La terre devrait bien m'engloutir quand le meilleur de tous les chevaliers, plus hardi et plus fier que ne fut jamais comte ni roi, le plus loyal, le plus courtois, a pour moi complètement délaissé toute
5 chevalerie ! Le voilà donc honni[1] par ma faute, en vérité ; pour tout l'or du monde, je n'aurais voulu le faire !». C'est alors qu'elle lui dit : «Ami, combien tu fus malchanceux !» Sur ce, elle se tut et n'en dit pas davantage. Mais lui ne dormait pas profondément : il entendit sa voix à travers son sommeil, et cette parole l'éveilla. Il ne fut pas médiocrement étonné de la
10 voir pleurer si fort. Alors il lui demanda : «Dites-moi, douce amie chère, qu'avez-vous à pleurer de la sorte ? Qu'est-ce qui cause votre peine et votre chagrin ? Certes, je le saurai, je le veux. Dites-le moi, ma douce amie, gardez-vous bien de me le cacher. Pourquoi avez-vous dit que je fus bien malchanceux ? C'est de moi que cela fut dit, et non d'un autre : j'ai bien entendu
15 la parole. »

(1) accablé d'une honte publique

Énide, à ces mots, se trouva tout éperdue ; elle avait grand peur et grand émoi. « Sire, fait-elle, je ne sais rien de tout ce que vous me dites. — Dame, pourquoi chercher à nier ? Il ne vous sert à rien de dissimuler. Vous avez pleuré, je le vois bien, et si vous pleurez, ce n'est pas pour néant. De plus,
20 j'ai entendu la parole que vous avez dite en pleurant. — Ah ! beau sire, vous ne l'avez jamais entendue : je crois bien que c'était un rêve. — Voici que vous me servez de vos mensonges. Je vois clairement que vous mentez, mais vous vous repentirez trop tard si vous ne reconnaissez pas que je dis vrai. — Sire, puisque vous me pressez tant, je vous en dirai la vérité et ne
25 vous la cacherai plus, mais je crains qu'elle ne vous irrite. Par cette terre, tous disent, les blonds, les bruns et les roux, que c'est grand dommage pour vous que vous délaissiez vos armes. Votre renom en est abaissé. Tous avaient coutume de dire, l'an dernier, qu'on ne connaissait dans tout le monde meilleur chevalier ni plus preux : vous n'aviez votre pareil
30 en aucun lieu. Maintenant, tous vous tournent en dérision, les jeunes et les chenus, les petits et les grands ; tous vous appellent « recréant ». Croyez-vous qu'il ne me soit pas pénible de vous entendre mépriser ? Tout ce que l'on en dit me peine fort ; et ce qui m'afflige encore davantage, c'est que l'on en rejette sur moi le blâme. On me blâme, j'en suis chagrine, et tous
35 disent pour quel motif : je vous ai si bien pris au piège et enjôlé que vous en perdez votre valeur et ne voulez plus vous occuper de rien d'autre. Mainte-nant, il convient que vous fassiez réflexion, afin de faire cesser ce blâme et de recouvrer votre gloire première, car je vous ai trop de fois entendu blâ-mer. Je n'ai jamais osé vous le révéler. À maintes reprises, quand il m'en
40 souvient, j'en suis réduite à pleurer d'angoisse. Tout à l'heure, mon angoisse a été si forte que je n'ai pas su me retenir ; aussi ai-je dit que vous avez été, en cette rencontre, bien malchanceux. — Dame, fait-il, vous en aviez le droit, et ceux qui m'en blâment en ont le droit. Préparez-vous, dès cet ins-tant, apprêtez-vous pour une chevauchée. Sortez de ce lit, revêtez la plus
45 belle de vos robes et faites mettre votre selle sur votre meilleur palefroi. »

Chrétien de Troyes, *Érec et Énide,* v. 2492-2579, traduction de René Louis, Honoré Champion, 1971.

Pistes de recherche

1. Quelles sont les causes de l'affliction d'Énide ?
2. Comment apparaît dans cet extrait la hiérarchie des valeurs propres à l'univers courtois défini par l'auteur ?
3. Confrontez cette scène au contenu des extraits pp. 56 et 65 : quelle conclusion en tirez-vous ?
4. Comment interprétez-vous la décision inopinée d'Érec ?

Le départ vers l'aventure va accumuler les obstacles et les dangers qui se révèlent comme autant d'épreu-ves librement acceptées par le couple pour chasser le doute ; Érec pourra vérifier la qualité de l'amour fer-vent que lui réserve Énide au milieu des pires dangers. Énide pourra mesurer, aux nombreux exploits accom-plis par Érec, que celui qu'elle n'a jamais cessé d'aimer n'a pas renoncé à honorer l'éthique• chevaleresque de la prouesse. Tout le roman est nourri d'éléments légendaires puisés dans la tradition celtique. À la fin du récit, par exemple, dans l'épisode dit de « La Joie de la cour », Érec affronte le chevalier Mabonagrain, pri-sonnier de sa dame qui lui a imposé un gage d'amour : il ne sera autorisé à sortir du verger dont il est captif que le jour où il sera vaincu par un chevalier plus valeureux. Au cours d'un combat, Érec triomphe de Mabona-grain et le libère ainsi d'un amour tyrannique.

DOCUMENT

Chrétien a été dans son premier roman arthurien un apologiste• du mariage d'amour, ce qui ne man-quait pas d'originalité au regard tant des conceptions courtoises que de la réalité contemporaine. Poète de la confiance réciproque et de la tendresse des époux, il n'en propose pas moins une leçon d'équilibre entre l'amour et la vie active. L'amour embellit la vie, mais il ne doit pas être toute la vie, ni devenir une passion dévastatrice. Le mariage d'Érec et d'Énide s'oppose à l'aventure romanesque et antisociale de Mabonagrain et de la demoiselle du verger enchanté comme aussi à l'envoûtement fatal et aux impostu-res de Tristan et Iseut. Chrétien enseigne enfin qu'il reste toujours au héros véritable à se dépasser lui-même lorsqu'il a dépassé les autres.

Jean Frappier, *Chrétien de Troyes,* Hatier, 1968.

Un anti-*Tristan* : *Cligès* (vers 1175)

Ce roman est particulièrement révélateur des divers courants qui ont nourri le roman courtois (cf. p. 48). Nous y trouvons réunies à la fois des sources empruntées à la légende du roi Arthur et des précisions géographiques puisées dans un conte gréco-oriental. *Cligès* apparaît comme une réponse au *Roman de Tristan* dans la mesure où Fénice, l'héroïne, réprouve les compromissions d'Iseut qui était à la fois l'épouse légitime d'un homme et l'amante d'un autre. Alors qu'Iseut cédait à la fatalité d'une passion tyrannique, coupable au regard des lois de la société, **Fénice déploiera toute son ingéniosité pour sauvegarder son honneur, sa volonté et la liberté de son cœur.** Sa confidente et complice — la magicienne Thessala — saura préparer un breuvage mystificateur.

EXTRAIT

Cligès, en qui se mêlent sang breton et sang grec, est le fils de la princesse celtique Soredamors et d'Alexandre, empereur de Constantinople dont il est l'héritier. Cligès est venu à la cour du roi Arthur s'initier aux usages de la chevalerie et a accepté que son oncle Alexis devînt empereur, à condition de renoncer au mariage et de restituer plus tard à son neveu ses droits légitimes de succession. Mais Alexis trahit sa promesse : il épouse Fénice qui ne l'aime pas car elle est éprise de Cligès.

Fénice : un destin maîtrisé

«Thessala, ma nourrice, dites-moi donc, n'est-il pas hypocrite ce mal qui me semble doux et qui m'oppresse ? Je ne sais comment reconnaître si c'est une maladie ou non. Nourrice, dites-m'en le nom, le caractère et la nature. Mais sachez que je n'ai nul souci de parvenir à quelque guérison : cette dou-
5 leur m'est très chère.»

Thessala, qui connaissait bien l'amour et toutes ses pratiques, découvre, à ces paroles, que c'est l'amour qui la tourmente ; puisque la jeune fille appelle doux son mal, il est certain qu'elle aime, car tous les autres maux sont amers, excepté le mal d'aimer ; celui-ci change son amertume en dou-
10 ceur et en suavité, et souvent produit à nouveau des effets contraires. Mais Thessala qui en était instruite lui répond : «Ne craignez rien, je vais vous dire à la fois le nom et la nature de votre mal. Vous m'avez dit, si j'ai bien compris, que la douleur que vous éprouvez vous semble être santé et joie : de telle nature est le mal d'amour, parce que la joie et la douceur sont à son
15 origine. Vous aimez donc, je vous en donne la preuve, car je ne trouve de douceur en aucun autre mal qu'en amour. Tous les autres maux sont ordinairement impitoyables et horribles, mais l'amour est doux et agréable. Vous aimez, j'en suis bien sûre, je ne vous en tiens pas pour vilaine, mais je considérerais comme vilenie[1] si vous me cachiez vos sentiments par négli-
20 gence ou par sottise.

— Madame, vos paroles sont inutiles, puisque je suis et resterai sûre et certaine que, quoi qu'il arrive, vous n'en parlerez à être qui vive.

— Demoiselle, les vents en parleront avant moi, à moins que vous ne m'en donniez la permission. Et je vais maintenant vous promettre de vous
25 faire réussir, et vous saurez de façon certaine que j'accomplirai vos désirs.

— Nourrice, vous m'auriez alors guérie, mais l'empereur m'épouse, ce dont je me courrouce et me désespère, parce que celui qui me plaît est le neveu de celui que je dois épouser. Et si ce dernier fait son désir de moi, alors j'ai perdu ma joie, et je l'ai perdue sans espoir. J'aimerais mieux être
30 écartelée que d'ouïr rappeler à notre sujet l'amour d'Iseut et de Tristan dont on raconte tant de folies et qu'il est honteux de redire. Je ne pourrais m'accommoder de la vie qu'Iseut mena. Amour s'avilit trop en elle, car son cœur n'était qu'à un seul, tandis que son corps fut à deux possesseurs ; ainsi elle passa toute sa vie sans se refuser ni à l'un ni à l'autre. Cet amour
35 n'était pas légitime, mais le mien sera à jamais durable : de mon corps, ni de mon cœur jamais ne sera fait partage à aucun prix ; jamais mon corps ne sera prostitué, ni il n'aura deux possesseurs. Qui a le cœur a aussi le corps ; j'en exclus tous les autres. Mais je n'arrive pas à savoir comment pourrait posséder mon corps celui auquel mon cœur s'abandonne, alors que mon
40 père me donne à un autre et que je n'ose m'y opposer. Quand mon époux sera maître légitime de mon corps, s'il en use malgré moi, il n'est pas moral que j'en accueille un autre. Il ne peut pas non plus épouser une femme sans manquer à sa parole, mais Cligès, si on ne lui fait tort, aura l'empire après la mort de son oncle. Si vous saviez un artifice pour que celui à qui je suis
45 promise et donnée n'ait rien de moi, vous me rendriez un grand service. Maîtresse, mettez donc tout votre soin à ce que ne trahisse pas sa promesse celui qui a juré au père de Cligès de ne jamais prendre femme, après avoir

(1) manque de noblesse

reçu le serment de ce dernier. Sa promesse sera violée, puisque bientôt il va m'épouser. Mais j'estime trop Cligès pour ne pas mieux aimer être enterrée
50 vivante que de le voir perdre par moi un seul denier de son légitime héritage. Que jamais de moi ne puisse naître un enfant par qui il soit déshérité. Maîtresse, veillez-y, afin que je sois toujours à vous. »

Sa nourrice y consent et dit qu'elle fera tant de conjurations, de breuvages, d'enchantements, que la jeune fille aurait tort de craindre l'empereur;
55 ils partageront tous deux la même couche, mais aussi longtemps qu'elle sera avec lui, elle sera en sûreté tout comme s'il y avait entre eux un mur.

Chrétien de Troyes, *Cligès*, v. 3045-3164, traduction d'Alexandre Micha, Honoré Champion,1969.

Pistes de recherche

1. À quoi tient l'ambiguïté de la passion amoureuse telle que la vit Fénice ?

2. Relevez et classez les éléments de cette scène qui apparaissent comme un désaveu du comportement d'Iseut : reportez-vous aux pp. 53 à 57.

3. Comment réagit Fénice face au destin qui lui est imposé ? Quelles circonstances particulières encouragent Fénice à combattre la fatalité qui pèse sur elle ?

Après avoir simulé la mort, Fénice retrouve Cligès : retirés dans une tour secrète et dans un verger inaccessible, ils vivent leur amour passionné à l'abri des témoins indiscrets jusqu'au jour où ils sont surpris par un intrus. Renonçant, malgré les menaces d'Alexis, à la sécurité et au repliement égoïste de ce huis clos, Fénice et Cligès vont enfin pouvoir concilier leur amour et leur vocation à s'engager dans la vie sociale.

▲ *La Dame à la Licorne*, « La Vue », XVe siècle, Paris, musée de Cluny, ph. H. Josse.

L'Offrande du cœur, XVIe siècle, Paris, musée de Cluny, ph. H. Josse. ▶

DOCUMENT

Cette fille spirituelle de Chrétien ressemble à une rigoriste de l'amour courtois. Éprise d'absolu dans l'ordre du sentiment, indifférente au faste impérial, prête à mener une existence humble pour être à celui qu'elle aime et qui l'aime, intrépide devant l'image du tombeau, Fénice apparaît comme une héroïne de la liberté intérieure. En elle vit la conscience de l'amour, de ses droits, de ses devoirs. Sa fausse mort la délivre d'une vie fausse. Elle meurt au monde pour naître à sa vie véritable, renaître comme le phénix que rappelle son nom.

Jean Frappier, *Chrétien de Troyes*, Hatier, 1968.

La prouesse : de l'individualisme gratuit à la générosité

Deux romans, *Le Chevalier au lion* et *Le Chevalier de la charrette,* composés sans doute simultanément entre 1176 et 1181, révèlent l'évolution de la morale courtoise chez Chrétien de Troyes. Dans chacun des deux textes, le personnage de Gauvain occupe un rôle de premier plan dont la fonction majeure semble être de dégager, par contraste, la personnalité plus riche de deux autres chevaliers : Yvain et Lancelot.

Un chevalier mondain : Gauvain dans *Le Chevalier au lion* (vers 1177)

Le Chevalier au lion nous ramène à la cour du roi Arthur (cf. p. 49). Dans la forêt de Brocéliande, un chevalier, Yvain, parvient à tuer le farouche gardien d'une fontaine magique qui a le redoutable pouvoir de libérer de violentes tempêtes lorsqu'on répand de l'eau sur la margelle. Après de nombreuses épreuves, Yvain finit par épouser la veuve du gardien, la belle Laudine, qui habite un somptueux château. Après le mariage, le roi Arthur et sa cour viennent rendre visite à Laudine et à Yvain. L'un des chevaliers, **Gauvain, incarne un modèle de chevalerie qui allie la galanterie à la prouesse physique,** toujours en quête de tournois, d'exploits guerriers et d'aventures valorisantes. Gauvain sera aussi celui qui sépare Yvain de Laudine en rappelant à son ami l'incompatibilité qui oppose les devoirs du mariage à l'idéal chevaleresque de l'aventure.

DOCUMENT

Fête galante

Il y avait là, peut-être, quatre-vingt-dix dames dont chacune était belle, gracieuse, distinguée, élégante, honnête, point sotte, dames de noble naissance et de haut parage ; avec elles les chevaliers pouvaient se divertir, les prendre par le cou, leur donner des baisers, leur parler, les voir ou s'asseoir à leurs côtés : ils eurent tout au moins ce dernier privilège.

[...] Et l'on peut bien appeler niais ceux qui se croient aimés parce qu'une dame est assez courtoise pour s'approcher d'un malheureux, lui faire fête et l'accoler ; un sot est transporté par de belles paroles et l'on a vite fait de se jouer de lui.

Chrétien de Troyes, *Le Chevalier au lion,* v. 2445-2453 et 2461-2467, traduction de Cl. Buridant et J. Trotin, Honoré Champion, 1972.

Un justicier et un libérateur : Yvain, le chevalier au lion

Détourné de Laudine par Gauvain pour aller courir les tournois, Yvain oubliera de rejoindre son épouse à la date convenue. Par dépit, Laudine éconduit Yvain. Dans un premier temps, livré au désespoir puis à la folie, il est condamné à l'errance. Plus tard, lorsqu'il retrouve la raison, il multiplie les exploits, ayant pour compagnon fidèle un lion qu'il a arraché à la menace d'un dragon. Par son héroïsme, Yvain devient le vengeur qui traque les injustices. Contrairement à Gauvain dont la témérité reste égoïste et gratuite, Yvain se met au **service des faibles, des oubliés et des opprimés.** Le chevalier mondain est éclipsé par le chevalier de la générosité, du droit et de la pitié. Animé par une constante volonté de dépassement, Yvain pourra ainsi reconquérir Laudine qui pardonnera : la prouesse du justicier a racheté la faute de l'amant.

Manuscrit fr. 1638, fol. 13, Paris, Bibl. Nat.

Les captives du château de Pesme-Aventure

Après avoir abattu le géant Harpin de la Montagne, Yvain vient libérer des jeunes filles captives de deux monstres au château de Pesme-Aventure où elles sont réduites à tisser inlassablement la soie. L'une des prisonnières raconte à Yvain l'infortune de ses compagnes.

Mon seigneur se présenta dans ce château où habitent deux fils de démon ; n'allez pas croire que je vous serve d'une fable : ils sont bien nés d'une femme et d'un nétun[(1)]. Ces deux monstres devaient combattre avec le roi[(2)] : épreuve terrible, il n'avait pas dix-huit ans ; ils pouvaient l'égorger
5 comme un tendre agnelet, et le roi, au comble de la terreur, se tira de ce mauvais pas au mieux qu'il put : il jura d'envoyer ici chaque année, tant qu'il serait en vie, trente jeunes filles de son royaume ; cette redevance le libéra ; et il fut convenu par serment que ce tribut ne prendrait fin qu'avec la mort des deux démons ; et le jour seulement où ils seraient vaincus en
10 combat, le roi serait quitte de cette taille, et nous-mêmes délivrées, nous qui sommes vouées à une vie de honte, de douleur et de misère ; jamais plus nous n'aurons aucun plaisir. Mais c'est un pur enfantillage que de parler de délivrance, car jamais nous ne sortirons d'ici, toujours nous tisserons des étoffes de soie, et n'en serons pas mieux vêtues ; toujours nous serons pau-
15 vres et nues, et toujours nous aurons faim et soif ; jamais nous ne pourrons gagner assez pour être mieux nourries. Du pain, nous en avons bien chichement, le matin peu et le soir moins encore, car jamais du travail de nos mains chacune n'aura pour son vivre que quatre deniers de la livre ; avec si peu, nous ne saurions avoir à suffisance nourriture et vêtement, car celle
20 qui rapporte vingt sous par semaine n'en est pas pour autant quitte avec la misère. Et soyez-en sûr, il n'est aucune d'entre nous dont le travail ne rapporte vingt sous ou plus, de quoi faire la fortune d'un duc ! Mais nous, nous sommes dans le dénuement, cependant que s'enrichit de nos gains le maître pour qui nous nous épuisons. Nous veillons presque toute la nuit et travail-
25 lons tout le jour pour le profit de ce tyran, qui menace de nous mutiler si nous prenons quelque repos ; aussi n'osons-nous pas nous reposer. Mais à quoi bon continuer ? Nous sommes accablées de tant d'outrages et de maux que je ne saurais vous en dire le quart. Mais ce qui nous rend folles de douleur, c'est que bien souvent nous voyons mourir de jeunes chevaliers pleins
30 de vaillance, au cours de leur combat contre les deux démons ; ils paient très cher le gîte qu'on leur offre, comme vous le ferez demain, car tout seul et sans aide, il vous faudra, bon gré mal gré, combattre ces deux diables incarnés et y laisser votre réputation.

— Dieu, le vrai roi des cieux, fait mon seigneur Yvain, m'accorde protec-
35 tion, et qu'il vous rende honneur et joie, si tel est son vouloir. Il me faut à présent vous quitter, pour voir quel accueil me feront les gens de ce château.

(1) être diabolique
(2) le roi de l'Ile-aux-Pucelles

Chrétien de Troyes, *Le Chevalier au lion,* v. 5264-5338, traduction de Cl. Buridant et J. Trotin, Honoré Champion, 1972.

Pistes de recherche

1. Reportez-vous à la page 53 et essayez de montrer comment l'épisode de Pesme-Aventure se rattache au mythe• celtique de Tristan.
2. Étudiez comment se mêlent dans cet extrait l'évocation d'un univers fantastique• et la référence à une réalité sociale précise. Quel est l'effet produit par cette juxtaposition ?
3. Quelle est la signification symbolique• prêtée à l'intervention d'Yvain ?

DOCUMENT

Les exploits d'Érec ont une moindre portée sociale que les exploits d'Yvain. Érec contribue à l'avènement de l'ordre arthurien par ses victoires sur des brigands ou des chevaliers pillards, mais Harpin de la Montagne ou le châtelain de Pesme Aventure sont des monstres dont les crimes ont une tout autre envergure ; Érec défend l'honneur d'Énide et sa propre vie, mais Yvain est une vraie figure de libérateur qui court au-devant des périls qu'il pourrait éviter, et son but n'est pas de défendre sa propre existence, mais de libérer des communautés humaines. L'aven- ture même de la *Joie de la Cour,* à la fin de l'*Érec,* est loin d'avoir la portée sociale des combats menés par Yvain. Il y a, de l'*Érec* au *Chevalier au Lion,* comme un passage de l'individuel au collectif dans lequel je verrais volontiers une évolution de Chrétien vers un sens plus vrai de la charité la plus authentique : celle qui ouvre le cœur des hommes à l'amour du genre humain.

Jean-Charles Payen, *Les Valeurs humaines chez Chrétien de Troyes,* in *Mélanges offerts à Rita Lejeune,* J. Duculot, 1969.

La fine amor, idéal du *Chevalier de la charrette* (vers 1180)

Lanval séduit par une fée (cf. p. 50) voit sa volonté brutalement paralysée. Tristan et Iseut sont incapables d'apaiser les tourments de leur passion qui ne trouvera de trêve que dans la mort (cf. p. 57). Fénice troublée par les émois d'un amour naissant (cf. p. 60) croit reconnaître les symptômes d'une mystérieuse maladie. Yvain, congédié par Laudine, sombre dans la folie (cf. p. 62). Tous ces personnages trahissent le pouvoir destructeur de l'amour, perçu comme un mal redoutable qui mine le corps et l'esprit. C'est, sans doute, dans la version la plus archaïque de *Tristan,* celle de Béroul (cf. p. 52), que s'impose avec insistance cette conception négative de l'amour, associée à une représentation maléfique de la femme.

Vers la fin du XIe siècle, toutefois, les troubadours méridionaux (cf. p. 48) introduisent une poésie érotique qui vient bouleverser les valeurs communément admises au milieu du siècle. L'amour n'est plus vertigineuse déraison mais devient une raison supérieure. **L'amant voue désormais un véritable culte à l'élue de son cœur ; la passion amoureuse est empreinte de ferveur mystique• et d'abnégation.** Cette recherche exigeante est désignée en ancien français par le terme de *fine amor,* qui pourrait se traduire, aujourd'hui, par l'amour parfait.

DOCUMENT

Cet amour, qui n'a rien à voir avec le mariage, unit deux êtres qui se sont choisis pour leur beauté et leur mérite ; mais l'amant est d'abord soumis à la froideur et aux caprices de sa maîtresse, il ne reçoit sa récompense que lorsque sa patience a été longtemps mise à l'épreuve, il doit obéir comme un esclave sans hésiter, trouver de la joie même dans la souffrance et la séparation, être indéfectiblement fidèle, ne jamais révéler le secret de son amour ; en revanche l'amour est pour lui la volupté suprême, la source de toute vaillance et de toute générosité. Les romanciers n'ont pas suivi les poètes dans leurs paradoxes passionnés et leur brûlant intellectualisme ; ils se sont intéressés avant tout à la peinture des âmes et aux problèmes moraux.

Henri Coulet, *Le Roman jusqu'à la Révolution,* A. Colin, 1967.

Pol de Limbourg (XVe siècle), *Très Riches Heures du duc de Berry,* «avril». Chantilly, musée Condé, ph. H. Josse.

Amour et déshonneur

Un inconnu vient d'enlever la reine Guenièvre. Gauvain et Lancelot, deux chevaliers de la cour du roi Arthur, se lancent à la poursuite du ravisseur. Lancelot, au début de sa recherche, rencontre un nain qui lui propose de monter dans une charrette d'infamie pour découvrir l'itinéraire menant vers la reine Guenièvre dont le chevalier est épris.

Les charrettes en ce temps-là tenaient lieu de nos piloris. Dans chaque bonne ville, où de nos jours on les trouve à foison, alors on n'en comptait qu'une seule. Comme les piloris, cette unique charrette était commune aux félons, aux meurtriers, aux vaincus en combat judiciaire, aux voleurs qui
5 ravirent le bien d'autrui par la ruse ou par la force au coin d'un bois. Le criminel pris sur le fait était mis sur la charrette et mené de rue en rue. Toutes les dignités étaient perdues pour lui. Désormais dans les cours on refusait de l'écouter : finies les marques d'honneur et de bienvenue! Voilà ce que signifiaient sinistrement les charrettes en ce temps-là, et c'est pourquoi
10 s'entendit alors pour la première fois ce dicton : «Quand charrette rencontreras, fais sur toi le signe de la croix et souviens-toi de Dieu pour qu'il ne t'arrive pas un malheur.»

Le chevalier privé de monture et de lance hâte le pas derrière la charrette et voit un nain juché sur les limons[1]. En bon charretier il tenait dans sa
15 main une longue houssine[2].

«Nain, fait le chevalier, au nom du ciel, dis-moi si par ici tu as vu passer ma dame la reine.»

Le nain vil, exécrable engeance[3], ne voulut pas lui en dire des nouvelles.

«Si tu veux, répond-il, monter dans ma charrette, avant demain tu pour-
20 ras savoir ce que la reine est devenue.»

Là-dessus il continue d'aller sans attendre un instant le chevalier. Celui-ci tarde un peu, en tout le temps de deux pas, à suivre le conseil.

C'est pour son malheur qu'il tarda, pour son malheur qu'il eut honte et s'abstint de sauter aussitôt dans la charrette. Quel châtiment, trop cruel à
25 son gré, il subira! Mais Raison, en désaccord avec Amour, l'exhorte à se garder de faire un pareil saut, le sermonne et lui enseigne à ne rien entreprendre où l'opprobre s'attacherait à lui. Raison n'a son séjour que sur les lèvres : elle se risque à lui parler ainsi. Amour est dans le cœur enclos : il donne un ordre et un élan. Bien vite il faut monter dans la charrette. Amour
30 le veut : le chevalier y bondit. Que lui importe la honte, puisque tel est le commandement d'Amour?

Chrétien de Troyes, *Le Chevalier de la charrette*, v. 321-377, traduction de Jean Frappier, Honoré Champion, 1969.

(1) brancards
(2) baguette de houx
(3) créature

Pistes de recherche

1. Comparez l'attitude de Lancelot à celle d'Érec (cf. pp. 58-59).
2. Comment est souligné le déchirement intérieur de Lancelot? À quels indices l'auteur laisse-t-il pressentir que le bref débat de conscience auquel se livre Lancelot sera lourd de conséquences pour la suite des aventures?
3. Essayez de définir comment cet épisode permet d'assigner une hiérarchie précise aux valeurs inscrites dans le code de la *fine amor*.

Le Tournoi, tapisserie de Valenciennes, XVe siècle, ph. H. Josse.

De la prouesse à l'abnégation : le pont de l'épée

Après avoir quitté la charrette d'infamie, Lancelot doit affronter de nombreux autres obstacles : tous sont vigoureusement surmontés, comme si les diverses épreuves qui séparent Lancelot de Guenièvre étaient les degrés successifs d'une lente initiation. L'un des plus cruels défis imposés au chevalier est le franchissement du pont de l'épée qui, dans un mythe• d'origine celtique, surplombe de façon symbolique• la rivière des enfers, au seuil de l'Autre Monde. Quant à Gauvain, il a été incapable de franchir le premier obstacle dressé sur sa route.

« Seigneurs, répond-il en riant, soyez amplement remerciés puisque mon sort vous tourmente à ce point. Votre émoi part d'un cœur ami et généreux. Je sais qu'en aucune façon vous ne voudriez mon malheur. Mais je me fie à Dieu en qui je crois : il me sauvera n'importe où. Ni ce pont ni cette eau
5 ne me font plus de peur que ce sol ferme sous mes pieds. Passer sur l'autre bord est un péril où je veux me risquer : je vais m'y préparer. Plutôt mourir que reculer. »

Ses compagnons sont à bout d'arguments, mais tous les deux, saisis de compassion, laissent un libre cours aux pleurs et aux soupirs. Lui de son
10 mieux s'apprête à traverser le gouffre. Conduite étrange et merveilleuse : il ôte à ses pieds, à ses mains, l'armure qui les couvre. Il n'arrivera pas indemne et sans entaille au terme de l'épreuve. Mais sur l'épée plus affilée que faux il se sera tenu bien fermement, mains nues et tout déchaux, car il n'a conservé souliers, chausses ni avant-pieds. Il ne s'inquiétait pas trop de
15 se faire des plaies à ses mains et ses pieds. Il aimait mieux s'estropier que tomber du pont et prendre un bain forcé dans cette eau d'où jamais il ne pourrait sortir. En souffrant le tourment qu'on prépara pour lui il accomplit l'affreuse traversée. Il a les mains, les pieds et les genoux en sang. Mais d'Amour qui le guide, il reçoit baume et guérison. C'est pourquoi son mar-
20 tyre était pour lui délices. S'aidant des mains, des pieds et des genoux, il réussit enfin à parvenir au but.

Alors il lui ressouvient des deux lions qu'il pensait avoir vus quand il était sur l'autre rive. Il jette autour de lui les yeux : rien, pas même un lézard, pas le moindre animal qui soit à redouter. Il élève sa main à la
25 hauteur de son visage, observe son anneau et ainsi a la preuve, en n'apercevant plus aucun des deux lions, qu'il a été trompé par un enchantement ; car il n'y avait là aucun être vivant.

Le Chevalier de la charrette, v. 3078-3129, traduction de Jean Frappier, Honoré Champion, 1969.

Pistes de recherche

1. Pourquoi l'auteur s'attarde-t-il à décrire les réactions des compagnons de Lancelot ?
2. Analysez les effets produits par le mélange du pathétique• et du merveilleux•
3. Montrez comment l'héroïsme de Lancelot s'apparente à la capacité d'abnégation digne d'un mystique•

Lancelot, manuscrit fr. 122, fol. 1, Paris, Bibl. Nat.

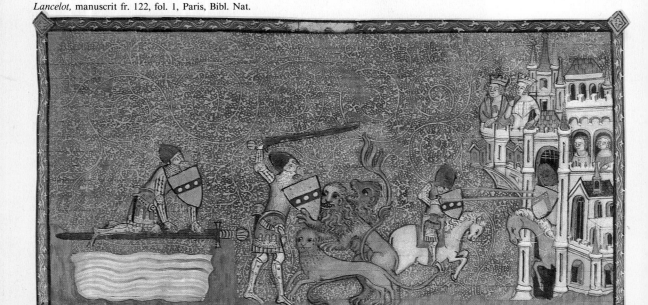

Vers la chevalerie chrétienne : *Le Conte du Graal* (vers 1182)

L'initiation à la chevalerie

Le Conte du Graal est la dernière œuvre de Chrétien de Troyes que la mort est venu sans doute surprendre avant qu'il ait eu le temps de terminer son roman. Deux personnages se partagent le premier plan de l'intrigue : Gauvain et Perceval. Gauvain, neveu du roi Arthur, incarne, nous le savons (cf. p. 62), le modèle brillant du chevalier épris d'une forme de courtoisie mondaine et parfois frivole. Perceval, de son côté, est un *nice*, c'est-à-dire un jeune niais qu'une éducation trop étriquée a tenu à l'écart des réalités de l'existence. Le début du roman présente quelques épisodes qui témoignent d'un **apprentissage de la vie** et de l'affirmation progressive de la personnalité du héros. **L'exploration du monde apparaît donc, aussi, comme l'occasion de vérifier la maîtrise de soi.** Très vite Perceval sent clairement naître en lui la vocation chevaleresque.

EXTRAIT 1

L'adoubement

Tenté par l'aventure, Perceval se décide à rejoindre la cour du roi Arthur. En voyant s'éloigner son fils, la mère du jeune homme meurt de chagrin. Mais Perceval poursuit sa route sans scrupules. Après diverses péripéties, Perceval arrive au château du vavasseur[1] *Gornemant de Goort qui l'initie au maniement des armes.*

L'Hommage vassalique, ph. Bulloz.

De bon matin le seigneur se leva et se rendit au lit du jeune homme qu'il trouva encore couché. Il lui fit remettre en présent chemise et culottes de toile fine, chausses teintes en rouge, ainsi qu'une tunique faite d'une étoffe de soie violette tissée en Inde. Il les lui avait fait porter pour qu'il les revêtit.

5 « Mon ami, dit-il, si vous voulez bien vous en remettre à moi, mettez donc les vêtements que voici. »

Mais le jeune homme de répondre :

« Seigneur, vous auriez mieux à dire. Les vêtements que ma mère m'a faits ne valent-ils pas mieux que ceux-ci ? Et vous voulez que je mette

10 les vôtres !

— Jeune homme, repartit le seigneur, par ma tête, ils valent bien moins. Vous m'aviez pourtant dit, mon ami, quand je vous amenai ici, que vous feriez tout ce que je vous demanderais.

— Et c'est ce que je vais faire, dit le jeune garçon. Je ne veux m'opposer

15 à vous en quoi que ce soit. »

Il ne tarde pas davantage à revêtir les vêtements et il abandonne ceux donnés par sa mère. Alors le seigneur se baisse et lui chausse l'éperon droit. Telle était en effet la coutume : celui qui faisait un chevalier devait lui chausser l'éperon. Il ne manqua pas de jeunes gens pour se disputer l'hon-

20 neur de l'approcher et de l'armer de leurs propres mains. Le noble seigneur s'est alors saisi de l'épée ; il la lui ceint et lui donne l'accolade en lui déclarant qu'avec cette épée il lui confère l'ordre le plus élevé que Dieu ait établi et créé, l'ordre de chevalerie qui n'admet aucune bassesse. Puis il ajoute :

« Qu'il vous souvienne, mon ami, si d'aventure il vous faut combattre

25 quelque chevalier, des instructions pressantes que je vais vous donner : si vous avez le dessus au point que votre adversaire ne puisse plus se défendre ni vous résister et qu'il lui faille demander grâce, ne le tuez pas délibérément. Gardez-vous aussi de vous abandonner au bavardage et au commé-

rage. À trop parler on ne peut manquer de dire quelque chose qu'on vous
30 impute à bassesse. Comme le dit si bien le proverbe : «À trop parler, faute
on commet.» Voilà pourquoi, mon ami, je vous recommande de ne pas trop
parler. Et je vous demande également si vous rencontrez une jeune fille ou
une femme, demoiselle ou dame, qui se trouve privée d'appui, de lui venir
en aide, pour peu que vous soyez capable de le faire et en ayez les moyens
35 — ce sera une bonne action. J'ai encore une autre chose à vous apprendre
— ne la négligez point, car elle n'est pas à dédaigner : ne manquez pas de
vous rendre à l'église y prier le Créateur de toutes choses d'avoir pitié de
votre âme et de protéger en ce bas monde le chrétien que vous êtes et qui
lui appartient.»

40   Et le jeune homme de lui répondre :

«Soyez béni, seigneur, de tous les apôtres de Rome : c'est exactement là
ce que j'ai entendu ma mère me dire.

— Ne dites jamais plus, mon ami, reprit l'autre, que c'est votre mère qui
vous a donné tel ou tel enseignement. Je ne vous blâme absolument pas de
45 l'avoir dit jusqu'ici, mais désormais, pardonnez-moi, je vous demande de
vous en corriger, car, si vous le disiez encore, on vous l'imputerait à sottise. Aussi, je vous en prie, gardez-vous en.

— Et que devrai-je donc dire, seigneur ?

— C'est le vavasseur[1] — voilà ce que vous pouvez dire —, celui qui
50 vous a chaussé l'éperon, c'est lui qui vous a donné cet enseignement.»

(1) chevalier de petite noblesse

Chrétien de Troyes, *Le Conte du Graal*, v. 1593-1686, traduit de l'ancien français par Jacques Ribard, Honoré Champion, 1979.

Le Conte du Graal, manuscrit fr. 116, fol. 610 v°,
Paris, Bibl. Nat.

Pistes de recherche

1. À quels signes reconnaît-on que Perceval doit renoncer à certains traits de sa personnalité initiale pour mériter
l'accès à la chevale-
rie ?

2. Relevez et classez les divers préceptes donnés par le vavasseur qui imposent au nouveau chevalier un idéal moral et social.

La quête de l'amour

Après avoir quitté Gornemant, Perceval parvient au château de Beaurepaire : c'est là qu'il découvre Blanchefleur, la belle châtelaine, révélation imprévisible de la beauté féminine.

EXTRAIT 2

L'apparition de Blanchefleur

Les quatre serviteurs l'ont mené jusqu'à une grande demeure couverte d'ardoise. Ils l'ont aidé à descendre de cheval et l'ont débarrassé de ses armes. Mais voici venir un jeune homme qui des-
5 cend les marches de la grande salle, apportant un manteau gris. Il l'a agrafé au cou du chevalier, tandis qu'un autre conduit son cheval à l'écurie, où de blé, de foin comme de paille il ne reste que le peu que contient encore la maison. Les autres servi-
10 teurs, s'effaçant derrière lui, lui ont fait gravir les marches jusqu'à la grande salle, qui était de toute beauté. Deux nobles personnages et une jeune fille se sont alors avancés à sa rencontre. Les deux seigneurs avaient la tête chenue, mais pas au point d'avoir les cheveux entièrement blancs. Ils auraient
15 même été dans toute la force de l'âge, pleins de verdeur et de vigueur, s'ils n'avaient été accablés par le malheur. Quant à la jeune fille, elle s'avançait, plus gracieuse, plus parée et plus élégante qu'épervier ou papegai[1]. Son manteau, comme sa tunique, était
20 fait d'une étoffe de pourpre foncée, parsemée d'étoiles de fourrure grise et la garniture d'hermine n'en était certes pas râpée. Une bordure de zibeline noire et blanche, ni trop longue, ni trop large, ornait le col de ce manteau.
25 Si j'ai jamais décrit la beauté que Dieu a pu mettre au corps d'une femme ou sur son visage, voilà bien l'agréable occasion de le faire à nouveau, sans nulle exagération. Ses cheveux, qu'elle portait flottant sur les épaules, étaient tels qu'à les voir on aurait pu les croire — si la chose était possible — entièrement faits d'or pur, tant ils étaient d'un blond éclatant. Elle avait le front blanc, dégagé et lisse, comme fait à la main — œuvre d'un véritable artiste sculptant la pierre ou l'ivoire ou le bois. Ses sourcils étaient bruns, bien écartés l'un de l'autre ; des yeux riants et vifs, joliment fendus, animaient sa figure. Elle avait le nez droit et fin. Sur son visage, le rouge se détachant sur le blanc lui allait mieux que sino-
35 ple[2] sur argent. Pour ravir le cœur et l'esprit des hommes, Dieu avait fait d'elle la merveille des merveilles ; il n'en avait jamais fait de semblable et n'en fit jamais plus.
Quand le chevalier la voit, il la salue et elle lui rend son salut, et les deux chevaliers font de même. Alors la demoiselle, le prenant courtoisement par la main, lui déclare :
«Sans doute n'êtes-vous pas reçu ce soir, mon ami, comme il conviendrait à un noble seigneur. Mais, si l'on vous disait maintenant dans quelle situation nous nous trouvons, vous croiriez peut-être que je le dis à mauvaise intention afin de vous pousser à partir. Mais, si vous le voulez bien, restez donc et acceptez, telle qu'elle est, notre hospitalité. Puisse Dieu vous en donner une meilleure demain.»

Chrétien de Troyes, *Le Conte du Graal*, v. 1772-1843, traduit de l'ancien français par Jacques Ribard, Honoré Champion, 1979.

Pol de Limbourg (xvᵉ siècle), *Très Riches Heures du duc de Berry*, «mai», Chantilly, musée Condé, ph. H. Josse.

(1) perroquet
(2) désignation héraldique de la couleur verte

Pistes de recherche

1. Montrez comment l'émoi grandissant de Perceval conduit à une description de plus en plus émerveillée.
2. Dans quelle mesure ce texte traduit-il une image idéalisée de la femme ?
3. Vous analyserez comment le regard de Perceval est fasciné par l'élégance, la beauté et l'hospitalité avenante de Blanchefleur au point de laisser dans l'ombre les autres personnages de la scène.

La conquête de la sainteté

Les aventures vécues par Perceval au début du récit ont eu tendance à faire oublier celles qu'affronte Gauvain, l'autre personnage du roman. Grâce à une structure d'entrelacement, le cheminement de Gauvain vient s'intercaler dans la trame des épisodes animés par Perceval. Mais d'une péripétie à l'autre, Gauvain reste le chevalier mondain qui finit par devenir victime de ses prouesses galantes : la fin du roman nous le montre enfermé à la Roche de Canguin, dans les espaces maléfiques de l'Autre Monde où les vivants se mêlent aux morts. Voici donc à nouveau désignées les limites d'une conception trop étroite de la chevalerie. Gauvain avait déjà été surclassé par Yvain (cf. p. 62) et par Lancelot (cf. p. 66). Avec Perceval s'impose désormais le modèle le plus exigeant de l'éthique• médiévale : **le chevalier accompli sera celui qui accepte la triple allégeance à son suzerain, à sa Dame, à Dieu.** À la disgrâce progressive de Gauvain se substitue en contrepoint la grâce qui vient toucher Perceval.

EXTRAIT 3

Durant cinq années Perceval a oublié Dieu. Au terme de son long et difficile itinéraire personnel, il finit par rencontrer un ermite, le jour du Vendredi saint. C'est alors qu'il aura la révélation de son péché, et que s'éclairera partiellement le mystère du Graal.

(1) Au cours d'une étrange cérémonie, Perceval vit défiler devant lui une lance d'où s'échappaient des gouttes de sang. Mais Perceval n'osa pas poser de questions pour comprendre cette énigme. Cette lance aurait dû rappeler à Perceval celle qui perça le flanc du Christ.
(2) coupe d'argent d'où rayonnait une lumière éclatante
(3) monastère

La révélation de l'ermite

«Mon ami, lui dit-il, il t'a fait bien du mal ce péché dont tu ne sais rien : le chagrin que tu causas à ta mère quand tu la quittas et qu'elle tomba sans connaissance au bout du pont, devant la porte — c'est ce chagrin qui l'a tuée. Ce péché que tu as commis fit que tu ne posas pas de question à pro-
5 pos de la lance et du graal — et ce fut la cause de tous tes malheurs.

«Sache-le bien, tu n'aurais même pas pu y tenir si ta mère ne t'avait recommandé à Dieu, notre Seigneur. Mais sa prière eut une telle vertu que Dieu, à cause d'elle, a jeté les yeux sur toi et t'a protégé de la mort et de la prison. C'est le péché qui te trancha la langue quand tu vis passer devant toi
10 le fer qui ne cessait de saigner[1] et que tu n'en demandas pas la raison. Et pour le graal, quand tu fus incapable de savoir à qui l'on en fait le service, tu te montras bien insensé. Celui à qui l'on en fait le service est mon propre frère ; ma sœur et la sienne était ta mère. Quant au puissant Roi Pêcheur il est, je crois, le fils de celui à qui l'on fait le service du graal[2]. Mais ne va
15 pas croire qu'on lui donne brochet, lamproie ou saumon ; c'est une hostie, nous le savons bien, qu'on lui apporte dans ce graal et c'est assez pour le conserver en vie, tant le graal est une sainte chose : cet homme est si spiritualisé que l'hostie qui se trouve dans le graal suffit à le maintenir en vie. Voilà quinze ans qu'il est ainsi, sans sortir de la chambre où tu as vu le
20 graal entrer. Mais maintenant je veux t'imposer une pénitence pour le péché que tu as commis.

— Je l'accepte, mon oncle, fait Perceval, et de grand cœur. Puisque ma mère était votre sœur, vous devez bien m'appeler neveu et moi vous appeler oncle, et vous en aimer davantage.
25 — C'est vrai, mon neveu. Repens-toi donc ! Puisque tu as pris ton âme en pitié, laisse-toi envahir par le repentir et, à titre de pénitence, rends-toi chaque jour à l'église plutôt qu'en tout autre lieu — tu ne pourras qu'y gagner. Et si tu te trouves là où il y a un moutier[3], une chapelle ou une église paroissiale, ne manque à aucun prix de t'y rendre ; vas-y dès que retentira
30 la cloche ou même avant, si tu es levé. Tu ne t'en trouveras pas plus mal et ton âme n'en sera que meilleure. Et si la messe est déjà commencée, raison de plus pour y aller et y rester jusqu'à ce que le prêtre ait achevé chants et prières. Si tu y es bien décidé, tu pourras accroître encore tes mérites et accéder au paradis. Crois en Dieu, aime Dieu, adore Dieu. Honore les gens
35 de bien, hommes ou femmes. Lève-toi devant le prêtre : c'est un geste qui coûte peu, mais Dieu l'apprécie vraiment car il est manifestation d'humilité. Voilà ce que je veux que tu fasses en rémission de tes péchés, si tu tiens à retrouver la grâce de Dieu que tu avais autrefois. Dis-moi donc maintenant si tu y es décidé.
40 — Oui, répond-il, et de grand cœur.»

Chrétien de Troyes, *Le Conte du Graal*, v. 6176-6253, traduit de l'ancien français par Jacques Ribard, Honoré Champion, 1979.

Pistes de recherche

1. Dans quelle mesure la révélation de l'ermite est-elle liée aux aventures précédentes vécues par Perceval ?

2. Relevez et classez les épisodes de la trame romanesque qui donnent au roman un éclairage religieux.

3. Dans quelle mesure ce texte permet-il de vérifier le jugement de J.-C. Payen cité en document («Chrétien a donc désormais conjuré les mythes• courtois») ?

Mattias Grunewald (1450-1528), *Rétable d'Issenheim,* «Saint Paul ermite», Colmar, ph. H. Josse. *Saint Antoine (à gauche) vient rendre visite à un autre ermite, saint Paul, vêtu de fibres végétales. Un corbeau miraculeux lui apporte du pain, comme chaque jour. Le paysage est à la fois tourmenté (arbres morts, mousses, rochers), irréel (le palmier) et paisible (la biche accroupie au milieu).*

DOCUMENT

Perceval ne doit pas son salut à Blanchefleur. Il représente un nouveau type de personnage, qui peut accéder à la perfection avec le seul secours d'une grâce divine qui lui est conférée directement pourvu qu'il se soit ouvert à cette grâce lors de la rencontre d'un personnage providentiel, l'ermite en l'occurrence. Chrétien a donc désormais conjuré les mythes• courtois ; il ouvre la voie à un nouveau type de romans : non plus ceux de la rédemption par l'amour, mais ceux de la rédemption par la grâce.

Jean-Charles Payen, « Les Valeurs humaines chez Chrétien de Troyes », in *Mélanges offerts à Rita Lejeune,* J. Duculot, 1969.

La personnalité mystérieuse de Perceval, le symbolisme• opaque d'un mythe• qui résiste souvent à l'analyse ont survécu à Chrétien de Troyes. Prenant la relève du poète champenois, plusieurs auteurs, entre 1190 et 1230, ont été tentés de mener à son terme l'œuvre inachevée en composant quatre *continuations* successives. Vers la même époque, **la légende du roi Arthur vient nourrir une vaste fresque en prose,** le *Lancelot-Graal,* composé entre 1215 et 1230 de cinq romans distincts : *l'Estoire dou Graal, Merlin, Lancelot, la Queste del Saint-Graal* et *la Mort le roi Artu.* L'énigme de Perceval n'a jamais cessé de solliciter l'imagination : l'opéra *Parsifal* de R. Wagner et, plus proches de nous, les œuvres de T. S. Eliot (*The Waste Land*) ou de Julien Gracq (*Le Roi-Pêcheur*) et la transposition cinématographique d'Éric Rohmer consacrent la vigueur de l'imaginaire celtique au sein du patrimoine européen.

Parodie* et décadence courtoise : *Aucassin et Nicolette* (premier tiers du XIIIe siècle)

Dans le *Tristan* en prose (premier quart du XIIIe siècle) apparaît un personnage nouveau, Dinadan, chevalier jovial et sceptique*, qui formule des jugements désabusés sur l'idéal courtois honoré par ses compagnons. À ses yeux, la recherche systématique de la prouesse exemplaire se réduit à la dérisoire manifestation d'un orgueil déplacé. Semblable intention ironique* se retrouve dans les romans idylliques de la même époque. Le plus célèbre d'entre eux est *Aucassin et Nicolette*, œuvre picarde que son auteur, inconnu, nomme *chante-fable*, parce qu'il mêle des développements récités et des parties chantées composées de laisses assonan-cées regroupant des vers de sept syllabes. Le thème de cette œuvre est consacré aux amours tourmentées de deux jeunes gens, Aucassin et Nicolette, sans cesse séparés par des obstacles rocambolesques. Mais au milieu des pires épreuves leur fidélité demeure. Au terme des nombreux rebondissements qui servent de pré-textes pour multiplier des voyages lointains et évoquer des contrées exotiques, l'intrigue finit par se dénouer dans l'euphorie d'un mariage qui réunit les amants longtemps séparés. S'adressant à un public cultivé, l'auteur parodie* les lieux communs recensés dans les romans courtois et sollicite avec humour* la con-nivence du lecteur. Comme Tristan et Iseut, Aucassin et Nicolette abritent leurs amours dans une forêt et y construisent une hutte de feuillages. Comme Tristan simulant la folie, Nicolette se déguise pour rejoindre Aucassin. Comme pour Lancelot (cf. p. 66) le passage du gué est une épreuve imposée : mais à l'héroïsme du champion de la *fine amor* répond ici la description d'une mêlée burlesque et l'évocation satirique d'une aristocratie déchue.

EXTRAIT

Le comte Garin de Beaucaire s'oppose au mariage de son fils Aucassin et de Nico-lette, prisonnière ache-tée à des Sarrasins. Nicolette s'évade de sa prison et fuit la ville pour chercher asile dans la forêt où les deux amants finissent par se retrouver secrète-ment. Puis ils franchis-sent la mer et décou-vrent le pays de Tore-lore. Tout y apparaît insolite pour les nou-veaux arrivants. Le roi de Torelore est le symbole le plus cocasse de cet univers déconcertant.*

À présent on chante

Aucassin entre dans la chambre,
le raffiné et le noble.
Il est parvenu jusqu'au lit,
là où ce roi était couché ;
il se planta devant lui
et parla ; écoutez ce qu'il [lui] dit :
« Allons, espèce de fou, que fais-tu-là ? »
Le roi répondit : « J'ai accouché d'un fils ;
quand mon mois sera accompli
et que je serai tout à fait guéri,
j'irai entendre la messe,
comme fit mon aïeul,
et mener avec ardeur ma grande
[guerre
contre mes ennemis,
je ne l'abandonnerai pas. »

À présent on parle, on conte et on raconte

Lorsque Aucassin eut entendu le roi parler ainsi, il prit tous les draps qui étaient sur lui et les lança à travers la chambre. Il aperçut derrière lui un bâton, il le prit, le brandit et frappa et le battit si fort qu'il aurait dû le tuer.

« Ah ! cher Seigneur, fait le roi, qu'exigez-vous de moi ? Avez-vous perdu
5 la raison, vous qui me battez dans ma [propre] maison ?

— Par le [sacré] cœur de Dieu ! fait Aucassin, [...] je vous tuerai, si vous ne jurez que jamais plus homme de votre pays ne se couchera en mal d'enfant.

Il lui jura et après qu'il lui eut juré :

10 « Sire, fait Aucassin, maintenant conduisez-moi là où est votre femme avec l'armée. »

— Sans difficulté, seigneur », fait le roi.

Il monte sur un cheval et Aucassin monte sur le sien et Nicolette resta dans les appartements de la reine. Et le roi et Aucassin chevauchèrent jus-
15 qu'à ce qu'ils arrivèrent là où était la reine et trouvèrent la bataille enga-gée à coup de pommes sauvages blettes et d'œufs et de fromages blancs ; et Aucassin se mit à les regarder et s'en étonna fortement.

Aucassin et Nicolette, traduction de Gustave Cohen, Honoré Champion, 1972.

Pistes de recherche

1. La parodie* de l'univers courtois : quelles situations évoquent un monde délibérément inversé ?
2. Comment est entretenue la tonalité burlesque de cette scène ?
3. Quelle est la portée satirique de ce texte ?

La littérature narrative et l'essor de la prose

La littérature narrative et l'essor de la prose

■ Le Roman de Renart (1174-1250)

Le *Roman de Renart* est un ensemble de contes (ou branches) écrits en français entre 1174 et 1250 et composés d'octosyllabes rimés par des auteurs très divers, généralement restés anonymes. Tout porte à croire que ce recueil est l'œuvre de clercs• possédant une large culture puisée dans le patrimoine de l'Antiquité et renouvelée par un intérêt soutenu pour la littérature de leur temps. Loin d'être de simples scribes dont le rôle aurait été, comme on l'a cru longtemps, de fixer dans l'écrit des récits immémoriaux surgis à des époques différentes de l'imaginaire collectif de l'Inde, de la mythologie antique ou du folklore de l'Europe médiévale, puis diffusés par tradition orale, ces poètes apparaissent aujourd'hui, au terme des recherches menées par des érudits au début du xxᵉ siècle, comme des créateurs à part entière.

Trois sources distinctes semblent avoir stimulé l'imagination des conteurs : d'une part, les fables de l'Antiquité grecque, celles d'Ésope (vıᵉ siècle av. J.-C.) tout particulièrement, traduites d'abord en latin et réunies au début du Moyen Âge dans un recueil intitulé *Romulus*, puis adaptées en vers français par Marie de France (cf. p. 50) dans ses *Isopets ;* d'autre part, les poèmes médiévaux composés en latin dans les cloîtres : l'*Ecbasis captivi*, épopée• animale datant vraisemblablement de la fin du xᵉ siècle ; la *Disciplina clericalis*, œuvre de Pierre Alphonse, juif converti au début du xiıᵉ siècle ; l'*Ysengrimus*, poème latin écrit à Gand vers 1150 par un moine nommé Nivard qui, au sein d'une large fresque animale, dégage deux personnages principaux, vigoureusement individualisés : Reinardus, le goupil, et Ysengrimus, le loup. Enfin, on peut relever l'influence du folklore oriental qui nourrit en particulier les épisodes d'un conte indien, le *Pantchatantra*, diffusé en Occident par le biais des Arabes, des Juifs et des croisés.

L'omniprésence du goupil, d'un conte à l'autre, ne saurait masquer le caractère composite de l'œuvre : pendant près de soixante-quinze ans, de 1174 à 1250, plus de vingt auteurs différents ont enrichi de leurs créations successives les anecdotes développées dans les épisodes initiaux. Conçues le plus souvent comme **des exercices de style auxquels se livrent des clercs• irrévérencieux qui ironisent•** sur leur propre culture en d'inlassables variations, les différentes branches ont été insérées dans les manuscrits selon un ordre qui ne respecte ni leur date de création, ni la continuité logique de la trame romanesque. C'est entre 1174 et 1177 qu'ont été composées les deux branches les plus anciennes, numérotées II et Va : elles sont dues à la plume de Pierre de Saint-Cloud qui dévoile la malice et la rouerie dont use Renart pour mystifier le coq Chantecler, le chat Tibert, le corbeau Tiécelin, la louve Hersant, le loup Isengrin ou l'ours Brun. Mais, paradoxalement, la tradition manuscrite n'a pas laissé à ces deux branches primitives le soin d'ouvrir le cycle du roman.

Un malicieux meneur de jeu

Les premières branches de l'œuvre présentent Renart sous un jour plutôt sympathique. Dans la branche III, en particulier, qui date de 1178, le goupil, immanquablement flanqué du loup Isengrin, multiplie les occasions de donner libre cours à sa malice aux dépens de son naïf compère. Les anecdotes s'enchaînent sur un rythme allègre, comparable à celui d'une fable, et rendent hommage, en général, à l'ingéniosité d'un esprit facétieux et narquois. La bouffonnerie fait oublier la malignité et, dans son indulgence, le lecteur se délecte de voir inversé le rapport de forces entre le puissant et le faible.

EXTRAIT 1

Isengrin tonsuré

Voyant arriver une charrette de poissonniers, Renart fait le mort au bord de la route. Heureux de l'aubaine, les marchands jettent Renart parmi les paniers d'anguilles, après avoir décidé de le dépouiller de sa précieuse fourrure dès le soir venu. Renart vide d'abord discrètement un panier de harengs, puis s'empare de trois chapelets d'anguilles qu'il enfile autour de son cou avant de fausser compagnie aux deux marchands qui restent stupéfaits. De retour chez lui, Renart fait griller les anguilles réservées au repas familial. Attiré par l'odeur des anguilles grillées, Isengrin frappe à la porte de Renart.

(1) Déformation de *in nomine Domini*, c'est-à-dire «au nom du Seigneur».

◀ Pol de Limbourg (XVᵉ siècle), *Très Riches Heures du duc de Berry,* «septembre», «Vendanges», Chantilly, musée Condé, ph. H. Josse.

Pol de Limbourg (XVᵉ siècle), *Très Riches Heures du duc de Berry,* «août», Chantilly, musée Condé, ph. H. Josse. ▼

«Seigneur mon compère, ouvrez-moi la porte !
Je vous apporte de bonnes nouvelles
que vous trouverez bien agréables.»
Renart l'entendit, il le reconnut parfaitement,
5 mais il ne sourcilla pas
et fit la sourde oreille.
Isengrin n'en revient pas,
toujours dehors à souffrir de la faim
et à baver d'envie.
10 Aussi insiste-t-il : «Ouvrez, cher seigneur !»
Renart se mit à rire
et demanda : «Qui êtes-vous ?
— C'est nous, répond l'autre.
— Qui vous ? — C'est votre compère.
15 — Nous vous avions pris pour un voleur.
— Non, non, dit Isengrin, ouvrez !
— Attendez donc, répond Renart,
que les moines aient fini de manger,
ils viennent de se mettre à table.
20 — Comment donc, fait l'autre, il y a des moines ?
— Mais non, dit Renart, ce sont plutôt des chanoines,
de l'ordre de Tiron.
(À Dieu ne plaise que je mente !)
Je suis devenu l'un des leurs.
25 — *Nomini Dame*⁽¹⁾, dit le loup,
c'est bien la vérité ?
— Oui, par la sainte charité.
— Dans ce cas, accordez-moi l'hospitalité !
— Vous ne recevriez aucune nourriture.
30 — Dites-moi donc, vous n'avez pas de quoi ?
— Si, par ma foi, dit Renart,
mais laissez-moi vous demander :
êtes-vous venu ici pour mendier ?
— Que non ! Je voulais savoir ce que vous deveniez.
35 — Impossible, coupe Renart.
— Et pourquoi donc ? demande le loup.
— Ce n'est pas le moment, dit Renart.
— Dites-moi donc : mangez-vous de la viande ?
— Vous plaisantez, dit Renart.
40 — Que mangent donc vos moines ?
— Je vais vous le dire sans ambages :
des fromages tendres,
des poissons à larges têtes.
Saint Benoît nous recommande
45 de ne jamais manger plus mal.
— Je ne m'en doutais pas, dit Isengrin,
je l'ignorais totalement ;
mais soyez assez bon pour me loger.
Je ne saurais où aller de la journée.
50 — Vous loger ? dit Renart. C'est hors de question !
Personne, à moins d'être moine ou ermite,
ne peut loger en ce lieu.
Passez votre chemin : inutile d'insister.»
Isengrin, à ces mots, comprend parfaitement
55 qu'il aura beau faire,
il n'entrera pas chez Renart.
Que voulez-vous ? Il se résignera.
Mais malgré tout, il lui demande :

Benedetto Antelami (XIIᵉ siècle), *Sculptures des mois,* «août», Baptistère de Parme, ph. Scala.

«Le poisson, c'est bon à manger?

60 Donnez-m'en au moins un morceau,
seulement pour le goûter.
Quel bonheur pour ces anguilles
d'avoir été pêchées et dépouillées,
si vous daignez en manger!»

65 Renart, passé maître en roublardise,
prit trois morceaux d'anguilles
qui rôtissaient sur les charbons,
cuits à point en sorte que la chair
se défaisait et se détachait complètement.

70 Renart en mangea un, il apporta l'autre
à celui qui attendait à la porte
en disant: «Compère, approchez-vous
un peu et acceptez
par charité de la nourriture

75 de ceux qui sont sûrs
que vous serez moine un jour.»
Isengrin répliqua: «Je ne suis pas encore fixé
sur mon sort, mais c'est bien possible.
Quant à la nourriture, très cher maître,

80 passez-la-moi prestement!»
L'autre la lui donne, il s'en saisit
et a tôt fait de l'engloutir.
Il en aurait mangé bien davantage.
Renart demanda: «Comment la trouvez-vous?»

85 Le glouton frémit et tremble,
tout brûlant de convoitise:
«Vraiment, dit-il, seigneur Renart,
Dieu vous le rendra.
Donnez-m'en encore un morceau

90 très cher compère, pour m'inciter
à faire partie de votre ordre.
— Par vos bottes, dit Renart
toujours à l'affût d'un mauvais coup,
si vous vouliez être moine,

95 je vous prendrais comme directeur spirituel,
car je sais bien que les seigneurs
vous éliraient prieur ou abbé
avant la Pentecôte.
— Me faites-vous marcher?

100 — Point du tout, cher seigneur, dit Renart,
sur ma tête, je me permets de vous le dire,
par les reliques de saint Félix,
il n'y aurait dans l'église aucun moine aussi beau que vous.
— Aurais-je beaucoup de poissons

105 au point d'être remis
de cette maladie qui m'a terrassé?»
Et Renart de lui répondre:
«Mais autant que vous pourrez en manger.
Mais il faut vous faire raser,

110 couper et tondre la barbe.»
Isengrin se mit à gronder
quand il entendit parler d'être rasé.
«Ne tardons pas davantage, compère,
dépêchez-vous de me raser.»

115 Renart répond: «Dans peu de temps,
vous aurez une grande et large tonsure.
Juste le temps de chauffer l'eau.»
Vous allez entendre maintenant une bonne plaisanterie:

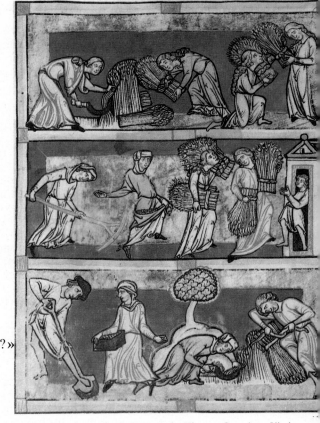

La Moisson, manuscrit de Konrad de Hirsan «Speculum Virginum», Bonn, Musée National Rhénan.

Renart mit l'eau sur le feu
120 et la fit bouillir.
Puis, revenu sur ses pas,
il a fait passer la tête du loup
par un guichet de la porte.
Isengrin tend bien le cou.
125 Renart qui le prenait pour un parfait imbécile
lui a violemment renversé
l'eau bouillante sur la nuque :
Quelle méchanceté !
Isengrin secoue la tête,
130 montre les dents et fait une horrible grimace.
Il se recule
en criant : « Renart, je suis mort.
Puisse-t-il vous arriver malheur aujourd'hui !
Vous m'avez fait une tonsure bien trop grande ! »
135 Et Renart lui a tiré une langue
longue de plus d'un demi-pied.
« Seigneur, vous n'êtes pas le seul.
Tout le couvent la porte aussi grande. »

Roman de Renart, branche III, v. 216-353, 1178 ; traduction
de Jean Dufournet et Andrée Méline, Garnier-Flammarion, 1985.

Pistes de recherche

1. Quels sont les traits psychologiques qui caractérisent chacun des deux protagonistes ?
2. Montrez comment les diverses péripéties de cette scène convergent vers la préparation de la facétie finale.
3. Le narrateur est le troisième personnage de cette scène : comment trahit-il sa présence et sa complicité malgré sa discrétion ?
4. À quels indices reconnaissez-vous dans cette scène un divertissement de clercs• ?

Malgré une première déconvenue, Isengrin demeure assez crédule pour rechercher la compagnie de Renart. Mais les mauvais tours que le goupil manigance n'ont jamais assez de cruauté pour menacer définitivement la vie du loup naïf et enlever ainsi au récit l'occasion d'une nouvelle péripétie burlesque. En effet, le comique des situations est dû, pour une large part, au caractère répétitif des scénarios imaginés par Renart. Les mêmes causes produisent invariablement les mêmes effets. Victime de sa gourmandise ou tenaillé par la faim, Isengrin sacrifie tout esprit critique à la satisfaction immédiate de l'instinct. Renart a beau jeu, dès lors, de tirer parti de la vulnérabilité de son compère et de mettre les rieurs de son côté.

EXTRAIT 2   **Glaciale partie de pêche**
C'était un peu avant Noël
à l'époque où l'on sale les jambons.
Le ciel était clair et étoilé.
L'étang où Isengrin devait pêcher
5 était si gelé
qu'on aurait pu y danser la farandole,
il n'y avait qu'un trou
que les paysans avaient fait
pour y mener chaque soir leur bétail
10 se changer les idées et boire.
Ils y avaient laissé un seau.
Renart courut jusque-là ventre à terre
et se retourna vers son compère :
« Seigneur, dit-il, approchez-vous.
15 C'est ici que se trouve la foule des poissons,
et l'instrument avec lequel nous pêchons
anguilles, barbeaux
et autres bons et beaux poissons.
— Frère Renart, dit Isengrin,
20 prenez-le donc par un bout

et attachez-le-moi solidement à la queue. »
Renart prend le seau qu'il lui attache
à la queue du mieux qu'il peut.
« Frère, dit-il, vous devez maintenant
25 rester bien sage, sans bouger,
pour que les poissons viennent. »
Là-dessus, il s'est élancé près d'un buisson,
le museau entre les pattes,
de façon à surveiller le loup.
30 Voici Isengrin sur la glace
et le seau dans l'eau,
rempli de glaçons à ras bord.
L'eau commence à geler,
à emprisonner le seau
35 fixé à la queue ;
bientôt il déborde de glaçons.
La queue est gelée dans l'eau,
puis scellée à la glace.
Isengrin, dans l'espoir de se soulever
40 et de tirer le seau vers lui,
s'y essaie à plusieurs reprises.
Désemparé, inquiet,
il se décide à appeler Renart
d'autant qu'il ne peut plus échapper aux regards :
45 l'aube blanchissait déjà l'horizon.
Renart relève la tête,
ouvre les yeux, regarde autour de lui :
« Frère, dit-il, laissez donc votre ouvrage.
Partons, mon très cher ami.
50 Nous avons pris beaucoup de poissons. »
Et Isengrin lui crie :
« Renart, il y en a trop.
J'en ai pris plus que je ne saurais le dire. »
Renart se mit à rire
55 et lui dit carrément :
« On perd tout à vouloir tout gagner. »
    La nuit s'achève, l'aube paraît.
C'est le matin et le soleil se lève.
Les sentiers sont blancs de neige.
60 Monseigneur Constant des Granges,
un châtelain cossu,
qui demeurait à côté de l'étang,
s'était levé, avec toute sa maisonnée,
de fort joyeuse humeur.
65 Au son du cor, il rassemble ses chiens ;
il fait seller son cheval ;
ses compagnons poussent des cris et des clameurs.
À ce bruit, Renart détale
et court se cacher dans sa tanière.
70 Mais Isengrin reste en fâcheuse posture :
il tire, il tire de toutes ses forces ;
il risque même de s'arracher la peau.
S'il veut s'en sortir,
il lui faut sacrifier sa queue.
75   Tandis qu'il s'évertue,
un serviteur survient au trot,
avec deux lévriers en laisse.
À la vue d'Isengrin, il fonce vers lui :
l'autre était complètement gelé sur la glace,
80 la nuque pelée.

Pol de Limbourg (XV⁰ siècle), *Très Riches Heures du duc de Berry*,
« février », Chantilly, musée Condé, ph. H. Josse.

Il l'examine de plus près et crie :
« Le loup ! à l'aide, à l'aide ! »
Les veneurs, à son appel,
se précipitèrent de la maison
85 et franchirent la clôture avec tous les chiens.
Isengrin n'est pas à la noce
car le seigneur Constant les suit,
bride abattue,
en hurlant : « Pied à terre !
90 lâchez les chiens, lâchez-les ! »
Les valets détachent les chiens
qui sautent sur le loup.
Isengrin se hérisse de tous ses poils.
Le veneur excite les chiens
95 à grands cris.
Isengrin se défend vaillamment,
jouant des crocs et des dents : que peut-il faire
                              [d'autre ?
Il aurait mille fois mieux préféré la paix.
Le seigneur Constant, l'épée levée,
100 s'approche de lui pour frapper juste.
Il met pied à terre
et s'approche du loup en marchant sur la glace.
Il l'attaque par-derrière,
il veut le frapper mais rate son coup.
105 Son bras manque sa cible,
et le seigneur Constant tombe à la renverse
et se blesse à la tête.
Il se relève péniblement

et lui lance une violente attaque.
110 Quelle terrible guerre !
   Il croit atteindre la tête,
mais le coup frappe ailleurs.
L'épée descend vers la queue
qu'elle coupe au ras
115 de l'anus. Il ne l'a pas raté
et Isengrin, quand il a senti le coup,
fait un saut de côté et s'éloigne,
mordant tour à tour les chiens
qui lui collent au derrière.
120 Mais sa queue est restée en gage,
il en est profondément abattu.
Pour un peu, le chagrin lui briserait le cœur !
Il n'a plus qu'à fuir
jusqu'à une colline où il trouve refuge.
125 Si les chiens le harcèlent,
il se défend avec vaillance.
Au sommet de la colline,
les chiens fourbus s'avouent vaincus.
Isengrin aussitôt
130 en profite pour déguerpir à toute allure
vers le bois, sans cesser d'être sur ses gardes.
Une fois arrivé,
il jure qu'il se vengera de Renart,
son ennemi à jamais.

Roman de Renart, branche III, v. 377-510, 1178 ; traduction de Jean Dufournet et Andrée Méline, Garnier-
Flammarion, 1985.

Pistes de recherche

1. Par quelles circonstances
Renart se révèle-t-il le meneur de
jeu de ce canular ? Quels traits
de personnalité amènent Isengrin à
être partiellement l'artisan de son
propre malheur ?
2. Comment est soulignée l'intensité dramatique croissante de cette
scène ?
3. À quoi tient le burlesque de
cette supercherie ? Comment est
ménagée la possibilité de voir cet
épisode suivi de nouvelles aventures associant Renart et Isengrin ?

Pol de Limbourg (xvᵉ siècle), *Très Riches
Heures du duc de Berry,* «décembre», «La
Chasse», Chantilly, musée Condé,
ph. H. Josse.

Communauté animale et société féodale

Le monde animal a fortement marqué les esprits du Moyen Âge. C'est l'époque où est reconnue l'importance décisive du cheval, indispensable aux guerriers et aux voyageurs ; c'est l'époque aussi où la chasse offre un loisir recherché des aristocrates, permet de protéger les récoltes et de reconstituer les réserves de vivres. L'architecture des XIIe et XIIIe siècles emprunte souvent ses motifs ornementaux à un bestiaire sculpté qui révèle un goût de la précision anatomique digne de l'esthétique naturaliste. Toute une faune familière, aux contours vigoureusement dégagés, vient égayer la pierre des églises et des cloîtres : corbeaux sur un chapiteau des Augustins de Toulouse ; blaireau à Beaulieu ; aigles, taureau, cerf sur les frises de Saint-Gilles ; crabe du Zodiaque à Amiens. Ailleurs se dessinent les silhouettes d'animaux exotiques (éléphants, lions, chameaux, guépards, griffons) imposés par des traditions ornementales très anciennes, venues d'Asie et des pays riverains de la Méditerranée.

Les prétextes de l'anthropomorphisme•

Dès la branche I du *Roman de Renart*, la représentation du monde animal est contaminée par un anthropomorphisme• de plus en plus insistant. **À la façon des hommes, les animaux sont organisés en une société féodale strictement hiérarchisée.** L'empereur Noble est entouré de barons (certains sont de vénérables dignitaires comme le connétable Isengrin ou le sénéchal Brichemer) liés à leur suzerain par des actes d'allégeance associant l'hommage solennel et le serment de fidélité. Les vassaux doivent à leur empereur déférence, obéissance et assistance ; ils sont ses conseillers quand la guerre menace, ses capitaines quand une expédition militaire devient inévitable. En échange de ces bons et loyaux services, le suzerain doit sauvegarder la paix et faire taire la discorde qui vient à déchirer ses barons. Tous les vassaux se déplacent à cheval, qu'ils lancent un assaut contre le repaire de Renart, ou qu'ils se rendent à la cour royale où Noble, dès les beaux jours, donne de somptueuses fêtes. Le palais est aussi l'enceinte où se réunissent les cours de justice et symbolise• alors l'autorité du suzerain soucieux de la fidélité de ses sujets.

EXTRAIT 3

Un roi justicier

L'histoire, en son début,
rapporte que l'hiver venait de se terminer,
que la rose s'épanouissait,
que l'aubépine était en fleur
5 et que, à l'approche de l'Ascension,
sire Noble le lion
convoqua toutes les bêtes
dans son palais pour tenir sa cour.
Aucune bête n'eut l'audace
10 de s'attarder — toutes affaires cessantes —
et de ne pas accourir
si ce n'est le seigneur Renart,
ce mauvais larron, ce fourbe,
que les autres ne cessent d'accuser
15 et de calomnier devant le roi
pour son orgueil et son inconduite.
Et Isengrin, qui ne le porte pas dans son cœur,
se plaint solennellement le premier
et dit au roi : «Cher et noble roi,
20 fais-moi donc justice de l'adultère
que Renart a commis avec mon épouse,
dame Hersant, après l'avoir enfermée
dans Maupertuis sa demeure
pour lui faire violence
25 et pour uriner sur tous mes louveteaux :
c'est la plus fraîche de ses offenses.
Renart fixa une date pour jurer
qu'il n'avait pas commis cet adultère.
Quand on apporta les reliques,
30 suivant les conseils de je ne sais qui,
il déguerpit soudain
et retourna dans sa tanière,
à ma grande colère. »

Le roi lui a répondu en public :
35 « Isengrin, renoncez à ce procès.
Loin d'en tirer profit,
vous ne faites que rappeler votre infortune.
Bien naïfs sont les rois et les comtes,
et ceux qui tiennent les grandes assemblées
40 récoltent des cornes par les temps qui courent.
Jamais, d'un si petit dommage
ne naquit tant de désolation ni de fureur.
Croyez-moi, dans ce genre d'affaire,
mieux vaut se taire. »
45 Brun l'ours dit : « Cher et noble roi,
vraiment, vous pourriez tenir un bien meilleur discours.
Isengrin est-il mort ou prisonnier
pour ne pouvoir tirer une bonne vengeance
de Renart, si celui-ci l'a offensé ?
50 Si Renart était à sa portée,
et si l'affaire n'était en suspens

à cause de la paix récemment jurée,
Isengrin est assez fort
pour lui résister.
55 Mais vous êtes le souverain de cette terre,
vous devez imposer la paix dans cette guerre !
Imposez la paix parmi vos barons :
celui que vous haïrez, nous le haïrons
et nous nous rangerons de votre côté.
60 Dans la mesure où Isengrin accuse Renart,
ordonnez que justice soit faite :
je ne vois pas de meilleure solution.
Si l'un a des devoirs envers l'autre, qu'il s'en
                                          [acquitte
et qu'il répare sa faute envers vous.
65 Envoyez chercher Renart à Maupertuis.
Je le ramènerai si je le trouve
et si vous consentez à m'y envoyer,
je lui apprendrai les bonnes manières !

Roman de Renart, branche I, v. 11 à 78, 1179 ; traduction de Jean Dufournet et Andrée Méline, Garnier-Flammarion, 1985.

Pistes de recherche

1. Dans quelle mesure cette scène donne-t-elle une vision assez fidèle de la société féodale ? À quelles prérogatives reconnaît-on la souveraineté du roi ?

2. Que symbolise• Renart au sein de cette société ?

3. En vous reportant à la présentation de *Tristan et Iseut* (voir p. 52) et à l'analyse du *Chevalier de la charrette* (voir p. 64), essayez de déceler en quoi cette branche I s'adresse à un public familier des thèmes de la littérature courtoise.

Thierry Bouts (1400-1475), *La Justice d'Othon,* « Le Supplice de l'innocent », Bruxelles, ph. Giraudon.

Du burlesque au cynisme•

Face aux barons qui honorent et soutiennent la majesté royale de Noble, Renart va accumuler bravades, défis et humiliations. Ce qui, dans les premières branches, relevait du jeu gratuit ou de la facétie insolente va progressivement se dénaturer en perversion délibérée. **Au fil des anecdotes se construit l'image d'un être frondeur, souvent maléfique, voire diabolique, qui va jusqu'à énumérer la liste de ses méfaits avec une complaisance provocante.** À la confession et au repentir attendus se substitue le décompte arrogant des multiples victimes.

EXTRAIT 4   **La confession de Renart**

J'ai tant fait de mal à Isengrin
que je ne puis le nier devant aucune instance.
Dieu sauve mon âme !
Trois fois, je l'ai fait attraper,
5 voici comment :
je l'ai fait tomber dans le piège à loup
quand il emporta l'agneau.
Là, sa peau fut bien battue
puisqu'il fut roué de cent coups au moins
10 avant de pouvoir quitter la maison.
Je le fis tomber dans le piège
où trois bergers le découvrirent
et le battirent comme plâtre.
Trois jambons étaient empilés
15 dans le garde-manger d'un bourgeois.
Je lui en fis tant manger
qu'il ne put sortir, à cause de son gros ventre,
par où il était entré.
Je le fis pêcher dans la glace
20 jusqu'à ce qu'il eût la queue gelée.
Je le fis pêcher dans l'eau
une nuit de pleine lune.
Il prit sans hésitation
son reflet pour un fromage.
25 Une autre fois je l'ai trompé
devant la charrette aux poissons.
Cent fois, je l'ai vaincu.
Au prix de mille tromperies
j'ai fait en sorte qu'il devînt moine
30 puis il voulut devenir chanoine
quand on lui vit manger de la viande.
Il fallait être fou pour l'engager comme berger.
Une journée ne suffirait pas
pour que je vous rapporte tous mes torts envers lui.
35 Il n'y a pas de bête à la cour du roi
qui n'ait une raison de se plaindre de moi.
J'ai fait prendre Tibert[1] au lacet
alors qu'il s'imaginait manger des rats.
De toute la parenté de Pinte[2]
40 il n'est resté qu'elle et sa tante.
Les autres, coqs ou poules,
sont tous passés dans mes repas.
Une fois que devant mon terrier se trouvait
l'armée de sangliers, de vaches, de bœufs
45 et d'autres bêtes bien armées
qu'Isengrin avait amenées
pour en finir avec cette guerre,
j'enrôlai Roenel le mâtin et,
avec lui, bien cent quarante compagnons,

50 des chiens, des chiennes, des mâtins.
Tous récoltèrent des plaies et des bosses...
Mais peu d'argent
car je leur pris leur solde.
Les armées dispersées,
55 je les privai, par ruse et par tromperie
de ce que je leur avais promis.
Je les quittai avec un pied-de-nez.
Comme je m'en repens maintenant ! Dieu,
           [mea culpa !
À présent, je veux expier
60 tous mes péchés de jeunesse.
— Renart, Renart, dit Grimbert[3],
vous m'avez dévoilé vos péchés
et le mal que vous avez fait.
Si Dieu vous sort d'affaire,
65 gardez-vous bien de retomber dans le péché.
— Que Dieu, répond Renart, ne permette
          [pas que je vive assez longtemp
pour commettre une faute
qui Lui déplaise ! »

Roman de Renart, branche I, v. 1037 à 1104, 1179 ; traduction de Jean Dufournet et Andrée Méline, Garnier-Flammarion, 1985.

_____

(1) le chat
(2) la poule
(3) le blaireau

Pieter Bruegel l'Ancien (1525-1569), *Le Combat de Carnaval et de Carême*, Vienne, Kunsthistorisches Museum, ph. E Lessing-Culture and Fine Arts Archives. *Carnaval et Carême : jouissance et privation, gros et maigres, fêtes et interdits... Le tableau permet tous les contrastes, renvoyant sans doute dos à dos tous les excès, ceux du plaisir grossier surtout. La satire est plus forte que la sympathie et la nature n'apparaît nulle part.*

Pistes de recherche

1. Comment cette longue rétrospective parvient-elle à préserver la vivacité du récit ?

2. Pourquoi les nombreuses persécutions dont Renart est l'auteur finissent-elles par solliciter l'indulgence et la secrète connivence du lecteur ?

3. Montrez comment Renart manifeste un cynisme• croissant malgré l'intention avouée de se repentir.

DOCUMENT

La ruse de Renart n'est plus seulement celle d'un animal habile à forcer les clôtures et à vider les poulaillers ; c'est la tournure d'esprit d'un être indépendant, affranchi de toute contrainte, méprisant les lois et les conventions, qui trompe et trahit par plaisir et par goût.

Sans doute, chargé de famille, avec sa femme Hermeline et ses renardeaux suspendus à ses trousses, il lui faut pourvoir à leurs besoins, et, quand leurs provisions s'épuisent, se mettre en campagne pour les renouveler. Mais dès qu'il a quitté son repaire de Maupertuis, il se heurte à la résistance des autres bêtes, parfois même à l'hostilité des hommes. Il doit alors employer tous les moyens, jusqu'aux mensonges les plus cyniques•, pour décourager ses adversaires, et, s'il n'en triomphe pas tout d'abord, s'en venger ensuite. Ce virtuose de l'imposture, prompt à tous les reniements, ne saurait trouver sa place dans le monde hiérarchisé où les conteurs distribuent les espèces animales.

R. Bossuat, *Le Roman de Renart*, Hatier, 1967.

Une démystification de l'univers épique• et courtois

La parodie• de l'épopée•

La chanson de geste (cf. p. 18) et la littérature courtoise (cf. p. 48) proposaient de la société médiévale une image idéalisée, mais généreuse, fondée sur des valeurs morales exaltantes. La *Chanson de Roland* comme les romans de Chrétien de Troyes disent le prix attaché au code de l'honneur féodal, la fierté d'appartenir à un lignage prestigieux, les actes de bravoure dédiés à une idée exigeante de la patrie, la fidélité éprouvante que réserve le chevalier à sa dame, les sacrifices dus à la défense de la religion. Les clercs• qui ont composé les diverses branches du *Roman de Renart* n'ignorent pas cette littérature de l'héroïsme ; mais ils ne la prennent plus tout à fait au sérieux et s'amusent souvent à la parodier•. C'est dire que **la prétention de grandeur chevaleresque ne fait plus illusion pour masquer la sottise, l'égoïsme ou la fourberie des hommes.** Seule l'affabulation animale atténue encore un peu l'intention ironique• : Maupertuis, le repaire de Renart, apparaît tantôt comme une forteresse abritée derrière son pont-levis, tantôt comme une tanière enfouie au fond d'un dédale de galeries souterraines. Isengrin et Renart font, eux-mêmes, oublier leurs fourrures et leurs crocs pour disparaître sous la panoplie du parfait chevalier.

EXTRAIT 5   **Un duel héroïque**

Renart, de son côté, s'est donné beaucoup de peine
   durant la semaine pour se procurer des armes ;
Isengrin, de la même manière,
   cherche lui aussi, activement, des armes,
5 se préoccupant fort de hâter les préparatifs
   et se donnant de la peine pour s'équiper.
Il s'est procuré l'écu et le reste de l'armure,
   la cotte et la garniture de feutre,
   les chausses rembourrées, de bonne fabrication,
10 qu'il a enfilées.
Son écu est entièrement vermeil
   et sa cotte, au-dessous, rouge.
Il a un bâton de néflier bien taillé.
   Le voilà armé de pied en cap pour le jour du combat.
15 Renart, qui avait nargué bien des gens,
   n'est pas de son côté moins bien équipé :
il avait beaucoup de bons amis
   qui se sont occupés de lui.
Il a commandé
20 un écu rond à sa taille :
ses amis lui en ont procuré un qui était tout jaune.
Pour sa cotte, il avait fallu peu de drap,
   elle était bien taillée et confortable ;
   ses chausses, bien sûr, étaient rembourrées.
25 Il possédait un bâton d'aubépine
   de bonne qualité
   et qu'il maniait avec dextérité ;
il était tout harnaché
   de courroies.
30 C'est avec ces armes qu'il se rendit à la cour. [...]
Les règles du duel une fois exposées et rappelées,
   les barons ont placé les deux adversaires sur le terrain.
Le plus courageux tremble de peur,
   ils se tiennent tous deux par la main.
35 Noble appela un chapelain,
   messire Belin le mouton,
   d'une grande sagesse, à n'en pas douter,
   qui apporta le reliquaire
   sur lequel les serments sont prêtés.
40 Le roi fit solennellement proclamer
   que personne n'ait l'audace
   de faire du tapage, que chacun soit calme
   et se tienne comme il faut.

Roman de Geoffroy de Bouillon, manuscrit fr. 22495, fol. 78, Paris, Bibl. Nat.

C'était un prince d'une justice exemplaire.
45 La formule du serment fut énoncée
par sire Brichemer[1] et Brun l'ours
qui n'avaient pas leurs pareils.

(1) le cerf

Roman de Renart, branche VI, v. 859-888 et 1060-1078, 1190 ;
traduction de Jean Dufournet et Andrée Méline, Garnier-Flammarion, 1985.

Pistes de recherche

1. Comment l'évocation des préparatifs du combat réussit-elle à recréer le ton de l'épopée et à suggérer l'univers chevaleresque ?
2. Analysez comment le respect du formalisme juridique permet de démentir la fiction d'une société animale.
3. À quelles notations se révèle l'intention parodique• et l'humour• ?

La parodie• de la littérature courtoise

Plus narquoise encore apparaît la parodie• des romans bretons (cf. p. 49). Comme le roi Arthur, le roi Noble réunit ses barons à l'Ascension ou à la Pentecôte et donne, à sa cour, de somptueuses fêtes qui lui permettent, aussi, de mesurer l'attachement de ses vassaux. Accusée par son époux Isengrin d'entretenir une liaison coupable avec Renart, la louve Hersant tente de se laver de tout soupçon en prononçant un serment ambigu (branche I, vers 142-158) comparable à celui d'Iseut. Comme la reine Guenièvre du *Chevalier de la charrette* (cf. p. 64), la reine Fière ne s'effarouche pas vraiment des ardeurs de Renart et multiplie les gages de complicité : elle lui envoie des messages secrets ou lui fait don de son anneau pour lui signifier qu'elle ne l'oubliera pas malgré les distances qui vont les séparer ; de la même manière, Laudine avait offert son anneau à Yvain (cf. p. 62) quand le chevalier au lion s'était absenté pendant un an pour participer aux tournois organisés à la cour du roi Arthur. Toutefois, tandis que dans la littérature courtoise le raffinement de la *fine amor* (cf. p. 64) et la délicatesse du sentiment ensevelissent la spontanéité du désir dans des rites savamment intellectualisés et que l'adultère est sanctionné par un tabou pesant, le *Roman de Renart,* au contraire, libère une sexualité sans vergogne, souvent paillarde et obscène.

C'est en se métamorphosant en jongleur gallois, sosie de Bréri (cf. p. 49), que **Renart ironise•** sur le répertoire des auteurs courtois avec la verve la plus caustique.

EXTRAIT 6

Renart déguisé en jongleur

Regardant de ce côté, Isengrin
voit venir Renart à sa rencontre.
Il lève la patte et se signe,
plus de cent fois, je crois,
5 avant que l'autre ne l'ait rejoint.
Il a tellement peur que pour un peu il s'enfuirait.
Après cela, il s'arrête
et dit qu'il n'a jamais vu semblable bête :
elle doit venir d'un pays étranger.
10 Voici Renart qui le salue :
«Goodbye, dit-il, cher seigneur.
Moi pas savoir parler ton langue.
— Que Dieu te garde, très cher ami !
D'où êtes-vous ? de quel pays ?
15 Vous n'êtes pas originaire de France
ni d'aucun pays que nous connaissons.
— Niet, mon seigneur, mais de Bertagne.
Moi foutre avoir perdu tout ce que j'avoir gagné
et moi foutre chercher ma compagnon.
20 Moi foutre pas avoir trouvé quelqu'un pour renseigner moi.
Tout le France et tout le Angleterre
j'avoir parcouru pour mon compagnon trouver.
Moi avoir demeuré tant dans ce pays
que moi connaître tout le France.
25 Maintenant moi vouloir retourner,
moi plus savoir où le chercher,

mais moi avant tourner à Paris
pour moi finir apprendre tout le français.
— Est-ce que vous avez un métier ?
30 — Ya, ya, moi être foutre très bon jongleur.
Mais moi hier foutre avoir été volé, battu
et mon vielle foutre avoir été pris à moi.
Si moi foutre avoir un vielle,
moi foutre dire bon rotruenge[1]
35 et un beau lai et un beau chant
pour toi qui sembler une homme de bien.
Foutre moi pas avoir mangé pendant deux jours entiers
et maintenant je mangera volontiers.
— Comment t'appelles-tu ? dit Isengrin.
40 — Ma nom foutre être Galopin.
Et vous, comment, seigneur, homme de bien ?
— Frère, on m'appelle Isengrin.
— Et foutre être né dans cette pays ?
— Oui, j'y ai vécu longtemps.
45 — Et avoir toi nouvelles du roi ?
— Pourquoi ? tu n'as point de vielle.
— Moi foutre servir très volontiers
ma répertoire à tout le monde.
Moi foutre savoir bon lai[2] breton
50 de Merlin[3] et de Noton,
du roi Arthur[4], et de Tristran[5],
du chèvrefeuille[6], de saint Brandan...
— Et tu connais le lai de dame Iseut ?
— Ya, ya, by god,
55 moi les savoir, absolument tous. »
Isengrin dit : « Tu me sembles très doué
et très savant. »

(1) poèsie lyrique• composée de strophes et terminée par un refrain
(2) Cf. p. 50.
(3) Cf. p. 71.
(4) Cf. p. 49.
(5) Cf. p. 52.
(6) Cf. p. 54.

Roman de Renart, branche I b, v. 2355-2397, 1190-1195 ; traduction de
Jean Dufournet et Andrée Méline, Garnier-Flammarion, 1985.

Pistes de recherche

1. Essayez d'analyser la nature des procédés comiques mis en œuvre dans cette scène.
2. Quels prétextes sont inventés par Renart pour prolonger ce galimatias ?
3. Dans quelle mesure le *Roman de Renart* apporte-t-il une rupture vis-à-vis des thèmes traditionnels de la littérature courtoise ?

DOCUMENT

Les premières branches de *Renart* furent composées, comme on l'a vu, de 1175 à 1205, au moment où s'achevait le règne de Louis VII, où s'ouvrait celui de Philippe Auguste. La monarchie capétienne avait duré assez longtemps pour s'affermir. Une solide organisation administrative assurait l'exécution des volontés royales. Mais en dehors de son domaine propre le roi ne pouvait légiférer qu'avec l'agrément des seigneurs. La féodalité, toujours puissante, fournissait à la cour ses grands officiers, et ses membres siégeaient au Conseil. Centre de l'activité politique, organe essentiel du gouvernement, la cour du roi avait aussi des attributions judiciaires. Mais dans tous les domaines l'autorité du prince se heurtait à l'influence des grands feudataires et des hauts barons qui défendaient nécessairement les intérêts de leur caste. Pourtant, depuis le XIe siècle, notamment dans les pays de Champagne, de Picardie, de Normandie, une force grandissait avec laquelle le pouvoir royal devrait bientôt compter. Les bourgeois enrichis par le négoce et groupés en associations arrachaient peu à peu aux seigneurs laïques et ecclésiastiques le droit de s'administrer. En face du pouvoir central fortement appuyé par les cadres de la féodalité se dressait déjà dans les communes la résistance du tiers état. Tout en s'adressant à la foule, les conteurs de *Renart,* aussi désireux d'atteindre la clientèle des châteaux que le public des rues et des tavernes, s'appliquèrent à calquer la société animale sur le modèle de la société humaine et, comme dans celle-ci, opposèrent aux détenteurs de la puissance et de la force le jugement critique de la foule dont Renart le goupil devint le joyeux interprète.

R. Bossuat, *Le Roman de Renart*, Hatier, 1967.

Une vision désabusée du monde

Si l'empereur Noble impose le respect à ses vassaux, c'est surtout parce qu'il sait préserver la paix civile au sein de la communauté placée sous son autorité. Les litiges sont pourtant nombreux : le loup Isengrin symbolise• par excellence le justiciable qui exige du prince qu'un légitime châtiment soit infligé à Renart coupable du délit d'adultère. Mais, homme de conciliation et d'apaisement, Noble préfère la solution plus indulgente et plus discrète du compromis (cf. extrait n° 3, pp. 80-81). Les barons les plus écoutés encouragent le souverain à écarter l'usage inconsidéré des représailles aveugles. Chacun, selon son rang, sa compétence et son influence, préconise l'équité et rappelle la règle dictée par le droit. Le cerf Brichemer, le chameau (qui incarne le légat du pape), l'ours Brun sont tous présentés comme des juristes avisés qui donnent à l'édifice politique et social une respectabilité incontestée. Toutefois, dès la branche I, **Renart perçoit dans cette façade rassurante des fissures qui laissent présager la fragilité de la société féodale** et incitent les esprits sceptiques• à garder leur distance.

EXTRAIT 7

L'ours Brun a été chargé par le roi Noble de conduire Renart à la cour pour qu'il réponde de ses délits devant la justice. À l'arrivée de l'émissaire, Renart est en train de festoyer.

Puissants et misérables

« Brun, mon cher ami, dit Renart,
quel épuisant effort vous a imposé
celui qui vous a fait dévaler jusqu'ici !
Je m'apprêtais justement à partir,
5 tout de suite après avoir mangé
une délicieuse spécialité française...
En effet, seigneur Brun, si vous ne le savez,
apprenez que l'on dit à la cour, à tout homme puissant,
dès qu'il arrive : « Seigneur, lavez-vous les mains ! »
10 Il a de la chance celui qui lui tient les manches !
D'abord on sert le bœuf au verjus[1],
ensuite les autres plats,
dès que le noble hôte en manifeste le désir...
Quant au pauvre, qui ne possède rien,
15 on le prend pour de la crotte de bique :
pour lui, pas de place près du feu, pas de place à table,
il doit manger sur ses genoux.
Les chiens le harcèlent
pour lui arracher le pain des mains.
20 Aux pauvres, on ne donne qu'un coup à boire.
Ils doivent se contenter d'une seule tournée,
ils doivent se contenter d'un seul plat.
La valetaille[2] leur lance ses os
plus secs que des charbons ardents.
25 Chacun serre son pain dans son poing.
Sénéchal, cuisinier,
sont faits sur le même modèle.
Ces voleurs servent chichement les seigneurs
pour se gaver.
30 Ah ! s'ils pouvaient être brûlés et leurs cendres dispersées au vent ! »

(1) raisin vert ou vin trop vert
(2) ensemble des valets

Roman de Renart, branche I, v. 499-528, 1179 ; traduction de Jean Dufournet et Andrée Méline, Garnier-Flammarion, 1985.

Pistes de recherche

1. Essayez de préciser la portée satirique de ce texte en le comparant à l'extrait page 80.
2. Comment sont traitées dans ce monologue les références au monde animal ? Quelle conclusion peut-on en tirer ?

Roman de Renart, manuscrit fr. 1579, fol. 1, Paris, Bibl. Nat.

Les fabliaux (XIIIe et XIVe siècles)

L'étymologie du mot picard *fabliau* et de ses variantes dialectales *(fableau, fablel, fabelet)* souligne les liens de parenté qui rattachent ce genre littéraire à la fable. Or, au Moyen Âge, le terme de fable reçoit une acception assez large au point de désigner ce que nous appelons aujourd'hui un récit. Si l'on devait affiner la spécificité du fabliau, il conviendrait de préciser qu'**il s'agit d'un récit imaginé** (contrairement à l'*estoire* qui est censée puiser dans des événements historiques vérifiables), **composé d'octosyllabes** rimés comme les romans courtois (cf. p. 48) et le *Roman de Renart* (cf. p. 74). Mais le fabliau n'a pas l'ampleur des romans : au lieu de suivre ses personnages dans un réseau complexe de péripéties, il se borne à isoler une situation dont l'action reste volontairement ramassée dans le temps et dans l'espace.

La fonction majeure de ces contes brefs, conçus pour être récités publiquement, est de faire rire, sans poursuivre l'intention édifiante des contes moraux ou des contes dévots. Pourtant un aphorisme• est souvent inséré dans le prologue ou l'épilogue moralisants du fabliau : mais il ne s'agit là que d'un prétexte destiné à accréditer quelque filiation avec les apologues pseudo-ésopiques — ceux de Marie de France (cf. p. 50) par exemple — et à mieux faire accepter du public la gaillardise du récit.

La période la plus féconde en fabliaux s'étale de la fin du XIIe siècle au milieu du XIVe siècle. À l'exception de Rutebeuf (cf. p. 141) et de Jean Bodel d'Arras, la plupart des auteurs sont restés anonymes. Ils se recrutent parmi les poètes amateurs, des jongleurs (cf. p. 48) professionnels ou des clercs• marginaux menant une vie de bohème. Tous, avec un talent inégal, fixent dans l'écrit de plaisantes historiettes colportées par tradition orale depuis des temps immémoriaux.

Burlesque et humour• noir

La brièveté du récit, le rythme vif de l'octosyllabe, la truculence des personnages populaires prêtent au fabliau les qualités théâtrales d'une farce lestement troussée. *Sketches* et *gags* entretiennent un comique facile sans cesse relancé par des coups de théâtre et des mystifications inopinées. Le scénario obéit, en général, à un schéma très sommaire qui vise à duper un naïf ou à prendre une légitime revanche sur un personnage odieux. Tous les coups sont alors permis : la bastonnade la plus sévère n'exclut pas la fausse impassibilité de l'humour• noir.

EXTRAIT

Les Trois Bossus ménestrels

Si vous voulez prêter l'oreille et m'écouter un petit peu, je ne mentirai pas d'un mot et vous conterai une histoire mise en vers dans ce fabliau.

Elle arriva dans une ville, mais j'en ai oublié le nom, mettons que ce fût à Douai. C'est là qu'habitait un bourgeois qui vivait de ses revenus : un bel
5 homme, ayant bons amis, un bourgeois en tout accompli. Si sa fortune était modeste, il aurait trouvé au besoin des ressources grâce au crédit dont il jouissait dans la ville. Ce bourgeois avait une fille d'une ravissante beauté, et pour dire la vérité, je pense que jamais Nature ne fit plus belle créature. Mais m'étendre sur ce sujet me semble ici hors de propos, car si je voulais
10 m'en mêler, je pourrais faire un pas de clerc et je crois que mieux vaut me taire que dire chose qui n'est pas. Dans la ville était un bossu ; je n'en vis jamais d'aussi laid et pour dire la vérité je crois que Nature avait mis ses soins à mal le façonner. En tout il était contrefait : grosse tête et vilaine hure, cou trop court et larges épaules haut plantées sur un dos voûté. Ten-
15 ter de faire son portrait serait entreprise insensée : quel affreux bossu, celui-là ! Il n'eut jamais d'autre souci que d'accumuler de l'argent et je puis dire sans mentir qu'il n'était personne en la ville qui fût aussi riche que lui. Je ne sais comment il s'y prit et cela, c'était son affaire. Grâce à l'argent qu'il possédait, il obtint la main de la belle ; mais après l'avoir épousée, il fut tous
20 les jours en tourment : le bonhomme était si jaloux qu'il n'avait jamais de repos. Il vivait toujours portes closes ; jamais nul n'avait droit d'entrer sauf s'il apportait de l'argent ou s'il venait en emprunter. Il restait toute la journée assis au seuil de sa maison.

Il advint qu'un jour de Noël arrivèrent trois ménestrels⁽¹⁾, tous les trois
25 bossus comme lui : ils dirent qu'ils voulaient passer cette fête en sa compagnie ; il n'était personne à Douai qui mieux que lui pût les traiter. Notre homme les mène à l'étage : c'était maison à escaliers. Ils trouvèrent le repas

(1) artistes itinérants, à la fois poètes et musiciens

prêt : les voilà bientôt attablés et je puis dire en vérité que ce fut un très beau dîner. Le bossu ne lésina pas et régala ses compagnons : on eut pois
30 au lard et chapons. Quand le repas fut terminé, il fit compter aux trois bossus, je le sais, vingt sous parisis. Cela fait, il leur défendit de revenir dans la maison, ni dans l'enclos : s'ils étaient pris, il les enverrait se baigner dans les eaux glacées du canal ; l'hôtel donnait sur la rivière qui était large et très profonde. Là-dessus les bossus s'en vont sans tarder, la mine joyeuse,
35 car ils avaient, à leur avis, fait bon emploi de la journée. Quant au maître de la maison, il sort et puis passe le pont.

La dame avait bien entendu rire et chanter les trois bossus ; elle les rappelle aussitôt, désirant qu'ils chantent pour elle et prend soin de fermer les portes. Tandis que les bossus chantaient et plaisantaient avec la dame, voici
40 le mari revenu : il n'avait pas été bien long. On l'entend crier à la porte ; sa femme reconnaît sa voix. Mais que faire des trois bossus ? Où pourrait-elle les cacher ? Près du foyer sur un châlit[2] on avait placé trois grands coffres : dans chacun d'eux, pour s'en tirer, elle fait loger un bossu. Le mari rentre ; à grande joie il vient s'asseoir près de sa femme ; pourtant il ne s'attarde
45 guère, descend l'escalier et s'en va. La dame est loin d'être fâchée de voir son mari repartir, se proposant de délivrer les bossus cachés dans les coffres ; mais quand elle lève les couvercles, c'est pour les trouver étouffés. La malheureuse est affolée : elle court à la porte, appelle un portefaix qu'elle aperçoit : le garçon arrive aussitôt. « Ami, dit-elle, écoute-moi. Si tu me don-
50 nes ta parole de ne pas trahir mon secret et de ne jamais m'accuser de ce que je vais te confier, tu seras bien récompensé : tu recevras, la chose faite, trente livres de bons deniers. » Il est alléché par la somme, il promet, résolu à tout, et monte aussitôt l'escalier. La dame alors ouvre un des coffres. « Ami, ne vous affolez pas. Portez-moi ce cadavre à l'eau : vous me
55 rendrez un fier service. » Il prend un sac qu'elle lui donne ; il y met le corps du bossu et le charge sur son épaule ; il dévale les escaliers, s'en va courant vers la rivière, du haut du pont le jette à l'eau, et, sans attendre davantage, il retourne vers la maison. La dame a tiré du châlit un autre bossu, à grand-peine, au risque de perdre le souffle. Puis elle s'en écarte un peu. Le porte-
60 faix revient joyeux : « Dame, s'écrie-t-il, payez-moi ; je vous ai délivrée du nain ! — Pourquoi vous moquez-vous de moi, répond-elle, fou de vilain ? Le nain est déjà revenu. Au lieu de le jeter à l'eau, vous l'avez ramené ici. Regardez-le bien, il est là. — Comment, par cent diables maudits, est-il donc revenu céans[3] ? Le tour est vraiment incroyable ; il était mort, j'en suis bien
65 sûr. C'est un antéchrist, un démon. Il le paiera, par saint Rémi. » L'homme se saisit du bossu, le met dans un sac et le charge sur son épaule sans effort. Le voici hors de la maison. La dame tire de son coffre, vite, le troisième bossu et l'allonge devant le feu, puis elle revient vers la porte. L'autre jette dans la rivière le bossu, tête la première : « Si je te revois, lui dit-il, cela
70 pourra te coûter cher ! » Dès son retour le portefaix demande à la dame son dû ; elle se borne à lui répondre qu'il sera payé comme il faut et sans avoir l'air d'y toucher le conduit vers la cheminée où gisait le dernier bossu. « C'est un prodige ! s'écrie-t-elle ; vit-on jamais chose pareille ? Regardez-le étendu là. » Le garçon ne rit pas du tout de le voir couché près du feu. « Cor-
75 bleu, dit-il, quel ménestrel ! Passerai-je donc ma journée à porter ce maudit bossu ? Après l'avoir jeté à l'eau toujours je le vois revenu. » Il le met alors dans un sac et le jette sur son épaule, suant d'angoisse et de colère, puis il dévale l'escalier, se décharge de son fardeau pour le lancer dans la rivière : « Va-t'en, dit-il, à tous les diables ! Aujourd'hui je t'ai trop porté ; mais si tu
80 reviens tu n'auras pas le temps de te repentir. Tu m'as, je crois, ensorcelé. Par le Dieu qui me mit au monde, si je te vois sur mes talons et que j'aie épieu ou bâton, je t'en donnerai sur la nuque et tu seras coiffé de rouge. »

Il regagne alors la maison ; avant de monter l'escalier, il regarde derrière lui et voit le mari qui revient. Il n'a cure[4] de plaisanter ; de la main trois
85 fois il se signe en invoquant le Seigneur Dieu et le voilà bouleversé : « Ma foi ! il doit être enragé puisqu'il ne veut pas me lâcher et qu'il va me serrer de près. Par la targe[5] de saint Morand il me prend pour un paysan : impos-

(2) bois de lit
(3) ici
(4) il ne se soucie
(5) bouclier médiéval

sible de l'emporter sans qu'il ne revienne à l'instant et qu'il ne s'attache à
mes pas ! » Alors il saisit à deux mains un pilon pendu à la porte et court au
90 pied de l'escalier que l'autre s'apprête à monter. « Vous revoilà, sire bossu.
C'est, je crois, de l'entêtement. Par le corps de sainte Marie, vous rentrez
pour votre malheur. Me tenez-vous pour un nigaud ? » Alors il lève son
pilon et lui en assène un tel coup sur la tête — sa grosse tête ! — que la
cervelle s'en répand ; il l'étend mort sur les degrés[6], le fourre dans un sac
95 fermé d'une ficelle bien nouée, car il tremble qu'il ne revienne et sort pour le
jeter à l'eau. « Va-t'en, dit-il, pour ton malheur ; maintenant je suis assuré
qu'on ne te reverra jamais tant que les bois auront des feuilles. » Vite il
revient trouver la dame et lui demande son paiement, car il a bien fait son
travail. La dame ne lésine pas et compte, sans en rien rabattre, au porte-
100 faix, ses trente livres. C'est de grand cœur qu'elle le paie : elle est contente
du marché. « J'ai fait bonne journée, dit-elle, puisque me voici délivrée d'un
mari qui était si laid : ainsi je n'aurai plus, je crois, de souci tant que
je vivrai. »

Durand qui met fin à l'histoire dit que Dieu ne fit jamais fille qu'on ne
105 puisse avoir en payant et qu'il n'est denrée si précieuse qu'on n'obtienne
pour de l'argent ; c'est bien là pure vérité. N'est-ce pas grâce à ses deniers
que le bossu put épouser la dame qui était si belle ? Maudit soit qui s'attache trop à ce vil argent et maudit qui le premier en fit usage.

(6) marches

Durand, *Les Trois Bossus ménestrels,* traduction de Gilbert Rouger, Gallimard, 1978.

Le Charivari de Carnaval, manuscrit fr. 146, fol. 34, Paris, Bibl. Nat.

Pistes de recherche _____

1. Que doit la vivacité de ce fabliau
à la structure d'une farce ou d'une
courte comédie ?
2. La formulation d'une morale
finale vous paraît-elle seule justifier
les développements du récit ?
3. Comparez ce fabliau aux
extraits du *Roman de Renart*
(pp. 74 à 87) ou aux textes
empruntés à la littérature courtoise
(pp. 48 à 72) et essayez de préciser dans quelle mesure il dévoile
un aspect jusqu'alors méconnu de
la société médiévale.

Vers une contre-culture ?

Contrairement aux personnages des romans courtois (cf. p. 48) ou du *Roman de Renart* (cf. p. 74), les acteurs principaux des fabliaux ignorent généralement la société aristocratique et s'identifient aux vilains, c'est-à-dire aux bourgeois et aux paysans. Les conteurs se plaisent plus particulièrement à faire surgir le milieu trouble des tavernes hanté de prostituées, d'entremetteuses et de mauvais garçons. Les scrupules de la conscience et les interdits sociaux ne sont plus des entraves à la satisfaction immédiate du désir. La femme, habituellement présentée comme un être sensuel, insatiable et fourbe, est au centre de turbulentes intrigues amoureuses ou d'aventures scabreuses. La fidélité conjugale se trouve sans cesse bafouée par les machinations de l'adultère. Le trio déjà classique associant le mari, l'épouse et l'amant valorise désormais la virtuosité de l'hypocrisie et du mensonge. À l'éthique• chevaleresque et courtoise les fabliaux semblent substituer une indifférence subversive à l'égard de tout idéal religieux et moral. À la fin du XIVe siècle cette même veine gaillarde survivra en Italie dans les nouvelles en prose de Boccace (1313-1375), auteur du *Décaméron,* et en Angleterre dans les *Contes de Canterbury* de Chaucer (1340-1400).

DOCUMENT

Il est impossible de séparer le fabliau des milieux courtois. Notre genre a trouvé son public principal dans ces cercles, il reflète les idées littéraires et sociales qui leur sont propres, et enfin sa force comique présuppose très souvent chez les auditeurs une assez bonne connaissance de la littérature spécifiquement courtoise.

D'un autre côté le fabliau prend, sur un grand nombre des points étudiés, une attitude qui non seulement se distingue de celle de la littérature noble, mais qui va jusqu'à contraster fortement avec celle-ci ; le fabliau s'occupe du revers du triangle érotique tandis que le conte courtois en envisage l'endroit ; le fabliau dépeint de préférence les aventures des gens de basse condition, alors que les contes courtois se déroulent dans un décor purement seigneurial ; le fabliau insiste sur le côté charnel de l'amour, là où les romans courtois se bornent à nous retracer les prolégomènes[1] sentimentaux. [...]

Toute la période qui nous occupe ici était une époque sans unité intellectuelle. Certes, elle était — sur le plan mondain et littéraire — dominée par la doctrine courtoise, mais cette doctrine était militante ; elle se trouvait en opposition permanente avec des idées qui étaient ses contraires et qui trouvaient leur force dans les milieux intellectuels du clergé et des réunions guerrières de seigneurs féodaux, donc dans les milieux purement masculins.

La lutte entre ces deux tendances opposées ne se limitait pas au niveau social : elle se prolongeait probablement jusque dans l'esprit de chaque individu, les idées nouvelles des milieux mondains cherchant à l'arracher à la domination de la grossièreté archaïque, en lui imposant une façon de penser cultivée et des goûts raffinés, tant en matière de littérature qu'en psychologie et en comportement social.

Per Nykrog, *Les Fabliaux*, Droz, 1973.
(1) les préludes

EXTRAIT

Le Prêtre qui fut mis au lardier[1]

C'est d'un savetier, afin qu'on en rie, que sans vilain mot je dirai l'histoire : un nommé Baillet, qui à son grand dam prit femme trop belle. Elle eut la faiblesse de s'amouracher d'un prêtre joli ; mais le savetier sut bien s'en tirer. Quand Baillet allait hors de sa maison, le prêtre venait, sans
5 perdre de temps. [...]

Tous deux à leur gré prenaient leur plaisir ; ils se régalaient des plus fins morceaux et des meilleurs vins ne se privaient pas. Le bon savetier avait une fille d'environ trois ans qui parlait fort bien. Elle dit, tandis qu'il tirait l'aiguille : «Ma mère est fâchée quand vous restez là.» Baillet répondit :
10 «Pourquoi, mon enfant ? — Parce que le prêtre a grand peur de vous. Si vous allez vendre vos souliers aux gens, on voit rappliquer messire Laurent ; il fait apporter des plats excellents, ma mère prépare tartes et pâtés. Quand la table est mise, on m'en donne assez ; je n'ai que du pain quand vous êtes là.»
15 Baillet est certain, l'ayant entendue, que la savetière n'est pas toute à lui. Il n'eut l'air de rien jusqu'à un lundi qu'il dit à sa femme : «Je vais au marché.» Elle, souhaitant qu'il fût écorché, lui dit : «Allez-y et dépêchez-vous.» Quand elle pensa qu'il se trouvait loin, elle manda l'autre qui, s'étant pourvu de quoi festoyer, arriva joyeux. Alors elle fit préparer un bain. Mais
20 Baillet ne fut pas du tout honteux ; droit à la maison il s'en revint seul. Le prêtre à coup sûr pensait se baigner ; mais Baillet le voit, par un trou du

(1) tonneau utilisé comme saloir

mur, se déshabiller. Il frappe à la porte, se met à crier ; sa femme l'entend et ne sait que faire. Elle dit au prêtre : « Mettez-vous bien vite dans ce lardier[1]-là et ne sonnez mot. » Rien de ce manège n'échappe à Baillet ; mais la savetière l'appelle et lui dit : « Vous venez à point. Sachez tout de suite que je m'attendais à votre retour : aussi j'ai tenu prêt votre dîner et un bain bien chaud ici vous attend ; je l'ai préparé par amour pour vous ; prendre du bon temps vous est nécessaire. » Baillet, qui voulait jouer d'un autre tour, lui dit : « Dieu m'avait en tout point aidé, mais je dois encore aller au marché. » Le prêtre caché en a grande joie ; il ne peut savoir ce que veut Baillet. Baillet fait appel à tous ses voisins ; il les fait bien boire et puis il leur dit : « Sur une charrette il me faut hisser ce vieux lardier-là, car je vais le vendre. » Le prêtre tremblait, tout glacé de peur.

On fit aussitôt charger le lardier. Baillet sans tarder va le transporter là où il a vu très grande affluence. Quant au pauvre prêtre, resté prisonnier, il avait un frère, un riche curé, qui savait déjà la mésaventure et vint bien monté. Par une fissure au flanc du lardier le prêtre le voit, se met à crier : « *Frater, pro Deo, delibera me*[2]. » Baillet, l'entendant, s'écrie à son tour : « Voyez, mon lardier a parlé latin ! Je voulais le vendre, mais, par saint Simon, il vaut bien trop cher : nous le garderons. Qui lui a appris à parler latin ? C'est devant l'évêque qu'il faut l'amener ; mais je veux, avant, le faire parler. Je l'ai eu longtemps, j'en veux m'amuser. » Le frère du prêtre le pria ainsi : « Baillet, veux-tu être toujours mon ami ? Vends-moi ce lardier et, je te le dis, je l'achèterai quel qu'en soit le prix. » Baillet répondit : « Mon lardier vaut cher : il parle latin devant tout le monde. » Vous allez comprendre comme il est madré. Voulant mieux le vendre, il prend un maillet ; il jure par Dieu qu'il va assener tel coup au lardier qu'il sera brisé s'il ne veut encore dire du latin. Alors autour d'eux la foule se presse ; bien des gens prenaient Baillet pour un fou, mais ils étaient sots. Il dit, par saint Paul, que du grand maillet qu'il porte à son cou, bientôt le lardier sera mis en pièces. Le malheureux prêtre, qui était dedans, ne savait que faire et perdait le sens : il n'osait se taire, il n'osait parler et il invoquait le roi débonnaire[3]. « Pourquoi, dit Baillet, faut-il tant tarder ? Si, méchant lardier, tu veux rester muet, tu seras brisé en mille morceaux. » Et le prêtre dit, n'osant plus attendre : « *Frater, pro Deo, me delibera. Reddam tam cito*[4] ce qu'il coûtera. » Baillet, l'entendant, s'écrie à tue-tête : « Tous les savetiers me doivent aimer, car je fais parler latin au lardier. » Le frère du prêtre lui dit : « Mon voisin, je vous en supplie, vendez ce lardier ; ce serait folie si vous le brisiez. Ne me traitez pas pis que vous pouvez. — Sire, au nom des saints, je le puis jurer : j'en aurai vingt livres de bons parisis ; mais il en vaut trente, car il est bien fait. » Le curé n'osa discuter le prix : il alla compter à Baillet vingt livres, puis il fit porter ailleurs le lardier ; il put délivrer son frère en cachette, et sut le tirer d'un bien mauvais pas en lui épargnant un grand déshonneur. Baillet eut vingt livres grâce à son astuce ; ainsi fut sauvé messire Laurent : je crois que depuis il perdit le goût de chercher maîtresse chez un savetier.

Par cette chanson je veux témoigner que du petit œil il faut se méfier. *Ex oculo pueri noli tua facta tueri*[5]. C'est par la fillette qui était jeunette que tout fut connu. Pas un tonsuré, même de haut rang, qui n'eût à la fin récolté le pis[6] s'il s'était frotté à ce savetier. Vous, jolis garçons, il faut vous garder d'être mis un jour en un tel lardier.

Le Prêtre qui fut mis au lardier ; traduction de Gilbert Rouger, Gallimard, 1978.

(2) « Frère, au nom de Dieu, délivre-moi »
(3) Périphrase désignant Dieu.
(4) je te rendrai au plus tôt
(5) évite de laisser apercevoir ce que tu fais par l'œil d'un enfant
(6) le pire

Pistes de recherche

1. Montrez comment l'unité de ce fabliau repose sur l'agencement de courtes saynètes complémentaires.
2. Dans quelle mesure l'enchaînement des épisodes successifs est-il lié à la fois à la vraisemblance psychologique du savetier et à la nécessité de prolonger les effets comiques ?
3. Comment pouvez-vous caractériser le portrait moral qui est implicitement proposé de l'épouse ?
4. Essayez de dégager le dessein satirique de ce fabliau.

■ La littérature historique au Moyen Âge ■

Les premières œuvres historiques écrites en français n'apparurent qu'au XIIe siècle. Auparavant, seuls des clercs• écrivant en latin pouvaient s'intéresser à ce genre de littérature. Certains de ces ouvrages, comme l'*Historia Francorum* rédigée au VIe siècle par Grégoire de Tours, se présentent sous forme de chroniques universelles dont l'ambition est de retracer l'histoire du monde selon un éclairage dicté par le christianisme. D'autres, moins ambitieux, se bornent à évoquer la vie exemplaire d'un saint. Dès l'époque carolingienne se multiplient les *Annales* dues à des moines soucieux d'annoter les calendriers liturgiques pour y consigner, jour après jour, les événements les plus variés qui leur paraissent dignes d'être retenus. Mais la compilation des données ôte toute perspective synthétique aux matériaux ainsi réunis.

C'est à la cour du roi Henri II d'Angleterre (cf. p. 48) que prend essor une littérature historique écrite en français : elle se contente de traduire ou de transposer des ouvrages antérieurs rédigés en latin. Ainsi, vers 1155, le poète Wace, originaire de Jersey, adapte l'*Historia Regum Britanniae* (rédigée vers 1130 par Geoffroy de Monmouth ; cf. p. 49) pour composer le *Roman de Brut*, vaste fresque reconstituant le passé légendaire des Bretons ; puis il entreprend le *Roman de Rou*, inspiré par une *Histoire des Normands* due à la plume de Dudon de Saint-Quentin, à l'aube du XIe siècle. Comme Benoît de Sainte-Maure, auteur d'une *Chronique des ducs de Normandie*, Wace écrit en vers. **Il faudra attendre la fin du XIIe siècle pour voir se répandre les premières relations historiques en prose française** quand de simples laïques, tels que Geoffroy de Villehardouin ou Robert de Clari, dictent ou rédigent leurs mémoires au retour de la quatrième croisade.

Le plaidoyer d'un croisé : Geoffroy de Villehardouin (vers 1150-1213)

Vassal du comte Thibaud de Champagne, cet aristocrate allait connaître un destin exceptionnel quand, au mois de novembre 1199, à l'occasion d'un tournoi donné à Écry-sur-Aisne, il fut bouleversé par l'appel du prédicateur Foulques, curé de Neuilly-sur-Marne, et décida de prendre part à la quatrième croisade. Très vite ce maréchal de Champagne se vit confier les plus hautes responsabilités dans la préparation et la conduite d'une nouvelle expédition militaire dont la mission était d'arracher les Lieux Saints aux peuples musulmans. Organisée par le pape Innocent III, commandée par Baudoin IX, comte de Flandre et Boniface, comte de Montferrat, la quatrième croisade choisit un itinéraire maritime, au départ de Venise. Fort d'une réputation d'habile diplomate et de brillant orateur, Villehardouin fut chargé de négocier à Venise auprès du doge Henri Dandolo l'affrètement d'une puissante flotte de guerre qui appareilla le 8 octobre 1202. Mais, affaiblis par des rivalités de personnes et une indiscipline larvée, privés de ressources financières et humaines suffisantes pour imposer jusqu'à l'arrivée devant Jérusalem l'autorité de leurs décisions, les croisés durent rapidement se plier aux volontés des armateurs et capitaines vénitiens. Progressivement l'expédition en vint à se détourner du but initialement proclamé et servit de prétexte à une équipée guerrière soutenue par l'ambition de quelques aventuriers. La première cible fut la reconquête de Zara (ancienne citadelle vénitienne située sur la côte dalmate) ; puis, au terme d'alliances tumultueuses, la prise de Constantinople (17 juillet 1203) préluda à la destruction de l'Empire grec. **Ainsi dévoyés, les chrétiens de la quatrième croisade furent amenés à massacrer d'autres chrétiens (les Grecs schismatiques) au lieu de libérer le Saint Sépulcre** comme ils s'y étaient engagés.

C'est pour répondre aux véhémentes accusations portées contre les chefs de cette funeste expédition que Villehardouin rédigea, entre 1207 et 1213, *La Conquête de Constantinople*. Cette chronique s'apparente aux mémoires de celui qui, tout en étant l'acteur et le témoin direct des événements rapportés, ne cessa jamais d'être **hanté par la violation de la parole donnée et les manquements à l'éthique• exigeante du chevalier**. Le récit, en apparence clair et sobre, à la fois minutieux et détaché, ne saurait masquer la réalité de l'**intention apologétique• qui tente désespérément de réhabiliter les responsables d'un fiasco peu glorieux**.

DOCUMENT _____

Avant tout, Villehardouin a voulu donner dans sa chronique une idée claire des causes et des effets qui, par une sorte de nécessité interne, ont amené les croisés à s'emparer de Constantinople et à s'y maintenir, sans qu'on puisse loyalement les accuser d'avoir jamais renoncé au fond d'eux-mêmes à la délivrance de la Terre sainte; si cette conception de son œuvre n'est pas une garantie solide de son impartialité, puisqu'elle comporte une part d'apologie•, elle avait le mérite éminent d'introduire dans le genre historique — au début du XIIIe siècle — la recherche d'une explication morale et politique des événements. Dans ces conditions, ce que Villehardouin devait chercher à faire ressortir, c'était, par le moyen d'une relation cursive, l'enchaînement des faits, la succession à la fois chronologique et logique des actes.

Jean Frappier, *Histoire, Mythes et Symboles*, Droz, 1976.

Le doge prend la croix

[56]. Ainsi s'en allèrent à Venise le comte Louis et les autres barons; et ils furent reçus à grande fête et à grande joie, et ils se logèrent en l'île Saint-Nicolas avec les autres. Bien belle était l'armée, et formée de bonnes gens. Jamais nul homme n'en vit de tant de gens ni de plus belle. Et les Vénitiens leur tinrent marché aussi abondant qu'il convenait de toutes les choses nécessaires aux chevaux et aux hommes. Et la flotte qu'ils avaient préparée était si riche et si belle que jamais nul chrétien n'en vit de plus belle ni de plus riche : en fait de nefs, de galées et d'huissiers[1], bien pour trois fois autant qu'il y avait de gens en l'armée.

[57]. Ah! quel grand dommage ce fut quand les autres, qui allèrent aux autres ports, ne vinrent pas là! Bien en eût été rehaussée la Chrétienté et abaissée la terre des Turcs! Les Vénitiens avaient très bien rempli leurs engagements, et bien au-delà; et ils sommèrent les comtes et les barons de tenir leurs engagements et de leur verser l'argent, car ils étaient prêts à partir.

[58]. Le prix du passage fut réclamé dans l'armée[2]. Et il y en avait beaucoup pour dire qu'ils ne pouvaient pas payer leur passage; et les barons en prenaient ce qu'ils pouvaient avoir. Ils payèrent donc le prix du passage — du moins ce qu'ils en purent avoir — quand ils l'eurent requis et réclamé. Et, quand ils eurent payé, ils ne furent ni à la moitié ni au bout.

[59]. Et alors les barons parlèrent ensemble et dirent : «Seigneurs, les Vénitiens ont très bien rempli leurs engagements envers nous, et bien au-delà; mais nous ne sommes pas assez de gens pour qu'en payant nos passages nous puissions remplir les nôtres envers eux, et c'est par la défaillance de ceux qui sont allés aux autres ports. Pour Dieu, que chacun mette de son avoir, tant que nous puissions payer ce à quoi nous nous sommes engagés! Car encore est-il mieux que nous dépensions ici tous nos biens que de faire défaut, et de perdre ce que nous y avons mis, et de manquer à nos engagements : car, si cette expédition n'a pas lieu, le secours à la terre d'outre-mer est perdu[3].»

[60]. Il y eut là grand désaccord, venant de la plus grande partie des barons et des autres gens[4], qui dirent : «Nous avons payé nos passages. S'ils veulent nous emmener, nous nous en irons volontiers; et s'ils ne veulent pas, nous nous arrangerons et nous irons à d'autres passages.» Ils disaient parce qu'ils auraient voulu que l'armée se séparât. Et l'autre partie[5] dit : «Nous aimons mieux mettre tout notre avoir et aller pauvres en l'armée que si elle se séparait et se ruinait : car Dieu nous le rendra bien quand il lui plaira.»

[61]. Alors le comte de Flandre commence à donner tout ce qu'il avait et tout ce qu'il avait pu emprunter, et aussi le comte Louis, et le marquis, et le comte Hugues de Saint-Pol, et ceux qui se tenaient à leur parti. Alors, que de belle vaisselle d'or et d'argent vous eussiez pu voir porter à l'hôtel du duc[6] pour faire le paiement! Et, quand ils eurent payé, il manqua à la somme convenue trente-quatre mille marcs d'argent. Et de cela furent bien joyeux ceux qui avaient retenu leur avoir et n'y voulurent rien mettre : car alors ils crurent bien que l'armée serait ruinée et se disloquerait. Mais Dieu, qui rend l'espoir aux désespérés, ne le voulut pas souffrir ainsi.

[3. ACCORD FRANCO-VÉNITIEN AU SUJET DE ZARA]
(août ou septembre 1202)

[62]. Alors le duc parla à ses gens et leur dit : «Seigneurs, ces gens ne nous peuvent payer davantage. Et tout ce qu'ils nous ont payé, nous l'avons tout acquis en raison de l'engagement qu'ils ne peuvent pas tenir envers nous. Mais notre bon droit ne serait pas reconnu par tous, et nous en recevrions grand blâme, nous et notre pays. Proposons-leur donc un accord.

[63]. «Le roi de Hongrie nous a enlevé Jadres[7] en Esclavonie, qui est une des plus fortes cités du monde; et jamais, quelque pouvoir que nous ayons, elle ne sera recouvrée, sinon par ces gens. Proposons-leur de nous aider à la conquérir, et nous leur accorderons délai pour les trente-quatre mille marcs

(1) Les nefs, ou vaisseaux ronds, servaient au transport des personnes et des marchandises : elles étaient massives et munies de «châteaux» à l'avant et à l'arrière. Les galées, ou navires longs, plus effilées et de moindre tirant d'eau, étaient plus rapides et utilisaient la voile et l'aviron. Les huissiers, eux aussi moins profonds et moins grands que les nefs, étaient munis d'un dispositif de portes (huis) et de passerelles propres à l'embarquement et au débarquement des chevaux.
(2) Cette première collecte fut faite dans toute l'armée, parmi les petits comme parmi les grands.
(3) La seconde collecte, dont il va être question, ne fut faite que parmi les riches, qui payèrent ainsi au-delà de ce à quoi ils étaient tenus.
(4) Il ne s'agit pas, en effet, d'un désaccord entre «la plus grande partie des barons» et «les autres gens», mais d'un désaccord venant de ces barons et de ces autres gens, qui opposaient leur façon de voir à celle de l'«autre partie», dont il va être question loin.
(5) Qui était la moins nombreuse, puisque les autres étaient la majorité («la graindre partie»).
(6) Henri Dandolo avait été élu doge de Venise en 1192, à l'âge de quatre-vingt-deux ans : il était donc âgé, en 1202, de quatre-vingt-douze ans.
(7) Zara. L'événement remontait à l'année 1183.

d'argent qu'ils nous doivent jusqu'à ce que Dieu nous les laisse conquérir,
60 nous et eux réunis.» Cet accord fut donc proposé. Il fut très combattu de
ceux qui auraient voulu que l'armée se séparât ; mais néanmoins l'accord
fut fait et consenti.

[64]. Alors ils s'assemblèrent un dimanche à l'église Saint-Marc, et c'était
une très grande fête ; et les habitants du pays et la plupart des barons et des
65 pèlerins y étaient.

[65]. Avant que la grand'messe commençât, le duc de Venise, qui avait
nom Henri Dandole, monta au lutrin et parla au peuple et lui dit : «Seigneurs, vous êtes associés aux plus vaillantes gens du monde pour la plus
haute affaire que jamais gens aient entreprise. Et je suis un homme vieux
70 et faible[6], et j'aurais besoin de repos ; et je suis infirme de ma personne[8].
Mais je vois que nul ne vous saurait gouverner et diriger comme moi, qui
suis votre seigneur. Si vous vouliez accorder que je prisse le signe de la croix
pour vous défendre et pour vous guider, et que mon fils restât à ma place
et gardât le pays, j'irais vivre ou mourir avec vous et avec les pèlerins.»

75 [66]. Et, quand ceux-ci l'entendirent, ils s'écrièrent d'une seule voix :
«Nous vous prions pour Dieu de l'accorder et de le faire et de venir
avec nous.»

[67]. Il y eut là grande émotion des gens du pays et des pèlerins, et mainte
larme versée, parce que ce prud'homme aurait eu de bien bonnes raisons
80 pour rester : car c'était un vieil homme, et ses yeux étaient beaux en son
visage, mais il ne voyait goutte, car il avait perdu la vue à la suite d'une
blessure qu'il avait eue à la tête. Il était de très grand cœur. Ah ! comme ils
lui ressemblaient mal ceux qui étaient allés à d'autres ports pour esquiver le péril !

85 [68]. Il descendit donc du lutrin et alla devant l'autel, et se mit à genoux
en pleurant beaucoup ; et ils lui cousirent la croix sur un grand chapeau de
coton[9], parce qu'il voulait que les gens la vissent. Et les Vénitiens commencèrent à se croiser en très grand nombre et en grande multitude : à ce
jour, il n'y en avait encore que très peu de croisés[10]. Nos pèlerins eurent
90 très grande joie et très grande émotion de cette [prise de] croix, à cause de
la sagesse et de la prouesse qu'il y avait en lui.

Geoffroy de Villehardouin, *La Conquête de Constantinople* (entre 1207 et 1213), paragraphes 56 à 68 ; traduction en français moderne et notes d'Edmond Faral, Les Belles
Lettres, 1961.

(8) Selon André Dandolo (Muratori, *Scriptores rerum Italicarum,* t. XII, col. 298), il avait été privé de la vue par ordre de l'empereur Manuel alors qu'il était à Byzance comme ambassadeur de Venise. Les auteurs véni-tiens reproduisent générale-ment cette information, qui diffère de ce qu'on lit dans les chroniqueurs fran-çais et belges.
(9) C'était le haut bonnet que portaient les doges. La croix, habituellement, se portait à l'épaule.
(10) L'on peut douter que tous les Vénitiens aient mis autant d'empressement à se croiser. Selon Robert de Clari (chap. II), ils n'auraient même pas été très chauds pour l'expédi-tion. Il avait été décidé, raconte-t-il, que la moitié des citoyens s'embarque-raient. Beaucoup s'étant récusés, il fallut tirer au sort au moyen de boules de cire dont une sur deux contenait un bout de par-chemin : celui qui tirait une boule à parchemin était considéré comme désigné pour le départ.

Pistes de recherche

1. Ce texte montre comment les croisés sont rapidement devenus prisonniers des exigences impo-sées par les Vénitiens : quelle est, selon Villehardouin, la part de res-ponsabilité qui, dans ce détourne-ment, incombe aux croisés eux-mêmes ?

2. Analysez comment la présenta-tion pathétique du doge finit par déposséder les croisés de toute autorité pour conduire et diriger l'expédition vers Jérusalem.

3. Comment se reconnaît l'éthi-que• chevaleresque dont se récla-ment Villehardouin et les autres chefs de la quatrième croisade ?

Vittore Carpaccio (1465-1523), *Arrivée des Ambassadeurs anglais,* Venise, Galerie de l'Accademia, D. R.

Jean de Joinville (vers 1224-1317), hagiographe• de Saint Louis

Ce sénéchal de Champagne animé d'une foi ardente prit part à la septième croisade (1248-1254) dirigée par Louis IX et devint un fidèle compagnon d'armes du roi. Après la mort du souverain, victime de la peste devant Tunis, en 1270, lors de la huitième croisade, Joinville entreprit, de 1272 à 1309, de rédiger un *Livre des saintes paroles et des bons faits de notre saint roi Louis*. L'idée d'un tel ouvrage avait été suggérée par Jeanne de Navarre, reine de France, épouse de Philippe IV le Bel, pour livrer à la méditation de son fils (le futur Louis X) la biographie édifiante d'un aïeul prestigieux. C'est dire combien l'**intention didactique•** laisse au second plan la prudence indispensable pour établir avec minutie la vérité des faits. Les événements retracés autour d'un personnage systématiquement idéalisé relèvent sans doute autant du mythe• que d'un passé vérifiable. L'image que ne cesse d'incarner le roi est celle d'un prince exemplaire en qui les valeurs morales, politiques et religieuses de la chevalerie sont indéfectiblement liées. Ainsi délimité, le champ d'investigation de Joinville est moins celui d'un chroniqueur que d'un mémorialiste et d'un hagiographe•.

Ultime credo

EXTRAIT

En 1270, lors de la huitième croisade dirigée contre Tunis, Saint Louis est soudain atteint par les symptômes de la peste. Pressentant une mort imminente, il livre à son fils ses dernières recommandations.

Il appela monseigneur Philippe[1], son fils et lui commanda, comme par testament, d'observer les enseignements qu'il lui laissait et qui sont ci-après écrits en français. Ces enseignements, le roi les écrivit de sa main, ainsi qu'on le dit.

5 «Beau fils, la première chose que je t'enseigne, c'est de disposer ton cœur à aimer Dieu; car sans cela, nul ne peut être sauvé. Garde-toi de faire chose qui déplaise à Dieu, c'est à savoir: péché mortel; mais tu devrais plutôt souffrir toutes manières de tourments que commettre un péché mortel.

«Si Dieu t'envoie adversité, souffre-la patiemment et rends grâce à Notre-
10 Seigneur, et dis-toi que tu l'as mérité et que cela tournera à ton profit. S'il te donne prospérité, remercie-le humblement, de façon à ne pas devenir plus mauvais par orgueil ou autrement; et tu n'en vaudras que mieux, car on ne doit pas discuter avec Dieu de ses dons.

«Confesse-toi souvent et prends pour confesseur un prud'homme qui
15 sache te montrer ce que tu dois faire et ce dont tu dois te garder. Et toi, tu dois te conduire de telle manière que ton confesseur et tes amis osent te reprendre quand tu agis mal. Écoute dévotement le service de sainte Église et sans te laisser distraire; mais prie Dieu de cœur et de bouche, spécialement à la messe où se fait la consécration. Aie le cœur doux et pitoyable
20 aux pauvres, aux chétifs et aux malheureux, réconforte-les et aide-les selon ton pouvoir.

«Maintiens les bonnes coutumes de ton royaume et abaisse les mauvaises. Ne convoite pas sur ton peuple, ne le charge pas trop d'impôts ni de tailles[2], si ce n'est par grande nécessité.

25 «Si tu as le cœur affligé, dis-le d'abord à ton confesseur ou à un prud'homme qui ne soit pas enclin aux paroles vaines; tu en seras allégé.

«Prends soin d'avoir en ta compagnie des gens, prud'hommes et loyaux, qui ne soient pas pleins de convoitise, qu'ils soient religieux ou séculiers, et parle-leur souvent. Fuis et évite la compagnie des mauvais. Écoute volon-
30 tiers la parole de Dieu et retiens-la dans ton cœur. Recherche volontiers les prières et les indulgences. Aime ton profit et ton bien et hais tout ce qui est mauvais, où que ce soit.

«Que nul ne soit devant toi si hardi de dire un mot qui entraîne ou pousse à péché, ni de médire d'autrui par-derrière. Ne souffre pas qu'on
35 dise devant toi nulle parole contre Dieu et ses saints. Rends grâce à Dieu souvent de tous les biens qu'il t'a donnés, afin d'être digne d'en avoir plus encore.

«Pour maintenir la justice et le droit, montre-toi loyal et strict vis-à-vis de tes sujets, sans aller ni à droite ni à gauche, mais tout droit, et soutiens
40 la querelle du pauvre jusqu'à ce que la vérité soit faite. Et si aucun[3] plaide sa cause devant toi, ne le crois pas avant d'en savoir la vérité; car tes conseillers jugeront plus hardiment selon la vérité, que ce soit pour ou contre toi.

«Si tu retiens une part du bien d'autrui, à cause de toi ou de ceux qui
45 t'ont précédé, si c'est chose certaine, rends-la sans hésiter[4]; et si le cas est

(1) Philippe III le Hardi, qui régna de 1270 à 1285.
(2) Variété d'impôt, abolie en 1789.
(3) quelqu'un.
(4) En 1259 Saint Louis restitua à Henri III, roi d'Angleterre, quelques terres conquises par ses prédécesseurs.

douteux, fais faire une enquête par des gens sages, rapidement et avec diligence.

« Tu dois prendre soin que tes gens et tes sujets vivent en paix et selon le droit, sous ton autorité. Également maintiens les bonnes villes et les communes de ton royaume dans l'état et franchise où tes prédécesseurs les ont maintenues ; et s'il y a quelque chose à corriger, corrige-le et redresse-le et tiens-les en faveur et en amour ; car, grâce à la force et aux richesses des grosses villes, les particuliers et les étrangers craindront de mal agir envers toi, spécialement tes pairs et tes barons.

« Honore et aime toutes les personnes de la sainte Église et veille à ce qu'on ne leur enlève ni ne diminue les dons et les aumônes que tes prédécesseurs leur auront donnés. On raconte, au sujet du roi Philippe[5], mon aïeul, qu'une fois un de ses conseillers lui dit que ceux de sainte Église lui faisaient beaucoup de torts, en ce qu'ils lui enlevaient ses droits et diminuaient ses pouvoirs de justice ; et c'était une grande merveille qu'il le souffrît. Et le bon roi répondit qu'il le croyait bien ; mais il considérait les bontés et les courtoisies que Dieu lui avait faites et il préférait laisser perdre de son droit que d'avoir des contestations avec les gens de sainte Église.

« À ton père et à ta mère porte honneur et respect et garde leurs commandements. Donne les bénéfices de sainte Église à de bonnes personnes, de vie honnête, et fais-le par le conseil de prud'hommes et d'honnêtes gens.

« Garde-toi de faire la guerre contre les chrétiens, sans grand conseil ; et s'il te faut la faire, protège sainte Église et ceux qui n'y sont pour rien. Si une guerre ou une contestation s'élève entre tes sujets, apaise-la le plus tôt que tu pourras.

« Sois diligent d'avoir de bons prévôts[6] et de bons baillis[7], et informe-toi souvent d'eux et de ceux de ton hôtel, pour savoir comment ils se conduisent et s'il n'y a pas chez eux quelque vice de convoitise ou de fausseté ou de tromperie. Efforce-toi d'enlever de ta terre tous les vilains péchés, particulièrement les vilains serments, et fais abattre l'hérésie de tout ton pouvoir. Prends bien garde que les dépenses de ton hôtel soient raisonnables.

« Enfin, très doux fils, fais chanter des messes pour mon âme et dire des prières dans tout ton royaume ; et dans tout le bien que tu feras donne-moi une part particulière. Beau cher fils, je te donne toutes les bénédictions qu'un père peut donner à son fils. Et que la Sainte Trinité et tous les saints te gardent et protègent contre tous les maux. Que Dieu te donne la grâce de faire toujours sa volonté, si bien qu'il soit honoré par toi et que toi et nous puissions, après cette vie mortelle, être ensemble avec lui et le louer sans fin. *Amen.* »

Jean de Joinville, *Histoire de Saint Louis* ; édition Natalis de Wailly, paragraphes 739 à 754 ; traduction d'André Bossuat in *Les Chroniqueurs français du Moyen Âge*, tome 1, Larousse, 1941.

(5) C'est-à-dire Philippe Auguste (1165-1223).
(6) Représentants de l'autorité royale, ils jugent et administrent au nom du roi.
(7) Officiers exerçant des fonctions financières, militaires et judiciaires.

Pistes de recherche

1. Essayez de relever et de classer les convictions qui font du souverain un chrétien exemplaire.

2. Sur quels principes est fondée l'action politique du roi ? À quels détails peut-on mesurer combien est indécise la frontière entre le pouvoir temporel et le pouvoir spirituel de l'Église ?

3. Analysez comment se mêlent dans cette évocation l'intention édifiante et le témoignage pudique.

Départ de Saint Louis pour la septième croisade, manuscrit fr. XIIIᵉ siècle, Paris, Bibl. Nat., ph. H. Josse.

La nostalgie des valeurs chevaleresques :
Jean Froissart (vers 1337 - vers 1410)

Né à Valenciennes vers 1337, ce clerc• s'installe en 1361 à la cour d'Angleterre où il sait obtenir la protection de Philippine de Hainaut, épouse du roi Édouard III. Ce séjour sera pour le futur chroniqueur l'occasion de recueillir les matériaux nécessaires à l'évocation des hostilités qui opposent la France à l'Angleterre durant la guerre de Cent Ans. À la mort de Philippine de Hainaut (en 1368), Froissart se mit au service de Robert de Namur qui l'engage à composer une première version du Premier Livre des *Chroniques* où il relate les événements survenus dans le deuxième quart du quatorzième siècle. Le Deuxième Livre est consacré aux guerres de Flandre, le Troisième Livre au règne de Richard II d'Angleterre et aux événements d'Espagne. Un dernier voyage, en 1395, ramène Froissart en Angleterre ; mais la cour britannique qu'il avait naguère fréquentée s'est profondément renouvelée ; Richard II ne prodigue pas les mêmes attentions qu'Édouard III. Jean Froissart mourra en Hainaut où il s'était retiré.

La vision que Froissart porte sur l'histoire de son temps reste fortement marquée par les traditions et les convictions de l'éthique• chevaleresque. Tandis que la guerre de Cent Ans révèle progressivement la farouche révolte du peuple contre l'occupant anglais et l'autorité grandissante du pouvoir royal conquise au détriment des privilèges revendiqués par les grands aristocrates, Froissart reste attaché aux valeurs désuètes de la société féodale : toutefois, l'apologie• du sens de l'honneur, la valorisation de l'héroïsme guerrier, la référence au code de la courtoisie ne sauraient faire oublier l'humiliation subie par les chevaliers français tour à tour vaincus à Crécy (1346) et à Poitiers (1356) avant de connaître le même sort, au siècle suivant (cf. p. 157), à Azincourt (1415). Mesurant avec clairvoyance l'ampleur des démentis infligés aux ambitions chevaleresques par la réalité militaire, politique et sociale, Froissart se réfugie avec nostalgie dans l'évocation d'une idéologie• encore prestigieuse, mais désormais stérile.

EXTRAIT

En 1341, à la mort du duc de Bretagne, Jean III, éclate un conflit entre les deux prétendants à la succession : d'une part, le comte de Montfort, frère du défunt, époux de Jeanne de Flandre, soutenu par les Anglais ; d'autre part, Jeanne de Penthièvre, nièce de Jean III, alliée du roi de France. Un capitaine, nommé Brandebourg, servant la cause de la comtesse de Montfort, est défié par Robert de Beaumanoir, chevalier engagé dans l'autre camp. Il est convenu que trente hommes prélevés dans les rangs de chaque faction vont s'affronter.

Le combat des Trente

Quand le jour fut venu, les trente compagnons de Brandebourg entendirent la messe, puis se firent armer et ils s'en allèrent à l'endroit où le combat devait avoir lieu. Ils descendirent tous à pied et ils défendirent à tous ceux qui étaient là de s'occuper d'eux, quel que fût le danger que leurs compagnons pussent courir.

Et ainsi firent les trente compagnons de messire Robert de Beaumanoir. Ces trente compagnons, que nous appellerons Anglais dans cette affaire, attendirent longtemps les autres que nous appellerons Français. Quand les trente Français furent arrivés, ils descendirent de cheval et firent à leurs compagnons le même commandement que les autres avaient fait. Certains disent que cinq d'entre eux restèrent à cheval à l'entrée du champ et vingt-cinq descendirent de cheval comme avaient fait les Anglais. Et quand ils furent les uns en face des autres, ils parlementèrent entre eux tous les soixante, puis ils se retirèrent en arrière, les uns d'un côté, les autres de l'autre. Puis ils firent retirer tous leurs gens bien loin, au-dessus de la place. Puis l'un d'eux donna le signal et immédiatement ils se coururent sus et se combattirent fortement tous en un tas. Et ils se secouraient les uns les autres quand ils voyaient leurs compagnons en danger.

Peu après qu'ils se furent assemblés, un des Français fut tué. Ils n'arrêtèrent pas le combat pour cela, mais ils se maintinrent vaillamment de part et d'autre comme si tous avaient été Roland ou Olivier[1]. Je ne sais trop à la vérité quels sont ceux qui se maintinrent et qui firent le mieux et jamais je n'ai entendu louer les uns plus que les autres, mais ils combattirent si longtemps que tous perdirent complètement force et souffle.

Il leur fallut s'arrêter et se reposer et ils furent d'accord de se reposer, les uns d'un côté et les autres de l'autre. Ils se donnèrent trêve jusqu'à ce qu'ils fussent reposés. Ils décidèrent que le premier qui se relèverait appellerait les autres. À ce moment, parmi les Français, il y avait quatre morts et deux parmi les Anglais. Ils se reposèrent longtemps de part et d'autre. Certains burent du vin qu'on leur apporta en bouteilles et ils rattachèrent leurs armures qui étaient disjointes et pansèrent leurs plaies.

Quand ils furent ainsi rafraîchis, le premier qui se leva fit signe et rappela les autres et la bataille recommença aussi forte qu'avant et elle dura très longtemps. Ils avaient de courtes épées de Bordeaux, raides et aiguës et

(1) Cf. pp. 22 et 27-28.

certains avaient des haches. Et certains se prenaient à bras le corps en lut-
tant et se frappaient sans s'épargner. Vous pouvez bien croire qu'ils firent
entre eux maintes belles apertises d'armes, homme contre homme, corps à
corps et main à main. On n'avait pas, depuis cent ans au moins, entendu
raconter une chose pareille.

40   Ainsi ils combattirent comme de bons champions et ils se conduisirent
pendant ce deuxième combat très vaillamment. Mais finalement les Anglais
eurent le dessous, car ainsi que je l'ai entendu dire, ceux des Français qui
étaient à cheval les détruisaient et les abattaient très facilement. Si bien que
Brandebourg fut tué avec huit de ses compagnons et les autres se rendirent
45 prisonniers quand ils virent qu'ils ne pouvaient plus se défendre, car ils ne
pouvaient ni ne devaient fuir. Et ledit messire Robert et ceux de ses compagnons qui étaient encore en vie, les prirent et les emmenèrent au château
de Josselin, comme leurs prisonniers et depuis ils les rançonnèrent courtoisement quand ils furent tous guéris, car il n'y en avait pas un qui ne fût
50 grièvement blessé, aussi bien les Français que les Anglais.

     Et depuis, je vis assis, à la table du roi Charles de France, un chevalier
breton qui y avait été et qui s'appelait messire Yvain Charnuel. Il avait le
visage couturé et balafré, ce qui montrait bien que l'affaire avait été rude. Et
y fut aussi messire Enguerrand Du Edin, un bon chevalier de Picardie, qui
55 prouvait bien qu'il y avait été et un autre bon écuyer qui s'appelait Hugues
de Raincevaux. Cette aventure fut contée et rappelée en plusieurs endroits.
Les uns la considéraient comme une prouesse et d'autres comme une folie
et une grande outrecuidance.

Froissart, *Chroniques,* éd. Siméon Luce, Société de l'histoire de France, t. IV, traduction
d'André Bossuat dans *Les Chroniqueurs français du Moyen Âge,* t. II, Larousse, 1941.

Pistes de recherche

1. Analysez comment se mêlent dans cette sorte de tournoi le respect des rites courtois et la cruauté féroce
de la guerre.
2. Montrez comment la vivacité du récit est rythmée par l'alternance savamment équilibrée de pauses et de
moments d'intensité majeure.
3. Sur quels principes Froissart fonde-t-il la rigueur de l'investigation historique ? Dans quelle mesure ce texte
dresse-t-il un bilan ambigu sur le prestige de l'éthique• chevaleresque ?

Manuscrit fr. 2 860, fol. 52, Paris, Bibl. Nat.

Un mémorialiste corrosif : Philippe de Commynes (1447-1511)

La vie de cet aristocrate bourguignon, **à une époque transitoire entre la fin du Moyen Âge et l'aube de la Renaissance,** est marquée par des engagements politiques aussi tumultueux que versatiles. D'abord chambellan de Charles le Téméraire, duc de Bourgogne, pour lequel il accomplit de délicates missions diplomatiques, il abandonne la cause de la puissante maison de Bourgogne en août 1472 pour rallier le camp du roi de France Louis XI, dont il devient un conseiller écouté et comblé de privilèges. Progressivement, Commynes perd toutefois de son influence auprès du souverain et connaît de longues années de disgrâce. Après la mort de Louis XI, en août 1483, alors que durant la minorité de Charles VIII la réalité du pouvoir est prise en charge par Anne de Beaujeu, sœur du jeune roi et régente, Commynes participe, aux côtés de Louis d'Orléans, à une conspiration dirigée contre la famille royale. Deux années de prison (de 1487 à 1489), puis une mesure de relégation dans ses terres loin de la cour sanctionnent à nouveau les intrigues avortées de cet agitateur impénitent. Partiellement réhabilité quand Charles VIII prend personnellement le pouvoir, Commynes devient l'émissaire du roi à Venise et à Milan au moment où s'engagent les guerres d'Italie (1494-1495).

Conseiller et familier des princes, Commynes est d'abord celui qui, dévoré par l'ambition, a trahi son propre camp. Nombreux furent ceux qui ne lui pardonnèrent jamais sa défection. Lui-même fut poursuivi toute sa vie par une mauvaise conscience tenace. Les *Mémoires* de Philippe de Commynes apparaissent ainsi très souvent comme une tentative de récrire l'histoire sous un éclairage qui atténue la forfaiture du chroniqueur. La tactique mise en œuvre consiste à insinuer que la traîtrise a été de tous temps l'une des armes du pouvoir. Tout scrupule moral est délibérément sacrifié à la volonté de puissance. L'auréole chevaleresque de naguère se dissipe. **Avec Commynes s'effondrent les derniers mythes•d'un Moyen Âge finissant.**

EXTRAIT

Après la mort de Charles le Téméraire, duc de Bourgogne, le roi de France Louis XI essaie d'annexer les territoires de son rival : Pays-Bas, Picardie et Bourgogne. Quand des ambassadeurs de la ville de Gand, placée sous la tutelle de la maison de Bourgogne, vont trouver Louis XI pour négocier, ils apprennent qu'ils ont été précédés par des émissaires secrets, le chancelier Hugonet et le seigneur d'Humbercourt, anciens conseillers de Charles le Téméraire, porteurs d'une missive rédigée par la fille du défunt duc, Marie de Bourgogne, qui refuse d'associer ses sujets aux pourparlers.

(1) les deux émissaires
(2) Les deux émissaires avaient été accusés de corruption.
(3) entendant
(4) ils firent appel
(5) avant
(6) torturés
(7) procédure d'appel
(8) aussitôt
(9) ensuite
(10) affligée et en désarroi
(11) confiance

Sordide règlement de comptes

Les échevins de la ville de Gand les[1] condamnèrent à mourir, en leur hôtel de ville et en leur présence, et sous couleur de l'infraction de leurs privilèges, et qu'ils avaient pris argent[2], après leur avoir adjugé le procès, dont est faite mention ci-dessus. Ces deux seigneurs dessusdits, oyans[3] cette cruelle sentence, furent bien éba-
5 his, et non sans cause, comme raison était ; et n'y voyaient aucun remède, pource qu'ils étaient entre leurs mains. Toutefois ils appelèrent[4] devant le roi en sa cour de parlement, espérant que cela, pour le moins, pourrait donner quelque délai à leur mort, et que cependant leurs amis les pourraient aider à sauver leurs vies. Paravant[5] ladite sentence, ils les avaient fort gehennés[6], sans nul ordre de justice ; et ne dura
10 leur procès point plus de six jours ; et nonobstant ladite appellation[7], incontinent[8] qu'ils les eurent condamnés, ils ne leur donnèrent que trois heures de temps pour se confesser et penser à leurs affaires ; et le terme passé, ils les menèrent en leur Marché et sur un échafaud.

Mademoiselle de Bourgongne, qui puis[9] a été duchesse d'Austriche, sachant cette
15 condamnation, s'en alla en l'hôtel de la ville, leur faire requête et supplication pour les deux dessusdits ; mais rien n'y valut ; et de là elle s'en alla sur le Marché, où tout le peuple était assemblé, et en armes ; et vit les deux dessusdits sur l'échafaud. Ladite damoiselle était en son habit de deuil ; et n'avait qu'un couvrechef sur la tête (qui était habit humble et simple, et pour leur faire pitié par raison) et là sup-
20 plia au peuple, les larmes aux yeux, et toute échevelée, qu'il leur plût avoir pitié de ses deux serviteurs, et les lui vouloir rendre. Une grande partie de ce peuple voulait que son plaisir fût fait, et qu'ils ne mourussent point. Autres voulaient au contraire. Et si baissèrent les piques les uns contre les autres, comme pour combattre ; mais ceux qui voulaient la mort, se trouvèrent les plus forts, et finalement crièrent
25 à ceux qui étaient sur l'échafaud qu'ils les expediassent ; et incontinent[8] ils eurent tous deux les têtes tranchées. Et s'en retourna cette pauvre damoiselle en cet état en sa maison, bien dolente et déconfortée[10] ; car c'étaient les deux principaux personnages où elle avait mis sa fiance[11].

Philippe de Commynes, *Mémoires sur Louis XI*, livre V ; chapitre 17, 1464-1483, édition établie par Jean Dufournet, Gallimard, 1979.

Pistes de recherche

1. Comment est créé puis progressivement amplifié le climat pathétique•, de cette scène ? Quelle démonstration vient-il insinuer ?
2. Relevez les détails qui présentent à dessein la jeune princesse dans une attitude d'humiliation et de désarroi ; de quels mythes• sonne-t-elle le glas ? Confrontez ce texte à ceux des pp. 93-97.

Florilège dramatique et poétique

Le théâtre au Moyen Âge

La poésie lyrique du Moyen Âge

Le théâtre au Moyen Âge

Tel qu'il nous apparaît à travers les manuscrits (moyen de transmission coûteux réservé à des documents jugés importants), le théâtre médiéval n'a rien alors d'un genre organisé. C'est à une série de poussées aussi originales que diverses qu'il nous est donné d'assister.

■ Naissance du théâtre religieux dans la cérémonie : le drame liturgique (Xe-XIIe siècles) ■

La première littérature dramatique apparaît au cœur même du sanctuaire et, plus nettement que dans la Grèce antique, nous pouvons suivre les étapes de son développement. La première en est ce qu'on a appelé le drame liturgique. Il se caractérise par sa durée : très brève (quelques minutes) ; par son lieu : l'intérieur de l'église ; par ses officiants : les clercs• eux-mêmes en habits liturgiques ; par sa langue : le latin. **Célébration plutôt que spectacle,** il s'insère doublement dans la vie religieuse : moment de la cérémonie, par exemple entre le *Te Deum* et les laudes, il s'inscrit aussi dans les grands cycles annuels : cycle de Pâques ou de Noël, notamment, qui rythment le culte catholique. **Pourtant il s'agit indiscutablement de théâtre :** une action, la résurrection de Lazare ou l'adoration des Mages, est représentée, dont les interprètes, physiquement présents, vivent et se déplacent au milieu de l'assemblée. L'argument fourni par le texte biblique est, au sens propre, dramatisé.

Mais cet humble théâtre tenait de sa fonction ses limites : il restait bridé par l'usage de la langue savante, par le respect dû à la cérémonie sacrée. Aussi le théâtre religieux à mesure qu'il suit la logique de son développement (plus de spectacle, personnages plus nombreux, textes plus amples) tend-il à s'éloigner de l'église et à être moins strictement dépendant de la religion. Les mystères le montreront clairement.

■ Un théâtre en voie d'émancipation : le drame semi-liturgique (XIIe siècle) ■

Le Jeu d'Adam témoigne d'une étape intermédiaire. Il offre pour la première fois un dialogue tout entier en langue vulgaire, alors que les indications scéniques sont en latin, comme si la mise en scène était réservée à des clercs•. Le latin intervient aussi dans des leçons et dans des versets. Les leçons qui étaient confiées à un lecteur rappellent le but didactique• et les versets, chantés par un chœur et peut-être repris par la foule, attestent que la pièce est encore liée à l'office religieux. Toutefois elle n'était plus jouée à l'intérieur de l'église, mais devant le porche et sur le parvis.

Maître d'Amiens, *Le Puy d'Amiens,* 1518, ph. Bulloz.

Cette œuvre a pour sujet l'histoire d'Adam et Ève : comment Dieu leur interdit de toucher au fruit de l'arbre de connaissance, comment le Diable sait tenter Ève et leur fait enfreindre la prescription divine, comment ils sont punis et chassés du paradis terrestre. Dans la scène qui précède, Adam a refusé de céder aux sollicitations du Diable.

LE DIABLE

J'ai vu Adam ; il est bien fou.

ÈVE

Un peu dur.

LE DIABLE

      Il deviendra mou.
Il est plus dur que n'est le fer.

ÈVE

Il est très noble.

LE DIABLE

      Il est très serf.
S'il veut n'avoir cure de soi,
Qu'il prenne au moins souci de toi.
Tu es faiblette et tendre chose,
Tu es plus fraîche que la rose,
Tu es plus blanche que cristal
Ou que neige sur glace en val.
Couple mal assorti, pour sûr :
Tu es trop tendre, et lui trop dur ;
Et néanmoins tu es plus sage,
Et plein de sens est ton courage.
Il fait bon s'en venir à toi.
Je veux te parler [...]

ÈVE

Parle haut, il n'en saura rien.

LE DIABLE

Je vous préviens d'un grand engin[1]
Qui vous est fait en ce jardin.
Le fruit que Dieu vous a donné
N'a guères en soi de bonté ;
Celui qu'il vous a défendu
Possède en soi grande vertu :
Par lui, — qui est source de vie,
De puissance, de seigneurie, —
Bien et mal, on sait tout de reste.

ÈVE

Quelle saveur a-t-il ?

LE DIABLE

      Céleste.
À ton beau corps, à ta figure,

Conviendrait bien cette aventure,
De voir l'avenir sans mystère,
Et d'être toujours de la terre,
Du ciel et de l'enfer la reine,
De tout maîtresse souveraine.

ÈVE

Le fruit est-il donc tel ?

LE DIABLE

      Oui bien.

ÈVE *regarde attentivement le fruit défendu, et, l'ayant regardé longtemps, elle dit :*
Rien que sa vue me fait du bien.

LE DIABLE

Si tu le manges, que sera-ce ?

ÈVE

Qu'en sais-je ?

LE DIABLE

      Ève, crois-moi, de
            [grâce,
Prends-le, puis à Adam le donne.
Du ciel vous aurez la couronne,
Et lors, au Créateur pareils,
Vous saurez tout de ses conseils[2].
Dès que du fruit aurez mangé,
Tôt vous sera le cœur changé ;
Vous serez sans faute en ce lieu
Aussi bons et puissants que Dieu.
Goûte du fruit !

ÈVE

      J'ai bien envie.

LE DIABLE

En Adam, surtout, ne te fie !

ÈVE

J'en goûterai.

Le Jeu d'Adam, traduction de Henri Chamard, A. Colin, 1925.

(1) tromperie
(2) secrets

Lucas Cranach (1472-1553), *Ève,* Florence, musée des Offices, ph. Giraudon.

Pistes de recherche

1. Qu'obtient le diable en amenant le conversation sur Adam ? Sur quels défauts le diable compte-t-il ?
2. Cette habileté du diable donne à la scène des qualités dramatiques. Pourquoi ? Rapprochez le diable de certains personnages de comédie. Ève offre l'esquisse d'un caractère : tracez-en les traits principaux.
3. Comment le style du dialogue fait-il distinguer deux personnages et deux discours ? et même, chez le diable, divers tons ?

■ Le théâtre comique du XIIIᵉ siècle : une génération spontanée ?

Si le théâtre religieux se dégage progressivement de la liturgie, l'irruption d'un théâtre comique dans le dernier quart du XIIIᵉ siècle fait problème. Les comédies écrites en latin, aux XIIᵉ et XIIIᵉ siècles, sur le modèle de Plaute et Térence fourniraient-elles l'origine recherchée ? Leurs situations, leurs personnages, leur structure ne trouvent aucun écho dans les pièces en langue vulgaire. **Le théâtre comique serait-il issu du théâtre religieux ?** Explication étonnante pour une culture moderne longtemps habituée à séparer radicalement sacré et profane, sérieux et comique. Mais la civilisation médiévale n'a jamais pratiqué de telles exclusions et de fait des intermèdes burlesques ont eu leur place jusque dans les mystères (cf. pp. 114 et *sq.*). Est-ce toutefois suffisant pour établir une paternité ? Ne faudrait-il pas, au contraire, inverser la relation et penser que les jeux divertissants qui figuraient probablement au répertoire des jongleurs ont pu s'introduire dans le théâtre religieux ?

Civilisation théâtrale et culture festive

Plutôt que chercher de problématiques origines, il convient peut-être de faire apparaître tout ce qui dans la culture médiévale est virtuellement théâtral. Dans un monde qui fait une large place aux modes de vie collectifs et où la communication est avant tout audio-orale, **le dialogue prend souvent une dimension proprement théâtrale.** Non seulement de véritables jeux de rôles règlent l'intervention des protagonistes pour les actes solennels (hommage du vassal au suzerain) ou dans la vie plus quotidienne (justice seigneuriale), mais ils s'expriment devant un véritable public, la foule des assistants, concernés mais non actifs dans la communication.

Surtout la société médiévale passe par des états où dans le vécu, **l'imaginaire accroît sa part** : imaginaire mystique dans la cérémonie culturelle, imaginaire fantasmatique• dans la fête. Ces moments — qui par ailleurs s'opposent comme deux pôles de la vie sociale (Pâques et Saint-Jean, Carême et Carnaval) — ont en commun de trancher sur le fond de l'existence quotidienne, d'obéir à des cycles et à des rituels. À cette occasion, groupes et individus revêtent des rôles inaccoutumés, explorent des personnalités différentes, découvrent la profondeur complexe de diverses réalités qui s'imbriquent et interfèrent. Bref, dans ces temps forts de l'année, le théâtre est en gestation dans la vie.

Pourtant le théâtre, à proprement parler, n'est pas encore né. Pour qu'il accède vraiment à l'existence, deux conditions doivent se trouver remplies ; il faut :
— que s'impose clairement l'idée de re-présentation comme imitation présente, par des acteurs jouant des personnages, d'une action différente de la situation actuelle ;
— qu'un texte vienne fixer cette distinction des temps et des niveaux de réalité (réel/fictif) et limiter la part laissée à l'improvisation.

Si le théâtre religieux a précédé le théâtre profane, c'est, sans doute, qu'il bénéficiait, comme d'avance, du texte fourni par la Bible et que, dans la messe, l'idée de représentation s'esquissait. Pourquoi ne pas imaginer alors que — peut-être à l'exemple du théâtre religieux — le théâtre comique se soit lui aussi dégagé de cette autre forme de la vie théâtralisée, la fête de type carnavalesque ? Quant à l'appui du texte, il l'a trouvé facilement parmi les divers genres poétiques ou narratifs qui lui ont fourni des objets à tansposer.

■ Le théâtre en liberté d'Adam de la Halle (dernier quart du XIIIᵉ siècle)

C'est en milieu urbain, à Arras, qu'éclôt la première génération du théâtre profane. Grâce au commerce des laines et aux banques, la ville était un centre économique très florissant. Le mécénat des grands bourgeois y favorisait une vie intellectuelle intense. Arras avait son Puy, sorte d'académie qui accueillait les représentants du patriciat local et les meilleurs trouvères. Il organisait des offices religieux, des fêtes comportant des représentations et des concours poétiques.

Parmi les cinq pièces qui constituent, pour nous, le maigre répertoire profane du XIIIᵉ siècle, les deux plus importantes sont dues à Adam de la halle. Cette œuvre surprend à bien des égards et d'abord par sa variété. Autant la première pièce frappe par de brutales discordances dans les tons, les thèmes et même la conception dramaturgique, autant la seconde se recommande par l'harmonie délicate des éléments mis en œuvre.

Une dramaturgie énigmatique : Le Jeu de la feuillée

Énigmatique, cette pièce l'est sans doute très consciemment, puisqu'elle joue de l'allusion et de la parodie•, mais **elle dérange surtout par sa conception même**. Elle se présente comme une succession peu cohérente, sans nœud ni dénouement, de tableaux, plutôt que de scènes, fort divers.

L'auteur apparaît d'abord pour annoncer à des amis son intention de quitter Arras et sa femme dont il parle de manière fort contrastée ; ensuite arrive un moine, vendeur de reliques, dont le commerce thérapeutique permet de faire la satire de nombreux Arrageois, nommément désignés. À quoi succède un jeune dément qui multiplie propos incompréhensibles ou scandaleux sans pourtant arrêter un débat sur le mariage des clercs•. Quand il s'en va, on chasse aussi, poliment, le moine pour que les fées puissent apparaître. Et c'est alors une féerie, mais elle paraît souvent très terre à terre et permet la résurgence de la satire, notamment quand les fées donnent à voir la roue de Fortune qui élève et abaisse tel personnage connu. La fin de la pièce est consacrée à une scène de cabaret, occasion pour les personnages, anciens ou nouvellement introduits de faire bombance, se disputer et tromper le moine, tandis que le fou fait un nouveau tour de piste. Comme on voit, l'unité dramatique relève de l'enchaînement à tiroirs et la satire directe et personnelle alterne avec la confidence intime comme la féerie avec la tranche de vie. Mais le plus surprenant c'est peut-être encore que les diverses actions qui s'esquissent s'interrompent avant d'être suffisamment avancées pour acquérir une signification nette et que les styles dramatiques très différents, essayés dans la pièce restent à un stade embryonnaire (par exemple, la féerie).

Théâtre mêlé, théâtre flou, théâtre gris, *Le Jeu de la feuillée,* peut être considéré comme une sorte de pot-pourri. Mais aussi bien on verra, dans cette pièce, le **théâtre se dégageant encore incomplétement de la fête** : plusieurs personnages n'y jouent-ils pas leur propre rôle et ce rôle ne consiste-t-il pas, à la fin, à manger, boire, plaisanter, c'est-à-dire à faire la fête ? Mais à l'inverse, le théâtre n'y affirme-t-il pas son autonomie en présentant la fiction de l'apparition merveilleuse et en donnant l'organisation de la comédie satirique aux libres propos carnavalesques ? Et on découvrira avec étonnement que ce théâtre à l'état natif se rapproche de recherches dramaturgiques contemporaines : théâtre de l'absurde, théâtre de rue, psychodrame...

EXTRAIT

Partition de chansons d'Adam de la halle, manuscrit fr. 25566, fol. 23, Paris, Bibl. Nat.

(1) Camarade d'Adam (l'auteur).
(2) la pierre

ADAM. — *(revêtu de la cape des étudiants parisiens)* Seigneurs, savez-vous pourquoi j'ai changé mon habit ? J'ai été avec une femme, à présent je retourne au clergé. Je poursuivrai ainsi la réalisation d'un projet que j'ai fait il y a longtemps. Mais je veux auparavant prendre congé de vous tous.

5 À présent, aucun de ceux que j'ai fréquentés ne pourra dire que je me suis vanté pour rien d'aller à Paris. L'enchantement n'est jamais si puissant qu'on ne puisse en sortir. Après une maladie grave revient bien une santé solide.

Et puis je n'ai pas perdu mon temps ici au point de ne m'être pas appli-
10 qué à aimer loyalement. Il apparaît bien aux tessons quel fut le pot. Ainsi donc je m'en vais à Paris.

RIQUIER AURI[1]. — Malheureux, qu'y feras-tu ? Jamais un bon clerc n'est sorti d'Arras. Et tu veux, toi, en un devenir un ! Ce serait une grande illusion [...]

15 ADAM. — Chacun dédaigne mes paroles, ce me semble, et les rejette très loin. Mais puisque cela est nécessaire et qu'il faut que je m'aide par moi-même, sachez que le délassement d'Arras et le plaisir ne me sont pas si chers que je doive pour eux délaisser l'instruction. Puisque Dieu m'a donné le talent, il est temps que je l'emploie bien. J'ai assez secoué ma bourse ici.
20 GILLOT LE PETIT[1]. — Que deviendra la payse, ma commère dame Marie ?

ADAM. — Beau seigneur, elle restera ici avec mon père.

GILLOT. — Maître, il n'en ira pas ainsi, si elle peut se mettre en route, car je sais bien, si je la connus jamais, que si elle vous savait là-bas aujourd'hui, elle irait demain vous rejoindre sans retard.
25 ADAM. — Et savez-vous ce que je ferai ? Pour la sevrer, je mettrai de la moutarde sur mon vit !

GILLOT. — Maître, tout ceci ne vaut rien, et le problème n'est pas là. Vous ne pouvez pas vous en aller ainsi car, une fois que la Sainte Église accouple deux êtres, impossible de revenir sur ses pas. Il faut prendre garde
30 au moment de s'engager.

ADAM. — Par ma foi, tu simplifies le problème. C'est comme quand on dit : « fais moi le plaisir de tailler[2] sans dévier de la ligne tracée ». Qui s'en serait gardé au début ? L'amour me prit en un moment tel qu'alors l'amant

se blesse deux fois s'il veut se défendre contre lui. Oui, je fus pris juste au
35 premier bouillonnement, en plein dans la verte saison et dans la fougue de
la jeunesse, lorsque la chose a la plus grande saveur et que nul ne recherche
ce qui vaut mieux pour lui, mais seulement ce qui est à son goût. Il faisait
un été beau et clair, doux et vert et limpide et joyeux, les chants d'oiseaux le
rendaient merveilleux dans un bois profond, près d'une petite source cou-
40 rant sur un gravier paré de couleurs variées. C'est alors que me vint la
vision de celle que j'ai à présent pour femme et qui, maintenant, me semble
pâle et jaune. Elle était alors blanche et vermeille, riante, amoureuse et
mince ; à présent je la vois grasse et mal faite, triste et bougonne.

RIQUIER. — Voilà qui est admirable ! Vraiment vous êtes inconstant pour
45 avoir si vite oublié des traits aussi délectables ! Je sais bien pourquoi vous
êtes rassasié.

ADAM. — Pourquoi ?

RIQUIER. — Elle a fait avec vous trop bon marché de ses denrées.

ADAM. — Ta, ta, ta, Richesse, ce n'est pas là la raison !
50 Mais l'amour ensorcèle ainsi les gens, fait briller chaque grâce en la
femme et la fait sembler plus grande, de sorte que l'on croit bien d'une men-
diante que c'est une reine. Ses cheveux semblaient reluisants d'or, drus et
crêpés et frémissants. À présent ils sont rares, noirs et pendants. Tout en
elle me semble à présent changé. Elle avait le front bien exactement mesuré,
55 blanc, lisse, large, découvert ; à présent je le vois ridé et étroit. Elle avait, à
ce qu'il semblait, les sourcils arqués, fins et bien alignés, d'un poil brun fait
au pinceau, pour rendre plus beau le regard. À présent je les vois dispersés
et dressés comme s'ils voulaient prendre leur envol. Ses yeux noirs me
semblaient brillants, nets et bien façonnés, prêts à accueillir favorable-
60 ment, grands sous des paupières minces avec deux petites clôtures jumelles
s'ouvrant et se fermant à volonté, en regards sincères et amoureux. [...]

Elle s'aperçut bien que je l'aimais mieux que moi, aussi se conduisit-elle
fièrement envers moi et plus elle se montrait fière, et plus elle faisait
croître en moi l'amour, le désir et la passion. À ces sentiments se mêlèrent
65 la jalousie, le désespoir et la folie et plus et plus je brûlais pour son amour et
moins je me contrôlais, si bien que je n'eus de cesse que je n'eusse fait d'un
maître un seigneur(3). Bonnes gens, c'est ainsi que je fus pris par Amour qui
me prit en traître, car elle n'avait pas les traits aussi beaux qu'Amour me
les fit sembler. [...] Aussi est-il normal que je me ressaisisse avant que ma
70 femme ne devienne grosse et que la chose me coûte davantage, car ma faim
d'elle est apaisée.

RIQUIER. — Maître, si vous me la laissiez, je la trouverais bien à mon goût.

MAÎTRE ADAM. — Je n'aurais pas de mal à vous en croire. Je prie Dieu que
ce malheur ne m'arrive pas. Je n'ai pas besoin de plus de chagrin. Mais je
75 voudrais rattraper le temps que j'ai perdu et courir à Paris pour étudier.

(3) d'un maître (ès arts),
un mari

Adam de la halle, *Le Jeu de la feuillée*, d'après la traduction de Cl.-A. Chevallier, *Théâtre comique du Moyen Âge*, « 10/18 », U. G. E., 1982.

Pistes de recherche

1. L'auteur, se mettant en scène, parle de lui-même et de sa femme. Faut-il nécessairement le croire ? Entre quelles manières de recevoir le texte le spectateur peut-il hésiter ?

2. Étudiez dans le récit des amours la rhétorique• de l'inversion (avant et après). Quel rapport a-t-elle avec le carnaval ?

3. Relevez tous les discours stéréotypés, tous les clichés qui se succèdent dans la bouche du futur clerc• Quels en sont les effets ?

4. Proposez une analyse de la confidence sentimentale qu'on peut lire dans cette page. À quels signes stylistiques reconnaît-on l'émergence d'un certain lyrisme• ?

Vrai théâtre, théâtre littéraire : le Jeu de Robin et Marion

Probablement composé pour divertir la cour de Naples, où l'auteur avait suivi son protecteur Robert d'Artois, ce jeu était destiné à un public aristocratique qui désirait oublier le massacre des Vêpres siciliennes et connaissait sans doute la nostalgie de la terre natale. Ce changement dans les conditions du spectacle pourrait expliquer, au moins partiellement, l'évolution, très sensible, de l'auteur.

La pièce correspond maintenant à ce que nous appelons le théâtre. Public et spectacle, acteurs et personnages se distinguent nettement, cette fois, puisque le jeu propose dans une cour princière et italienne une scène de la vie campagnarde française et du même coup, il creuse, dans la conscience du spectateur, le fossé invisible de la fiction. Car une action cohérente se développe, le théâtre raconte, à sa manière, une histoire, comme le voulait Aristote : l'intrusion d'un chevalier dans l'univers villageois menace une idylle rustique, puis, le danger écarté laisse place à la fête où s'annoncent les épousailles. Remarquons toutefois qu'Adam de la halle ne brûle pas tout à fait ce qu'il a adoré : la trame s'estompe dans la dernière partie où le glissement vers le mariage censé assurer l'unité dramatique est largement recouvert par le tableau champêtre des jeux entre villageois.

Tout aussi nettement, ce théâtre est littérature. Il le manifeste en s'alimentant à d'autres textes et cultive ainsi les charmes littéraires de l'**allusion**, de la **transposition** et de la **parodie**•. Non seulement Adam a conçu son œuvre comme une transposition dramatique du genre lyrico-narratif de la pastourelle (cf. p. 136), mais encore il suggère très finement en Marion une héroïne courtoise dont l'habileté et la délicatesse paraîtraient égarées en milieu rustique s'il n'y surimposait le type attendu de la paysanne aussi sincèrement éprise que naïve. Il n'hésite même pas à emprunter au folklore des jeux paysans. De ce registre plus populaire relèvent les bribes de chansons dont il a parsemé son œuvre. Mais elles contribuent aussi à la **stylisation esthétique** qui la caractérise également : moyens proprement poétiques de mètres et rythmes variés, combinaisons du récitatif et du chanté (Adam de la halle était aussi un musicien renommé), il n'est pas jusqu'à la danse que l'on ne soit ici convié à transformer en objet d'art la nature la plus champêtre. Et ce musicien a le **sens de l'harmonie** qui lui fait chercher de subtils fondus : si l'on chante, c'est que tout le monde, le chevalier comme la bergère a ici le goût de l'art qui introduit au recul de l'**humour**•, si l'on danse c'est que Marion aime d'abord en Robin le virtuose des chorégraphies villageoises. Théâtre littéraire enfin, parce qu'il cultive l'**ambiguïté**. Balançant sans cesse entre la caricature discrète et la sympathie souriante, le texte ne choisit jamais vraiment entre l'aristocratie et le petit peuple, entre les femmes et les hommes, entre la campagne qu'il représente et son public cultivé, même s'il ne leur fait pas toujours part égale. On dirait plutôt que comptant sur les disparités internes de chaque milieu, il est assuré qu'une dame de cour peut se retrouver en une bergère, qu'un seigneur peut rire d'un hobereau, et des villageois se moquer fraternellement les uns des autres. C'est ainsi que par une apparence scénique faite de nuances toujours en mouvement, il installe au cœur du spectateur son rêve de communion rieuse.

EXTRAIT

Le décor est d'une extrême simplicité : une prairie, deux ou trois maisons sans doute figurées sur une toile, un bosquet derrière lequel Robin et ses compagnons se cacheront pour épier le chevalier et Marion, une borne sur laquelle Marion et plus tard le roi du jeu s'assiéront, une brebis vivante. Aubert devait être monté sur un cheval jupon[1].

(1) Mannequin en forme de cheval.
(2) Ce début a la forme du zechel arabe : refrain, tercet sur une rime, volte appelant le retour du refrain.

MARION, LE CHEVALIER, *dans une prairie*

MARION. — *(chante en tressant une couronne de fleurs)*
Robin m'aime, Robin m'a ;
Robin m'a demandée et il m'aura.
Robin m'a acheté une petite robe d'écarlate bonne et belle,
5 Une souquenille et une petite ceinture.
À leur i va !
Robin m'aime, Robin m'a ;
Robin m'a demandée et il m'aura[2].

LE CHEVALIER. — *(sur sa monture, ganté, un faucon sur le poing, s'avance*
10 *en chantant, sans voir encore Marion)*
Je m'en revenais du tournoi,
Et je trouvai seule Marote, au corps joli.

MARION. — *(chantant)*
Hé ! Robin, si tu m'aimes,
15 Par amour, emmène-moi.

LE CHEVALIER. — *(apercevant Marion et s'approchant d'elle)*
Bergère, que Dieu vous donne bon jour !

MARION. — Que Dieu vous garde, seigneur !

LE CHEVALIER. — Par amour, douce pucelle, dites-moi donc pourquoi
20 vous chantez cette chanson si volontiers et si souvent :
Hé ! Robin, si tu m'aimes,
Par amour, emmène-moi.

MARION. — Beau seigneur, il y a bien de quoi, car j'aime Robin et lui aussi m'aime. Il m'a bien montré que je lui suis chère : il m'a donné cette panetière, cette houlette et ce couteau.

LE CHEVALIER. — Dis-moi, n'as-tu pas vu quelque oiseau voler par-dessus ces champs ?

MARION. — Seigneur, oui, je ne sais pas combien. Il y en a encore dans ces buissons, des chardonnerets et des pinsons, qui chantent fort gaiement.

LE CHEVALIER. — Que Dieu m'aide, belle au corps joli, ce n'est pas ce que je demande. N'as-tu pas vu plutôt par ici devant, vers cette prairie, sur le bord de la rivière, quelque cane ?

MARION. — C'est une bête qui brait ? J'en ai vu hier trois sur ce chemin tous chargés aller au moulin. Est-ce ce que vous demandez ?

LE CHEVALIER. — Hé bien, je suis fort bien renseigné ! Dis-moi n'as-tu pas vu quelque héron ?

MARION. — Un hareng, seigneur ? Par ma foi, non. Je n'en ai pas même vu un depuis le carême quand j'en vis manger chez Madame Emme, mon aïeule, à qui appartiennent ces brebis.

LE CHEVALIER. — Par ma foi, je suis bien étonné. Jamais encore je n'ai été aussi raillé.

MARION. — Seigneur, foi que vous me devez, quelle bête est-ce là sur votre main ?

LE CHEVALIER. — C'est un faucon.

MARION. — Mange-t-il du pain ?

LE CHEVALIER. — Non, mais de la bonne viande.

MARION. — Cette bête ? Regardez ! Elle a la tête de cuir[3] ! Où allez-vous donc ?

LE CHEVALIER. — Dans la prairie sur les bords de la rivière.

(Le chevalier, sans descendre de cheval, s'approche de Marion et tente de l'enlacer. Elle s'échappe vivement.)

MARION. — Robin ne se conduit pas ainsi. Avec lui, il y a beaucoup plus de plaisir. Dans notre village il met tout en mouvement avec le bruit qu'il fait quand il joue de sa musette.

LE CHEVALIER. — Dites donc, douce bergerette, aimeriez-vous un chevalier ?

(Il s'approche d'elle.)

MARION. — Beau seigneur, éloignez-vous. Je ne sais pas ce que sont les chevaliers. De tous les hommes du monde, je n'aimerai que Robin. Il vient au soir et au matin me trouver, tous les jours et par habitude. Il m'apporte de son fromage. J'en ai encore dans mon sein[4], ainsi qu'un grand morceau de pain qu'il m'a apporté au repas de midi.

LE CHEVALIER. — Dites-moi donc, douce bergère : voudriez-vous venir avec moi vous divertir sur ce beau palefroi, le long de ce bosquet, dans ce vallon ?

(Le cheval rue et fait peur à Marion.)

MARION. — Oh ! Oh ! Seigneur, ôtez votre cheval : pour un peu il m'aurait blessée. Celui de Robin ne rue pas quand je marche auprès de sa charrue.

LE CHEVALIER. — Bergère, devenez ma maîtresse et faites ce dont je vous prie.

MARION. — Seigneur, retirez-vous loin de moi. Il ne convient pas que vous restiez ici. Pour un peu votre cheval me frapperait. Comment vous appelle-t-on ?

LE CHEVALIER. — Aubert.

MARION. — *(chantant)*
Vous perdez votre peine, seigneur Aubert.
Je n'aimerai personne d'autre que Robert.

LE CHEVALIER. — Non, bergère ?

MARION. — Ma foi, non.

LE CHEVALIER. — Croiriez-vous déchoir avec moi, que vous fassiez si peu cas de ma prière ? Je suis un chevalier et vous une bergère.

(3) Capuchon de cuir qu'on retire pour lâcher le faucon.
(4) Utilisation — normale à cette époque — du corsage comme sac.

MARION. — Ce n'est pas une raison pour vous aimer.
(chantant)
Je suis une petite bergère, mais j'ai
85 Un ami beau et élégant et charmant.
LE CHEVALIER. — Bergère, que Dieu vous en donne joie. Puisqu'il en est ainsi, j'irai mon chemin. Désormais je ne vous sonnerai mot.
(Le chevalier se retire en chantant.)
Trairire deluriau deluriau delurele
90 Trairire deluriau deluriau delurot
Ce matin, je chevauchais près de l'orée d'un bois.
Je trouvai une gentille bergère, roi n'en vit aussi belle
Hé! Trairire deluriau deluriau delurele
Trairire deluriau deluriau delurele
95 Trairire deluriau deluriau delurot
(Le chevalier quitte la scène. Marion reste seule.)

Adam de la halle, *Le Jeu de Robin et Marion,* traduction de Cl.-A. Chevallier, *Théâtre comique du Moyen Âge,* « 10/18 », U. G. E., 1982.

Pistes de recherche

1. Montrez comment la scène combine un duo d'opéra-comique et l'évolution vraisemblable d'un dialogue de comédie. Faites notamment apparaître la symétrie de la composition.
2. Comment deux mondes sociaux sont-ils ici opposés (genres de vie, mentalités, langages)? Comment interprétez-vous, dans cette perspective sociale, l'évolution du dialogue et son issue?
3. Les personnages correspondent aux types attendus. Mais l'auteur a su apporter des nuances. Précisez lesquelles. A-t-il fait part égale aux deux personnages? Le comique naît du jeu auquel se livrent les personnages. Étudiez-en les renversements et notamment comment Marion utilise sa naïveté de paysanne.
4. Qu'apportent à cette scène les passages chantés? Notez le symbolisme scénique (chasse, oiseaux, mouvements du cheval). L'effet produit s'accorde-t-il au précédent?
5. Comparez avec la pastourelle de Jean de Brienne, p. 136.

DOCUMENT

MARIONS
Robins m'aime, Robins m'a;
Robins m'a demandée, si m'ara.
Robins m'acata cotele
D'escarlate boine et bele,
Souskanie et chainturelle,
À leur i va[1].
Robins m'aime, Robins m'a;
Robins m'a demandee, si m'ara.

LI CHEVALIERS *(chantant)*
Je me rapairoie du tournoiement,
Si trouvai Marote seulete, au cors gent.

MARIONS
Hé Robin, se tu m'aimes,
Par amour, maine m'ent.

LI CHEVALIERS
Bergière, Dieus vous doinst boin jour!

MARIONS
Dieus vous wart, sire!

LI CHEVALIERS
        Par amour,
Douche puchele, or me contés,
Pour coi cheste canchon cantés
Si volentiers et si souvent:
Hé! Robin se tu m'aimes,
Par amour, maine m'ent.

(1) Refrain sans signification.

Récitants et Acteurs, manuscrit lat. 7907 A, fol. 20, Bibl. Nat., Paris.

■ Un poète au théâtre : Rutebeuf († 1280) ou la distinction des genres

Le grand poète Rutebeuf (cf. pp. 141 et *sq.*) ne rompt pas complètement, dans son œuvre théâtrale, avec son lyrisme• non seulement il reste le virtuose des rythmes et des strophes, mais encore ses personnages font parfois écho à la confidence autobiographique. Pourtant il paraît très conscient de la spécificité théâtrale et avec lui, la littérature dramatique médiévale franchit un pas décisif dans deux voies ensuite bien fréquentées : le miracle et le monologue. Son originalité esthétique est aussi très nette. À une époque où les créateurs mêlent souvent les thèmes et les tons, Rutebeuf distingue rigoureusement les genres. Jamais le théâtre religieux médiéval ne sera plus éloigné du théâtre profane : autant son *Miracle de Théophile* est dépouillé et grave, autant son *Dit de l'herberie* est prolixe et truculent.

La spiritualité médiévale se met en scène : *Le Miracle de Théophile*

L'homme du XIIIe siècle se sait l'enjeu d'une lutte sans merci entre deux pouvoirs surnaturels : Dieu et Satan. Pour éviter l'hérésie, les clercs• ont certes le souci de ne pas les mettre exactement sur le même plan, mais la pensée générale n'en reste pas moins dominée par une sorte de manichéisme•. Une vie peut ainsi se raconter comme la succession des entreprises diaboliques et des interventions divines. C'est dire à la fois combien elle est un drame et quelle place elle fait au miracle. Objet et lieu du combat au moins autant qu'acteur, **l'homme médiéval se sait et se sent entouré de combattants surnaturels** : anges et démons, saints et magiciens qui sont les auxiliaires à visage humain des deux grands protagonistes. Cet approfondissement du quotidien par le sacré est d'abord passé par des récits, les miracles narratifs. Des aventures attendrissantes s'y coulent dans un moule toujours identique : le saint (ou Notre-Dame quand, à partir du XIIe siècle, la Vierge Mère devient pour les âmes pieuses le premier des combattants sauveurs) intervient brusquement pour protéger l'innocent ou sauver le pécheur repentant en butte aux machinations du Malin et de ses acolytes.

C'est à un auteur célèbre de cette littérature de contes pieux, Gautier de Coincy, que Rutebeuf a emprunté le sujet de sa pièce. Mais il a su **le dramatiser** : non content de supprimer les parties narratives, il a donné à Théophile une personnalité plus complexe, déchirée entre une piété sincère et le sentiment d'une intolérable injustice. Il a ainsi gagné en vérité psychologique tout en faisant descendre le conflit dans le cœur même du personnage. De même il a organisé sa courte pièce (663 vers) en deux temps bien marqués, opposant la trahison au rachat et ne réservant qu'une scène très brève à la figuration des sept années où Théophile fut le suppôt de Satan. Construction audacieuse qui met en valeur les deux batailles du conflit sacré et illustre clairement le dualisme médiéval.

Rutebeuf rend aussi au miracle **sa pureté et sa simple profondeur**. En choisissant l'histoire de Théophile, il retenait une forme majeure : le pacte d'un clerc• avec le diable, que motive un malheur immérité. Il retrouvait ainsi le thème tragique de la révolte devant l'inexplicable mal. Il est clair qu'il a voulu lui conserver une simplicité presque austère. Il ne paraît guère tenté par la peinture des vraisemblances sociales (situation initiale) ou la recherche d'un merveilleux facile (de sa seule volonté impérieuse, la Vierge arrache au diable le texte du pacte). Ce qu'il aime, au contraire, c'est la force de l'intériorité. Et les ressources du poète lyrique ne font pas ici

Pol de Limbourg (xve siècle), *Très Riches Heures du duc de Berry*, « Paradis terrestre », Chantilly, musée Condé, ph. H. Josse.

défaut au dramaturge. Sans aucune concession à l'anecdotique, il puise dans son expérience d'intellectuel guetté par la misère, dans les tourments de son âme inquiète, pour donner à son personnage une vie profonde. Homme de foi, il respecte le miracle-prodige, mais il le double du miracle invisible qu'est l'accès d'une âme au repentir et il les attache l'un à l'autre du lien puissant et mystérieux de la prière.

Théophile, que le nouvel évêque a privé de sa charge, réfléchit à son malheur. C'est le début de la pièce.

THÉOPHILE

Hélas, hélas ! Dieu, roi de gloire, je vous ai toujours été fidèle ; j'ai tout donné et dépensé, j'ai offert aux pauvres tout mon bien, et il ne m'en est pas resté la valeur d'un sac. L'évêque m'a dit : « Échec », et m'a fait mat au coin de l'échiquier. Il m'a laissé seul et sans avoir. Si je ne donne pas ma robe pour du pain, il me faut mourir. Et les miens, que feront-ils ? Est-ce Dieu qui les nourrira ? Dieu ! S'occupe-t-il d'eux ? Il leur faut aller en autre lieu, puisqu'il me fait la sourde oreille, et n'a cure de mes soucis. À mon tour je lui ferai la grimace : honni soit qui se loue de lui ! Il n'est rien que je ne fisse pour ravoir mon bien ; je ne crains ni Dieu ni ses menaces. Irai-je me noyer ou me pendre ? Je ne puis pas m'en prendre à Dieu, puisqu'on ne peut pas arriver jusqu'à lui. Ah ! celui qui le tiendrait et le battrait de bonne sorte aurait gagné sa journée ; mais pour éviter ses ennemis, il s'est mis en un lieu si haut qu'on ne peut y tirer ni y lancer. Si maintenant je pouvais lui chercher querelle, le combattre et m'escrimer contre lui, je lui ferais frémir la chair ! Et cependant il est là-haut, bien à son aise, tandis que moi, chétif, je suis dans les lacs[(1)] de Pauvreté et de Besoin. À présent ma vielle est brisée, à présent on dira que je radote ; je serai la fable du public ; je n'oserai plus voir personne, ni m'asseoir au milieu des gens, car on me montrerait au doigt. Maintenant je ne sais plus ce que je dois faire : Dieu m'a mis dans de beaux draps !

Ici Théophile vient à Salatin, qui parlait au diable quand il voulait.

SALATIN

Qu'y a-t-il ? Théophile, qu'avez-vous ? Par le Dieu puissant ! Quel malheur vous rend si triste ? Vous étiez d'habitude si joyeux !

THÉOPHILE

C'est qu'on m'appelait seigneur et maître de ce pays, et maintenant on ne me laisse plus rien. J'en suis d'autant plus dolent, Salatin, que je n'ai jamais cessé de prier, en latin comme en français, celui qui aujourd'hui me traite rudement, et qui me laisse si nu qu'il ne me reste plus rien en ce monde. Maintenant il n'est rien de si affreux ni de si étrange que je ne fasse volontiers, pour recouvrer ce que j'ai perdu ; car le perdre est pour moi honte et dommage.

SALATIN

Beau sire, vous parlez sagement ; car pour qui a été riche, c'est une grande douleur et une grande peine que de tomber au pouvoir d'autrui pour le boire et le manger. Il y faut trop entendre de mauvais propos.

THÉOPHILE

C'est ce qui me met hors de moi. Salatin, beau doux ami, depuis que je suis au pouvoir d'autrui, le cœur me crève ou peu s'en faut [...] Si tu connaissais un moyen de me faire recouvrer mon honneur, ma charge et ma grâce, il n'est rien que je ne fisse pour cela.

(1) nœud coulant, piège

Rutebeuf, *Le Miracle de Théophile*, traduction de A. Jeanroy, *Le Théâtre religieux au XIIIᵉ siècle*, De Boccard, 1924.

Pistes de recherche

1. Quel thème est plusieurs fois repris ? Comment, cependant, le monologue progresse-t-il ?
2. Qu'est-ce qui en Théophile signale l'intellectuel, donnant ainsi de la vraisemblance au personnage ? Montrez sa dualité : faites apparaître ce qui révèle l'homme de foi et ce qui souligne les travers de la condition humaine.
3. Le style est souvent direct, mais il est aussi expressif : on relève des métaphores• ou allégories•, des hyperboles•, des redoublements d'expression. Donnez des exemples de ces divers aspects.

Quand le mime se fait comédie et jeu poétique : *Le Dit de l'herberie*

Comme tous les amuseurs, les jongleurs, disciples d'Aristote sans le savoir (cf. document), n'ignoraient pas **le goût du public pour l'imitation.** Depuis lontemps, ils cultivaient l'art du mime et ceci de deux manières : quand ils transmettaient chansons de geste et fabliaux truffés de dialogues, ils jouaient un peu tous les personnages ; d'autre part, ils caricaturaient des types de la vie quotidienne, imitant leurs attitudes et comportements. Le monologue dramatique est né au confluent de ces deux pratiques, de la rencontre d'un texte à dire attribué à un personnage unique et d'un interprète qui décide de s'identifier pleinement à ce personnage. Théâtre plus qu'économe en acteurs et décors, ce genre traverse tout le Moyen Âge, mais c'est Rutebeuf qui, dès le XIIIᵉ siècle, lui donne son chef d'œuvre. Jongleur, il s'identifie à autrui, le marchand de remèdes-miracles et c'est déjà tout le théâtre. Mais rien de plus naturel aussi : le charlatan qui dispute au jongleur le même public, est là, à côté de lui, sur le champ de foire. **Théâtre et vie se touchent.** C'est à s'y méprendre et Rutebeuf semble parfois répéter un boniment qu'il aurait enregistré. Mais il joue aussi de la **parodie•**, poussant jusqu'à l'absurde les trucs du marchand, décalages où se montrent le comédien et aussi l'auteur satirique. Dans l'entre-deux réside le plaisir fin, là où la caricature se confond presque avec l'original, la parodie• avec le pur pastiche•. Théâtre à l'état natif, le monologue se révèle ici petite fête dramatique. **Fête d'écriture aussi.** Par un juste échange, le poète permet au camelot qu'il imite, à cet artisan du verbe, de se hausser au niveau supérieur de la création esthétique. Car Rutebeuf, curieusement, compose son texte en deux parties qui se continuent, mais aussi se répètent, la première en vers, la seconde en prose. On est toutefois surpris par l'ordre adopté qui fait revenir de l'art maximal, proposé d'emblée, à un langage plus quotidien. Ne serait-ce pas qu'à la générosité de l'artiste se superpose un jeu de l'écrivain pour l'écrivain ? Confrontant ses deux langues, il les fait se dénoncer et s'exalter mutuellement sur les deux tableaux de la littérature : la beauté guettée par l'artifice et la vérité qui risque d'être pesante.

DOCUMENT

Aristote et l'imitation

Dès l'enfance les hommes ont, inscrites dans leur nature, à la fois une tendance à représenter[1] [...] et une tendance à trouver du plaisir aux représentations[2]. Nous en avons une preuve dans l'expérience pratique : nous avons plaisir à regarder les images les plus soignées des choses dont la vue nous est pénible dans la réalité, par exemple les formes d'animaux parfaitement ignobles ou de cadavres [...] en effet si l'on aime à voir des images, c'est qu'en les regardant on apprend à connaître et on conclut ce qu'est chaque chose comme lorsqu'on dit : celui-là, c'est lui.

Aristote, *La Poétique*, chap. 4, traduction de R. Dupont-Roc et J. Lallot, *La Poétique*, Le Seuil, 1980.

_____

(1) ou imiter
(2) ou imitations

Jérôme Bosch (1462-1516), *Le Jardin des délices*, Madrid, Prado, ph. H. Josse.

[...]
Asseyez-vous, ne faites noise[1]
    Et écoutez, s'il ne vous pèse !
    Je suis un mire[2]
Et ai été en maint empire :
5 Du Caire m'a tenu le Sire
    Plus d'un été ;
Longtemps ai avec lui été ;
Grand avoir y ai conquête.
    Mer ai passée,
10 Et m'en revins par la Morée[3],
Où j'ai fait grande demeurée,
    Et par Salerne,
Par Burienne et par Byterne[4].
En Pouille, en Calabre, à Palerme
15   Ai herbes prises,
Qui de grands vertus sont emprises[5] :
Sur quelque mal qu'elles soient mises,
    Le mal s'enfuit.
Jusqu'à la rivière qui bruit
20 Du flux des gemmes, jour et nuit,
    Fus quérir pierres [...]

Ne craindra que la mort l'écrase
    Lui qui les porte.
Fol est si plus se déconforte[6] ;
25 N'a garde qu'un lièvre l'emporte,
    S'il se tient bien ;
N'a garde d'un aboi de chien

Ni d'un braiment d'âne ancien,
    S'il n'est couard :
30 Rien à craindre d'aucune part.
Herbes j'apport des déserts d'Inde
Et de la terre Lincorinde[4] [...]

    À peu de peine
De toute fièvre non quartaine[7]
35 Guéris en moins d'une semaine,
    Toute l'abats.
Si la veine du cul vous bat,
Je vous guérirai sans débat,
    Cela sans faute,
40 Et je guéris de goutte haute
Au point que le malade en saute.
    Et de la dent
La guérirai adroitement
Par un petitet d'oignement[8].
45   Que vous dirai ?
Oyez comment le confirai[9] :
Du confire ne mentirai,
    Prenez-en note !
Prenez la graisse de marmotte,
50 De la merde de la linotte,
    Mardi matin,
De la feuille de plantain [...]
De la poudre de crocodile,
De la rouille de la faucille [...]

55   Belles gens, je ne suis pas de ces pauvres prêcheurs ni de ces pauvres herboristes, qui vont par-devant les églises, en pauvres chapes mal cousues, qui portent boîtes et sachets et étendent un tapis. Sachez que de ceux-là je ne suis pas, mais suis à une dame qui a nom Madame Trote[10] de Salerne, qui fait couvre-chef de ses oreilles et les sourcils lui pendent en chaînes
60 d'argent par-dessus les épaules et sachez que c'est la plus sage dame qui soit aux quatre parties du monde. [...] Je vous apprendrai à guérir du mal des vers, si vous voulez ouïr. Voulez ouïr ?
    Aucunes gens y a qui demandent d'où les vers viennent. Je vous fais assavoir qu'ils viennent de diverses viandes échauffées et des vins en fûts et en
65 bouteilles. Ils se rassemblent dans le corps par chaleur et par humeurs, car, comme disent les philosophes, toutes choses en sont créées et pour ce viennent les vers au corps, qui montent jusqu'au cœur et font mourir d'une maladie qu'on appelle mort soudaine. Signez-vous ! Dieu vous en garde tous et toutes ! [...]

(1) bruit
(2) médecin
(3) Péloponnèse
(4) pays inconnus
(5) pénétrées
(6) s'inquiète davantage
(7) fièvre intermittente
(8) onguent
(9) je le composerai
(10) Professeur de la célèbre école de médecine de Salerne (Italie du Sud).

Rutebeuf, *Le Dit de l'herberie*, transposition de G. Cohen, *Anthologie de la littérature française de Moyen Âge*, Delagrave, 1946.

Pistes de recherche

1. Quels signes soulignent la destination orale du texte ? Comment notamment le locuteur cherche-t-il à dominer son auditoire ?

2. Sur quels ressorts psychologiques, le discours cherche-t-il à agir ? Pourquoi multiplier les énumérations ? Étudiez aussi l'art de mêler étonnant et familier.

3. Plaisanteries, grossièretés, vantardises, excès de langage donnent au texte sa dimension parodique•. Relevez-en des exemples. Citez aussi des cas où on hésite entre grossissement parodique• et restitution réaliste.

4. Comparez le vers et la prose. Montrez le progrès de la vraisemblance. Quels autres effets, selon vous, sont produits par cette curieuse juxtaposition ?

Tous au théâtre pour un théâtre total : les Mystères du XVe siècle

Dans la catastrophe historique qu'est la guerre de Cent Ans (1337-1453), s'écroule tout un monde social et culturel et avec lui le théâtre disparaît presque complètement. Quand il réapparaît, dans la seconde moitié du XVe siècle, il se donne une organisation qu'il n'avait jamais connue auparavant. Non seulement le théâtre religieux prend la forme très originale du Mystère, mais dans le cadre du théâtre profane trois genres tendent progressivement à se distinguer : la farce, la moralité et la sottie (cf. pp. 178 et sq.) qui ne connaîtra son apogée qu'au XVIe siècle.

Au XVe siècle, se développent des représentations dramatiques qui, par leurs dimensions parfois colossales, par leur importance sociale, par l'originalité de leur conception dramaturgique marquent l'apogée du théâtre médiéval. L'intérêt qu'ils suscitent tient aussi aux **problèmes qu'ils posent** : le sens du mot, mystère ou mistère (venus de *mysterium*, initiation ésotérique, ou de *ministerium*, service) est incertain ; il est difficile de cerner la fonction sociale des mystères et de saisir comment l'intellect et l'affectivité de nos ancêtres participaient à ces spectacles-cérémonies où le groupe prenait conscience de lui-même et assurance sur son destin.

L'organisation et le spectacle

Le mystère se présente d'abord comme le centre d'**une vaste fête** qui rassemble toute la population d'une ville et fait accourir des participants de bien loin à la ronde (16 000 personnes à Reims en 1490). Les autorités locales se préoccupent longtemps à l'avance de la préparation des représentations : elles recrutent les quelques spécialistes nécessaires (maître de jeu, charpentiers, musiciens, parfois des acteurs ou un écrivain) ; elles veillent à la police (quand on joue, la ville dont on a fermé les portes est vide et silencieuse) ; elles s'inquiètent des approvisionnements nécessaires (notamment en vin !). Très nombreux sont ceux qui participent, de leur argent ou de leur travail, à la mise sur pied du spectacle : les édifices de charpenterie qui constituent le théâtre sont montés par des bras bénévoles, les nombreux acteurs sont pour la plupart des amateurs. Le jour de la représentation, **toute la cité, ordres réunis, mais non mêlés**, se rangera à l'intérieur du théâtre.

Si autour de lui domine la joie, **le mystère est d'abord enseignement** ; il fait lire la Bible, mais en images vivantes, parlantes, émouvantes. Mieux, **il est confession de foi** (cf. document). C'est pourquoi l'église l'a longtemps protégé, prêtant ses vêtements liturgiques, fournissant des prêtres pour jouer les grands rôles, Judas aussi bien que Jésus, célébrant la messe, sur un autel portatif, au centre de l'aire de jeu.

DOCUMENT

Dans la petite flamme longue du cierge il y a les fleurs, l'été, le bourdonnement et le soleil ; il y a de plus la foi du fidèle, son adoration et son espoir. Ainsi dans le Drame, les merveilles de la création, élues, liées en gerbes et revivifiées par la créature pour la gloire du Créateur. N'est-ce point une pieuse tâche que de manifester et accroître la beauté du monde ? [...]

Le théâtre seul se sert de tous nos sens à la fois, et de notre pensée, rend grâce avec tout notre corps et avec toute notre âme, en esprit et en réalité.

Gaston Baty, *Le Masque et l'Encensoir*, Bloud et Gay, 1926, reprint Éditions d'Aujourd'hui.

Rogier Van der Weyden (1399-1464), *Triptyque des sept sacrements*, «La Crucifixion», Anvers, ph. Giraudon.

L'histoire que narre le mystère se distingue par la réunion originale de trois caractéristiques principales :
— elle baigne dans le **surnaturel** qui englobe ou pénètre les actions humaines quand elles interviennent encore dans le sacré (alors que le miracle rompt ou conclut le cours d'une existence par la fulguration du divin) ;
— elle s'attache à mettre en scène des **héros souffrants** par charité, pour autrui et pour Dieu. C'est pourquoi les mystères ont souvent conté **la Passion du Christ** (même s'il y eut des mystères consacrés à des saints et même des mystères historiques). Jésus mourant sur la croix devant sa mère évanouie de douleur, voilà le thème qui peut faire naître la plus intense émotion, ou plutôt, souffrir et s'émouvoir, c'est imiter le Christ et la Vierge, s'unir à eux dans la fusion affective. Car le mystère participe d'un large mouvement qui, en ce xve siècle, modifie la sensibilité collective et il prend place à côté des prédications pathétiques• pratiquées par les disciples de saint François et à côté de toutes les œuvres d'art qui montrent, substitué au Christ de gloire, le Christ en croix ;
— dans son récit dramatisé **le mystère veut tout dire**. L'énormité (jusqu'à 60 000 vers pour 500 personnages) vient ici de l'ambition de globalité : non seulement tous les détails de la Passion, mais encore, dans ce foyer où se condense toute l'histoire, toutes les apparences du monde, tous les sentiments humains, toutes les vérités qui expliquent.

Le moyen choisi paraît singulièrement s'accorder au but visé : seul le théâtre approche assez de la totalité pour ne pas en sembler irrémédiablement séparé. Résultat des efforts d'une collectivité, il s'adresse à tout l'être (cf. document p. 114). Très naturellement aussi, le mystère tend à utiliser **toutes les ressources de l'instrument théâtral**. Dans la mise en scène, il simplifie le visible au point de le réduire en signes (pour le décor), mais il montre aussi avec la minutie la plus réaliste (instruments et accessoires). Il mêle en son sein toutes les formes de la musique et de la parole. Il joue de tous les registres, passant du solennel au familier, du pathétique• au burlesque, du tendre à l'atroce. Car il donne la parole à tous, aussi bien à Dieu qu'au Diable, à l'humble berger comme à l'éternelle Justice, usant de toute la gamme du personnel dramatique, y compris mannequins et monstres mécaniques.

DOCUMENT _____

La conclusion logique de cet effort eût été un mystère unique et démesuré qui eût conté l'histoire du monde, depuis le néant jusqu'à l'éternité. Les textes qui subsistent en sont comme des fragments. Peut-être les auteurs ne se rendirent-ils pas compte qu'ils coopéraient à une si gigantesque entreprise, inconsciemment voulue. [...]

Le mystère du xve siècle correspond à la cathédrale du xiiie. L'un est l'expression dramatique de l'âme médiévale comme l'autre sa forme plastique. La même abondance déconcerte ; il y a 500 personnages dans les *Actes des Apôtres* ; il y a 2 000 figures à Notre-Dame de Chartres. Sous cette ampleur se lit un désir pareil de traduire en art l'univers.

Gaston Baty, *Le Masque et l'Encensoir*, Bloud et Gay, 1926, reprint Éditions d'Aujourd'hui.

Pol de Limbourg (xve siècle), *Très Riches Heures du duc de Berry*, «L'Enfer», Chantilly, musée Condé, ph. H. Josse.

Ressusciter et comprendre l'histoire sacrée : *Le Mystère de la Passion* de Gréban (vers 1450)

Il n'est pas de théâtre intégralement littéraire. Mais le mystère l'est beaucoup moins que d'autres formes dramatiques. Aux origines du genre, point ou très peu de texte, puisqu'il s'agit alors de revues combinant tableaux vivants et épisodes mimés. Par la suite, l'écrivain est toujours un artiste occasionnel. Accaparé par sa vraie profession, comme Gréban auquel les chanoines de Paris mesuraient chichement ses heures de liberté, il est, de plus, médiocrement considéré (sa rétribution n'est pas supérieure à celle d'un charpentier). Lui-même ne conçoit son activité créatrice que dans des limites modestes : il remanie plus qu'il n'invente. Pourtant des œuvres se détachent, d'ailleurs célèbres en leur temps, mais pour quelques années seulement. Ainsi Arnoul Gréban qui, maître de chapelle à Notre-Dame de Paris, était aussi bon clerc• que musicien. Puisant dans les livres latins, il donne au mystère une **solide assise théologique** et reprend l'invention (déjà présente dans *Le Mystère d'Arras* vers 1430) du «procès de paradis» où Justice et Miséricorde engagent un débat qui a le sort de l'humanité pour enjeu et que seul pourra dénouer le sacrifice de Jésus. Le contenu qu'il a donné à son œuvre, la structure même de sa composition révèlent l'**ampleur de ses vues**. S'il fait de la vie et mort de Jésus l'essentiel de son drame, c'est qu'il y voit l'épisode capital du devenir humain. Quand le Fils est monté au ciel, tout ou presque est joué et les convulsions des sociétés que s'attardent à consigner les chroniqueurs ont, à ses yeux, simple valeur d'épilogue. Mais pour saisir la portée de ce moment plein de sens, il faut en faire réellement un point focal, il faut le situer sur le double plan de l'histoire et de la signification, d'où le prologue qui remonte à la création et au péché originel et le recours à l'allégorie• au début et à la fin de la pièce proprement dite. Ainsi le spectacle ne donnera pas seulement à **voir**, mais il fera **comprendre** et y aideront encore les débats (par exemple, la discussion de Jésus avec les docteurs de la Loi) où se déploie tout le savoir de Gréban. L'artiste fait preuve de cette **variété** qui est dans l'esprit du temps : il va de la douceur idyllique du tableau champêtre (Annonce faite aux bergers) à la rudesse, par exemple quand se prépare la crucifixion, comme pur travail de charpenterie. Mais son talent a la **souplesse** qui fait éviter de trop brusques dissonances : contrairement à d'autres mystères, le burlesque des diableries ne dégénère pas chez lui en pitreries pour se heurter violemment à la brutalité suspecte qui fera détailler minutieusement les souffrances physiques du Christ. Surtout, en remarquable représentant d'un siècle qui plus qu'un autre a connu la douleur et a voulu en pétrir son art, il a le goût et le **sens du pathétique**•, qu'il penche vers une grandeur sauvage (cf. extrait) ou qu'il développe la supplication émouvante de la Vierge venue demander à son Fils d'adoucir la rigueur de son sacrifice. Cette tendance s'épanouit dans les nombreux passages chantés où Gréban réunit ses deux talents de poète et de musicien.

DOCUMENT

Vers 1-1740.

Prologue. Création d'Adam et d'Ève. Le péché originel. Meurtre d'Abel. Mort d'Adam. Mort d'Ève.

Vers 1741-9975.

Première journée. Délibération au Ciel entre Dieu le Père, Justice, Miséricorde, etc. Naissance de Jésus. Les Bergers. Les Rois Mages. Massacre des Innocents. Fuite en Égypte. Retour à Nazareth. Le recouvrement de Jésus au temple.

Vers 9976-19945.

Seconde journée. Le baptême du Jourdain. Noces de Cana. Vie publique de Jésus, ses miracles, ses paraboles... Le repas chez Simon. Résurrection de Lazare. L'entrée à Jérusalem. La Cène. Jésus au Jardin des Oliviers. Trahison de Judas. Reniement de saint Pierre.

Vers 19946-27451.

Tierce journée. Suite de la Passion. Désespoir de Judas. Jésus devant Pilate. Le «Chemin de la Croix». Crucifiement et mort de Jésus. Mise au tombeau.

Vers 27452-34754.

Quarte journée. Résurrection de Jésus. Ses apparitions. Son Ascension. Descente du Saint-Esprit sur les Apôtres. Moralité finale (où se réconcilient Justice, Miséricorde, Paix et Vérité).

J. Bogaert et J. Passeron, *Moyen Âge*, Magnard, 1954.

EXTRAIT

Gréban manifeste beaucoup d'intérêt pour le personnage de Judas. Il l'a montré troublé par un Christ qui refuse le triomphe en ce monde et tenté par les avantages que donne la fortune. Après la trahison, Judas explose en imprécations contre l'argent maudit. L'horreur de son acte va ici le conduire à la faute suprême, le suicide, péché contre l'espoir, qui le damne définitivement.

JUDAS

Terrible meignie[(1)] difforme,
diables au noir abîme enclos,
faux esprits, de gloire forclos,
peuple maudit et misérable,
5 damné sous peine interminable
qui jamais ne vous peut finer[(2)],
venez ! pensez de cheminer !
venez, diables, venez avant,
venez aider votre servant
10 qui très haut vous huche[(3)] et appelle ;
venez sa substance mortelle
tuer, détruire, et le damner !

DÉSESPÉRANCE

Méchant, que veux-tu que je fasse,
à quel port veux-tu aborder ?

JUDAS

15 Je ne sais, je n'ai œil en face
qui ose les cieux regarder.
D'où viens-tu ?

Hans Memling (1425?-1494), *Passion de Jésus,* Turin, galerie Sabauda, ph. Scala.

DÉSESPÉRANCE
  Du profond d'enfer !
JUDAS
Quel est ton nom ?
DÉSESPÉRANCE
      Désespérance.
JUDAS
Terribilité de vengeance,
20 horribilité de danger,
approche et me donne allégeance[4]
si mort peut mon deuil alléger [...]
JUDAS
Hélas ! Mon maître est tant bénin
et à pardonner tout enclin,
25 si j'allais lui merci crier,
ne me pardonnerait-il ?
DÉSESPÉRANCE
      Non...
JUDAS
Et pourquoi ?
DÉSESPÉRANCE
    Tu n'en es pas digne...
JUDAS
Et quand mon âme s'en ira
vers la douce Vierge Marie
30 et sa douleur lui narrera,
requérant merci, sans varie[5],
de son fils grâce m'acquerra...
DÉSESPÉRANCE
Mais qui blesse le corps du fils,
le cœur de la mère le sent...

JUDAS
35 Haute tour de Désespérance,
bastillée de cris piteux,
couverte de pleurs dépiteux,
enclose de mur perdurable,
forgé et fait de main de diable,
40 fossoyée de puits profonds,
d'abîmes sans rive ni fond...
Attends-moi, terrible manoir :
par dedans toi m'en vais manoir[6],
Attends-moi, très horrible gouffre,
45 car sans fin en l'éternel souffre[7]
vais mourir de mort douloureuse ;
attends-moi, chartre[8] rigoureuse,
fourneau rouge de feu ardent,
fossé de serpents abondant,
50 rivière de puant bourbier
par dedans toi m'en vais plonger...

                    Ici Judas se pend.

BERICH *(un diable)*
Désespérance, chère sœur,
est-il mort ?
DÉSESPÉRANCE
        J'attends que le cœur
55 soit crevé et par mi parti[9] ;
aussitôt qu'il sera sorti,
il s'en viendra ; *tira via*[10].

_____

(1) famille (2) finir (3) crier pour appeler (4) Soit au sens de soulagement, soit au sens de fidélité du vassal. (5) demandant merci, sans hésitation (6) rester (7) éternelle souffrance (8) prison (9) fendu par le milieu (10) En italien = va-t'en

BERICH

Je ne sais que diable il y a,
je ne l'ouis râler ni gémir
60 et toutefois n'en peut sortir
son âme ; qui donc la retient ?

DÉSESPÉRANCE

Haro ! Je sais bien à quoi tient[11].
Quand le lourdaud sa foi brisa,
il vint et son maître baisa,
65 et par cette bouche maligne
qui toucha à chose si digne
l'âme ne doit ni peut passer.

BERICH

S'il lui faut la panse casser,
fendre, et tous les boyaux tirer
70 pour qu'il puisse mieux expirer,
le veux-tu, ma sœur ?

DÉSESPÉRANCE

Je l'octroie
Courons-nous en, j'ai notre proie.

Gréban, *Le Mystère de la Passion*, vers 1450.
trad. Bogaert et Passeron, MA, Magnard, 1954.

(11) à quoi cela tient

Pistes de recherche

1. Étudiez les effets de l'allégorie• : des associations divergentes que propose le texte (Désespérance dialoguant avec Judas, présentée ensuite comme un paysage dans le monologue de Judas, apparaissant enfin comme sœur d'un diable) naissent des solutions différentes au problème que pose à l'esprit une allégorie• Lesquelles ? Expliquez. Par ces variations, quelle impression se trouve produite ?

2. Décrivez l'évolution des états d'âme qui conduit Judas au suicide. Vous paraît-elle guidée par une logique ? Mettez en évidence le lyrisme• du monologue de Judas.

3. Avec l'intervention de Berich, la scène change de thèmes, de ton, de niveau de langue. Précisez, en donnant des exemples. Quel en est l'effet ? Détente ? horreur ? énigme ?

4. Étudiez la présentation de l'enfer : rassemblez les séries lexicales dominantes (le sombre, le bas, le monstrueux, le douloureux, le négatif...). Montrez que cependant les images demeurent variées. Pourquoi cette diversité convient-elle à une évocation de l'enfer ? À quoi se révèle l'infériorité des diables devant Dieu ?

DOCUMENT

L'édifice théâtral d'après un tableau de Jean Fouquet

Henri Rey-Flaud, dans son livre *Le Cercle magique* (Gallimard, 1973, pp. 113-136), étudie *Le Martyre de sainte Apolline*, qu'il considère comme un document capital sur le théâtre où se déroulaient les mystères. Le témoignage de Jean Fouquet mérite, en effet, crédit et attention : ce grand peintre, connu pour son goût de l'exactitude, s'est intéressé au théâtre au point de consacrer à la mise en scène une partie de son activité.

Tout le tableau représente un édifice théâtral où se joue la scène capitale du mystère. « Fouquet l'a saisie au cours d'un silete (intermède musical ponctuant un moment essentiel de l'action) où le roi tente de faire abjurer la sainte ; les « tirans » (bourreaux) se déchaînent dans un dernier supplice ; le meneur de jeu lève son bâton ; les trompettes sonnent ». Le fou, en signe de dérision, montre ses fesses à un bourreau. L'édifice a la forme d'un amphithéâtre dont l'artiste n'a figuré qu'une partie (se situant comme un spectateur, il n'a pas reproduit ce qui échappait à son champ visuel). Ce théâtre pouvait accueillir 1 500 spectateurs environ.

L'aire de jeu : sa forme elliptique correspond à un cercle vu en perspective dont le diamètre peut être évalué à 12 m (la planche de torture doit mesurer 2 m environ). Ce « parc » consistait en une surface plane « bordée par un fossé dont le talus était soutenu par des claies au faîte orné de feuillage. De l'autre côté du fossé, sur un sol en pente, des spectateurs s'étageaient, les premiers rangs assis ou accroupis, les derniers rangs debout ».

Les « échafauds » : ce sont les constructions en planches qui se dressent à l'arrière-plan. Les étages peuvent recevoir des « loges », réservées aux spectateurs de marque, ou des « mansions », qui sont, en quelque sorte, les patries de certains personnages, où ils figurent pendant tout le spectacle, mais que les acteurs peuvent quitter pour rejoindre l'aire de jeu. Le bas des échafauds constitue surtout un parterre pour le public. Sept échafauds sont visibles, mais d'après l'étude de perspective, le théâtre devait en comporter vingt.

1er échafaud (à partir de la gauche) : vu très incomplètement, il présente un spectateur accoudé. C'est donc une loge.

2e échafaud : mansion du Paradis où Dieu bénit la martyre. On voit aussi deux petits anges qui vont descendre chercher l'âme de la sainte.

3e échafaud : il est réservé aux musiciens, l'orchestre a la composition traditionnelle indiquée par les textes, ce qui confirme l'exactitude du peintre.

4e échafaud : on y remarque un trône vide, celui du roi, descendu dans le cercle avec sa suite. Pourtant des personnes, assises et debout, sont restées : ce sont des spectateurs, qui se côtoyaient donc avec les acteurs.

5e et 6e échafaud : réservés à des spectatrices, nobles dames coiffées du hennin pointu, dans le 5e, bourgeoises reconnaissables à leur chaperon plat dans le 6e. Immédiatement après ces échafauds la ligne est rompue : il s'agit du passage qui permettait l'entrée et la sortie des acteurs.

7e échafaud : on peut voir ses deux niveaux : il abrite la mansion de l'Enfer, en haut son « parloir », en bas, sa fameuse « gueule ».

Ajoutons, d'après un autre livre d'H. Rey-Flaud, *Pour une dramaturgie du Moyen Âge*, P.U.F., 1980, quelques précisions sur la manière dont fonctionnait ce dispositif théâtral. En ce qui concerne les personnages, **il faut distinguer « lieux » et « mansions ».** Les secondes correspondent aux espaces particuliers, le Paradis ou le Tombeau, par exemple, où le spectacle situera, pour un moment l'action. Les « lieux » sont destinés à recevoir certains acteurs (comme le roi) sortis de scène ; pour le spectacle, ils n'existent pas. L'aire de jeu ne possède en propre aucune identité et sa signification reste souvent (quand les acteurs viennent des lieux) indistincte : c'est le réel ni plus ni moins. L'identité de cet espace ne se précise que lorsque les acteurs viennent des mansions qui « contaminent » l'aire de jeu. Cette distinction entre mansions et lieux rendait le spectacle plus facile à suivre, en réduisant le nombre des espaces différenciés. Seuls le Paradis et l'Enfer, réalités pleines, avaient droit à un véritable décor figuratif. Les autres mansions, cadres des vaines actions humaines, n'étaient identifiées que par quelques signes, au besoin de simples écriteaux.

Jeu des acteurs et participation du public

Les acteurs s'identifiaient-ils à leur personnage ? Avaient-ils, au contraire, tendance à les « montrer » ? Des arguments sont avancés dans les deux sens. De même la manière dont les spectateurs vivaient le spectacle suscite la discussion. Faut-il parler d'hallucination collective ou de théâtre de réflexion ?

On est loin du théâtre fondé sur les décors, du théâtre de l'illusion que le XVIIᵉ siècle mettra soigneusement en place. Le théâtre du Moyen Âge ne se joue pas sur le terrain de l'illusion, mais sur le terrain du fantasme. Son aire de jeu, ce n'est qu'un peu de sable entouré d'hommes pressés les uns contre les autres, joueurs et spectateurs. Et voici que ce sable, par la magie d'une adhésion totale, devenait le Calvaire ou le Tombeau de la Résurrection.

H. Rey-Flaud, *Pour une dramaturgie du Moyen Âge*, P.U.F., 1980.

Jean Fouquet (1425-1480), *Heures d'Étienne Chevalier*, « Martyre de sainte Appoline », Chantilly, musée Condé, ph. H. Josse. ▼

Or ce théâtre est radicalement différent du théâtre aristotélicien. Dans celui-ci, l'acteur, selon le principe de l'illusion, s'identifie au personnage, et il évolue dans un espace représenté par la scène. Cette scène est le monde, d'où l'acteur ne sort pas parce qu'il fait partie de ce monde fermé et tout naturellement soumis à des règles qui assurent son unité. Dans le théâtre non aristotélicien du Moyen Âge en revanche, l'acteur ne s'identifie pas au personnage : il le montre — et la scène n'est pas le monde : elle le signifie.

Y. Giraud et M.-R. Jung, *Littérature française, La Renaissance*, I, Arthaud, 1972.

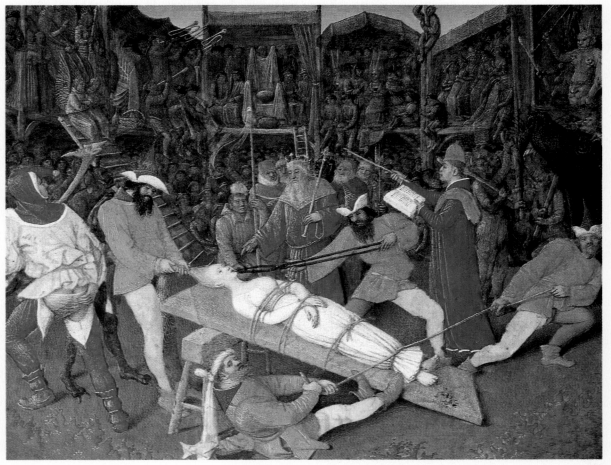

La Passion de Jean Michel : « Le Verbe s'est fait chair »

Le médecin Jean Michel, qui en 1486 compose le texte de *La Passion d'Angers*, **emprunte beaucoup à Gréban**, jusqu'à 60 % des vers dans la 4ᵉ journée. Sa pièce montre que l'originalité ne se confond pas nécessairement avec intégrale nouveauté, mais se mesure à la cohérence d'une vision esthétique. Car **il a conçu tout autrement son sujet**. Il en restreint l'étendue puisqu'il commence à la prédication de Jean-Baptiste et s'arrête quand le Christ a été mis au tombeau. En revanche, il s'attache à tout montrer des années auxquelles il se limite et pour cela s'inspire largement des Évangiles apocryphes. Il supprime allégories et débats théologiques, mais multiplie les détails concrets et les sermons évangéliques. Dans ce qu'on appelait, à l'époque, des « mondanités », il revient sur le passé de certains protagonistes (Pilate, Judas, Marie-Madeleine, Lazare). Il développe les monologues qui se présentent souvent, chez lui, comme des confessions douloureuses (plaintes de saint Pierre après son reniement, ou doléances de Satan). Ainsi s'opère un **glissement**. Le drame n'est pas moins édifiant, mais le message y devient plus moral que métaphysique ; ce que la pièce perd en ampleur historique, elle le gagne en vérité humaine ; l'émotion reste aussi intense, mais sa nature se modifie subtilement : elle emprunte moins à l'étonnement devant la grandeur et davantage à la communion avec le proche. Le théâtre se fait moins symbolique•, son souci de représenter avec plus de richesse descriptive accroît en lui la part d'illusion. En un mot, de Gréban à Michel, le changement est **humanisation**. Dans un siècle qui nous a aussi donné l'*Imitation de Jésus-Christ*, l'un et l'autre concentrent leur pensée et leur sensibilité sur le mystère de l'incarnation, mais alors que chez Gréban, l'homme cherche sa vérité dans la vie de Jésus, avec Michel, il veut se reconnaître et se fondre dans le miroir tendu par un Dieu qui a fait l'homme à son image. De l'attention passionnée sur le Dieu-homme on passe à la fascination pour l'homme-Dieu.

EXTRAIT

Marie de Magdala (en Galilée) nous est montrée dans l'Évangile de Luc baignant de ses pleurs et essuyant de ses cheveux les pieds de Jésus qui lui pardonne ses fautes « parce qu'elle a beaucoup aimé ». C'est à elle, la première, qu'il devait apparaître après sa sortie du tombeau. Michel imagine ici la vie de la pécheresse avant qu'elle ne suive le Christ, et nous fait assister à la toilette d'une coquette.

Ici commence la mondanité de la Magdeleine ; il faut noter qu'elle pourra chanter ce qui suit sur une mélodie connue, à son choix. Et ensuite elle pourra dire sans chanter.

MAGDELEINE *(chantant)*

« Là où Fortune donne la richesse et Nature une belle jeunesse avec un bon
5 cœur, le plaisir du monde veut que l'on se réjouisse. » J'ai tous les biens largement, je vis comme une princesse. Je suis fière de mon bonheur. « Là où Fortune, ... »
Si l'on me nomme pécheresse et qu'on dise de moi mauvaises paroles, peu m'en chaut. Je suis sûre d'être honorée, si le malheur ne me terrasse. « Là
10 où Fortune, ... »

Elle recommence à parler sans chanter.

Je jouis de la vie et tout me pousse à rechercher les joyeux ébats. Je triomphe noblement et tiens ferme par les deux bouts le lien des honneurs.
Cœur, cœur, jamais tu ne fus las de vivre en seigneur, jamais tu ne le
15 seras, tant que tu auras un brin de force. Je veux être toujours gaie, mener vie large et fière, avoir un grand train de maison, et compagnie encore meilleure hier qu'aujourd'hui ; je ne songe qu'à vivre avec magnificence, dans le luxe et dans la gloire, à m'attacher si bien au monde, qu'à jamais on garde mon souvenir. [...]

PÉRUSINE, *demoiselle*

20 Jamais femme ne naquit plus belle, plus gracieuse dame que vous, ni plus comblée de tous les biens, ni plus heureuse. Vous avez des richesses en abondance, un port noble, l'abord gracieux ; vous êtes savante, jeune, pleine d'entrain et digne de beaucoup de bonheur.

PASIPHÉE, *seconde demoiselle*

Vous avez la vogue et la renommée, on ne parle plus que de vous. Cha-
25 cun vous suit, chacun vous rit et vous recevez bien tout le monde. Votre regard plaisant et doux attire à vous des amis toujours nouveaux, mais il se doit garder des coups, celui contre qui le voisin brandit sa fronde. [...]

MAGDELEINE *(recherchant les vanités mondaines)*

Je veux être parée, ornée, diaprée, fardée pour me faire bien admirer.

PASIPHÉE

Dame, comparée à d'autres, vous êtes si belle qu'il n'est nul besoin de
30 vous farder.

MAGDELEINE *(recherchant les plaisirs de l'odorat)*

Je veux porter sur moi des senteurs, des parfums doux et suaves pour inciter tout cœur à la joie.

PÉRUSINE

Voulez-vous des herbes fraîches, des parfums doux et odorants?

MAGDELEINE

Je veux du baume égyptien, du storax[1], de la calamite[1], du musc[2]
d'Antioche et du nard[2] indien. [...]
Ses suivantes lui apportent alors onguents et parfums.

PASIPHÉE

Puisque vous avez des parfums de grand prix, que voulez-vous de plus?

MAGDELEINE *(recherchant les plaisirs du goût)*

Pour mon palais, tous les mets délicats.

PASIPHÉE

On a tout pour de l'argent. Et si le denier ne valait qu'un sou, vous auriez
ce que vous demandez.

MAGDELEINE *(recherchant les plaisirs de l'ouïe)*

Pour réjouir mon oreille, je veux entendre de la musique, chansons, mélo-
dies et ballades.

PÉRUSINE

Celui qui veut entendre de la musique, qu'il n'aille pas la chercher plus
loin, tous les jours nous avons des aubades.

MAGDELEINE *(recherchant les plaisirs des yeux)*

Afin de réjouir mes yeux, que j'aie tous les plaisirs de la vue.

PASIPHÉE

Vous verrez des tapis, des broderies, des tentures de verdure, pierreries,
bagues, joyaux répandus en tous lieux.

MAGDELEINE *(recherchant les plaisirs du toucher)*

Les attouchements délicieux, les plaisirs de l'amour dépendent de
ma volonté.

Piero della Francesca
(1416-1492), *La Flagella-
tion*, Urbino, Galerie
Nationale, ph. Scala.

PÉRUSINE

L'ardeur amoureuse, les gestes et les
embrassements fous réjouissent le corps
fragile.

MAGDELEINE *(recherchant les sept péchés
mortels, premièrement l'Orgueil)*

ORGUEIL

Je suis en orgueil si hautaine,

ENVIE

Que je ne veux point qu'on me surpasse.

LUXURE

Je suis si charnelle et si vaine,

PARESSE

Que je passe mon temps dans l'oisiveté.

COLÈRE

Et moi je gronde et je menace.

GOURMANDISE

J'ai de la nourriture en abondance.

AVARICE

J'amasse les grandes richesses du monde. [...]

MAGDELEINE

Chaque âge suit sa voie. Si donc je cherche dans ma jeunesse le plaisir,
Nature en moi ne s'égare, je joue bon jeu, bon argent. Que personne ne se
trouble si les plaisirs du monde m'attirent; Fortune au faîte m'élève.

Il faut laisser crier les enfants, régenter en maîtres les puissants, les princes
faire la guerre, les pauvres dévots prier Dieu, les grands rapporteurs crier

(1) baumes
(2) parfums

fort, et pour le reste se donner du bon temps. Quand j'étale mon luxe et ma richesse, je ne tends à rien qu'au plaisir. Peu me chaut qui souffre et peine ; que les mécontents aillent mendier ; si j'ai ce que je désire, j'ai le temps que je souhaite, pourvu qu'il dure.

PASIPHÉE

70 Vive le trésor de jeunesse, vive la belle Magdeleine, vivent Polyxène[3] et Lucrèce[4], vive celle qui est plus belle qu'Hélène.

PÉRUSINE

Pour tenir les mignons en éveil, voici fine épice sucrée ! Tel y laissera la laine qui n'en aura rien happé.

(3) Princesse troyenne mise à mort après la prise de Troie.
(4) Romaine. Aimée et violée par Tarquin, elle se donna la mort.

Jean Michel, *La Passion*, traduction de Schneegans, *Le Théâtre édifiant en France aux XIVe et XVe siècles*, De Boccard, 1928.

Pistes de recherche

1. Étudiez la composition du passage. Mettez en évidence la tendance à l'ordre, à la symétrie, à l'inclusion. Quel en est l'effet esthétique ?
2. Un bonheur parfait : récapitulez tout ce qui le constitue ; montrez la diversité des moyens employés (synthèse et analyse, description et allégorie...) pour l'évoquer.
3. Dans le monologue initial, une personnalité se dessine : opposez le discours de Madeleine à celui de ses suivantes (complexité face à simplicité, conception élargie et plus subtile du bonheur). Par quels moyens stylistiques s'expriment euphorie et enthousiasme ?
4. Quels indices signalent le propos d'édification morale ? Comment la scène évolue-t-elle vers une dénonciation des plaisirs du monde ? Quelle suivante montre réserve ou inquiétude ? Comment la justification présentée par le monologue de la fin se renverse-t-elle ?
5. Ce théâtre vous paraît-il étrange ? Si oui, en quoi ?

Le théâtre contre la mort

Au milieu des massacres, des famines et des épidémies, les hommes de la fin du Moyen Âge ont aperçu **un nouveau visage de la mort**. Individuelle et toute proche, elle s'attache à eux : sous la beauté physique, prédicateurs et artistes rappellent l'obsédante gestation de la pourriture. Cette mort qui les terrifie et les fascine, ils pressentent aussi qu'elle menace leur civilisation elle-même : savants calculs ou signes prémonitoires, tout annonce la fin du monde. Le mystère qui prit une telle importance dans la vie sociale du XVe siècle semble avoir été conçu pour **conjurer cette double angoisse**. Tout en lui y concourt :
— forme circulaire du théâtre, qui, par sa magie, protège et régénère tout ce qu'elle enferme ;
— thèmes de la pièce qui rassemble les mythes• fondateurs de la société et culmine avec le sacrifice du héros salvateur, lui-même premier ressuscité ;
— absence de toute couleur historique, qui permet de retrouver le temps mythique• : en donnant aux personnages de l'histoire sacrée les costumes des contemporains et les visages des proches, le mystère affirme que la scène du passé peut toujours redevenir présente.

DOCUMENT

À l'intérieur de la circonférence magique qu'ils avaient tracée, ils étaient, le temps de la représentation, solidaires de ce Dieu qui les avait sauvés et qui, devant eux, répétait les gestes ineffables par lesquels étaient établies à nouveau les normes et les lois de leur existence et de leur univers.

H. Rey-Flaud, *Le Cercle magique, Essai sur le théâtre en rond au Moyen Âge*, Gallimard, 1973.

Hans Memling (1425?-1494), *L'Enfer*, Strasbourg, musée des Beaux Arts, ph. Giraudon.

▪ Au pays de la farce

La farce constitue un domaine plutôt qu'elle n'appartient à une histoire. Elle nous est connue par des recueils qui rassemblent des pièces d'époques diverses (170 environ) ; seul genre du théâtre médiéval qui ait survécu, elle traverse le XVIe et le XVIIe siècle sans autre modification que celle des attributs (figures et coutumes sociales) ; on la retrouverait encore facilement dans les saynètes du petit théâtre télévisé. Pourtant, elle est née, pour nous Français, dans une société particulière, elle a joué un rôle dans les moments extraordinaires qui en ponctuaient l'existence (cf. p. 104). Par là, elle est **à la fois solidaire du mystère et opposée à lui.** Hors de la vie courante, comme lui, mais du côté du rire, et non du profond, libération comme lui, mais de la pesanteur sociale plutôt que de l'angoisse métaphysique.

Pour les fêtes, elle s'associait parfois au mystère : dans le *Mystère de saint Martin*, au moment où l'âme du saint, sortant de sa bouche, allait être recueillie par un ange, s'intercalait la *Farce du Meunier*, paysan mécréant, malade d'indigestion dont l'âme revenait au Diable, mais comme ce dernier se trompait d'orifice, c'est une âme des plus sales qu'il emportait dans son sac ! Rupture de détente dans un système dramaturgique qui n'excluait pas la distance (cf. p. 119), mais aussi bien faire-valoir pour les intenses images scéniques (du mystère) qui l'entouraient. La farce put aussi avoir partie liée avec le genre sérieux de la Moralité, qui édifiait au moyen de paraboles• et allégories•. Mais dès les origines, sa simplicité et sa gaieté lui assuraient indépendance et ubiquité.

Le langage entre fantaisie et réalité

La farce met en avant la **saveur de la parole populaire.** Sans répudier les mouvements et les gestes, ce fut surtout, semble-t-il, un théâtre du mot, avant de subir l'influence de la comédie italienne (cf. *Le XVIIe siècle*, pp. 223-224). Mais **cette parole, la farce veut la saisir sur le vif,** dans des situations quotidiennes, quand un conflit pousse à la créativité (c'est la dispute, conjugale ou autre) ou quand les difficultés de la communication suscitent l'opposition : c'est la mauvaise compréhension provoquée par l'abus des jargons (le latin, au premier chef) ou la volonté délibérée de se moquer des benêts (jeux sur le sens propre et le sens figuré, équivoques grivoises). Ainsi l'invention du langage comique procède-t-elle plus de l'exploitation caricaturale et de la stylisation que de la création pure. La fantaisie est ici issue du réel et quand elle semble s'en écarter c'est pour le retrouver bien vite.

EXTRAIT

Farce nouvelle, fort joyeuse
D'UN SAVETIER NOMMÉ CALBAIN

LA FEMME *commence.* — On doit tenir pour sotte la femme qui prend mari sans le connaître, et qui s'éprend d'un serviteur si sottement qu'elle en fait chez elle son maître. Si je vivais avec un prêtre[1], j'aurais tout ce qu'il faut et serais mieux parée. Mon mari veut me repaître de chansons ; n'est-ce
5 pas là de cruels répons ? Quand je lui demande une robe, on dirait que je le dérobe. Je n'ai pas le moindre corsage. Nul ne peut savoir quel tapage, quelle discorde c'est entre nous ! Son seul plaisir est de chanter. [...]

CALBAIN, *toujours à l'écart, et tandis que sa femme vaque en silence à ses occupations ; en chantant :* «En revenant du moulin,
10   La turelure,
   En revenant du moulin
    L'autre matin,
  J'attachai l'âne à la clôture
  Et regardai par la serrure,
15   La turelurelure.
  Je regardai par la serrure
    L'autre matin.» [...]

LA FEMME. — Je crois, moi, que cet homme est fou. Donnez-moi une robe, car ce n'est que raison.
20 CALBAIN, *en chantant :* «Bergerette savoisienne,
  Qui gardez les moutons aux bois,
  Ne voulez-vous pas être mienne ?
  Et je vous donnerai des souliers ;
  Et je vous donnerai des souliers,
25   Ainsi qu'un joli chaperon» ; etc.

(1) comme concubine

LA FEMME. — Mon ami, je ne demande rien sinon qu'une belle et petite robe.

CALBAIN, *en chantant :*

> «M'amour, ma mignonnette,
> Souvent je te regrette.»

Hé, vertu saint Gris!

LA FEMME. — Je veux bien, mon ami, quelle soit fourrée de petit-gris, ou qu'elle soit comme il vous plaira.

CALBAIN, *en chantant :*

> «Et tout toureloura,
> La lire lire.»

LA FEMME. — Hélas! je n'ai pas envie de rire. Je suis une pauvre abandonnée.

CALBAIN, *en chantant :*

> «Voilà le refrain de la mal mariée!
> Toutes les nuits il m'en souvient.»

Traduction A. Tissier, *Farces du Moyen Âge*, Garnier-Flammarion, 1984.

Mais la femme saura rendre la monnaie de sa pièce à son mari. Quand, sur le conseil du galant (l'amant), elle aura volé la bourse de Calbain, à son tour, elle ne répondra qu'en chansons.

Piste de recherche

Dans le monologue initial, quel jeu de mots résume toute l'action future? Montrez comment les chansons du savetier apportent le charme du gratuit et de l'absurde. Pourtant elles entrent en rapport avec l'action (par concordance ou discordance), rejoignant ainsi la réalité. Donnez-en des exemples que vous analyserez.

Jérôme Bosch (1462-1516), *Excision de la pierre de folie*, Madrid, Prado, ph. Giraudon.

Le reflet satirique

Le **réalisme** profond qui anime la farce fait que l'intérêt y glisse du langage, moyen et plaisir premier, aux personnages et à la société en réduction qu'ils dessinent. Le miroir déformant de la farce restitue une **image satirique du monde**. Car la farce met en scène toutes les conditions et les divers métiers. Mais **cette satire n'a rien de révolutionnaire** : la critique n'est ici que le résultat du rire, non son but; on se moque pour rire et sans intention de rien changer. Comment le pourrait-on d'ailleurs quand on voit à quoi s'intéressent les farces? Il s'agit ici du couple, surtout, des perturbations qu'y provoque la volonté de suprématie ou l'intrusion de ce tiers qui est l'amant. Plus rarement on s'élève aux rapports sociaux pour y révéler l'universelle tendance à la duperie. Souvent on se contente de montrer du doigt ces déviants familiers que sont les sots de tout acabit, notamment quand ils veulent absurdement s'élever en prétendant à la science. Mais que vaut la science ? La satire rebondit. En un mot, **le fondamental confine ici à l'immuable**. Ainsi en arrive-t-on à un théâtre où les personnages se figent en **types satiriques conventionnels**, autrement dit en rôles codés : le soldat fanfaron par exemple, mais éminemment deux personnages que l'on reconnaît, dès leur apparition sur scène, le Galant (l'amoureux), à son beau bonnet, le Badin, avec son béguin.

DOCUMENT

Le Badin. Les attributs scéniques de cet emploi (béguin d'enfant sur la tête, bosse devant puis derrière, écritoire, visage enfariné) en évoquent l'histoire constitutive : il apparaît sans doute d'abord dans le théâtre des écoliers qui veulent faire la satire du désir de parvenir de la bourgeoisie, sous les traits du benêt de village [...] que ses parents poussent à étudier [...] et qui ne fera qu'un pseudo-savant fat et pédant [...], oubliant parfois jusqu'à sa langue maternelle [...] ; il est par nature inadapté même à la vie courante [...] et incapable d'un emploi de valet, car il comprend tout ordre de travers [...] et peut laisser échapper des inconséquences verbales dangereuses pour une maîtresse infidèle [...] ; le personnage va s'inverser et déguiser sa véritable nature (intelligence pétillante et rusée) sous le masque d'une naïveté feinte qui le rend maître d'un jeu dont, tel plus tard Scapin, il tire les ficelles pour son plus grand profit ; il est devenu le badin, meneur du jeu.

J.-C. Aubailly, article « Théâtre comique médiéval », *Dictionnaire des littératures de langue française*, Bordas, 1984.

EXTRAIT

Jenin (c'est un des avatars du Badin) voudrait bien être prêtre, mais il faut passer l'examen !

L'OFFICIAL[1]

Je te demande si tu sais
Quel était autrefois le nom
Du père des quatre fils Aymon[2]...

JENIN

Par le corps bleu, je n'en sais rien...

L'OFFICIAL

5 Ce fou est tout à fait ivre.
Pour sûr, prêtre tu deviendras,
Quand sans ailes tu voleras...
Jenin retourne auprès de son Maître qui s'étonne.

LE MAÎTRE

Mais dites-moi donc d'où il vient
10 Que vous n'avez votre examen.

JENIN

Ah ! il m'a fait une demande,
La plus terrible et la plus grande
C'est pour moi pire que l'hébreu...
Le Maître entreprend d'expliquer l'énigme.

LE MAÎTRE

15 Ne connais-tu point tout près d'ici
Collard, qui ferre les chevaux ?
Et n'a-t-il pas quatre fils ?

JENIN

Si, deux grands fils et deux petits...

LE MAÎTRE

Eh bien, si on te demandait
20 Qui est le père des enfants
Collard le Fèvre, pauvre sot ?

JENIN

C'est Collard le Fèvre,
Car je connais bien ses enfants. [...]
Jenin retourne passer l'examen.

JENIN

25 Le nom, je le connais bien,
C'est mon maître, qui me l'a dit.

(1) juge ecclésiastique
(2) Complément de nom sans préposition en ancien français : quatre fils Aymon = quatre fils d'Aymon.

L'OFFICIAL

Est-il mort?

JENIN

Mais non, il vit.
Tout à côté de ma maison.

L'OFFICIAL

Qui? le père des fils Aymon?...

JENIN

30 C'est Collard le Fèvre, sire...

L'OFFICIAL

Il serait père des quatre frères?
Les fils Aymon ont-ils deux pères?...
Si tu as l'argent, va-t-en boire,
Car prêtre tu ne seras pas...

Pistes de recherche

1. Tout repose sur une expression mal comprise.
Comment la farce exploite-t-elle cette donnée unique? Pourquoi le choix des quatre fils Aymon (reportez-vous p. 45)?
2. La satire est ici visible. Quelles cibles multiples
vise-t-elle? De quels moyens use-t-elle?
3. Étudiez en Jenin le type du Badin (cf. document
p. 125).

Pieter Balten (1525-1598), *Kermesse flamande*, Amsterdam, Rijks-
museum.

Intrigue et inversion

Ce qui distingue la farce des autres genres gais (la sottie surtout, cf. pp. 178 et *sq.*), c'est la présence
d'une intrigue. Car dans sa volonté réaliste et en accord avec la formule aristotélicienne (ce qui contribuera à
sa survie), la farce présente ses personnages (trois à cinq) comme pris dans une succession d'actions liées.
Bien entendu, en l'espace des 300-400 vers, cette intrigue, souvent empruntée aux fabliaux, reste généralement rudimentaire : trame linéaire permettant d'enfiler des procédés scéniques éprouvés (déguisement,
cachette, retour du mari...). Toutefois les intrigues plus élaborées privilégient l'inversion, d'où le thème fréquent (mais ce n'est pas le seul, cf. *Le Cuvier*) du trompeur-trompé, qu'exploite *La Farce de Maître Pathelin*
(souvent donnée comme le chef-d'œuvre du genre, elle est en fait — quelles que soient ses qualités — peu
caractéristique puisqu'elle manifeste une évolution exceptionnelle vers la comédie d'intrigue à vocation psychologique). Avec l'inversion, la farce adopte curieusement une structure tragique. Parodie•? sans doute,
mais inconsciente. Remarquons aussi que l'inversion conduit ici à un dénouement en suspens amorçant un
retour probable à la situation initiale. À la spirale du gouffre tragique, la farce oppose un cycle
où s'annule l'histoire.

EXTRAIT

Farce nouvelle, très bonne et fort joyeuse du CUVIER[1]
à trois personnages, c'est assavoir : JACQUINOT, SA FEMME
et LA MÈRE de sa femme.

*Chez Jacquinot. Sur un trépied, un cuvier de grande dimension. Autour
du cuvier, deux tabourets.*

JACQUINOT *commence.* — Le grand diable m'inspira bien quand je me
mis en ménage! Ce n'est que tempête et orage; et je n'ai que souci et peine.
5 Toujours ma femme se démène, comme un danseur; et puis sa mère veut
toujours avoir son mot sur la matière. Je n'ai plus repos ni loisir; je suis
frappé et torturé de gros cailloux jetés sur ma cervelle. L'une crie, l'autre
grommelle; l'une maudit, l'autre tempête. Jour de travail ou jour de fête, je
n'ai pas d'autre passe-temps. Je suis au rang des mécontents, car je ne fais
10 mon profit de rien. *(Haussant le ton.)* Mais, par le sang qui coule en moi, je
serai maître en ma maison, si je m'y mets! [...]

*C'est tout le contraire qui se produit. Femme et belle-mère imposent à Jacquinot une sorte
de contrat des tâches ménagères, le rôlet.*

LA FEMME. — Mettez donc là, pour abréger et éviter de me fatiguer, qu'il
faudra toujours vous lever le premier pour faire la besogne.

(1) grande cuve où on faisait la lessive du mois

JACQUINOT. — Par Notre-Dame de Boulogne, à cet article je m'oppose.
15 Lever le premier ! et pour quelle chose ?

LA FEMME. — Pour chauffer au feu ma chemise.

JACQUINOT. — Me direz-vous que c'est l'usage ?

LA FEMME. — C'est l'usage, et la bonne façon. Retenez bien cette leçon.

LA MÈRE. — Écrivez !

20 LA FEMME. — Mettez, Jacquinot !

JACQUINOT. — J'en suis encore au premier mot ! Vous me pressez de
façon sans pareille.

LA MÈRE. — La nuit, si l'enfant se réveille, il vous faudra, comme on le
fait un peu partout, prendre la peine de vous lever pour le bercer, le prome-
25 ner dans la chambre, le porter, l'apprêter, fût-il minuit !

JACQUINOT. — Alors, plus de plaisir au lit ! apparemment c'est ce
qui m'attend.

LA FEMME. — Écrivez !

JACQUINOT. — En conscience, ma page est remplie jusqu'en bas. Que
30 voulez-vous donc que j'écrive ?

LA FEMME, *menaçante*. — Mettez ! ou vous serez frotté.

JACQUINOT. — Ce sera pour l'autre côté. *(Et il retourne le feuillet.)*

LA MÈRE. — Ensuite, Jacquinot, il vous faut pétrir, cuire le pain, lessiver...

LA FEMME. — Tamiser, laver, décrasser...

*On passe ensuite à la pratique. Jacquinot participe à la lessive. Mais en tirant sur un drap,
il fait tomber sa femme dans le cuvier. Elle implore secours.*

35 LA FEMME, *sur un air plaintif :*
     Que ce tonneau me presse !
     J'en ai grande détresse.
     Mon cœur est en presse.
Las ! pour l'amour de Dieu, ôtez-moi de là.

40 JACQUINOT *chantonne à son tour.*
     Oh ! la vieille vesse,
     Tu n'es qu'ivrognesse.
     Retourne ta fesse
     De l'autre côté !

45 LA FEMME. — Mon bon mari, sauvez-moi la vie ! Je suis déjà tout évanouie. Donnez la main, un tantinet.

JACQUINOT. — Cela n'est pas dans mon rôlet. Qui prétend le contraire,
descendra en enfer.

LA FEMME. — Hélas ! si l'on ne s'occupe de moi, la mort vien-
50 dra m'enlever.

JACQUINOT *lit son rôlet.* — « Pétrir, cuire le pain, lessiver. » « Tamiser,
laver, décrasser. »

LA FEMME. — Le sang m'est déjà tout tourné. Je suis sur le point
de mourir.

55 JACQUINOT. — « Baiser, accoler, frotter sans mollir. »

LA FEMME. — Pensez vite à me secourir.

*Jacquinot triomphera donc et le rôlet sera supprimé. Mais le vainqueur ne semble pas très
sûr de lui : « Je serai heureux si le marché tient », dit-il dans les derniers vers.*

La Farce du Cuvier, traduction de A. Tissier, *Farces du Moyen Âge,* Garnier-Flammarion, 1984.

Pistes de recherche

1. Comment l'inversion est-elle ici redoublée et scéniquement figurée ?

2. Par quels moyens le dialogue donne-t-il l'impression du réalisme le plus familier ? Comment retrouve-t-il certaines formes et certains effets propres à la poésie ?

3. Comparez le monologue initial à celui de l'extrait p. 123. Que permet cette technique ?

4. Rapprochez les extraits pp. 123 et 126 : quelle image la farce donne-t-elle de la femme ?

La poésie lyrique• du Moyen Âge

■ La chanson d'amour des troubadours occitans

Comme l'épopée•, la poésie lyrique• nous donne une image fidèle des valeurs honorées par la société féodale. Tandis que la chanson de geste (cf. p. 18) accorde une importance particulière à la ferveur religieuse et aux liens qui unissent le vassal à son suzerain, la poésie lyrique• illustre plutôt, à ses débuts, l'exaltation mystique• qui est vouée à la femme. **C'est dans le Midi, du Poitou à la Provence, que les troubadours** (cf. p. 48) **ont créé les premières œuvres de notre littérature lyrique•.** Sans doute ces provinces méridionales réunissaient-elles des conditions privilégiées pour permettre à des artistes d'exprimer librement leur pensée et de trouver un public réceptif. Au sud de la Loire, l'autorité des grands seigneurs semblait plus libérale ; la prospérité économique avait accru l'influence d'une aristocratie opulente, généreuse et cultivée. La proximité de la Méditerranée avait favorisé les échanges commerciaux, la découverte d'autres civilisations (en particulier celle des Arabes installés alors en Espagne), le brassage des idées, l'assouplissement des préjugés.

Attachés au service d'un mécène influent, les troubadours sont avant tout des poètes de cour. Leur public le plus assidu se recrute parmi les jeunes chevaliers célibataires qui, dans l'attente d'un fief (cf. p. 10), cherchent à se singulariser auprès de leur suzerain par leur dévouement et leurs exploits. Entre deux campagnes militaires, il arrive aussi à ces vassaux — qui doivent donner des gages de leur valeur — de courtiser secrètement l'épouse de quelque grand seigneur. Mais, généralement, les interdits de la morale et la rigidité de la hiérarchie sociale condamnent d'avance ce genre d'aventure amoureuse. On comprend ainsi comment les subtilités de la *fine amor* (cf. p. 64) ont pu largement alimenter la thématique des troubadours.

L'idéal érotique des troubadours obéit à un certain nombre de rites et de conventions dont la codification semble aussi stricte que celle des obligations et contraintes qui placent le vassal sous la dépendance du suzerain. Mais, par un renversement des prérogatives traditionnellement réservées à l'homme au sein d'une société féodale volontiers misogyne, le chevalier affecte de se mettre au service de la dame, de subir sa loi ou ses caprices dans l'espoir de voir un jour ses hommages acceptés. Du service d'amour le chevalier attend la récompense (le *guerredon*) d'un simple baiser ou d'une intimité plus audacieuse, la communion des âmes et la fusion des cœurs *(joy)*. **L'exaltation amoureuse est au cœur de la poésie des troubadours.** Mais la dame inaccessible, qui suscite l'émoi et la ferveur, n'est jamais clairement désignée. Sa représentation physique s'efface généralement au profit d'une idée abstraite, parfois mystique•, d'autant plus obsédante que de nombreux obstacles s'ingénient à éloigner la belle de son chevalier servant : mari jaloux ou témoins indiscrets et médisants (les *losangiers*) s'emploient à rendre impossible toute rencontre durable. La conception amoureuse des troubadours se révèle donc comme une véritable ascèse ; **la discipline imposée au désir, sans cesse contenu et différé, a pour effet d'exacerber la passion et de sublimer• le sentiment.**

La poésie lyrique• des troubadours trouve sa forme la plus achevée dans la chanson d'amour *(canso)* déployée sur un nombre variable de strophes *(coblas)* dont les rimes et les rythmes donnent lieu à de multiples combinaisons. Les derniers vers contiennent généralement l'hommage de l'envoi *(tornada)* adressé à une personne dont l'identité se dissimule derrière un pseudonyme (le *senhal*).

DOCUMENT

L'activité des troubadours s'est étendue de 1100 environ à la fin du XIIIᵉ siècle, mais ses débuts ne sont plus attestés pour nous que par le seul Guillaume, IXᵉ duc d'Aquitaine, VIIᵉ comte de Poitiers (né en 1071, mort en 1127) et tout l'essentiel est acquis au cours de trois générations qui suivirent la sienne, le XIIIᵉ siècle étant déjà un temps de décadence. Si l'art des troubadours apparaît comme le printemps précoce de l'Occident moderne, ce fut un printemps fragile et menacé (comme ces fleurs de l'amandier, au doux parfum de miel, qui s'épanouissent en Provence au tout premier soleil, bientôt menacées par le gel et les bourrasques), un printemps qui n'a pas débouché sur la plénitude féconde de l'été : la bourgeoisie toulousaine s'efforça en vain de prendre le relais de la veine chevaleresque épuisée, par la fondation du Consistoire du Gai Savoir (1323) et l'institution des Jeux Floraux (1324), unissant la plus touchante bonne volonté à la plus totale impuissance. Dante l'a bien dit, dans ce même traité : le mérite des troubadours est d'avoir été des novateurs. « C'est dans la langue d'Oc que les usagers de la langue vivante se sont essayés les premiers à la poésie », *vulgares eloquentes in ea primitus poetati sunt...* Mais ces *primadiers* restent toujours des primitifs, un peu en deçà de la maturité puissante qui définit le classicisme.

Henri Davenson, *Les Troubadours*, Le Seuil, 1961.

Deux pionniers du lyrisme* profane

L'audace des premiers troubadours est double. D'une part, en choisissant d'écrire en occitan, ils consacrent **l'avènement d'une nouvelle langue littéraire** et précipitent le déclin du latin. D'autre part, ils détournent la poésie lyrique de sa vocation primitive, à la fois religieuse et morale, pour lui donner une dignité méconnue. Deux troubadours ont pris une part décisive à l'essor du lyrisme* occitan : Guillaume IX d'Aquitaine et Jaufré Rudel.

Guillaume IX d'Aquitaine (1071-1127) et l'apologie* du service d'amour

Ce duc d'Aquitaine (cf. p. 48) est aussi le plus ancien troubadour dont les œuvres soient arrivées jusqu'à nous. Grand seigneur belliqueux, il était à la tête d'un puissant fief (cf. p. 10) qui s'étendait de la Loire aux Pyrénées. L'histoire a retenu de lui des campagnes militaires aventureuses, les paradoxes d'un provocateur, une vie débauchée au point d'avoir justifié l'excommunication. Mais **ce prince cynique* fut aussi un poète inspiré**. Avec une fraîcheur dépouillée il a su dire les émois de l'amoureux, la soumission du chevalier à sa dame, les promesses de la joie d'amour, le désarroi du soupirant rejeté dans l'indifférence ou l'oubli.

EXTRAIT

« Farai chansoneta nueva... »

I

Je ferai une chansonnette nouvelle, avant qu'il vente, gêle et pleuve. Ma dame me tente et m'éprouve, pour savoir de quelle façon je l'aime : mais jamais, quelles que soient les querelles qu'elle me cherche, je ne me délierais de son lien.

II

Au contraire, je me rends et me livre à elle, si bien qu'elle peut m'inscrire en sa charte. Et ne me tenez pas pour insensé si je l'aime, cette dame parfaite, car sans elle je ne puis vivre, tellement j'ai faim de son amour.

III

Elle est plus blanche qu'ivoire : et c'est pourquoi je n'adore nulle autre qu'elle. Si dans peu je n'obtiens secours, si ma dame ne me montre pas qu'elle m'aime, je mourrai, par le chef[(1)] de saint Grégoire, à moins qu'elle ne me baise en chambre close ou sous la ramée.

IV

Qu'y gagnerez-vous, dame jolie, si vous m'éloignez de votre amour? Il semble que vous vouliez vous faire nonne. Mon amour est tel, sachez le, que je crains de mourir de douleur, si vous ne réparez les torts au sujet desquels j'élève envers vous ma plainte.

V

Qu'y gagnerez-vous si je me cloître, ce que je ferai si vous ne me retenez pas parmi vos fidèles? Toute la joie du monde est nôtre si vous et moi nous nous aimons. Là-bas, à mon ami Daurostre, je dis et commande qu'il chante sans la hurler cette chanson.

VI

Pour elle, je frissonne et je tremble, car je l'aime de si bon amour; car je ne crois pas que femme semblable à elle soit issue de la grande lignée de messire Adam.

Guillaume IX d'Aquitaine (1071-1127), *Chansons*, traduction d'A. Jeanroy, Honoré Champion, 1913.

Hans Baldung Grien (1484-1545), *Allégorie de la musique*, Munich, Alte Pinakothek, ph. J. Blauel-Artothek.

(1) la tête

Pistes de recherche

1. Comment le poète renouvelle-t-il les marques de soumission à l'égard de la dame ?
2. Relevez et classez les procédés stylistiques (hyperboles*, métaphores*, périphrases*) qui traduisent l'exaltation amoureuse du troubadour. Montrez comment, d'une strophe à l'autre, cette exaltation est entretenue et amplifiée par l'antithèse* opposant le désir à l'obstacle.
3. Reportez-vous au début de ce chapitre (p. 128) et vérifiez dans quelle mesure la structure de cette chanson de Guillaume IX obéit aux conventions d'un genre littéraire défini.

Jaufré Rudel (XIIᵉ siècle), poète de l'amour lointain

La vie de ce seigneur de Blaye, vassal des comtes d'Angoulême, baigne dans l'incertitude. Une biographie anonyme publiée au XIIIᵉ siècle ne permet pas de démêler la légende de la réalité. Toutefois on peut supposer, sans trop d'invraisemblance, qu'il a pu participer à la deuxième croisade (1147-1148) et découvrir, à cette occasion, le comté de Tripoli fondé en Orient chrétien par les comtes de Toulouse. Peu importe de savoir quelle est cette princesse énigmatique et lointaine dont le poète s'est épris. Six chansons parvenues jusqu'à nous égrènent une langoureuse et douloureuse complainte. Comme la dame distante de Guillaume IX (cf. p. 129), la dame absente de Jaufré Rudel avive **les chimères d'un amour impossible** et défie le désir insatisfait.

EXTRAIT

Lanquan li jorn son lonc en may M'es belhs dous chans d'auzelhs de lonh. E quan mi suy partitz de lay Remembra.m d'un amor de lonh : Vau de talan embroncx e clis Si que chans ni flors d'albespis No.m platz plus que l'yverns gelatz. Be tenc lo senhor per veray Per qu'ieu veirai l'amor de lonh ; Mas per un ben que m'en eschay N'ai dos mals, quar tant m'es de lonh. Ai ! car me fos lai pelegris, Si que mos fustz e mos tapis Fos pel sieus belhs huelhs remiratz ! Be.m parra joys quan li querray, Per amor Dieu, l'alberc de lonh : E, s'a lieys platz, alberguarai Pres de lieys, si be.m suy de lonh : Adoncs parra.l parlamens fis Quan drutz lonhdas er tan vezis Qu'ab bels digz jauzira solatz. Iratz e gauzens m'en partray, S'ieu ja la vey, l'amor de lonh : Mas non sai quoras la veyrai, Car trop son nostras terras lonh : Assatz hi a pas e camis, E per aisso no.n suy devis... Mas tot sia cum a Dieu platz !	Lorsque les jours sont longs en mai Me plaît le doux chant d'oiseaux lointains, Et quand je suis parti de là Me souvient d'un amour lointain ; 5 Lors m'en vais si morne et pensif Que ni chants, ni fleurs d'aubépines Ne me plaisent plus qu'hiver gelé. Je tiens bien pour seigneur de vrai Celui par qui verrai l'amour lointain ; 10 Mais pour un bien qu'il m'en échoit J'en ai deux maux, tant m'est lointain. Ah, fussé-je là pèlerin, Que mon bâton et ma couverte[1] Puissent être vus de ses beaux yeux ! 15 Joie me sera quand je lui querrai[2], Pour l'amour de Dieu, d'accueillir l'hôte lointain, Et s'il lui plaît m'hébergerai Auprès d'elle, moi qui suis lointain, Alors seront doux entretiens 20 Quand l'hôte lointain sera si voisin Que les doux propos le soulageront. Triste et joyeux m'en séparerai, Si jamais la vois, de l'amour lointain Mais je ne sais quand la verrai, 25 Car trop en est notre pays lointain : D'ici là sont trop de pas et de chemins ; Et pour le savoir, ne suis pas devin Mais qu'il en soit tout comme à Dieu plaira.

(1) couverture de soldat
(2) demanderai

Manuscrit fr. 1586, fol. 103, Paris, Bibl. Nat.

Manuscrit fr. 606, fol. 35, Paris, Bibl. Nat.

(3) Arabes

Jamais d'amour je ne jouirai
30 Si je ne jouis de cet amour lointain,
Je n'en sais de plus noble, ni de meilleur
En nulle part, ni près ni loin ;
De tel prix elle est. vraie et parfaite
Que là-bas au pays des Sarrasins[3],
35 Pour elle, je voudrais être appelé captif !

Dieu qui fit tout ce qui va et vient
Et forma cet amour lointain
Me donne pouvoir, que j'en aie le cœur,
Que je puisse voir cet amour lointain,
40 En vérité en tel logis
Que la chambre et que le jardin
Me soient en tout temps un palais.

Il dit vrai qui m'appelle avide
Et désireux d'amour lointain,
45 Car nulle autre joie ne me plaît autant
Que jouissance d'amour lointain.
Mais ce que je veux m'est refusé,
Car ainsi me dota mon parrain,
Que j'aime et ne suis pas aimé.

50 Mais ce que je veux m'est refusé ;
Qu'il en soit maudit, le parrain,
Qui me dota de n'être pas aimé.

Jaufré Rudel (XIIe siècle), *Chansons*, traduction d'Albert Pauphilet, in *Poètes et Romanciers du Moyen Âge*, Coll. « La Pléiade », Gallimard, 1952.

Pistes de recherche

1. Reportez-vous au texte original en langue occitane ; symbolisez par les lettres a, b, c, d, chacune des rimes utilisées dans ce poème et faites le schéma de leur répartition à l'intérieur de la strophe. Comparez les jeux de rimes employés dans les diverses strophes : quelle conclusion en tirez-vous ? Comment la mélodie de la strophe parvient-elle à créer une atmosphère de litanie incantatoire ?

2. Relevez et classez les antithèses• insérées dans plusieurs strophes : quels sont les effets créés sur la réalité de l'amour ainsi évoqué ?

3. Pourquoi la dame reste-t-elle anonyme ? Comment la succession des diverses strophes parvient-elle à entretenir le climat de rêverie et d'utopie• ?

Les Échecs amoureux, manuscrit fr. 143, fol. 168, Paris, Bibl. Nat.

De l'âge d'or à la décadence (1150-1220)

La voie poétique ouverte par Guillaume IX et les auteurs de la génération suivante (comme Cercamon, Marcabru et Jaufré Rudel dont les chansons se répandent vers 1160) sera pratiquée pendant près d'un siècle par un grand nombre de troubadours ; citons, entre autres, Bernard de Ventadour, Bertrand de Born, Rigaut de Barbezieux, Guilhem de Cabestanh, la comtesse de Die, Fouque de Marseille ou Peire Vidal. Mais la fraîcheur et la simplicité vibrante des premières œuvres vont progressivement s'altérer. Au fil des ans, tout en conservant la thématique traditionnelle de la poésie courtoise occitane, les chansons s'orientent vers des formes plus savantes et des sujets plus hermétiques. Les combinaisons strophiques et la ligne mélodique deviennent parfois alambiquées ; l'émotion amoureuse tend à s'intellectualiser et se dilue, par instants, dans les subtilités d'une casuistique• laborieuse. **Au-delà de 1220, l'inspiration des troubadours commence à manquer de souffle.** Sans doute le déclin de cette littérature s'est-il irrévocablement précipité quand la croisade contre les Albigeois (1208-1229) a décapité l'aristocratie occitane et démantelé les structures féodales des provinces méridionales.

Bernard de Ventadour (XIIᵉ siècle)

Ce troubadour est le fils de modestes valets attachés au service d'Èbles II, seigneur de Ventadour, lui-même poète de talent comme son suzerain et ami Guillaume IX (cf. p. 129). Protégé d'Aliénor d'Aquitaine (cf. p. 48), Bernard de Ventadour dédia plusieurs chansons à la reine qu'il avait accompagnée en Angleterre. Fidèle à la tradition établie par son maître Èbles II de Ventadour et les troubadours de la première génération (cf. pp. 129-131), ce poète limousin reprend les lieux communs de l'amour courtois, chante les tourments de la passion, l'exaltation soudaine, l'attente fébrile, les espérances déçues. Toutefois ces thèmes convenus et, parfois, un peu usés s'enrichissent d'une fluidité mélodique et d'un jaillissement verbal qui donnent une grâce pétillante à l'invention poétique. Mieux que tout autre, Bernard de Ventadour a su fixer dans ses chansons les **dérisoires paradoxes de l'émoi amoureux**.

EXTRAIT

Ara no vei luzir solelh,
tan me son escurzit li rai ;
e ges per aisso no.m esmai,
c'una clardatz me solelha
d'amor, qu'ins el cor me raya ;
e, can autra gens s'esmaya,
eu melhur enans que sordei,
per que mos chans no sordeya.

Prat me semblon vert e vermelh
aissi com el doutz tems de mai ;
si.m te fin'amors conhd'e gai :
neus m'es flors blanch'e vermelha
et iverns calenda maya,
que.l genser e la plus gaya
m'a promes que s'amor m'autrei.
s'anquer no la.m desautreya ?

Je ne vois luire le soleil,
Tant me sont obscurcis ses rayons ;
Et pourtant je ne m'en émeus
Car une clarté m'ensoleille
5 D'amour, qui au cœur m'envoie ses rayons
Et quand d'autres gens s'émeuvent
Je préfère ne pas me laisser abattre
Pour que mon chant n'en souffre pas.

Les prés me semblent verts et vermeils
10 De même qu'au doux temps de mai
Tant me tient l'amour joyeux et gai,
La neige m'est fleur blanche et vermeille
Et l'hiver m'est fête de mai,
Que la plus noble et la plus gaie
15 M'a promis de m'octroyer son amour,
Si encore elle ne me l'a ôté.

La peur me donne mauvais conseil
Par laquelle le monde meurt et décroît,
Encore s'unissent les mauvais
20 Et l'un à l'autre conseille
Comment il détruira l'amour fidèle.
Ah ! mauvaises gens méchantes,
Celui qui vous ou votre conseil croit,
Le seigneur Dieu le perde et le confonde.

25 De cela me plains et soupire
Qu'ils me font deuil, peine et chagrin
Et que leur pèse la joie que j'ai,
Puisque chacun s'en chagrine
De la joie d'autrui et s'en fait peine,
30 Je ne peux pas avoir meilleur droit
Que de vaincre et guerroyer par ma joie seule
Celui qui plus fort me guerroie.

Nuit et jour je médite et pense et veille
Plains et soupire et puis m'apaise;
35 Quand mieux m'advient j'en retire peine,
Mais une bonne attente m'éveille
Dont mes chagrins s'apaisent,
Fol, pourquoi dire que j'en retire du mal :
Car si noble amour me l'envoie
40 Que l'envoi seul m'est un gain.

Que ma Dame ne s'émerveille
Si je lui demande son amour et un baiser,
Contre la folie dont je parle
Ce sera gente merveille
45 Si elle m'accole et me baise,
Dieu puisse-t-on se récrier déjà
(«Ah, tel vous vois et tel vous ai vu!»)
Pour le bonheur que l'on voit en moi!

Noble amour, je me fais votre compagnon
50 Car ce n'est ni promesse ni sort
Mais ce qui plaît à votre grâce
(Dieu je le crois m'en gratifie)
Que si noble amour soit mon sort.
Ah! Dame, par pitié vous prie
55 Qu'ayez pitié de votre ami
Qui vous demande grâce si doucement!

Bernard demande grâce à sa Dame
Qui si doucement lui fait grâce

Et si je ne la vois d'ici peu
60 Je ne crois pas que je la verrai de longtemps.

Bernard de Ventadour, *Chanson*, traduction d'Albert Pauphilet, in
Poètes et Romanciers du Moyen Âge, coll. «La Pléiade», Gallimard, 1952.

Pistes de recherche

1. Comparez les deux premières strophes de cette chanson à la première strophe de chacun des extraits des p. 129 et pp. 130-131 : quel lieu commun, caractéristique de la *canso*, se dégage de cette confrontation ? Comment le motif est-il ici enrichi ?

2. Quelles sont les dominantes de l'idéal érotique des troubadours qui peuvent être recensées d'après cette *canso* ?

3. Pourquoi le prestige de la dame devient-il de plus en plus fascinant d'une strophe à l'autre ?

Joachim Patinir (1480-1524), *Le Passage du Styx*, Madrid, musée du Prado, ph. H. Josse. *Le tableau mélange les croyances païennes et chrétiennes sur l'au-delà. À gauche, un paradis (anges, paon, fleurs); au centre, Charon, qui fait passer le Styx aux âmes défuntes; à droite, l'enfer antique, gardé par Cerbère, le chien à trois têtes. On y aperçoit les flammes, image chrétienne des tourments de l'enfer.*

Bertrand de Born (mort vers 1210)

La chanson d'amour n'est pas le seul genre poétique honoré par les troubadours occitans. La littérature aristocratique cultive aussi le *sirventès*, poème de circonstance aux thèmes très variés, le *partimen*, dialogue fictif consacré aux dédales du sentiment amoureux, le *planh,* chant d'affliction composé à l'occasion d'un deuil.

Bertrand de Born, seigneur de Hautefort, est un belliqueux gentilhomme périgourdin fasciné par la violence, les combats et le pillage. Tantôt ses chansons cèdent à la nostalgie du pays natal et s'abandonnent aux délices de la complicité amoureuse. Tantôt le retour du printemps devient le signal des hostilités. Le *sirventès* devient alors un provocant chant de guerre.

EXTRAIT

« Miez sirventes vueilh far des reis amdos... »

I

Je veux composer un demi-sirventès des deux rois, car nous verrons bientôt qu'il y aura davantage de combattants par l'apport du vaillant roi de Castille, Alphonse : j'entends dire qu'il vient et qu'il voudra engager des mercenaires ; Richard dépensera l'or et l'argent par muids et par setiers[1], et trouve son bonheur dans les largesses et dans les libéralités. Et il ne veut point pactiser, il veut plutôt la guerre, plus qu'épervier la caille.

II

Si tous les deux rois sont preux et courageux, nous verrons bientôt les champs jonchés de morceaux de heaumes, de boucliers, d'épées, d'arçons[2], d'hommes fendus par le buste jusqu'aux braies[3], et nous verrons des chevaux errer sans cavalier et maintes lances restées fichées dans des flancs et des poitrines, et joie et plainte et deuil et allégresse : la perte sera grande, mais le gain sera plus grand encore.

III

Trompettes et tambours, bannières et pennons[4] et enseignes et chevaux blancs et noirs : voilà ce que nous verrons bientôt. Qu'il fera bon vivre dans ce monde. On enlèvera aux usuriers leur fortune et par les chemins la bête de somme n'ira jamais en sécurité, ni le bourgeois sans crainte, ni le marchand qui vient du côté de la France ; mais celui-là sera riche qui n'hésitera pas à saisir son butin.

IV

Mais si le roi Alphonse arrive, j'ai confiance en Dieu que je serai ou bien vivant, ou mis en quartiers.

V

Et si je suis vivant, ce sera mon grand bonheur ; et si je meurs, ce sera ma grande délivrance.

(1) Le muid et le setier sont d'anciennes mesures de capacité dont la valeur était variable selon la matière et les pays ; le setier romain valait 0,55 litre.
(2) Armature d'une selle.
(3) Vêtement assimilable à une sorte de haut-de-chausses.
(4) Étendards fixés à la lance d'un chevalier.

Bertrand de Born, *Sirventès,* traduction d'I. Frank in *Les Écrivains célèbres, le Moyen Âge,* tome I, Mazenod, 1962.

E. de Monstrelet, manuscrit fr. 2680, fol. 288, Paris, Bibl. Nat.

Pistes de recherche

1. Comparez la fresque guerrière évoquée dans ce *sirventès* à celle qui est proposée dans la chanson de geste (cf. pp. 27-28) ; quelles conclusions en tirez-vous ?

2. Comment le poème traduit-il l'ivresse guerrière qui s'empare de ce baroudeur ?

3. Que nous apprend le poète sur le climat politique de son époque ? Pourquoi le *sirventès* paraît-il un genre littéraire moins conventionnel que la *canso* (cf. pp. 128-133) ?

■ L'éveil de la poésie lyrique• en langue d'oïl (XIIe et XIIIe siècles)

On peut essayer de fixer dans l'abstrait les conditions générales de fonctionnement du texte médiéval (lyrique•). Ce texte, comme tout texte «littéraire» d'ailleurs, suppose au minimum un *créateur* (dans la très grande majorité des cas un individu) et un *destinataire* (qui est généralement une collectivité). Entre ces deux pôles, il y a la plupart du temps (mais non nécessairement) un *médiateur,* qui est soit le texte écrit, [...] (cas de la littérature imprimée), soit au Moyen Âge, un récitant, qui *interprète* le texte devant un public, c'est-à-dire qui en modifie constamment l'intentionnalité en fonction des fluctuations de sa subjectivité et de la *pression* de son auditoire. [...]

On aurait donc en somme, d'une part, une lyrique• strictement de cour *(courtoise),* c'est-à-dire ne pouvant s'actualiser, pour ce qui est de l'élaboration de sa forme et l'ésotérisme• socio-poétique de son message, que devant un public averti, de connivence, qui connaît et sait apprécier les grandes règles de ce jeu poétique et mondain, sociologiquement et psychologiquement déterminé, qu'est le *trobar;* et, d'autre part, une lyrique• de plus large diffusion, qui peut ne pas être étrangère aux manifestations poétiques des cours, mais dont l'existence et l'actualisation ont lieu ailleurs, dans un cadre sociologique moins clos sur lui-même et plus multiforme, qui est *populaire* au sens large. [...]

On obtient ainsi le schéma suivant, à l'intérieur duquel les traits contrastifs des deux grands registres apparaissent clairement :

I *Registre aristocratisant*	II *Registre popularisant*
1. Grand chant courtois	1. Genres qui échappent, plus ou moins, au grand chant courtois
2. Troubadouresque	2. Jongleresque
3. Extrafolklorique	3. Souvent parafolklorique
4. Essentiellement lyrique•	4. Souvent lyrico-narratif ou lyrico-chorégraphique
5. Occitanisant	5. Plus strictement français
6. Genres signés	6. Genres le plus souvent anonymes
7. Genres identifiés comme tels	7. Genres mal identifiés par les traditions poétiques
8. Formellement, genres qui gravitent autour de la *canso*	8. Genres formellement indépendants de la *canso*
9. Le sujet lyrique• est presque toujours un homme	9. Le sujet lyrique• est fréquemment une femme (type : chanson de femme)
10. Tradition textuelle des XIIe et XIIIe siècles	10. Tradition textuelle qui n'émerge qu'au XIIIe siècle
11. Registre à «historicité» limitée	11. Historicité plus large (se continue dans la littérature oralo-traditionnelle)

P. Bec, *La Lyrique française au Moyen Âge,* Picard, 1977.

Manuscrit fr. 1178, fol. 3, Paris, Bibl. Nat.

Les genres populaires

La pastourelle

C'est dans l'aire linguistique où était pratiquée la langue d'oïl (au Nord de la Loire) et, plus particulièrement, en Picardie que s'est répandue cette forme de lyrisme• aux XIIe et XIIIe siècles. Comme les chansons courtoises occitanes (cf. pp. 128-133), **la pastourelle est un chant d'amour**; mais la structure strophique, plus élaborée, fait alterner couplets et refrain, portés par une ligne mélodique allégée. **Le poème, strictement codifié, obéit à un schéma stéréotypé** qui laisse peu de liberté à l'imagination de l'auteur : au cours d'une chevauchée, le poète rencontre invariablement une bergère qu'il essaie de séduire ; que la jeune paysanne résiste ou non aux avances du galant, la scène — à la fois dramatique et narrative — laisse percer une ironie• légère qui tourne en dérision l'éthique• de la *fine amor* (cf. p. 64) et l'ensemble des valeurs courtoises.

EXTRAIT

Désigné par Philippe Auguste pour devenir l'époux de Marie de Montferrat, héritière du royaume de Palestine, le comte Jean de Brienne devint roi de Jérusalem (1210 à 1225) avant d'être couronné (en 1231) empereur de Constantinople où il mourut en 1237.

Par dessoz l'ombre d'un bois
Trovai pastore a mon chois ;
Contre iver ert bien garnie
La tosete o les crins blois.
Quant la vi senz compaignie,
Mon chemin lais, vers li vois. Aé !

La tose n'ot compaignon
Fors son chien et son baston ;
Por le froit en sa chapete
Se tapist lez un buisson.
En sa fleûte regrete
Garinet et Robeçon[1]. Aé !

Quant la vi, sotamement
Vers li tor et si descent.
Si li dis : « Pastore amie,
De bon cuer a vos me rent :
Faisons de fueille cortine,
S'amerons mignotement. » Aé !

Je vis au bord d'un bois une pastoure à mon goût. La fillette aux cheveux blonds était bien protégée contre le froid. La voyant seule, je quittai mon chemin et me dirigeai vers elle. Aé !

5 La jeune fille n'avait d'autre compagnon que son chien et son bâton. À cause du froid, elle s'était enveloppée dans sa chape, assise derrière un buisson. Sur sa flûte elle chantait Garinet et Robichon[1]. Aé !

Dès que je la vis j'allai vers elle, je descendis de cheval et 10 lui dis : « Pastourelle, mon amie, je me rends à vous de bon cœur. Faisons-nous un pavillon de feuillage et nous nous aimerons gentiment. » Aé !

« Seigneur, retirez-vous arrière, car j'ai déjà entendu pareil discours. Je ne suis pas abandonnée à tous ceux qui disent : 15 « Viens ici ! » Ce n'est pas pour votre selle dorée que Garinet y perdra rien. » Aé !

« Pastourelle, s'il te plaît, tu seras dame d'un château. Défuble[2] cette chape grise et revêts ce manteau de vair[3]. Tu ressembleras à la rose qui vient de s'épanouir. » Aé !

20 « Seigneur, voilà une grande promesse ; mais bien folle est qui accepte ainsi d'un homme étranger manteau de vair ou parure, si elle ne se rend à sa prière et ne lui accorde ce qu'il désire. » Aé !

« Pastourelle, je le jure, parce que je te trouve belle, je ferai de 25 toi, si tu veux, une dame élégante, noble et fière. Laisse l'amour des garçons et confie-toi à moi. » Aé !

« Seigneur, paix, je vous en prie ; je n'ai pas le cœur si bas ; et j'aime mieux l'humble joie qui m'appartient, prise sous la feuillée avec mon ami, qu'être dame dans une belle chambre, 30 et qu'on ne fasse pas cas de moi. » Aé !

(1) Noms traditionnels de bergers.
(2) ôte (antonyme d'*affubler*)
(3) fourrure

Jean de Brienne (fin du XIIe siècle), *Pastourelle*, traduction de G. Paris et E. Langlois, in *Chrestomathie du Moyen Âge*, Hachette, 1965.

Pistes de recherche

1. Comment se complètent le prélude narratif et la scène dialoguée ?
2. Dans quelle mesure cette rencontre apporte-t-elle un démenti à la plupart des conventions de l'amour courtois développées dans la chanson occitane (cf. pp. 128-133) ?
3. Reportez-vous au texte original en ancien français : comment est sauvegardé le caractère lyrique• de la pastourelle ?

La dame courtoise peut inspirer la vénération, la passion peut-être ; mais il n'y a pas dans la doctrine courtoise de place pour la folie. Ou alors pour une folie réglementée, calculatrice, étudiée pour parvenir à ses fins et obtenir à celui qui l'éprouve ou qui la joue les faveurs de la dame. Mais il n'y a pas de place pour la folie du pur désir, d'autant plus violent qu'il n'est accompagné à l'égard de son objet d'aucun sentiment. Or la pastourelle n'est que cela ; elle est, dans tous les sens du mot, une aventure. Le plaisir que prend à la composer le trouvère ressemble à la complaisance des troubadours à l'égard du rêve érotique. Le propre d'une aventure est d'échapper à la norme, à la monotonie de la vie, d'être une exception, une parenthèse.

Michel Zinc, *La Pastourelle*, Bordas, 1972.

Les chansons de femme

— La chanson d'aube

Il s'agit d'un **monologue lyrique•** que prononce douloureusement l'amante au moment de quitter furtivement son ami, quand le chant des oiseaux ou le signal du guetteur annoncent le point du jour. **La même veine populaire survivra longuement dans la sérénade** (c'est-à-dire, étymologiquement, la chanson du soir) fondée sur un thème analogue, mais dont les données sont inversées : c'est à la tombée de la nuit que l'amant vient chanter, sous les fenêtres de sa belle, une vibrante déclaration d'amour, prélude d'une complicité imminente.

Le Livre du champion des Dames de Martin Le Franc, fr. 841, fol. 79, Paris, Bibl. Nat.

EXTRAIT

Familier du comte Thibaut III et protégé du comte de Bretagne Geoffroi II (fils du roi d'Angleterre Henri II), Gace Brûlé (1159-1213) est un poète champenois dont les œuvres ont été composées à la fin du XIIe et au début du XIIIe siècle.

I. Quand voi l'aube du jour venir,
Nule rien ne doi tant haïr,
Qu'elle de moi despartir
Mon ami que j'aime par amour.
Or ne hais rien tant com le jour,
Ami, qui me despart de vous !

II. Beau dous ami, vous en irez :
Dieu soit vo corps commandé !
Pour Dieu vous pri, ne m'oubliez.
Je n'aim nule rien tant com vous.
Or ne hais rien tant com le jour,
Ami, qui me despart de vous !

Aube

I. Quand je vois venir l'aube du jour, je ne dois rien tant haïr que cette aube qui vous fait éloigner de moi, mon ami que j'aime d'amour. Vraiment je ne hais rien tant que le jour, ami, qui me sépare de vous !

II. Beau doux ami, vous partirez : que votre corps soit recommandé à Dieu ! Par Dieu, je vous en prie, ne m'oubliez pas, je n'aime rien autant que vous. Vraiment je ne hais rien tant que le jour, ami, qui me sépare de vous ! [...]

Gace Brûlé, *Aube*, traduction de G. Picot, in *La Poésie lyrique au Moyen Âge*, tome I, Larousse, 1965.

Pistes de recherche

1. Reportez-vous au texte en ancien français ; essayez d'analyser la musique de ces deux strophes en étudiant les jeux de sonorités : allitérations•, rimes, refrain.
2. Étudiez les effets produits par l'entrelacement des deux sentiments contraires de l'amour et de la haine.

— La chanson de toile

Ce type de composition poétique appartient à la fois aux registres narratif et lyrique•. Bien que ces chansons soient écrites par des hommes, généralement restés anonymes, **une convention affecte d'en réserver l'interprétation à une femme qui, tout en filant ou en tissant la toile, raconte l'histoire d'un amour malheureux**. La trame narrative, très dépouillée, se déploie sur une série de couplets empruntant fréquemment à la poésie épique• la structure du décasyllabe assonancé (cf. p. 18). Mais l'alternance régulière de la strophe et du refrain, le support de la mélodie, la brièveté de l'ensemble (qui excède rarement cinquante vers) sauvegardent la confidence vive et légère d'une chanson.

EXTRAIT

I. Belle Doete as fenestres se siet,
   Lit en un livre, mais au cœur ne l'en tient :
   De son ami Doon li ressovient,
   Qu'en autres terres est alez tournoier,
      Et or en ai dol.
II. Uns escuiers as degrez de la sale
   Est dessenduz, s'est destrossé sa male.
   Bele Doete lès dégrez en avale,
   Ne cuide pas oïr novele male.
      Et or en ai dol.

Les Échecs amoureux, manuscrit fr. 143, fol. 23, Paris, Bibl. Nat.

(1) Vêtement de crin appliqué directement sur la peau pour se mortifier.

La Belle Douette

I. Belle Douette à la fenêtre s'assied, lit en un livre, mais cela ne lui tient pas à cœur : il lui ressouvient de son ami Doon qui en d'autres terres est allé combattre en des tournois. Et maintenant en ai chagrin.

II. Un écuyer aux degrés de la salle est descendu, a détaché son bagage. Belle Douette les degrés en descend, ne pense pas ouïr mauvaise nouvelle. Et maintenant en ai chagrin.

III. Belle Douette aussitôt lui demanda : « Où est mon seigneur que je ne vis de longtemps ? » Lui eut telle douleur que, de pitié, il pleura. Belle Douette alors se pâma. Et maintenant en ai chagrin.

IV. Belle Douette s'est debout dressée, voit l'écuyer, vers lui s'est dirigée. En son cœur elle est dolente et chagrinée, pour son seigneur qu'elle ne voit pas. Et maintenant en ai chagrin.

V. Belle Douette se mit à lui demander : « Où est mon seigneur que je dois tant aimer ? — Au nom de Dieu, Madame, je ne le vous puis plus cacher : mort est mon seigneur, tué au tournoi. » Et maintenant en ai chagrin.

VI. Belle Douette s'est mise à en faire son deuil : « Pour votre malheur vous y fûtes, comte Doon, franc, débonnaire, pour votre amour je vêtirai la haire[(1)] ; sur mon corps il n'y aura plus de pelisse bigarrée. Et maintenant en ai chagrin. Pour vous je deviendrai nonne en l'église Saint-Pol. »

VII. Belle Douette se mit à faire une abbaye qui est très grande et toujours sera plus grande. Elle voudra y attirer tous ceux et celles qui pour amour savent endurer peine et malheur. Et maintenant en ai chagrin. Pour vous deviendrai nonne en l'église Saint-Paul.

La Belle Douette, traduction de G. Picot in *La Poésie lyrique au Moyen Âge,* tome I, Larousse, 1965.

DOCUMENT

Ce genre, on le voit, se démarque par plusieurs traits de la chanson courtoise, dont il représente vraiment l'antidote : par son caractère narratif, par sa conception de l'amour, ramené à des proportions plus simples et plus humaines (il ne s'agit pas d'une *Dame* hautaine et inaccessible que l'on implore, mais d'une jeune fille simple, qui aime avec force et naturel), par le fait enfin que la plainte lyrique• n'émane pas d'un homme, mais d'une femme.

P. Bec, *La Lyrique française au Moyen Âge,* Picard, 1977.

Pistes de recherche

1. Analysez comment se répartissent à l'intérieur de chaque strophe les éléments répétitifs faisant office de refrain.

2. Montrez en quoi chaque strophe marque un degré supplémentaire dans la progression des couplets vers le pathétique• final.

3. Dans quelle mesure le personnage de Douette vérifie-t-il le jugement de P. Bec cité en document ?

Les trouvères et la tradition aristocratique du grand chant courtois

La grande poésie lyrique• de langue d'oïl est souvent l'œuvre de puissants seigneurs (comme le châtelain de Coucy, Conon de Béthune) et même de rois et de princes comme Richard Cœur de Lion (1157-1199) ou Thibaut de Champagne (1201-1253). Les principales caractéristiques de la *canso* (cf. p. 128) occitane se trouvent reprises par les trouvères du Nord de la France. Leur chanson vibrante sacrifie au rite du service d'amour, s'applique fièvreusement à capter le regard de l'inaccessible amie et entretient la conviction exaltante que le culte consacré à la Dame forge la perfection morale du chevalier. Toutefois **l'expression du sentiment renonce à l'hermétisme•** de certains troubadours et se fait à la fois plus pudique et plus timorée.

L'une des formes les plus représentatives de la production des trouvères est fournie par **la chanson de croisade qui livre une réaction lyrique•** à un événement historique facilement identifiable. Dans des conditions analogues à celles du *sirventès* (cf. p. 134), la chanson de croisade se présente comme une œuvre de circonstance, particulièrement florissante lors de la troisième croisade conduite de 1189 à 1192 par l'empereur Frédéric Barberousse, le roi de France Philippe Auguste et le roi d'Angleterre Richard Cœur de Lion.

Tantôt le trouvère se livre à un pathétique• sermon, de coloration religieuse, morale ou politique, destiné à galvaniser les croisés lorsque chancelle leur détermination à poursuivre la route vers Jérusalem. Tantôt l'inspiration amoureuse et la thématique courtoise prévalent largement sur les données historiques ; la chanson de croisade devient alors le prétexte d'une douloureuse complainte qu'exhale **le chevalier déchiré entre deux fidélités et incapable de servir simultanément sa dame et Dieu.** Ultime consolation, le départ vers les Lieux saints symbolise• l'héroïque prouesse qui fléchira, peut-être, l'inaccessible élue.

EXTRAIT

Le baron Conon de Béthune appartenait à l'aristocratie du Hainaut. Chevalier et trouvère, il participa aux IIIe et IVe croisades. D'après Villehardouin (cf. pp. 93-95), il se distingua avec éclat lors de la IVe croisade. À peine proclamé régent de l'Empire latin, il mourut en décembre 1219.

Chanson de croisade

I. Ahi! Amours, con dure departie
Me convendra faire de la meillour
Qui onques fust amee ne servie!
Dex me ramaint a li par sa douçour
Si voirement que m'en part a dolour!
Las! Qu'ai-je dit? Ja ne m'en part je mie
Se li cors vait servir Nostre Seignour,
Li cuers remaint du tout en sa baillie,

II. Por li m'en vois souspirant en Surie,
Quar nus ne doit faillir son Creatour,
Qui li faudra a cest besoig d'aïe,
Sachiez que il li faudra a greignour;
Et sachiez bien, li grant et li menour,
Que la doit on faire chevalerie,
Qu'on i conquiert paradis et honor
Et pris et los et l'amour de sa mie.

I. Hélas! Amour, quelle dure séparation sera celle d'avec la meilleure qui jamais ait été aimée ni servie! Que Dieu me ramène vers elle en sa douceur, aussi vrai que je me sépare d'elle avec douleur! Hélas! Qu'ai-je dit? Je ne me sépare pas d'elle. Si le corps va servir Notre-Seigneur, le cœur demeure du tout en son servage.

II. Soupirant pour elle, je m'en vais en Syrie, car nul ne doit manquer à son Créateur. Qui lui faillira en ce besoin d'aide, sachez qu'il lui faillira en plus grand besoin d'aide ; et sachez bien, grands et petits, que c'est là qu'on doit faire chevalerie, car on y conquiert paradis et honneur, et valeur, et louange, et l'amour de sa dame.

Joachim Patinir (1480-1524), *La Fuite en Égypte,* musée des Beaux-Arts de Besançon, ph. Lauros-Giraudon.

Chroniques d'Engleterre de Jean de Watrin, manuscrit fr. 87, fol. 299 v°, Paris, Bibl. Nat.

III. Dieu! Combien longtemps nous avons été preux dans l'oisiveté! Maintenant apparaîtra qui vraiment sera preux, et nous irons venger l'outrage douloureux dont chacun doit être irrité et honteux, car, à notre époque, a été perdu le saint lieu où Dieu souffrit pour nous une mort pleine d'angoisse; si, maintenant, nous y laissons nos ennemis mortels, notre vie en sera honteuse à jamais.

IV. Qui ne veut avoir ici une existence humiliée, qu'il aille pour Dieu mourir joyeux et allègre, car elle est douce et savoureuse, la mort par quoi on conquiert le royaume précieux; et pas un seul ne mourra de mort, mais tous naîtront à une vie glorieuse; qui reviendra aussi sera très heureux : à jamais Honneur sera son épouse.

V. Tous les clercs• et les hommes d'âge qui persévéreront en aumône et en charité participeront tous à ce pèlerinage, et aussi les dames qui vivront chastement, si elles gardent fidélité à ceux qui vont là-bas; si par mauvaise inspiration elles font folie, c'est avec des êtres lâches et pervers qu'elles le feront, car tous les hommes de bien iront à ce voyage.

VI. Dieu est assiégé en son saint héritage. Voici l'heure où il apparaîtra comment le secourront ceux qu'il a arrachés à la ténébreuse prison, quand il mourut sur la croix que les Turcs ont. Sachez que maudits sont tous ceux qui ne partiront pas, à moins de pauvreté, de vieillesse ou de maladie; et ceux qui sont sains, jeunes et riches ne peuvent pas demeurer sans honte.

ENVOI : Hélas! je m'en vais, pleurant des yeux de mon front, là où Dieu veut purifier mon cœur; et sachez bien qu'à la meilleure femme du monde je penserai plus que je ne dis en ce voyage.

Conon de Béthune, *Chanson de croisade* (fin du XIIe siècle) ; traduction de G. Picot in *La Poésie lyrique au Moyen Âge*, tome II, Larousse, 1965.

Pistes de recherche

1. Comment s'exprime le déchirement intérieur du poète ? Vous pourriez, par exemple, relever dans la première strophe des paires de mots antithétiques• et commenter la ponctuation.

2. Par quels arguments le poète parvient-il à se libérer de la situation contradictoire à laquelle il semblait voué ?

3. Dans quelle mesure le départ en croisade répond-il à l'éthique• du chevalier (reportez-vous p. 48 et p. 128)? L'exaltation du croisé est fondée sur la conviction qu'il sera grandi par l'aventure vers Jérusalem : à quels domaines de sa vie s'applique cette valorisation ?

DOCUMENT

La chanson de croisade est née directement des grandes émotions collectives et individuelles provoquées au XIIe et au XIIIe siècles par les expéditions successives qu'a entreprises l'Occident chrétien — empereurs, rois, chevaliers, clercs• et même gens du peuple (la première croisade a été comme une vague de fond) — en vue de la délivrance des Lieux saints. Sans échapper tout à fait aux conventions et à l'impersonnalité qui caractérisent trop souvent le lyrisme• médiéval... les chansons de croisade, en rapport étroit avec l'actualité et avec une action où le poète s'engageait tout entier, possèdent pour la plupart une authenticité lyrique• dont il est rare de trouver l'équivalent dans les autres genres.

Jean Frappier, *La Poésie lyrique française aux XIIe et XIIIe siècles*, C.D.U., 1966.

■ Lyrisme• et morale au XIIIe siècle

Fausses confidences et réalisme de Rutebeuf (deuxième moitié du XIIIe s.)

Rutebeuf introduit une rupture décisive dans la tradition aristocratique des troubadours (cf. p. 128) et trouvères (cf. p. 139) dont les créations poétiques s'étaient cristallisées autour du sentiment d'exaltation amoureuse. **Désormais, avec Rutebeuf, la poésie lyrique• se libère des conventions raffinées de l'idéal courtois (cf. p. 48), se fait l'écho des grandes tensions du siècle, s'engage résolument dans l'actualité, plonge dans le réel.** L'œuvre, quoique disparate, ne reste indifférente à aucune des préoccupations majeures qui sollicitent la sensibilité de ses contemporains. Tantôt, comme Conon de Béthune (cf. pp. 139-140), mais avec une tonalité plus polémique•, Rutebeuf chante l'aventure des croisades. Tantôt, comme Jean de Meung (cf. p. 149), il s'engage dans le conflit qui oppose les clercs• — farouches partisans de l'indépendance de l'Université — aux ambitions des ordres de moines mendiants. Ailleurs, il s'amuse à composer d'allègres fabliaux ou s'exerce, à la demande de quelque protecteur influent, au registre austère des œuvres religieuses : vies de saints, pièces dramatiques (comme *Le Miracle de Théophile*, cf. p. 110) ou lyriques•, comme les prières à Marie.

Nous ne savons presque rien de la biographie de Rutebeuf. De rares indices laissent supposer qu'il était vraisemblablement d'origine champenoise mais qu'il arriva tôt à Paris. Il disposait d'une solide culture de clerc•, mais les hasards de la vie ou des prédispositions personnelles l'écartèrent toujours d'un métier stable et lucratif. Il ne dut sa subsistance qu'à la pratique du métier de jongleur (cf. p. 48) et compta parmi ses mécènes le roi Saint Louis et son frère Alphonse, comte de Poitiers. On sait la vie aventureuse et précaire que menaient les artistes itinérants. Rares étaient ceux qui parvenaient à trouver une sécurité matérielle durable en s'attachant au service de riches aristocrates dont ils devenaient les *ménestrels*. Pour la plupart, ils étaient livrés aux caprices d'un public toujours changeant et aux incertitudes de leur incessant vagabondage de village en château. Entre deux spectacles, on les retrouvait aussi dans les tavernes les moins recommandables où ils s'étaient forgé une solide réputation de joueurs, buveurs et tricheurs. **La vie trouble du jongleur, sa marginalité et sa détresse avaient fini pas (par) constituer un thème littéraire galvaudé dont Rutebeuf reprendra l'héritage.**

DOCUMENT _____

Les poésies reflètent les préoccupations et les goûts du public plutôt que la personnalité intime de l'écrivain qui accepte les thèmes venus de la tradition ou nés des circonstances, et dont le rôle est de les parer des prestiges de la poésie. Rutebeuf travaille sur un matériel poétique hérité pour une bonne part en sorte que la recherche des idées et des thèmes importe moins que l'organisation nouvelle d'une matière littéraire traditionnelle. Ce sont des poètes en liberté surveillée. Mais il faut préciser que, s'agissant de Rutebeuf, la structure du poème, moins rigide, le rend perméable à l'influence de la vie. La chanson courtoise ressortit au lyrisme• allusif, les poèmes de Rutebeuf au lyrisme• plus expressionniste d'un poète aux prises avec le monde et englué dans le réel : amplifiant et particularisant des formules typiques, il tend vers la description dont il n'est pas complètement maître, si bien que le réel qu'il livre demeure un mélange de fictions morcelées et d'éléments concrets qui frappent par leur éclat réaliste.

On rapprochera les poèmes de l'infortune des confessions souvent amères des clercs• vagants ou goliards, clercs• déclassés qui chantent le plaisir, le vin, l'amour, la liberté *(Carmina burana)*, [...] des facéties et des pleurs, de la misère physique et morale de Villon. Rutebeuf utilise les cadres formels de son époque — adieu, congé, testament, confession, prière, requête — poèmes tournés facilement vers l'extérieur et la satire du monde, qui laissent peu de place à l'introspection du poète. Il dispose et use, pour évoquer son destin, de procédés employés avant lui par les poètes qui éprouvaient le besoin de se confesser, de dire leur misère, leurs malheurs et leurs fautes, sans que l'on puisse faire

la part du témoignage authentique et de l'invention littéraire. Le poète médiéval s'aligne au lieu de se différencier, participant au destin collectif qui était celui de tout homme au Moyen Âge.

Jean Dufournet, *Rutebeuf, Poèmes de l'infortune et poèmes de la croisade*, Honoré Champion, 1979.

Jan Van Eyck (1385?-1441), *L'Homme au turban rouge*, Londres, National Gallery, ph. e.t. archive.

Joueur ou jongleur : la difficulté d'être

Au fond des tripots, le jeu est vite devenu une passion aliénante. Rutebeuf met en scène sa détresse physique et sa déchéance morale avec, sans doute, l'intention inavouée d'apitoyer quelque mécène secourable. Mais l'infortune du pauvre jongleur reste avant tout un lieu commun où il serait vain d'essayer de préciser la moindre allusion autobiographique.

DOCUMENT

La confession la plus circonstanciée n'y constitue pas d'abord un propos de l'homme, mais bien un moyen de poète. La chanson n'est qu'une chanson, faite toujours de *je* illusoires, même s'ils sont émus ou douloureux, de *je* du jongleur aussi bien que du poète, de *je* du chanteur et du jeu, mais non pas d'une personne véritable.

M. Delbouille, « En relisant Rutebeuf », in *Marche romane*, 4, Association des romanistes de l'Université de Liège, 1960.

EXTRAIT

Le Guignon d'hiver

Je suis comme l'osier sauvage
ou comme l'oiseau sur la branche :
    en été, je chante,
en hiver je pleure et me lamente
5 et m'effeuille comme la branche
    au premier gel.
Il n'y a en moi ni venin ni fiel :
il ne me reste rien au monde,
    tout suit son cours.
10 Les tours que je savais
m'ont dépouillé de mon bien ;
    ils m'ont égaré
et détourné de mon chemin.
J'ai risqué des coups insensés,
15   je me le rappelle maintenant.
Je le vois bien, tout va, tout vient ;
il faut que tout vienne, que tout s'en aille
    sauf les bienfaits.
Les dés que les fabricants ont faits
20 m'ont dépouillé de mes vêtements ;
    les dés me perdent,
les dés me guettent et m'épient,
les dés m'assaillent et me défient,
    j'en suis accablé.
25 Je n'y puis rien si je m'inquiète :
je ne vois venir avril ni mai,
    voici la glace.
Je suis maintenant sur la mauvaise pente ;
les trompeurs, maudite engeance,
30   m'ont pris mon vêtement.
Le monde est tellement perfide !
Dès que l'on a quelque chose, on parade ;
    mais que dois-je faire,
moi sur qui pèse le fardeau de la pauvreté ?
35 Le guignon me harcèle,
    il me plonge dans le désarroi,
me livre constamment assauts et combats,
si bien que je ne guérirai jamais
    de mes maux.
40 J'ai trop hanté les mauvais lieux ;
les dés m'ont séduit, pris au piège,
    j'y renonce !
Il est fou celui qui s'obstine à suivre leurs conseils ;
loin de s'acquitter de sa dette,

> Issi sui com l'osiere franche
> Ou com li oisiaus sur la branche :
>   En esté chante,
> En yver pleur et me gaimante,
> Et me desfueil ausi com l'ente
>   Au premier giel.
> En moi n'a ne venin ne fiel ;
> Il ne me remaint rien souz ciel :
>   Tout va sa voie.
> Li envial que j'envioie
> M'ont avoié quanques j'avoie
>   Et forvoié,
> Et fors de voie desvoié.
> Fols enviaus ai envoié ;
>   Or m'en souvient,
> Or voi je bien, tout va, tout vient :
> Tout venir, tout aler covient
>   Fors que, bien fait.
> Li dé que li detier ont fait
> M'ont de ma robe tout desfait ;
>   Li dé m'ocient ;
> Li dé m'aguetent et espient,
> Li dé m'assaillent et desfient,
>   Ce poise moi :
> Je n'en puis mais se je m'esmai.
> Ne voi venir avril ne may,
>   Vez ci la glace.

45   il alourdit sa charge
dont le poids augmente de jour en jour.
En été il ne cherche pas l'ombre
    ni la fraîcheur d'une pièce,
car souvent il a les membres nus ;
50 il oublie la peine de son voisin,
    trop occupé de la sienne.
Le guignon s'est abattu sur lui
et a tôt fait de le dépouiller
    et nul ne l'aime.

Rutebeuf, *Le Guignon d'hiver* (v. 34-87), traduction de Jean Dufournet in *Rutebeuf, Poèmes de l'infortune et poèmes de la croisade*, Honoré Champion, 1979.

Pistes de recherche

1. Examinez le texte en ancien français : en désignant par a, b, c, d, e, etc., les différentes rimes, faites le schéma des quinze premiers vers ; comptez également le nombre de syllabes de chacun des quinze premiers vers et indiquez par une suite de chiffres le schéma métrique• utilisé par Rutebeuf. Comment la structure des phrases favorise-t-elle l'enchaînement entre deux rimes différentes ?

2. Relevez et classez les diverses métaphores• qui traduisent le dénuement extrême dans lequel a sombré le joueur.

3. Comment la présentation des étapes successives conduisant à un enlisement personnel finit-elle par solliciter pitié et assistance ?

Pisanello (1380-1456), *Portrait d'une princesse de la maison d'Este*, Paris, Louvre, ph. H. Josse.

Le guignon apparaît vite comme une malédiction aux effets irréversibles. L'expérience des échecs répétés vient immanquablement alourdir l'infortune du **poids de la solitude**. Les amitiés de naguère finissent par s'étioler puis cèdent progressivement à l'indifférence, à l'ingratitude et à l'oubli. L'heure est déjà arrivée de dresser prématurément le bilan d'une sombre faillite. **Même les affections les plus précieuses sont balayées dans le tourbillon d'une vie manquée.**

EXTRAIT

Les maux ne savent seuls venir :
Tout ce[1] m'était à avenir
   S'[2]est avenu[3].
Que sont mes amis devenus
5 Que j'avais si près tenus[4]
   Et tant aimés ?
Je crois qu'ils sont trop clair semés :
Ils ne furent pas bien femés[5]
   Si[2] sont faillis[6].
10 Itel[7] amis m'ont mal bailli[8],
C'[9]onques[10] tant que Dieu m'assaillit
   En maint côté[11],
N'en vis un seul en mon hosté[12] :
Je crois le vent les m'a ôtés[13].
15   L'amour[14] est morte :
Ce sont amis que vent emporte,
Et il ventait devant ma porte :
   Ses[15] emporta.

(1) cela
(2) si = ainsi
(3) c'est arrivé
(4) retenus
(5) fumés, cultivés
(6) ils ont fait défaut
(7) tels
(8) traité
(9) ce = car
(10) jamais
(11) de tous côtés
(12) hostel, logis
(13) Je crois que le vent me les a ôtés.
(14) l'amitié
(15) Contraction de *si les* = aussi le vent les emporta.

La Complainte de Rutebeuf, v. 107-124.

Pistes de recherche

1. Montrez comment affleurent la mélancolie et l'amertume de Rutebeuf.

2. Par quelles inventions le poète parvient-il à évoquer avec indulgence le poids des trahisons ?

3. Étudiez la musique de cette complainte : vous pourriez, en particulier, analyser la variété du rythme, les jeux de sonorités et la virtuosité des rimes intérieures qui, dans la dernière partie du poème, suggèrent la mélodie tourbillonnante du vent.

Interprète d'une foule anonyme d'oubliés et de miséreux, Rutebeuf en vient à chanter la vertigineuse fatalité du dénuement. La générosité et l'opulence qui illuminaient l'univers courtois sont devenus des chimères anachroniques et provocantes. La largesse, la prouesse et la récompense (cf. pp. 48 et 128) apparaissent désormais comme d'insolites valeurs étrangères à la réalité vécue. **Au mysticisme• de l'exaltation s'est substituée la fascination de l'abîme.**

EXTRAIT

> Ribaut, or estes vous a point :
> Li arbre despouillent leur branches,
> Et vous n'avez de robe point,
> Si en aurez froid a vos hanches,
> Quel vous fussent or li pourpoint
> Et lit surcot fourré à manches.
> Vous alez en esté si joint,
> Et en hyver alez si cranche,
> Vostre soulier n'ont mestier d'oint,
> Vous faites de voz talons planches.
> Les noires mouches vous ont point,
> Or vous repoinderont les blanches.

Le Dit des gueux de Grève[1]

Gueux, vous voilà bien lotis !
Les arbres dépouillent leurs branches,
et vous n'avez pas de manteau ;
aussi aurez-vous froid aux reins.
5 Que vous seriez bien dans un pourpoint[2]
ou un surcot[3] à manches fourré !
Vous êtes si allègres en été
et en hiver si engourdis !
Vos souliers n'ont pas besoin de graisse,
10 car vos talons vous tiennent lieu de semelles.
Les mouches noires vous ont piqués,
les blanches[4] elles aussi vous piqueront.

Rutebeuf, *Le Dit des gueux de Grève*, traduction de Jean Dufournet in *Rutebeuf, Poèmes de l'infortune et poèmes de la croisade*, Honoré Champion, 1979.

(1) Place de Paris (sur le site actuel de la place de l'Hôtel-de-Ville) ouverte sur les berges (d'où le nom de *grève*) de la Seine ; un port fluvial construit au milieu du XIIe siècle y drainait toute une foule de bateliers, marchands et taverniers ; c'est dans l'espoir d'une embauche que s'y regroupaient vagabonds, porteurs, ouvriers ou manœuvres sans emploi.
(2) vêtement de toile
(3) tunique portée sur la cotte
(4) les flocons de neige

Pistes de recherche

1. Étudiez comment les notations réalistes sont estompées par l'invention poétique.
2. Comment s'entrelacent ironie• et complicité ?

Benedetto Antelami (XIIe siècle), *Sculptures des mois*, «février», «juillet», Baptistère de Parme, ph. Scala.

DOCUMENT

Le pauvre est l'homme du dehors, de la marge, de l'errance, sans stabilité géographique, ni sociale : le joueur passe d'un extrême à l'autre. Mais en même temps *la pauvreté est un monde clos* dont on ne peut sortir. Le *Dit des Ribauds de Grève* illustre bien cette idée. Le problème de la pauvreté est posé sans être interprété ni justifié. Un seul personnage — les ribauds, interpellés à la deuxième personne du pluriel — contre un seul adversaire, le froid, dans un poème dense et resserré autour de quelques éléments sémantiques et stylistiques. Au total, douze octosyllabes en rimes alternées. Cette clôture formelle enferme dans le cercle de la misère les ribauds qui, sans passé ni futur, vivent dans un éternel présent. Le *je* du poète, retranché derrière ses personnages, n'apparaît virtuellement que comme sujet de l'apostrophe.

Jean Dufournet, *Rutebeuf, Poèmes de l'infortune et poèmes de la croisade*, Honoré Champion, 1979.

Dérision et satire

La légende de Tristan et Iseut (cf. p. 52), les romans de Chrétien de Troyes (cf. p. 58), les chansons des troubadours (cf. p. 128) ou des trouvères (cf. p. 139) évoquaient les émois d'un chevalier qui n'hésitait pas à braver les interdits du mariage pour conquérir la dame de son cœur. On sait la ferveur quasi religieuse qui était réservée à cette femme d'autant plus séduisante qu'elle demeurait inaccessible. Chez Rutebeuf, en revanche, **le frémissement amoureux ne résiste pas à la désespérance**. Les fantasmes• de l'aventure la plus fiévreuse s'enlisent dans la prosaïque réalité conjugale. Le mythe de l'absente ne saurait faire oublier l'épouse trop présente.

EXTRAIT

Le mariage de Rutebeuf

Nes li musars musart me claime.	Même le sot me traite de sot.
Or puis filer, qu'il me faut traime;	Maintenant, n'ayant plus de trame[(1)], je n'ai plus qu'à filer,
Molt ai a faire.	et j'ai fort à faire.
Dieu ne fist cuer tant deputaire,	Dieu n'a pas créé d'âme si insensible
Tant li aie fait de contraire	5 qui, à considérer mon martyre,
Ne de martire,	n'oublie que je lui ai causé du tort
S'il en mon martire se mire,	et du tourment,
Qui ne doie de bon cuer dire :	et n'accepte de dire sans arrière-pensée :
«Je te claim quite.»	«J'oublie tout».
Envoier un home en Égypte,	10 Car envoyer un homme en Égypte
Ceste dolor est plus petite	est un châtiment moins rude
Que n'est la moie :	que celui que je subis.
Je n'en puis mais se je m'esmoie.	Rien que d'y penser, je ne puis m'empêcher de trembler.
L'on dit que fols qui ne foloie	On dit qu'un fou qui ne commet pas de folies
Pert sa saison :	perd son temps :
Sui je mariez sanz raison?	15 me suis-je marié sans raison?
Or n'ai ne borde ne maison.	En tout cas, je n'ai plus ni masure ni maison,
Encor plus fort :	mais voilà encore mieux :
Por plus doner de reconfort	pour combler de joie
A ceus qui me heent de mort,	20 les gens qui me haïssent à mort,
Tel fame ai prise	j'ai épousé une femme
Que nul fors moi n'aime ne prise,	que je suis seul capable d'aimer et d'apprécier,
Quant je la pris.	et qui était pauvre et misérable
A ci mariage de pris?	quand je l'ai épousée.
C'or sui povres et entrepris	25 Quel beau mariage,
Ausi com ele.	car je suis maintenant aussi pauvre et misérable
Et si n'est pas gente ne bele :	qu'elle!
Cinquante anz a en s'escuele,	Elle n'est même pas avenante ni belle,
S'est maigre et seche :	elle a cinquante ans sur les épaules,
N'ai pas paor qu'ele me treche.	elle est maigre et sèche :
Despuis que fu nez en la creche	30 je n'ai pas peur qu'elle me trompe.
Dieu de Marie,	Depuis que Marie dans la crèche
Ne fu mais tel espouserie.	mit Dieu au monde,
	on ne vit un tel ménage.

(1) le tissu de la vie s'est effiloché

Rutebeuf, *Le Mariage de Rutebeuf* (v. 1 à 41), traduction de Jean Dufournet, in *Rutebeuf, Poèmes de l'infortune et Poèmes de la croisade*, Honoré Champion, 1979.

Pistes de recherche

1. En vous reportant au texte original en ancien français, essayez de dégager sur quelles constantes est fondée la versification de cette complainte.

2. Comment sont renouvelés tout au long de ce poème les effets de la dérision? Étudiez, par exemple, les ressources de l'emphase•, de l'hyperbole•, de l'humour• et du réalisme.

3. Dans quelle mesure s'applique à ce poème la formule citée en document, à la page 141, à propos du lyrisme• de Rutebeuf («le réel qu'il livre demeure un mélange de fictions morcelées et d'éléments concrets qui frappent par leur éclat réaliste»)?

Tout au long de sa vie, Rutebeuf n'a cessé de dénoncer l'ambition des moines appartenant aux ordres mendiants qui prétendaient exercer un contrôle étroit sur l'Université de Paris ; mais ils durent se heurter à la vive résistance des clercs• qui n'entendaient pas se laisser déposséder de leurs prérogatives universitaires fondées sur une longue tradition. Le conflit dura près de sept ans, au milieu du XIII⁰ siècle. Rutebeuf prit part à la polémique• pour soutenir ses maîtres de naguère, comme Guillaume de Saint-Amour, mais aussi et surtout pour stigmatiser la subversion masquée entreprise par ces moines mendiants qui bénéficiaient de la protection de Saint Louis (cf. pp. 14-15). Or le poète reste attaché aux valeurs anciennes de la société féodale et garde la nostalgie des héros exemplaires qui sont entrés dans la légende des chansons de geste ou des premières croisades. Aux yeux de Rutebeuf, les intrigues menées par les dominicains ou les franciscains ont valeur de symbole• : elles annoncent que les imposteurs et les usurpateurs ont réussi à pervertir la société, à renier son éthique•, à menacer la foi. Dans une vision prophétique, le Bien succombe sous les assauts du Mal. **L'ordre du monde est *bétourné*, c'est-à-dire retourné et inversé.** En une résurgence imprévisible Renart pavoise (cf. pp. 74 à 87) et devient le prince cynique• d'un univers maudit.

EXTRAIT

La métamorphose de Renard[1]

Renard[2] est mort, Renard est en vie !
Renard est infect, Renard est ignoble ;
   et pourtant Renard est roi !
Voilà longtemps que Renard fait la loi dans le royaume,
5 il y fait force expéditions à bride abattue,
   la tête en avant.
Le bruit de sa mort avait couru,
   et je l'avais entendu dire,
      mais c'est faux :
10 vous ne tarderez pas à vous en rendre pleinement compte.
Il est le maître de tous les biens
   de Monseigneur Noble,
de ses terres et de son vignoble[3].
À Constantinople[4], Renard réalisa
15   tous ses désirs,
car, ni dans les fermes ni dans les caves,
il ne laissa à l'empereur
   la valeur de deux navets ;
mais il fit de lui un pauvre diable,
20 c'est tout juste s'il ne l'a pas réduit
   à pêcher en mer[5].
L'on ne doit pas aimer Renard,
car tout en lui n'est qu'amertume :
   c'est sa règle.
25 Renard a fait beaucoup de petits
   et nous en avons beaucoup chez nous
      qui lui ressemblent.
Renard sera capable de déclencher un conflit[6] affreux
dont le pays pourrait fort bien
30   se passer.
Monseigneur Noble le lion
s'imagine que son salut[7]
   dépend de Renard.
Il se trompe, par Dieu !
35 Il lui en adviendra plutôt, j'en ai bien peur,
   ruine et déchéance.
Si Noble voyait la situation telle qu'elle est,
s'il savait les propos que l'on répand
   dans la ville
40 — Dame Raimbourc, dame Poufile[8],
qui font de lui le héros de leurs bavardages,
   avec dix commères ici, vingt là,
vont répétant que c'est chose inouïe
qu'un grand ait jamais consenti
45   à se prêter à un tel jeu.

(1) Dans le titre *Renart le Bestourné*, *bestourné* signifie «transformé de façon à tromper».
(2) Il s'agit à la fois du héros du *Roman de Renard* (cf. pp. 74-87) et des frères mendiants. Les vers 1 et 5-6 sont à expliquer à un triple niveau :
a) En fonction du *Roman de Renard*; Renard que l'on croit mort ressuscite à la fin de chaque branche.
b) Si les moines mendiants sont morts au monde par les vœux de chasteté, de pauvreté et d'obéissance, ils manifestent une redoutable vitalité en s'appropriant pouvoir et richesse.
c) Si Renard le héros littéraire est mort, ses héritiers, les moines mendiants, sont bien vivants.
(3) *Le vignoble* représente les plantations de vignes, la vigne du Seigneur, l'Église, et la Champagne.
(4) Capitale de l'empereur Noble dans le *Roman de Renard* et capitale de l'empire byzantin que les Grecs viennent d'arracher à l'empereur latin Baudoin II en 1261.
(5) Pêcheur en mer — rude métier — et aussi pêcheur d'hommes comme les moines mendiants, ou pêcheur trompé comme Isengrin par Renard (cf. pp. 77-79).
(6) Un des thèmes importants du poème. Cette guerre peut être une guerre civile suscitée par les excès des moines et de l'entourage royal, ou, selon le schéma de la branche XI du *Roman de Renard*, dressant les moines contre la société et le roi auquel ils tendent à se substituer, ou une guerre extérieure, évoquée dans la *Complainte de Constantinople* (vers 154-156), pour laquelle les Mendiants ne seront d'aucune utilité.
(7) Le salut politique, mais aussi le salut du corps (allusion à la branche X du *Roman de Renard*) et le salut de l'âme (allusion aux Mendiants).
(8) Reprise du *Roman de Renard*, branche Va.
(9) Il s'agit d'un souvenir du *Roman d'Alexandre* (cf. p. 49) : Darius III fut assassiné par Bessus et Ariobarzane.
(10) Plaisanterie banale, avec jeu de mots sur *empire (en pire)*.

Noble devrait bien se souvenir de Darius[9]
dont la cupidité lui valut d'être mis à mort
        par ses propres hommes.
Quand j'entends parler d'un vice aussi laid,
50 en vérité, mon cœur frémit
        de chagrin et de fureur
si violemment que je ne sais que dire ;
car je vois que le royaume dégénère
        en empire[10].

Rutebeuf, *Renart le Bétourné*, traduction et notes de Jean
Dufournet in *Rutebeuf, Poèmes de l'infortune et Poèmes de
la croisade*, Honoré Champion, 1979.

Pistes de recherche

1. En vous reportant aux pages 74 à 87, précisez
par quels détails Rutebeuf affecte d'apporter un nouvel épisode au *Roman de Renart*.
2. Analysez comment la satire sociale et politique
oscille entre l'ironie• et l'indignation.

Livre de la chasse de Gaston Phœbus, manuscrit fr. 616, fol. 34 v°,
Paris, Bibl. Nat.

L'alchimie poétique

Dépossédé, désenchanté, désespéré, Rutebeuf trouvera dans les flamboiements de l'invention poétique
l'ultime recours pour résister et exister.

EXTRAIT

*Rutebeuf adresse vraisemblablement sa complainte au roi Philippe III, dit le Hardi (1245-1285), fils de Saint Louis et de
Marguerite de Provence , couronné roi en 1270.*

La Pauvreté de Rutebeuf

Je ne sais par ou je coumance,
Tant ai de matiere abondance
Por parleir de ma povretei.
Por Dieu vos pri, frans roi de France,
Que me doneiz queilque chevance,
Si ferez trop grant charitei.
J'ai vescu de l'autrui chatei
Que hon m'a creü et presté ;
Or me faut chascuns de creance,
C'om me sait povre et endetei :
Vos raveiz hors dou reigne estei
Ou toute avoie m'atendance.

Entre chier tems et ma mainie,
Qui n'est malade ne fainie,
Ne m'ont laissié deniers ne gages.
Gent truis d'escondire arainie
Et de doneir mal enseignie :
Dou sien gardeir est chascuns sages.
Mors me ra fait de granz damages,
Et vos, boens rois, en deus voiages
M'aveiz bone gent esloignie,
Et li lointainz pelerinages
De Tunes, qui est leuz sauvages,
Et la male gent renoïe.

Je ne sais par où je commence
Tant ai de matière abondance
Pour parler de ma pauvreté.
Pour Dieu vous prie, franc roi de France,
5 De me donner quelque assistance ;
Vous ferez là grand' charité.
J'ai vécu d'avoir emprunté ;
L'on m'a fait crédit, et prêté,
Mais personne n'a plus confiance,
10 Me voyant pauvre et endetté,
Et le royaume avez quitté,
Ô vous, mon unique espérance.

La vie trop chère et ma nichée,
Qui a force et bonne santé,
15 Ne m'ont laissé deniers, ni gages.
Gens trouve au refus entraînés,
Mais donner est art ignoré :
Pour garder leur bien, tous sont sages !
Mort aussi m'a fait grand dommage,
20 Et vous, bon roi, par vos voyages
M'avez de bons amis privé
Partis pour le pèlerinage
De Tunis, un pays sauvage
Où male gent a Dieu renié.

Florilège dramatique et poétique du Moyen Âge/La poésie lyrique   147

Granz Rois, c'il avient qu'a vos faille
(A touz ai je failli sans faille),
Vivres me faut et est faalliz.
Nuls ne me tent, nuls ne me baille;
Je tous de froit, de faim baaille,
Dont je sui mors et maubailliz.
Je sui sanz coutes et sanz liz :
N'a si povre jusqu'à Senliz,
Sire, si ne sai queil part aille.
Mes costeiz connoit le pailliz,
Et liz de paille n'est pas liz,
Et en mon lit n'a fors la paille.

Sire, je vos fais a savoir :
Je n'ai de quoi du pain avoir.
A Paris suis entre touz biens,
Et n'i a nul qui i soit miens.
Pou i voi et si i preing pou;
Il mi souvient plus de Saint Pou
Qu'il ne fait de nul autre apotre.
Bien sait Pater, ne sai qu'est Notre,
Que li chiers tems m'a tot ostei,
Qu'il m'a si vuidié mon hostei
Que li Credo m'est deveeiz,
Et je n'ai plus que vos veeiz.
        Explicit.

25 Grand Roi, si près de vous j'échoue
(Jusqu'ici près de tous échoue)
Je suis perdu, je vous le dis.
Nul ne me tend rien, ni me baille;
De froid je tousse, et de faim baille
30 Dont suis mordu et assailli.
Je suis sans hardes et sans lit :
Plus pauvre n'est d'ici Senlis!
Sire, où donc faudra-t-il que j'aille?
Sur la paille passe mes nuits :
35 Un lit de paille, est-ce un lit?
Mais le mien n'est fait que de paille.

Sire, je vous le fais savoir,
Je n'ai de quoi du pain avoir.
À Paris suis parmi tous biens,
40 Mais rien n'y peut être dit mien.
Peu y vois, moins encore y prends;
À saint Paul[1] pense plus souvent
Qu'à n'importe quel autre apôtre.
« Pater » sait bien (que veut dire « nôtre ? »)[2]
45 Que vie chère m'a tout ôté
Et ma maison a dévasté.
Mon « credo »[3] en ai oublié
Et plus n'ai que ce que voyez.

(1) Jeu de mots entre «peu» («pou» dans le texte original) et «Paul» (également orthographié «Pou»).
(2) Rutebeuf veut dire que ne possédant plus rien, il a oublié le sens du mot «nôtre» dans «Patenôtre».
(3) Jeu de mots sur «credo» et «crédit».

Rutebeuf, *La Pauvreté de Rutebeuf*, traduction et notes de Marcel Thomas in *Les Écrivains célèbres*, *Le Moyen Âge*, II, Mazenod, 1962.

Pistes de recherche

1. Montrez comment Rutebeuf glisse progressivement de la confidence à la requête.
2. Le genre quémandeur : étudiez la variété des arguments ou procédés mis en œuvre pour essayer de fléchir le roi.
3. Reportez-vous au texte original de la troisième strophe et essayez d'analyser la virtuosité technique dont témoigne Rutebeuf pour suggérer la musique du vers.

Joachim Patinir (1480-1524), *Paysage avec saint Jérôme*, Madrid, musée du Prado. ph. Oroñoz-Artephot. *Le saint médite devant un crucifix, en compagnie d'un lion. Le fond semble désolé et hostile. À droite, au contraire, la plaine est vaste et ouverte, rappelant un paysage des Pays-Bas. Les détails ont sans doute des valeurs symboliques*•, *tel l'aveugle conduit par un enfant ou le lion s'attaquant au paysan sur son âne.*

Une allégorie* subversive : *Le Roman de la Rose* (XIII° siècle)

Immense poème accumulant près de 22 000 vers écrits en langue d'oïl au XIII° siècle, *Le Roman de la Rose* offre **la synthèse des thèmes majeurs qui ont nourri la poésie médiévale**. Sans doute cette valeur exemplaire a-t-elle assuré à l'ouvrage, tout au long du Moyen Âge, un succès durable auprès d'un large public. Mais le lecteur moderne ne cerne pas immédiatement l'unité d'une ambitieuse construction due à **deux auteurs successifs**. Le premier, Guillaume de Lorris, né vers 1210 en Gâtinais, semble avoir été un clerc* familier des milieux où se diffusait l'idéologie* courtoise. Il composa, vers 1235, une première partie réunissant 4 000 vers, mais fut surpris par la mort avant d'avoir pu mener le projet à son terme. Vers 1270, Jean de Meung entreprit de poursuivre l'œuvre inachevée ; mais il élargit résolument le **registre lyrique*** et courtois de son prédécesseur au point de lui substituer un **dessein moral et philosophique** tout à fait inattendu.

Le désir et l'obstacle

L'œuvre de Guillaume de Lorris se présente comme *un art d'aimer* où l'on retrouve les principaux motifs courtois déjà en honneur — deux générations plus tôt — dans les romans en vers (cf. pp. 48-49). Le prétexte de la quête amoureuse est fourni par la description d'un songe qui transporte l'auteur dans un univers irréel, peuplé de figures allégoriques*. Ces personnages fictifs sont réduits à des êtres tellement désincarnés que tout dialogue est vain. Le poète est donc condamné à la confidence solitaire et au monologue lyrique* dont les troubadours (cf. p. 128) et les trouvères (cf. p. 139) ont largement usé.

Manuscrit fr. 24392, fol. 15, Paris, Bibl. Nat.

Jean de Meung (XIV° siècle), *Le Roman de la rose*, «Héloïse et Abélard», manuscrit fr. 482/665, fol. 60 v°, Chantilly, musée Condé, ph. Giraudon.

EXTRAIT

L'auteur décrit le rêve qui lui fait découvrir le féérique verger de Déduit (c'est-à-dire le plaisir) où dansent des couples formés par les silhouettes allégoriques de Courtoisie, Liesse, Amour, Beauté, Largesse, Jeunesse et Franchise. Dès que le poète aperçoit la Rose, il est atteint par cinq flèches qu'a décochées Amour pour le plier à ses lois. Après avoir été initié au code de l'amour courtois, l'amant entreprend le long cheminement qui doit l'amener un jour à conquérir la Rose, symbole* de l'inaccessible Bien-Aimée. Mais de nombreux obstacles se dresseront sur sa route, car Danger veille.*

Alors Danger se dressa sur ses pieds,
avec l'air courroucé,
prit un bâton dans la main
et s'en alla à travers l'enclos,
5 cherchant s'il trouverait sentier ou chemin tracé
et ouverture qui fût à boucher.
Dès lors la situation fut changée,
car Danger devint plus méchant
et plus cruel qu'à l'ordinaire.
10 On m'avait frappé à mort en le faisant ainsi mettre en colère,
car je n'aurais plus loisir désormais
de voir ce que je désirais.
J'avais en mon sein le cœur courroucé
de voir Bel Accueil fâché,
15 et sachez bien que tous mes membres

frémissaient quand je pensais
à la rose que je voyais [jusqu'alors] d'ordinaire
tout près, quand je voulais.
Et quand je me souvenais du baiser
20 qui m'avait insufflé dans le corps un parfum
bien plus doux que du baume,
peu s'en fallait que je ne m'évanouisse,
car j'avais encore, dans mon cœur enclose,
la douce saveur de la rose;
25 sachez aussi que, lorsqu'il me revenait à l'esprit
que je devais renoncer à elle,
j'aurais préféré être mort que vif.
C'est pour mon malheur que j'avais porté la rose à mon visage,
à mes yeux et à ma bouche
30 si Amour ne souffrait point que j'y touche
vite de nouveau une autre fois;
puisque j'avais goûté son parfum,
d'autant plus grand était le désir
qui prenait mon cœur et l'attisait.
35 Maintenant allaient revenir les pleurs et les soupirs,
les longues pensées sans sommeil,
les frissons, les plaintes et complaintes;
de telles douleurs j'aurais en grand nombre,
car j'étais tombé dans un enfer.

Guillaume de Lorris, *Le Roman de la Rose,* vers 3737-3775, traduction en français moderne d'A. Lanly, tome I, Honoré Champion, 1971.

Pistes de recherche

1. Pourquoi l'épreuve du danger est-elle un épisode obligé de l'aventure courtoise? Reportez-vous aux
pages 58-59, 63, 66, 130-131, 137.
2. À quels indices se trahit la conviction que le sentiment amoureux est une fatalité douloureuse? Montrez
comment ce texte apporte une variation au thème développé aux pages 53-54.

Piero di Cosimo (1462-1521), *Madeleine,* Rome, Palais Barberini,
ph. Scala.

DOCUMENT

Le plus étrange effet de cette fiction, c'est que
dans ce roman d'amour il n'y a plus d'héroïne. Elle,
ce n'est qu'une rose : il faut que ses sentiments, ses
scrupules, ses hésitations, qui feront les incidents de
cette aventure schématique, se détachent en quelque sorte d'elle, pour devenir des personnages sym-
boliques•. De ces personnages, *Bel Accueil* et *Dangier*
sont sans doute les plus caractéristiques; leur opposition, c'est l'antithèse• qui définit toute naissance de
l'amour, bienveillance et défiance, désir et crainte.
Encore ces allégories• ne sont-elles pas toutes purement subjectives : *Jalousie, Male Bouche* (Médi-
sance) représentent des interventions étrangères, et
Dangier même, assez ambigu, paraît être plus d'une
fois la méfiance d'autrui, une surveillance, une
garde. Ainsi la psychologie féminine s'éparpille, se
disloque, se confond dans des éléments extérieurs.
Finalement, de la femme, au lieu d'une tendre parte-
naire, d'une inspiratrice, d'une reine peut-être, il ne
subsiste que l'idée d'une proie...

Albert Pauphilet, *Poètes et Romanciers du Moyen Âge,*
bibliothèque de la Pléiade, Gallimard, 1952.

Une philosophie naturaliste

Près de quarante ans se sont écoulés depuis la mort de Guillaume de Lorris quand Jean de Meung décide, vers 1270, de prolonger le poème interrompu. Le procédé de la fiction allégorique• commun aux deux auteurs ne saurait toutefois masquer les profondes divergences qui séparent deux sensibilités difficilement comparables. Tandis que Guillaume de Lorris se présentait comme le chantre appliqué de la thématique courtoise, son continuateur témoigne d'une pensée beaucoup plus audacieuse. Clerc• et érudit, Jean de Meung disposait d'une très large culture marquée par un goût profond pour la controverse et les subtilités scolastiques•. Un auteur a exercé une influence décisive sur ses convictions : Alain de Lille (XIIᵉ siècle) qui, dans le *De planctu Naturae*, pose les fondements d'une philosophie naturaliste. C'est dans le domaine moral que s'affirme avec le plus de vigueur le véritable culte que Jean de Meung voue à la nature. Porté par une verve enthousiaste ou cynique•, il fustige les comportements qui ignorent, détournent, mutilent ou subliment les lois de la nature humaine. À ses yeux il est tout à fait déraisonnable de braver les caprices de la liberté ou de brider les pulsions du désir. Mieux vaut, sans illusions, s'accommoder d'une réalité indifférente aux interdits de la morale et réfractaire aux chimériques constructions intellectuelles de l'idéal courtois.

EXTRAIT

La Vieille livre quelques conseils à Bel Accueil, jeune et inexpérimenté, au moment où il s'engage dans les jeux de l'amour.

Le Roman de la Rose de Jean de Meung, Chantilly, musée Condé, ph. Giraudon.

(1) ouverture

Pistes de recherche

1. Quel est l'effet produit par la métaphore• de l'oiseau en cage ?

2. Essayez de préciser la portée polémique• de ce texte en vous reportant en particulier au texte des pages 60-61 et, plus généralement, aux extraits empruntés aux troubadours et trouvères (pp. 128-140) développant l'idéologie• courtoise.

L'oisillon du vert bocage
quand il est pris et mis en cage,
nourri délicatement
et entouré de mille soins
5 chante tant qu'il est en vie
d'un cœur gai, vous semble-t-il ;
il regrette pourtant les bois ramés
qu'il a naturellement aimés
et il voudrait être sur les arbres
10 en dépit des nourritures que l'on saurait lui offrir.
Il pense toujours et s'ingénie
à recouvrer sa vie libre ;
il foule à ses pieds sa pâture
dans l'ardeur qui oppresse son cœur
15 et sans cesse il parcourt sa cage
en recherchant éperdument
comment il pourrait trouver fenêtre ou pertuis⁽¹⁾
par où s'envoler jusqu'au bois.
De même, sachez que toutes les femmes,
20 soit demoiselles ou dames,
quelle que soit leur condition
ont une naturelle inclination
à rechercher très volontiers
par quels chemins, par quels sentiers
25 elles pourraient accéder à la liberté,
car elles voudraient toujours la posséder. [...]
Toujours Nature en courant reviendra,
ce n'est pas un habit qui la retiendra.
À quoi sert d'insister ? Toute créature
30 veut retourner à sa nature :
ni force violente ni convenance
ne feront jamais qu'elle y renonce.
Cela doit bien excuser Vénus :
elle voulait user de la liberté ;
35 il en est ainsi de toutes les dames
qui se livrent aux jeux de l'amour
bien qu'elles s'engagent dans le mariage,
car c'est Nature qui le leur fait faire :
elle veut les pousser à prendre leur liberté.
40 C'est une bien grande force que Nature :
elle surpasse même l'éducation.

Jean de Meung, *Le Roman de la Rose*, v. 13911 à 13936 et 13995 à 14009 ; traduction en français moderne par André Lanly, tome II, 3ᵉ volume, Honoré Champion, 1976.

Une société en crise : décomposition et renouvellement

L'évocation émerveillée d'un âge d'or lumineux devient, pour Jean de Meung, une occasion d'opposer aux valeurs courtoises le doute et l'insatisfaction d'un esprit lucide et passablement désabusé. Décrire avec nostalgie ces temps immémoriaux où l'autorité des princes était inconnue, où hommes et femmes vivaient librement et harmonieusement dans un monde égalitaire, n'est pas sans **intention polémique•**; c'est là une façon à peine déguisée de désigner les contradictions ou la mauvaise foi des contemporains : autorité abusivement possessive du mari sur l'épouse, d'une part ; utopie• courtoise, d'autre part, qui affecte d'inverser les rôles au point de faire de l'homme la victime des tyrannies féminines. De fait, en ces dernières années du XIIIe siècle, **Jean de Meung a pressenti et encouragé une redistribution des forces en place sur l'échiquier social** ; désormais, l'aristocratie chevaleresque qui fut au cœur de toute la littérature épique• et courtoise semble connaître les prémices d'un déclin accéléré ; une génération de clercs• cultivés et ambitieux attend avec impatience de jouer les premiers rôles.

EXTRAIT   **Digression sur la noblesse**

La noblesse vient d'un grand cœur,
car la noblesse héréditaire
n'est pas noblesse qui vaille
si les vertus d'un grand cœur font défaut à celui
               [qui la détient ;
5 c'est pourquoi doit en lui se faire voir
la valeur de ses parents
qui conquirent la noblesse
par les grands et durs exploits qu'ils accomplirent ;
[mais] quand ils quittèrent le monde,
10 ils emportèrent toutes leurs vertus
et laissèrent leur avoir à leurs héritiers
qui ne purent recevoir d'eux davantage.
Ils ont les biens, [ils ne recueillent] rien de plus,
ni noblesse ni valeur,
15 s'ils ne font en sorte qu'ils soient nobles
par leur intelligence ou par les vertus qu'ils peuvent
               [avoir.
Les clercs• sont de leur côté mieux placés
pour être nobles, courtois et sages
(et je vous en dirai la raison)

20 que ne sont les princes et les rois
qui sont sans culture,
car le clerc• voit dans les textes,
avec les sciences prouvées,
raisonnables et démontrées,
25 tous les maux dont on doit s'écarter
et tous les biens que l'on peut faire.
Il voit les choses du monde
comme elles ont été faites et dites :
il voit dans les vies des anciens
30 les vilenies de tous les « vilains »
et tous les actes des hommes courtois
et la somme des courtoisies ;
bref, il voit écrit dans les livres
tout ce que l'on doit fuir et ce que l'on
               [doit suivre :
35 ainsi tous les clercs•, disciples et maîtres,
sont nobles ou doivent l'être.

Jean de Meung, *Le Roman de la Rose*, v. 18589 à 18624, traduction en français moderne par André Lanly, tome II, 4e volume, Honoré Champion,

Simone Martini (1282-1344), *Giudoriccio da Fogliano*, Sienne, Palais public, ph. Scala.

Pistes de recherche

1. Dégagez les différentes étapes de l'argumentation qui conduisent à la conclusion.
2. Quels sont les griefs adressés à la noblesse ? Pourquoi sont-ils à contre-courant de toutes les conventions diffusées par la littérature courtoise (reportez-vous aux pp. 10, 13-14, 48-49 et 128) ?
3. Après avoir rapproché cet extrait du monologue de Figaro (cf. *Le XVIIIe siècle*, page 313) essayez de préciser en quoi la pensée de Jean de Meung est novatrice.

■ Formalisme et virtuosité des rhétoriqueurs• (XIVe et XVe siècles)

Dès la fin du XIIIe siècle s'étaient multipliés les signes de décadence affectant l'esprit féodal et courtois. La poésie lyrique• qui s'était nourrie des grands mythes• de l'univers chevaleresque survivra difficilement à ce dépérissement des valeurs de naguère. Les thèmes inscrits jusqu'alors dans la tradition poétique ont progressivement perdu fraîcheur et spontanéité au point de s'enliser dans l'académisme• d'une littérature désuète et sclérosée. À défaut de savoir ou de vouloir renouveler le contenu de leurs créations, les poètes du XIVe siècle vont faire porter leurs efforts de régénération sur les artifices de la forme.

Rutebeuf (cf. la troisième strophe de *La Pauvreté de Rutebeuf*, p. 148) avait déjà manifesté un goût prononcé pour la virtuosité du travail imposé à la rime en exploitant l'ambiguïté des jeux d'homophonie ou en multipliant les effets d'écho provoqués par l'accumulation de formes verbales bâties sur une même racine. Les poètes des générations suivantes vont amplifier cette tendance et s'orienter vers une **technique très élaborée, souvent savante, mise en œuvre dans des genres à forme fixe (rondeau, virelai ou ballade)** puisés peut-être dans la tradition folklorique. La vivacité de l'émotion risque ainsi d'être sacrifiée au formalisme d'une rhétorique• contraignante. C'est précisément le terme de *rhétoriqueur*• que vont revendiquer ces poètes pour affirmer leur originalité et rendre hommage à leurs maîtres.

Un chef d'école : Guillaume de Machaut (vers 1300-1377)

Roturier né dans les Ardennes, ce clerc• fut le familier de Jean de Luxembourg, roi de Bohême, qu'il servit en qualité d'aumônier et de secrétaire avant de devenir chanoine de Reims. Il s'essaya à la poésie narrative enrichie des grands thèmes de la sensibilité courtoise et pratiqua le *dit*, genre moral et allégorique• intercalant récit et fragments lyriques•. Mais il fut aussi **le théoricien des poèmes à forme fixe** dont il formula les règles dans *Le voir Dit* (c'est-à-dire « le dit du vrai »), ouvrage didactique• cumulant les fonctions d'un art d'aimer et d'un art poétique.

Manuscrit de Guillaume de Machaut, fr. 9221, fol. 31, Paris, Bibl. Nat.

EXTRAITS *Guillaume de Machaut a tout particulièrement codifié la structure du* rondeau, *courte pièce inspirée des chansons de danse qui scandaient les rondes populaires (d'où le dérivé de* rondeau).

Rondeaux

A
I. Quand Colette Colet colie(1)
Elle le prend par le colet.

II. Mais c'est trop grant mélancolie,
Quant Colette Colet colie.

III. Car ses deux bras à son col lie
Par le doux semblant de colet(2)
Quand Colette Colet colie,
Elle le prend par le colet.

(1) prend par le cou
(2) collet (piège)

B
I. Faites mon cœur tout à un coup(1) mourir
Très douce dame, en lieu de(2) guerredon(3) ;

II. Puis que de rien nel volés resjoïr(4),
Faites mon cœur tout à un coup mourir ;

III. Car il vaut mieux assez(5) qu'ainsi languir
Sans espérer joie ni guérison.
Faites mon cœur tout à un coup mourir
Très douce dame, en lieu de guerredon.

(1) d'un seul coup (2) en guise de (3) récompense ; cf. p. 128 (4) de rien ne voulez le réjouir (5) cela vaut bien mieux

▌ Pistes de recherche

1. Rondeau A : essayez, en observant la richesse des allitérations• et l'harmonie vocalique, d'analyser ce qui fait la fluidité de la mélodie.

2. Rondeaux A et B. : quels lieux communs empruntés à la thématique courtoise sont repris dans ces deux poèmes ? Reportez-vous, par exemple, à la page 129 ou aux pages 149-150.

Un disciple fécond : Eustache Deschamps (vers 1346-1406)

D'origine champenoise, il passa sa vie au service des ducs d'Orléans et, tout en remplissant sa charge de bailli de Senlis, parcourut l'Europe en qualité de messager et de négociateur du roi. Ce fonctionnaire royal fut aussi un poète de cour renommé ; l'ampleur exceptionnelle de son œuvre (il aurait créé plus de 80 000 vers) est à la mesure de la **diversité des genres poétiques qu'il a pu aborder : ballade, chant royal, rondeau, virelai ou lai.** Héritier scrupuleux de la tradition courtoise, il renonce toutefois à la mélodie de l'accompagnement musical caractéristique de la chanson d'amour et n'hésite pas à livrer ses expériences personnelles pour étayer des convictions morales ou philosophiques souvent désabusées. Un *Art de dictier* (paru en 1393) précise les orientations majeures de la nouvelle poétique et confirme, pour l'essentiel, les enseignements de Guillaume de Machaut (cf. p. 153), le maître respecté ; **l'appauvrissement de l'inspiration est compensé par la virtuosité technique réservée à l'élaboration du texte.**

EXTRAIT

Autre genre à forme fixe, le virelai *a pour origine une chanson de danse, comme le rondeau. Habituellement le poème s'ouvre sur le refrain qui est repris à la fin de chaque couplet. Eustache Deschamps témoigne ici de la gratitude pour un cadeau récent.*

Virelai

I. Dame, je vous remercie
   Et gracie[1]
De cœur, de corps, de pensée,
De l'envoi qui tant m'agrée
   Que je dis
5 Qu'onques[2] plus beau don ne vis
Faire à créature née,
Plus plaisant ni plus joli,
   Ni qui si[3]
10 M'ait ma liesse doublée,
Car du tout m'a assouvi[4]
   Et ravi
En l'amoureuse contrée ;
Je le porte avecques mi
15   Com[5] celui
Qui m'a joie recouvrée
Et si[3] m'a renouvelée
   M'amour, qui
M'aurait par rapports haï[6]
20 Et par fausse renommée.

Dame, je vous remercie
   Et gracie
De cœur, de corps, de pensée.

II. Long temps a mon cœur gémi
   Et frémi
25 En douleur désespérée,
En tristesse et en souci
   Jusqu'à ci
Que Pitié est dévalée[7],
30 Qui a des loyaux merci.
   Or li prie
Que ne croie à la volée[8]
Fausse langue envenimée,
   Car par lui[9]
35 Sont maints loyaux cœurs trahis :
De mal feu soit[10] embrasée !
Dame je vous remercie
   Et gracie.

_____

(1) rends grâce
(2) jamais
(3) ainsi
(4) satisfait
(5) comme
(6) par suite de ragots
(7) arrivée en descendant
(8) spontanément et à la légère
(9) elle
(10) qu'elle soit

Pistes de recherche

1. Étudiez comment le refrain s'intercale dans les couplets.

2. Essayez d'analyser comment le choix et la place des sonorités font vibrer le couplet d'une musique savamment construite.

3. Reportez-vous à la page 128 et essayez de dégager les thèmes empruntés par ce rondeau au code érotique des troubadours.

Manuscrit de Guillaume de Machaut, fr. 9221, fol. 16, Paris, Bibl. Nat.

Manuscrit de Christine de Pisan, fr. 835, fol. 1, Paris, Bibl. Nat. ▶

Vers le lyrisme• personnel :

Christine de Pisan (vers 1364 - vers 1431)

Christine de Pisan était la fille de l'astrologue italien Tommaso di Benvenuto da Pizzano, conseiller du roi de France Charles V (1338-1380). Elle passa les années de sa jeunesse à la cour du souverain avant d'épouser un notaire royal, Étienne de Castel, qui mourut prématurément en 1389, laissant une jeune veuve de vingt-cinq ans et des enfants en bas âge. Première femme de notre littérature à vivre de sa plume, Christine de Pisan réunit une gigantesque production littéraire alimentée, pour l'essentiel, d'œuvres de commande que sollicitait le public aristocratique. L'écrivain est ainsi assimilé à un artisan qui tait généralement ses états d'âme. Mais cette jeune femme cruellement éprouvée par la vie ne sait pas toujours faire diversion à une mélancolie tenace. **Le poème à forme fixe (comme le rondeau ci-dessous)** n'est plus seulement le prétexte d'une maîtrise technique factice, mais laisse affleurer l'émotion personnelle.

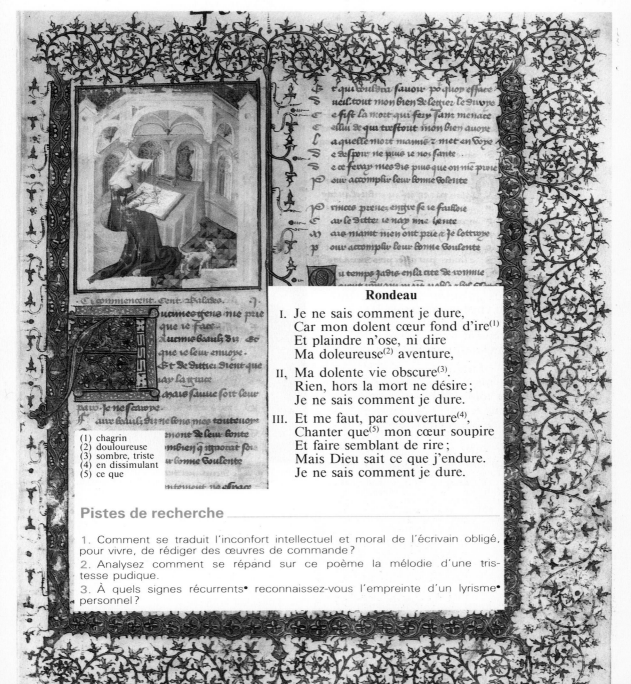

Rondeau

I. Je ne sais comment je dure,
    Car mon dolent cœur fond d'ire[1]
    Et plaindre n'ose, ni dire
    Ma doleureuse[2] aventure,

II. Ma dolente vie obscure[3].
    Rien, hors la mort ne désire ;
    Je ne sais comment je dure.

III. Et me faut, par couverture[4]
    Chanter que[5] mon cœur soupire
    Et faire semblant de rire ;
    Mais Dieu sait ce que j'endure.
    Je ne sais comment je dure.

(1) chagrin
(2) douloureuse
(3) sombre, triste
(4) en dissimulant
(5) ce que

Pistes de recherche

1. Comment se traduit l'inconfort intellectuel et moral de l'écrivain obligé, pour vivre, de rédiger des œuvres de commande ?

2. Analysez comment se répand sur ce poème la mélodie d'une tristesse pudique.

3. À quels signes récurrents• reconnaissez-vous l'empreinte d'un lyrisme• personnel ?

Christine de Pisan s'engage avec audace dans les grands débats de son temps ; tout particulièrement, elle condamne la fougue avec laquelle — dans la dernière partie du *Roman de la Rose* (cf. pp. 149-152) — Jean de Meung honore sans vergogne la pulsion irrépressible du désir. Christine de Pisan riposte alors par une série d'écrits (*Épître au dieu d'amour*, le *Dit de la rose*, *La Cité des dames*) où s'affirment ses convictions féministes. Toutefois, malgré cette polémique•, elle ne récuse pas les motifs poétiques issus de la tradition courtoise. Nous savons comment Guillaume IX d'Aquitaine (cf. p. 129), Jaufré Rudel (cf. p. 130), Bernard de Ventadour (cf. p. 132), les chansons de femme (cf. p. 137) ou de croisade (cf. p. 139) évoquent en de nombreuses variations le thème inépuisable de la distance ou de l'absence. Christine de Pisan s'inscrit dans cette continuité mais ravive ce qui était devenu un lieu commun quelque peu affadi ; l'expression frémissante d'une douleur vécue, la contrainte stimulante imposée par la technique savante de la ballade, du rondeau ou du virelai donnent une vigueur nouvelle au chant de la solitude. **À l'anonymat d'une fiction se superpose la réalité d'un drame individualisé.**

EXTRAIT

Autre genre à forme fixe, la ballade se développe sur trois strophes dont chacune se termine sur un même vers faisant office de refrain. Le poème est habituellement dédié au prince du puy, sorte de cercle littéraire auquel appartient le poète.

Ballade

I. Seulette suis et seulette vueil[1] être,
   Seulette m'a mon doux ami laissiée[2] ;
   Seulette suis, sans compagnon ni maître[3],
   Seulette suis, dolente[4] et courroucée[5],
   Seulette suis, en langueur mésaisiée[6],
   Seulette suis, plus que nulle égarée[7],
   Seulette suis, sans ami demourée[8].

II. Seulette suis à huis[9] ou à fenêtre,
    Seulette suis en un anglet muciée[10],
    Seulette suis pour moi de pleurs repaître,
    Seulette suis, dolente ou apaisiée[11] ;
    Seulette suis, rien n'est qui tant messiée[12] ;
    Seulette suis en ma chambre enserrée,
    Seulette suis, sans ami demourée[8].

III. Seulette suis partout et en tout être[13] ;
     Seulette suis, ou je voise ou je siée[14] ;
     Seulette suis plus qu'autre rien[15] terrestre,
     Seulette suis, de chacun délaissiée[16],
     Seulette suis, durement abaissiée[17],
     Seulette suis, souvent toute éplourée[18],
     Seulette suis, sans ami demourée[8].

Envoi

Prince, or[19] est ma douleur commenciée[20] :
Seulette suis, de tout deuil[21] menacée,
Seulette suis, plus teinte[22] que morée[23] :
Seulette suis, sans ami demourée[8].

Rogier Van der Weyden (1399-1464), *Portrait de femme*, Berlin, Musée National, Gemalde-Galerie, ph. The Bridgeman Art Library.

(1) je veux (2) laissée (3) mari (4) malheureuse (5) chagrinée (6) mal à l'aise (7) perdue (8) demeurée (9) porte (10) cachée (11) apaisée (12) qui autant ne sied pas ; qui déplaît autant (13) lieu (14) que je marche ou que je reste assise (15) chose (16) délaissée (17) abaissée (18) éplorée (19) maintenant (20) commencée (21) chagrin (22) sombre (23) brune comme une Maure (métaphore• désignant la mélancolie)

Pistes de recherche

1. Étudiez l'art avec lequel Christine de Pisan sait prolonger la litanie d'une complainte obsédante : observez, par exemple, les jeux de sonorités, la structure des phrases, les effets de symétrie.

2. Comment se construit progressivement l'enfermement dans la douleur ?

3. Dans quelle mesure Christine de Pisan sait-elle rénover le thème courtois de l'absence pour en faire une élégie personnelle ?

Charles d'Orléans (1394-1465)

Fils de Louis, duc d'Orléans, assassiné en 1407, ce prince de haut rang participa à la bataille d'Azincourt (1415) où il ne put éviter de tomber aux mains des Anglais qui le gardèrent en captivité durant vingt-cinq ans avant de monnayer sa libération. Pendant ces longues années de solitude, l'exercice poétique fut l'activité principale du prisonnier désœuvré. Comme la plupart des rhétoriqueurs• qui l'ont devancé (cf. pp. 153-156), Charles d'Orléans reste fidèle aux grands thèmes de la tradition courtoise, mais leur donne une grâce et une élégance nouvelles en les soumettant à la **concision des genres à forme fixe**. La structure du rondeau peut ainsi se prêter tout particulièrement à l'évocation très elliptique• de la soumission à la dame. **La chanson d'amour devient alors une frêle miniature** aux contours estompés.

EXTRAIT

Rondeau

Quand je fus pris au pavillon[(1)]
De ma dame très gente et belle,
Je me brûlai à la chandelle,
Ainsi que fait le papillon.

Je rougis comme vermillon,
Aussi flambant que une étincelle,
Quand je fus pris au pavillon
De ma dame très gente et belle.

Si j'eusse été émerillon[(2)]
Ou que j'eusse eu aussi bonne aile,
Je me fusse gardé de celle
Qui me bailla[(3)] de l'aiguillon
Quand je fus pris au pavillon.

(1) piège pour les oiseaux
(2) variété de faucon
(3) donna

Pistes de recherche

1. Comment est suggérée l'idée que l'amoureux est victime de son sentiment ?
2. Par quels procédés la structure et la mélodie du rondeau parviennent-elles à recréer le rythme d'un jeu tourbillonnant ?

Comme les troubadours (cf. p. 128) ou les trouvères (cf. p. 139), Charles d'Orléans déplore les épreuves qui font obstacle à la conquête du bonheur. Mais l'utilisation de figures allégoriques• imitées sans doute du *Roman de la Rose* (cf. p. 149) inscrit la complainte amoureuse dans un univers plus abstrait encore que ne le veut la convention courtoise. La fiction du service d'amour (cf. p. 129) reste, dès lors, un jeu littéraire étroitement codifié.

EXTRAIT

Chanson

Puisqu'Amour veut que banni soye[(1)]
De son hostel, sans revenir,
Je vois bien qu'il m'en faut partir,
Effacé du livre de Joye[(2)]

Plus demourer[(3)] je n'y pourroye[(4)]
Car pas ne dois ce mois servir.
Puisqu'Amour veut que banni soye[(1)]
De son hostel, sans revenir,

De confort[(5)] ai perdu la voye[(6)],
Et ne me veut on plus ouvrir
La barrière de Doux Plaisir,
Par Désespoir qui me guerroye[(7)],
Puisqu'Amour veut que banni soye[(8)].

(1) je sois
(2) Cf. p. 128.
(3) demeurer
(4) pourrais
(5) réconfort
(6) voie
(7) guerroie
(8) je sois

Pistes de recherche

1. Reportez-vous à l'extrait du *Roman de la Rose* des pages 149-150 et essayez de déterminer ce que Charles d'Orléans emprunte à Guillaume de Lorris.
2. Comment est voilée la confidence du poète ?
3. Par quels effets le poète nous fait-il entendre la musique de cette courte chanson ?

Quelle que soit l'habileté technique avec laquelle Charles d'Orléans ravive les motifs figés de la thématique courtoise, le poète trahit toutefois la sensibilité douloureuse du prisonnier. Le chevalier banni par l'amour (cf. extrait précédent) laisse percer en filigrane **la morosité du prince exilé**. L'émoi amoureux n'est pas sans analogies• avec le sentiment de nostalgie qu'inspire la patrie dérobée. La dame suggérée par l'utopie• poétique demeure aussi inaccessible que la France aperçue depuis les falaises de Douvres.

EXTRAIT

Ballade

En regardant vers le pays de France,
Un jour m'advint, à Douvres sur la mer,
Qu'il me souvint de la douce plaisance
Que je soulais[1] au dit pays trouver ;
5 Si[2] commençai de cœur à soupirer,
Combien certes que[3] grand bien me faisoit[4]
De voir France que mon cœur aimer doit.

Je m'avisai que c'était non savance[5]
De tels soupirs dedans mon cœur garder,
10 Vu que je vois que la voie commence
De bonne paix, qui tous biens peut donner ;
Pour ce, tournai en confort[6] mon penser[7].
Mais non pourtant mon cœur ne se lassoit[8]
De voir France que mon cœur aimer doit.

15 Alors chargeai en la nef d'Espérance
Tous mes souhaits, en leur priant d'aller
Outre la mer, sans faire demourance[9],
Et à France de me recommander.
Or[10] nous doint[11] Dieu bonne paix sans tarder !
20 Adonc[12] aurai loisir, mais qu'ainsi soit,
De voir France que mon cœur aimer doit.

Envoi

Paix est trésor qu'on ne peut trop louer.
Je hais guerre, point ne la dois priser ;
Destourbé[13] m'a longtemps, soit tort ou droit[14],
25 De voir France que mon cœur aimer doit !

(1) j'avais l'habitude
(2) ainsi
(3) quoique
(4) faisait
(5) manque de sagesse
(6) réconfort
(7) mes pensées
(8) lassait
(9) sans s'attarder
(10) maintenant
(11) que Dieu nous donne (forme de subjonctif du verbe *donner*)
(12) alors
(13) empêché
(14) à tort ou à raison

Pistes de recherche

1. Analysez avec précision comment l'harmonie vocalique et la variété des rythmes donnent à cette ballade une douce fluidité musicale.

2. Étudiez comment se mêlent la tension du regard, les incertitudes de la méditation, la fiction abstraite de l'allégorie•.

3. Malgré les sentiments contradictoires qui y sont suggérés, à quoi tient l'unité de ce poème ?

Charles d'Orléans et Marie de Clèves, tapisserie du XVe siècle, Paris, musée des Arts décoratifs, ph. H. Josse.

Grâce à l'écriture, le prisonnier lance un défi à la solitude. Le recours à l'allégorie• permet de rester à l'écoute de soi, de prolonger un tête-à-tête avec ses doutes, ses espoirs, ses illusions, de leur prêter une existence autonome. Le moi se démultiplie et se laisse envahir par une foule de personnages abstraits, tantôt complices, tantôt rebelles. Le poète, cumulant toutes les fonctions au sein d'un univers clos, se fait à la fois acteur, spectateur et metteur en scène de son théâtre intérieur.

EXTRAIT

Chanson

Prenez tôt ce baiser, mon cœur,
Que ma maîtresse vous présente,
La belle, bonne, jeune et gente,
Par sa très grand grâce et douceur.

Bon guet ferai, sur mon honneur,
Afin que Danger rien n'en sente.
Prenez tôt ce baiser, mon cœur,
Que ma maîtresse vous présente.

Danger, toute nuit, en labeur,
A fait guet : or[(1)]gît en sa tente.
Accomplissez brief[(2)] votre entente,
Tandis qu'il dort : c'est le meilleur.
Prenez tôt ce baiser, mon cœur.

(1) maintenant
(2) rapidement

Pistes de recherche

1. Reportez-vous aux pages 128, 132-133, 137 et 149-150 et essayez d'identifier les éléments de la tradition courtoise qui sont ici repris par Charles d'Orléans.
2. Par quels procédés est rendu sensible le dédoublement du moi ?
3. Comment est suggéré l'émoi discret qui affleure dans cette rapide scène de baiser volé ?

DOCUMENT

Dans ce cadre général allégorique•, l'amour étant pour ainsi dire la métaphore• de l'existence, des œuvres d'inspiration diverse ont pu être rassemblées. Le ton n'est pas uniforme. Il y a des moments de colère agressive, sans doute dirigée contre les Anglais, des moments de gaieté, dont quelques dames anglaises sont peut-être responsables (baisers volés ou savourés), des réflexions sérieuses sur la politique. Mais on trouve dans ces ballades, ces chansons et ces complaintes toutes les nuances de la tristesse. Douleur, Courroux, Desplaisir, Tristesse, Souci, Ennui, un cortège de personnifications défile dans un décor imaginaire qui représente le monde intérieur du poète, tout en reflétant par intermittence les images du monde extérieur. Sous les thèmes traditionnels de l'amour courtois, en particulier celui de la séparation, se glisse une réalité sentimentale particulière. C'est que la poésie lyrique• ne cherche plus à exalter, à sublimer, à transporter, mais à explorer, à décrire, à révéler la nature profonde de l'homme. Poésie de la sincérité, dont la tentation vient perturber les exigences de la fidélité courtoise. Car dans l'isolement de la prison ou de l'exil, dans la contemplation morose de la solitude, le poète ne peut plus échapper à sa propre vérité. Il y met parfois une certaine complaisance narcissique, mais plus souvent il se trouve devant la dure nécessité de se juger.

Daniel Poirion, *Littérature française, Le Moyen Âge*, II, 1300-1480, Arthaud, 1971.

Jan Van Eyck (1385?-1441), *Portrait des époux Arnolfini*, Londres, National Gallery, ph. E. Lessing-Magnum. *Portrait «en abyme•»* : *le miroir rond, au fond, reflète le tableau.*

■ Sarcasmes et désarroi de François Villon (vers 1431 - après 1463)

La vie de François de Montcorbier reste, pour l'essentiel, une énigme qui défie toute chronologie minutieuse. **L'image qui demeure est celle du poète maudit,** cambrioleur et assassin, vagabond traqué et famélique, gibier de potence miraculeusement grâcié. Cette réputation détestable fait oublier l'éducation soignée que le jeune orphelin reçut de son père adoptif, Guillaume de Villon, théologien éminent et chapelain de la paroisse de Saint-Benoît-le-Bétourné, proche de la Sorbonne•. Grâce à ce tuteur généreux dont il empruntera le nom, l'étudiant turbulent qui se désigne lui-même comme « le pauvre écolier François » obtiendra en 1452 sa licence et sa maîtrise ès arts.

Il serait vain d'essayer de reconstituer les mille péripéties d'une existence tumultueuse dont l'œuvre renvoie des échos difficiles à décrypter. Nous retiendrons seulement — après diverses expériences de la prison pour meurtre d'un prêtre (1455), vol de cinq cents écus d'or au collège de Navarre (1456) et conflit avec l'évêque d'Orléans (1461) — la condamnation à mort qui fut prononcée contre le poète quand, en 1462, il fut arrêté au cours d'une rixe. Promis au gibet, terrorisé par les images d'une exécution imminente, il ne devra le salut qu'à la procédure d'appel introduite devant le Parlement qui cassera la sentence de mort le 5 janvier 1463. Interdit de séjour à Paris pendant dix ans, Villon disparaîtra sans laisser de traces.

Même si, au cours de ses errances, il a pu séjourner quelque temps à la cour de Charles d'Orléans (cf. pp. 157-159) fixé à Blois à son retour d'exil, Villon n'a rien de commun avec le monde aristocratique où évoluaient les poètes se réclamant de la tradition des rhétoriqueurs• (cf. pp. 153-159). Son univers est celui des tavernes mal famées, remplies de miséreux ou de truands. C'est à cette vaste communauté de marginaux que renvoie l'œuvre d'un poète appliqué à rester insaisissable. Les deux œuvres majeures de François Villon, le *Lais* (c'est-à-dire le *legs*) et le *Testament* prennent le prétexte d'un éloignement, d'un départ loin de la société parisienne, soit à la suite d'une déception amoureuse, soit à l'approche de la mort. Le moment est alors venu de léguer ses biens et de désigner ses amis. Même si ces adieux s'inscrivent dans la tradition littéraire du *congé* (le narrateur prend congé de son interlocuteur), ils marquent, dans le cas de François Villon, **une intention délibérée de rupture sociale et de désaveu.**

L'amour désacralisé

L'œuvre de Rutebeuf (cf. pp. 141-148) avait déjà fortement ébranlé l'idéologie• courtoise attachée à l'expression de l'amour, à ses exigences, à son mysticisme•, à ses chimères. Le mythe• de la dame hautaine ou lointaine (cf. pp. 129-131) n'avait pas su résister à l'épreuve des difficultés matérielles et de la grisaille conjugale. Villon ira plus loin dans la voie du désenchantement. **Sa verve est porteuse de dérision et de sarcasme.** Tout émoi semble désormais proscrit. Sauf rares exceptions, c'est le triomphe d'une sensualité souvent paillarde, parfois obscène. La *Double Ballade* insérée dans le *Testament* condamne sans nuances toute tentation amoureuse.

Portrait de Villon, gravure sur bois, ph. Bulloz.

Pierre Pourbus (1510-1584), *Assemblée galante et allégorique* (détail), Londres, Wallace Collection. (Ci-contre, p. 161.)

Double Ballade

Pour ce, aimez tant que voudrez,
Suivez assemblées et fêtes,
En la fin ja[1] mieux n'en vaudrez
Et n'y romperez[2] que vos têtes ;
5 Folles amours font les gens bêtes :
Salmon en idolatria[3]
Samson[4] en perdit ses lunettes,
Bien heureux est qui rien n'y a !

Orpheüs[5] le doux ménétrier,
10 Jouant de flûtes et musettes,
En fut en danger du meutrier
Chien Cerbérus[6] à quatre têtes ;
Et Narcissus[7], le bel honnêtes,
En un profond puits se noya
15 Pour l'amour de ses amourettes.
Bien heureux est qui rien n'y a ! [...]

De moi, pauvre, je veux parler :
J'en fus battu comme à ru toiles[8],
Tout nu, ja ne le quiers celer[9],
20 Qui me fit mâcher ces groseilles[10],
Hors[11] Catherine de Vaucelles[12] ?
Noël, le tiers, ait, qui fut là,
Mitaines à ces noces telles[13] !
Bien heureux est qui rien n'y a !

25 Mais que ce jeune bacheler[14]
Laissât ces jeunes bachelettes[15] ?
Non ! et le dût-on brûler[16]
Comme un chevaucheur d'écouvettes[17]
Plus douces lui sont que civettes[18] ;
30 Mais toutefois fou s'y fia :
Soient blanches, soient brunettes,
Bien heureux est qui rien n'y a !

(1) jamais
(2) romprez
(3) Salomon devint idolâtre. Salomon, fils de David, vécut approximativement entre 970 et 930 av. J.-C. ; le *Livre des Rois* (XI-3-8) lui attribue sept cents femmes et trois cents concubines.
(4) Trahi par Dalila, une Philistine, Samson (juge d'Israël, dont la force résidait dans sa longue chevelure) fut livré à ses ennemis qui lui crevèrent les yeux.
(5) Orphée, poète et musicien grec, était allé chercher aux Enfers son épouse Eurydice que la mort avait enlevée.
(6) Cerbère : chien féroce qui gardait l'entrée des Enfers.
(7) Le beau Narcisse (d'après les *Métamorphoses* d'Ovide, III, v. 345-510) avait dédaigné la nymphe Écho et finit par tomber amoureux de sa propre image que renvoyait un miroir d'eau.
(8) comme toiles au ruisseau
(9) je ne cherche pas à le cacher
(10) « Mâcher des groseilles » signifie recevoir une punition injuste ; on utilisait des branches épineuses de groseillers pour frapper les condamnés.
(11) hors ; sauf ; si ce n'est
(12) jeune fille courtisée par F. Villon ; mais la famille de la belle avait fait bastonner le soupirant.
(13) Que Noël, le témoin qui fut là, reçoive de tels coups à ses noces !
(14) jeune homme
(15) jeunes filles
(16) Assimilés à des hérétiques, les sorciers risquaient le bûcher.
(17) sorcier qui chevauche les balais
(18) La civette est un carnassier d'Asie dont on extrait parfum et fourrure.

François Villon, *Le Testament*, v. 625 à 640 et 657 à 672, texte établi par Jean Dufournet in *François Villon, Poésies*, Gallimard, 1983.

Pistes de recherche

1. Montrez comment le recours à l'érudition n'est qu'un prétexte de dérision.
2. Dans quelle mesure les références savantes et l'expérience personnelle sont-elles complémentaires ?
3. Relevez et classez les effets stylistiques qui soulignent le caractère négatif attaché à l'amour.

DOCUMENT

La dernière strophe de La Ballade de la grosse Margot, *portant en acrostiche[1] la signature du poète, fait l'apologie• de la paillardise.*

Vente, grêle, gèle, j'ai mon pain cuit.
Je suis paillard, la paillarde me suit.
Lequel vaut mieux ? Chacun bien s'entresuit.
L'un l'autre vaut ; c'est à mau rat mau chat.
Ordure aimons, ordure nous assuit[1] ;
Nous défuyons honneur, il nous défuit[2].

François Villon, *Le Testament*, v. 1621 à 1626 ; texte établi par Jean Dufournet in *François Villon, Poésies*, Gallimard, 1983.

(1) Poème où la lecture verticale des premières lettres de chaque vers désigne un nom. (2) poursuit (3) fuit

Déclassés et réprouvés

Villon a beau fréquenter épisodiquement la cour de Charles d'Orléans ou solliciter la protection de Robert d'Estouteville, prévôt de Paris, c'est toutefois le monde trouble de la rue et des tripots qu'il transpose dans son œuvre. Sans doute aime-t-il à se reconnaître à travers les silhouettes bruyantes et mouvantes de tous ces miséreux qui partagent avec lui les hasards et les détresses de l'existence. Chanter avec humour• ou réalisme les écarts de ces marginaux, c'est déjà les admettre, les comprendre et les excuser.

EXTRAIT

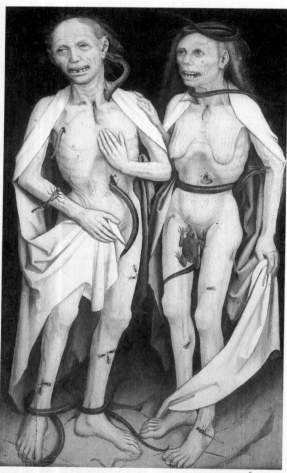

Mathias Grunewald (1450-1528), *Les Amants trépassés*, Strasbourg, musée de la ville, ph. H. Josse.

Ballade de bonne doctrine
à ceux de mauvaise vie

Car ou soies porteur de bulles[1],
Pipeur[2] ou hasardeur de dés,
Tailleur de faux coins[3] et te brûles
Comme ceux qui sont échaudés[4],
5 Traîtres parjurs, de foi vidés ;
Soies larron, ravis ou pilles :
Où en va l'acquêt[5], que cuidez[6] ?
Tout aux tavernes et aux filles.

Rime, raille, cymbale, luthes,
10 Comme fou feintif[7], éhontés ;
Farce, brouille[8], joue des flûtes ;
Fais, ès[9] villes et ès cités,
Farces, jeux et moralités,
Gagne au berlan, au glic[10], aux quilles,
15 Aussi bien va, or écoutez !
Tout aux tavernes et aux filles.

De tels ordures te recules[11],
Laboure, fauche champs et prés,
Sers et panse chevaux et mules,
20 S'[12]aucunement tu n'es lettrés ;
Assez auras, se prends en grés[13].
Mais, se[12] chanvre broyes ou tilles[14],
Ne tends ton labour[15] qu'as ouvrés
Tout aux tavernes et aux filles ?

25 Chausses, pourpoints aiguilletés[16],
Robes, et toutes vos drapilles[17],
Ains que[18] vous fassiez pis, portez
Tout aux tavernes et aux filles.

François Villon, *Le Testament*, v. 1692 à 1719 ; texte établi par Jean Dufournet in *François Villon, Poésies*, Gallimard, 1983.

(1) bulles pontificales d'indulgences
(2) tricheur
(3) faux-monnayeur
(4) bouillis
(5) ce qui a été acquis
(6) qu'en pensez-vous ?
(7) trompeur
(8) bonimente, ou fais des tours de prestidigitation
(9) dans les
(10) jeux de cartes
(11) à supposer que tu refuses de telles infamies
(12) si
(13) si tu te tiens pour satisfait
(14) si tu sépares la fibre de l'écorce
(15) ne destines-tu pas le fruit de ton travail
(16) à aiguillettes
(17) vêtements
(18) avant que

Pistes de recherche

1. Quel est l'effet produit par l'accumulation des diverses silhouettes à peine esquissées ?
2. À quoi est due la puissance évocatoire du refrain ? Essayez de préciser le ton de cette ballade.
3. Comment sont rendues sensibles la sympathie et la complicité qu'éprouve Villon en décrivant l'univers qui est le sien ?

La confrérie de la mort

Imprévisible rescapé du gibet, Villon a été hanté par les affres de la mort. En ces temps troublés où la justice était souvent expéditive, **la solidarité dans le supplice prolonge la complicité dans la délinquance.** Une tendresse macabre s'allie au réalisme le plus horrible pour réunir dans une sombre épitaphe morts et vivants. La révolte du hors-la-loi semble alors s'apaiser dans un tardif repentir d'outre-tombe.

EXTRAIT

Les Pendus, gravure sur bois, ph. Bulloz.

(1) si
(2) ici
(3) depuis longtemps
(4) détruite
(5) poussière
(6) trépassés
(7) que personne ne nous moleste
(8) lessivés
(9) creusés
(10) avec lui n'ayons rien à faire ni à payer

L'Épitaphe de Villon

Frères humains qui après nous vivez,
N'ayez les cœurs contre nous endurcis,
Car, se[1] pitié de nous pauvres avez,
Dieu en aura plus tôt de vous mercis.
5 Vous nous voyez ci[2] attachés cinq, six :
Quant de la chair que trop avons nourrie,
Elle est piéça[3] dévorée[4] et pourrie,
Et nous, les os, devenons cendre et poudre[5].
De notre mal personne ne s'en rie ;
10 Mais priez Dieu que tous nous veuille absoudre !

Se frères vous clamons, pas n'en devez
Avoir dédain, quoique fûmes occis
Par justice. Toutefois, vous savez
Que tous hommes n'ont pas bon sens rassis ;
15 Excusez-nous, puisque sommes transis[6],
Envers le fils de la Vierge Marie,
Que sa grâce ne soit pour nous tarie,
Nous préservant de l'infernale foudre.
Nous sommes morts, âme ne nous harie[7],
20 Mais priez Dieu que tous nous veuille absoudre !

La pluie nous a débués[8] et lavés,
Et le soleil desséchés et noircis ;
Pies, corbeaux, nous ont les yeux cavés[9],
Et arraché la barbe et les sourcils.
25 Jamais nul temps nous ne sommes assis ;
Puis çà, puis là, comme le vent varie,
À son plaisir sans cesser nous charrie,
Plus becquetés d'oiseaux que dés à coudre.
Ne soyez donc de notre confrérie ;
30 Mais priez Dieu que tous nous veuille absoudre !

Prince Jésus, qui sur tous a maîtrie,
Garde qu'Enfer n'ait de nous seigneurie :
À lui n'ayons que faire ne que soudre[10].
Hommes, ici n'a point de moquerie ;
35 Mais priez Dieu que tous nous veuille absoudre !

L'Épitaphe de Villon en forme de ballade; texte établi par Jean Dufournet in *François Villon, Poésies,* Gallimard, 1983.

Pistes de recherche

1. Étudiez comment l'architecture de la ballade fait alterner l'appel à la pitié et le spectacle de l'horreur.

2. Comment la supplique de Villon parvient-elle à associer les vivants et les morts dans une seule communauté ?

3. Dans quelle mesure les jeux de sonorités et le rythme des vers rendent-ils plus hallucinant le réalisme de la troisième strophe ?

4. De quel point de vue cette ballade vient-elle corriger l'image cynique• que Villon avait complaisamment donnée de lui-même dans les extraits précédents ?

« Je ris en pleurs »

François Villon n'a cessé d'accabler dans ses vers tous ceux qui ont pu le faire souffrir au nom des lois cruelles de la justice civile ou ecclésiastique. L'arme du poète sera l'humour•, l'ironie• ou la satire la plus cinglante. Mais, pour d'évidentes raisons de prudence, le poète traqué doit dissimuler ses coups. Travestissant le sens des mots sous d'inlassables jongleries verbales et d'ingénieux calembours, le rire acide bouscule les tabous, malmène les hiérarchies, subvertit le réel. La virtuosité de la ballade devient alors corrosive et vengeresse. Mais, au-delà de l'intention polémique•, **le poète débusque l'instabilité et la précarité du langage, l'ambiguïté des apparences, les contradictions de l'esprit et du cœur, la réversibilité des êtres et des choses.** En une désespérante dérive, la pensée de Villon, incapable de s'arrimer à quelques certitudes, se laisse ballotter avec indifférence entre des pôles opposés.

EXTRAIT

Villon avait participé à un concours poétique organisé par Charles d'Orléans (cf. pp. 157-159) à sa cour de Blois, où il s'était installé au retour de l'exil. Le premier vers, indiquant le thème de la ballade, était imposé aux poètes.

(1) à côté de
(2) réconfort
(3) réjouis
(4) accueilli
(5) repoussé
(6) donne (subjonctif présent du verbe «donner»)
(7) sur le dos
(8) ainsi, pourtant
(9) héritage
(10) héritier
(11) celui qui
(12) m'offense le plus
(13) alors
(14) mentant, abusant
(15) comprenant
(16) et celui qui
(17) je crois qu'il m'aide à me pourvoir
(18) plaisanterie
(19) vérité
(20) maintenant
(21) beaucoup
(22) ni
(23) je suis l'homme d'un parti, et me plie aux injonctions de tous les partis
(24) rentrer en possession de mes gages

Ballade du concours de Blois

Je meurs de soif auprès de la fontaine,
Chaud comme feu, et tremble dent à dent ;
En mon pays suis en terre lointaine ;
Lez[1] un brasier frissonne tout ardent ;
5 Nu comme un ver, vêtu en président,
Je ris en pleurs et attends sans espoir ;
Confort[2] reprends en triste désespoir ;
Je m'éjouis[3] et n'ai plaisir aucun ;
Puissant je suis sans force et sans pouvoir,
10 Bien recueilli[4], débouté[5] de chacun.

Rien ne m'est sûr que la chose incertaine ;
Obscur, hors ce qui est tout évident ;
Doute ne fais, hors en chose certaine ;
Science tiens à soudain accident ;
15 Je gagne tout et demeure perdant ;
Au point du jour dis : «Dieu vous doint[6] bon soir !»
Gisant envers[7], j'ai grande peur de choir ;
J'ai bien de quoi et si[8] n'en ai pas un ;
Échoite[9] attends et d'homme ne suis hoir[10],
20 Bien recueilli, débouté de chacun.

De rien n'ai soin, si[8] mets toute ma peine
D'acquérir biens et n'y suis prétendant ;
Qui mieux me dit, c'est cil[11] qui plus m'ataine[12],
Et qui plus vrai, lors[13] plus me va bourdant[14] ;
25 Mon ami est, qui me fait entendant[15]
D'un cygne blanc que c'est un corbeau noir ;
Et qui[16] me nuit, crois qu'il m'aide à pourvoir[17] ;
Bourde[18], verté[19], aujourd'hui m'est tout un ;
Je retiens tout, rien ne sais concevoir,
30 Bien recueilli, débouté de chacun.

Prince clément, or[20] vous plaise savoir
Que j'entends mout[21] et n'ai sens ne[22] savoir :
Partial suis, à toutes lois commun[23]
Que sais-je plus ? Quoi ? Les gages ravoir[24],
35 Bien recueilli, débouté de chacun.

Ballade du concours de Blois, texte établi par Jean Dufournet in *François Villon, Poésies,* Gallimard, 1983.

Pistes de recherche

1. Essayez de préciser selon quelles règles fonctionne ce jeu de rhétorique•.
2. Comment Villon a-t-il réussi à donner l'impression d'un émiettement du langage ? Vous pourriez, par exemple, observer la place des coupes à l'intérieur du vers, étudier comment s'enchaînent les idées ou comment se coulent les phrases dans les limites du vers.
3. Quelle vision du monde est suggérée par cette ballade ?

On comprend aujourd'hui l'importance de certains vers que leur allure paradoxale a fait négliger, mais qui offrent une des clés et du *Testament* et de la seconde moitié du XVe siècle :

> Rien ne m'est sûr que la chose incertaine...
> Doute ne fais, fors[1] en chose certaine...

C'était aussi l'un des motifs favoris de la cour de Blois. Au fond, les étranges ballades des «Menus Propos» avec le refrain : «Je connais tout fors[1] que moi-même», des «Contre-Vérités», qui détruisent le manichéisme• du bon sens («Il n'est service que d'ennemi») et du «Concours de Blois» («Je meurs de soif auprès de la fontaine»), ces trois ballades révèlent l'homogénéité du monde villonien et expriment la philosophie du *Testament*, vision d'un monde ambivalent, brisé, éclaté en parties contradictoires entre lesquelles le poète ne peut choisir. Pour le signifier, Villon a eu recours à une formule où l'on n'a vu, à tort, que l'expression de son caractère ou de son évolution : c'est le fameux «Je ris en pleurs», qui appartient aussi à son temps. Pour Villon, le monde est à la fois amitié et haine, rire et sérieux, amour profond et louche aventure. [...]

Les jeux sur les mots dans la poésie de Villon ne sont rien moins qu'anodins : ils révèlent l'attitude d'un homme en face d'un monde instable et difficile, aux apparences trompeuses, où le déraciné, l'être défixé a éprouvé la fausseté du langage, échouant dans sa tentative de réintégrer le groupe, dans ses recours à des idéaux et des refuges rassurants : la chevalerie, l'amour courtois, l'amitié. À travers la philosophie optimiste de Jean de Meung[2] et la joie débridée des carnavals populaires s'insinue l'inquiétude d'une civilisation à bout de souffle, prête à céder la place à la fougue et à la vitalité de la Renaissance.

Jean Dufournet in *Dictionnaire des littératures de langue française* de J.-P. de Beaumarchais, D. Couty, A. Rey, p. 2 470, Bordas, 1984.

_____

(1) sauf, si ce n'est
(2) cf. p. 151

Sandro Botticelli (1445-1510), *La Calomnie,* Florence, musée des Offices, ph. Giraudon.

Le XVIe siècle

1492	Débuts des guerres d'Italie			
1492	Découverte de l'Amérique			
1515-1547	Règne de François Ier	1511	Érasme	*Éloge de la folie*
1515	Victoire de Marignan			
1516-1519	L. de Vinci à la Cour de France			
1520	Rupture de Luther avec Rome	1518-1542	Marot	**Poète officiel de François Ier**
1525	Défaite de Pavie			
		1530		**Fondation du Collège des Lecteurs royaux**
		1532	Rabelais	***Pantagruel***
		1534	Rabelais	***Gargantua***
1534	Affaire des Placards	1535		**Concours de « blasons »**
		1538	Marot	**Œuvres complètes**
1539	Ordonnance de Villers-Cotterêts	1541	Calvin	***Institution chrétienne***
1541-1564	Calvin à Genève			
1543	Système de Copernic	1544	Scève	***Délie***
		1545	P. du Guillet	***Rimes***
1545-1563	Concile de Trente	1546	Rabelais	***Tiers Livre***
			M. de Navarre	**Rédaction de l'*Heptaméron***
1547	Avènement d'Henri II	1549	Du Bellay	***Défense et Illustration...***
1548	Le Parlement interdit les Mystères			***L'Olive***
		1550-1560	Ronsard	**Premières œuvres poétiques**
		1552	Jodelle	***Cléopâtre*** (1re tragédie française)
		1554	L. Labé	***Sonnets***
			Belleau	***Odes anacréontiques***
1555	Intervention française en Italie			
1556	Abdication de Charles Quint			
1559	Fin des guerres d'Italie par le	1558	du Bellay	***Regrets et Antiquités de Rome***
	traité du Cateau-Cambrésis	1559	Amyot	**Traduction des *Vies Parallèles* de**
	Mort d'Henri II ; François II, roi			**Plutarque**
1560	Conjuration d'Amboise	1560-1574	Ronsard	**Poète officiel**
	Mort de François II ; Charles IX, roi			
1562	Début des guerres de religion	1565-1570	Jodelle	***Amours***
1572	Saint-Barthélemy	1573	Desportes	***Les Amours d'Hippolyte***
			d'Aubigné	***Le Printemps***
1574	Mort de Charles IX ; Henri III, roi			
		1576	Belleau	***Amours et Nouveaux Échanges de***
				pierres précieuses
		1577	d'Aubigné	***Les Tragiques***
		1578	La Boétie	***Le Contr'Un ou de la servitude***
				volontaire
		1580	Montaigne	***Essais*** (I-II, première édition)
		1582	Garnier	***Bradamante***
		1583	Garnier	***Les Juives***
		1585	Papillon de L.	***Amours de Noémie***
1589	Assassinat d'Henri III	1588	Montaigne	***Essais*** (I-II-III)
	Avènement d'Henri IV			
1594	Henri IV entre à Paris	1594		***Satire Ménippée***
1598	Édit de Nantes	1597	Sponde	***Sonnets sur la mort***
1610	Assassinat d'Henri IV			

Les conditions de la production littéraire

■ Retour aux sources écrites : l'Antiquité et l'Évangile ■

. Les termes les plus usuels pour désigner le XVIᵉ siècle ont des contours flous : renaissance (mais de quoi?) ou humanisme (mais quel écrivain a jamais prétendu n'être pas un « humaniste »?). Cette imprécision a cependant le mérite de révéler un siècle qui ne se prête guère à des schémas simples et réducteurs. Elle permet d'évoquer une période qui a eu conscience — trop? — d'apporter la lumière et la résurrection, au sortir d'une époque (le Moyen Âge) supposée barbare et obscure. L'un des premiers intellectuels de la Renaissance, Érasme (1467-1536, cf. p. 170), caractérise sa démarche par un *Livre contre les barbares*. Ces vues, très injustes pour le Moyen Âge, témoignent en tout cas d'une unité : en dépit de la diversité des idées et des tempéraments, **le XVIᵉ siècle s'ouvre sur une espérance et une ferveur** communes, hostiles à toute stagnation.

DOCUMENT

Mérite donc d'être appelé humaniste tout mouvement de notre esprit par lequel nous rejetons les habitudes de pensée, les principes, les enseignements de l'époque immédiatement précédente, à la seule condition — et c'est une condition presque toujours remplie — que l'esprit pour se renouveler, pour rajeunir, veuille puiser dans la nature humaine.

Fernand Robert, *L'Humanisme, essai de définition*, Belles-Lettres, 1946.

Cet idéal novateur, bien loin de vouloir faire table rase du passé, veut revenir aux vraies sources, puiser par **la lecture directe et personnelle dans les trésors de la civilisation antique.** En France, depuis le XIIIᵉ siècle, l'Université n'enseignait que de creuses formules, dont Rabelais a raison de se moquer (cf. p. 221). Les humanistes de la Renaissance vont mettre au service des étudiants et des amateurs les ouvrages grecs (Homère, Platon, Xénophon, Démosthène, par exemple) et latins (Salluste, Cicéron, Tite-Live, Virgile, Ovide, Horace, etc.). Cette diffusion est évidemment liée à l'essor de l'imprimerie et au développement du livre. Les princes et les riches particuliers ont des bibliothèques, et l'on voit paraître des catalogues de vulgarisation. Un homme comme Guillaume Budé (1468-1540), secrétaire puis bibliothécaire de François Iᵉʳ, multiplie les travaux de philologie● (grecque, surtout), et organise un véritable réseau de soutien aux traducteurs et éditeurs. Avec l'appui et les finances du roi, il rend obligatoire le dépôt à la collection royale de tout ouvrage imprimé, demande aux ambassadeurs et aux voyageurs de collecter les manuscrits étrangers, fait imprimer des traductions des historiens anciens, donne des pensions à des érudits. Enfin, en 1530, François Iᵉʳ, à la demande de Budé, crée le « Collège des lecteurs royaux », le futur Collège de France.

On comprend l'enthousiasme de Rabelais (cf. p. 210).

François Iᵉʳ, Chantilly, musée Condé, ph. H. Josse.

*Lettre de Gargantua
à son fils Pantagruel*

Maintenant toutes disciplines sont resti-tuées, les langues ins-taurées : grecque, sans laquelle c'est honte qu'une personne se dise savant, hébraïque, chaldaïque[1], latine. Les impressions tant élégantes et correctes en usance, qui ont été inventées de mon âge par inspiration divine, comme, à contre-fil[2], l'artillerie par sugges-tion diabolique. Tout le monde est plein de gens savants, de pré-cepteurs très doctes, de librairies très amples, et m'est avis que, ni au temps de Platon, ni de Cicéron, n'était telle commodité d'étude qu'on y voit mainte-nant. Et ne se faudra plus dorénavant trou-ver en place ni en com-pagnie, qui ne sera bien expoli en l'officine de

Jan van Scorel, *Un huma-niste*, Madrid, musée du Prado, ph. Oroñoz-Arte-phot.

Minerve[3]. Je vois les brigands, les bourreaux, les aventuriers, les pale-freniers de maintenant, plus doctes que les docteurs et prêcheurs de mon temps.

Que dirai-je ? Les femmes et les filles ont aspiré à cette louange et manne céleste de bonne doctrine. Tant y a qu'en l'âge où je suis, j'ai été contraint d'apprendre les lettres grecques, lesquelles je n'avais contemnées[4] comme Caton[5], mais je n'avais eu le loisir de comprendre en mon jeune âge. [...]

Par quoi, mon fils, je t'admoneste qu'emploies ta jeunesse à bien profi-ter en études et en vertus. Tu es à Paris, tu as ton précepteur Épistémon, dont l'un par vives et vocales instructions, l'autre par louables exemples, te peut endoctriner. J'entends et veux que tu apprennes les langues[6] parfaite-ment. [...] Qu'il n'y ait histoire que tu ne tiennes en mémoire présente, à quoi t'aidera la cosmographie de ceux qui en ont écrit. Des arts libéraux, géométrie, arithmétique et musique, je t'en donnai quelque goût quand tu étais encore petit, en l'âge de cinq à six ans ; poursuis le reste, et d'astrono-mie saches-en tous les canons[7] ; laisse-moi l'astrologie divinatrice, et l'art de Lullius[8], comme abus et vanités. Du droit civil, je veux que tu saches par cœur les beaux textes et me les confères[9] avec philosophie.

Et quant à la connaissance des faits de nature, je veux que tu t'y adonnes curieusement : qu'il n'y ait mer, rivière, ni fontaine, dont tu ne connaisses les poissons ; tous les oiseaux de l'air, tous les arbres, arbustes et fructices[10] des forêts, toutes les herbes de la terre, tous les métaux cachés au ventre des abîmes, les pierreries de tout Orient et Midi, rien ne te soit inconnu.

Puis soigneusement revisite les livres des médecins grecs, arabes et latins, sans contemner[4] les talmudistes et cabalistes[11], et, par fréquentes anatomies[12], acquiers-toi parfaite connaissance de l'autre monde, qui est l'homme. Et, par quelques heures du jour, commence à visiter les saintes lettres. Premièrement, en grec, le Nouveau Testament, et Épîtres des apô-tres, et puis, en hébreu, le Vieux Testament. Somme, que je voie un abîme de science. Car, dorénavant que tu deviens homme et te fais grand, il te

(1) Variété d'hébreu.
(2) inversement
(3) perfectionné dans l'ate-lier de la science
(4) méprisées
(5) 234-149 av. J.-C.
(6) les langues anciennes
(7) règles, lois
(8) Alchimiste espagnol du XIIIe siècle.
(9) compares
(10) buissons
(11) Médecins juifs héri-tiers du *Talmud* (recueil de l'enseignement des rab-bins) et de la *Kabbale* (interprétation ésotérique de la Bible).
(12) opérations, autopsies

faudra issir de cette tranquillité et repos d'étude et apprendre la chevalerie et les armes, pour défendre ma maison, et nos amis secourir en tous leurs affaires, contre les assauts des malfaisants. Et veux que, de bref, tu essaies combien tu as profité, ce que tu ne pourras mieux faire, que tenant conclu-
65 sions en tout savoir publiquement envers tous et contre tous et hantant les gens lettrés qui sont tant à Paris comme ailleurs.

Mais parce que, selon le sage Salomon[13], sapience[14] n'entre point en âme malivole[15] et science sans conscience n'est que ruine de l'âme, il te convient servir, aimer et craindre Dieu, et en lui mettre toutes tes pensées et
70 tout ton espoir ; et, par foi formée de charité, être à lui adjoint, en sorte que jamais n'en sois désemparé[16] par péché. Aie suspects les abus du monde ; ne mets ton cœur à vanité, car cette vie est transitoire, mais la parole de Dieu demeure éternellement. Sois serviable à tous tes prochains, et les aime comme toi-même. Révère tes précepteurs, fuis les compagnies des gens
75 esquels tu ne veux point ressembler, et les grâces que Dieu t'a données, icel-les ne reçois en vain. Et quand tu connaîtras qu'auras tout le savoir de par delà[17] acquis, retourne vers moi, afin que je te voie et donne ma bénédic-tion devant que mourir.

Mon fils, la paix et grâce de Notre Seigneur soit avec toi. Amen. D'Uto-
80 pie[18], ce dix-septième jour du mois de mars,

Ton père, GARGANTUA.

(13) Dans la Bible, *Livre de la Sagesse*, I, 4.
(14) sagesse
(15) méchante
(16) séparé
(17) à Paris
(18) Cf. p. 229.

Rabelais, *Pantagruel*, chap. VIII, 1532.

Pistes de recherche

1. Récapitulez les diverses formes de culture que défend ici Rabelais. Observez que les sources du savoir sont assez diversifiées (livres, fréquentation du monde, précepteur, expérience et pratiques, etc.).

2. Le programme est ambitieux : faites la part de l'enthousiasme un peu débordant et du possible. Pourquoi ce désir de l'« abîme de science » ? Distinguez les raisons personnelles probables, propres à Rabelais — qui savait effectivement tout ! — et l'influence du moment historique.

3. Qu'ajoute le dernier paragraphe au projet humaniste ? Commentez la célèbre formule : « Science sans conscience n'est que ruine de l'âme ».

Mais, dans le même mouvement de retour aux sources, **les humanistes s'intéressent au texte original de la Bible**. Leur habitude du libre examen les conduit à abandonner le fatras des interprétations où les théolo-giens ont enfoui la simple et pure parole de l'Évangile. La Sorbonne• s'inquiète : non seulement on discrédite son enseignement, mais encore on prétend se passer d'elle pour la doctrine et la foi chrétiennes. Le savant Jacques Lefèvre d'Étaples (1453-1536) publie, par exemple, son *Commentaire sur les Épîtres de saint Paul* (1512) : il constate que les dogmes• de l'Église n'ont rien de commun avec le message évangélique. Cet **« évangélisme »** va se développer : Érasme traduit à son tour le Nouveau Testament (1516) suivi par Luther qui réalise en allemand une édition de la Bible (1521), imité par Lefèvre d'Étaples, en France, en 1523. La Réforme est dès lors en marche. Et tous les traducteurs, poètes ou pas, seront suspects à l'Église, tel Marot (cf. p. 190).

EXTRAIT

Contre l'extrava-gance des religieux qui ont perdu et la lettre et l'esprit de l'enseigne-ment du Christ.

Aussitôt après le bonheur des théologiens, vient celui des gens vulgaire-ment appelés Religieux ou Moines, par une double désignation fausse, car la plupart sont fort loin de la religion et personne ne circule davantage en tous lieux que ces prétendus solitaires. Ils seraient, à mon sens, les plus mal-
5 heureux des hommes, si je ne les secourais de mille manières. Leur espèce est universellement exécrée, au point que leur rencontre fortuite passe pour porter malheur, et pourtant ils ont d'eux-mêmes une opinion magnifique. Ils estiment que la plus haute piété est de ne rien savoir, pas même lire. Quand ils braient comme des ânes dans les églises, en chantant leurs psau-
10 mes qu'ils numérotent sans les comprendre, ils croient réjouir les oreilles des personnes célestes. De leur crasse et de leur mendicité beaucoup se font gloire ; ils beuglent aux portes pour avoir du pain ; ils encombrent partout les auberges, les voitures, les bateaux, au grand dommage des autres men-diants. Aimables gens qui prétendent rappeler les Apôtres par de la saleté et
15 de l'ignorance, de la grossièreté et de l'impudence !

Le plus drôle est que tous leurs actes suivent une règle et qu'ils croiraient faire péché grave s'ils s'écartaient le moins du monde de sa rigueur mathématique [...] Ces niaiseries, pourtant, les enorgueillissent si fort qu'ils méprisent tout le monde et se méprisent d'un ordre à l'autre. Des hommes,
20 qui professent la charité apostolique, poussent les hauts cris pour un habit différemment serré, pour une couleur un peu plus sombre. Rigidement attachés à leurs usages, les uns ont le froc de laine de Cilicie et la chemise de toile de Milet[(1)], les autres portent la toile en dessus, la laine en dessous. Il en est qui redoutent comme un poison le contact de l'argent, mais nullement
25 le vin ni les femmes. Tous ont le désir de se singulariser par leur genre de vie. Ce qu'ils ambitionnent n'est pas de ressembler au Christ, mais de se différencier entre eux. Leurs surnoms aussi les rendent considérablement fiers : entre ceux qui se réjouissent d'être appelés Cordeliers, on distingue les Coletans, les Mineurs, les Minimes, les Bullistes. Et voici les Bénédic-
30 tins, les Bernardins, les Brigittins, les Augustins, les Guillemites, les Jacobins[(2)], comme s'il ne suffisait pas de se nommer Chrétiens !
Leurs cérémonies, leurs petites traditions tout humaines, ont à leurs yeux tant de prix que la récompense n'en saurait être que le ciel. Ils oublient que le Christ, dédaignant tout cela, leur demandera seulement s'ils ont obéi à
35 sa loi, celle de la charité. L'un étalera sa panse gonflée de poissons de toute sorte ; l'autre videra cent boisseaux de psaumes ; un autre comptera ses myriades de jeûnes, où l'unique repas du jour lui remplissait le ventre à crever ; un autre fera de ses pratiques un tas assez gros pour surcharger sept navires ; un autre se glorifiera de n'avoir pas touché à l'argent pendant soi-
40 xante ans, sinon avec les doigts gantés ; un autre produira son capuchon, si crasseux et si sordide qu'un matelot ne le mettrait pas sur sa peau ; un autre rappellera qu'il a vécu plus de onze lustres au même lieu[(3)], attaché comme une éponge ; un autre prétendra qu'il s'est cassé la voix à force de chanter ; un autre qu'il s'est abruti par la solitude ou qu'il a perdu, dans le silence
45 perpétuel, l'usage de la parole.
Mais le Christ arrêtera le flot sans fin de ces glorifications : «Quelle est, dira-t-il, cette nouvelle espèce de Juifs ? Je ne reconnais qu'une loi pour la mienne ; c'est la seule dont nul ne me parle.
50 Jadis, et sans user du voile des paraboles, j'ai promis clairement l'héritage de mon Père, non pour des capu-
55 chons, petites oraisons ou abstinences, mais pour les œuvres de foi et de charité.»

Érasme, *Éloge de la folie*, 54, 1511.

(1) C'est-à-dire un habit moelleux sous une robe rugueuse.
(2) Tous noms d'ordres religieux.
(3) Allusion à Simon le Stylite, qui passa trente ans de sa vie en haut d'une colonne (422-452).

Pistes de recherche

1. C'est toute une conception de la religion qui est ici mise en cause : laquelle ? Récapitulez les arguments, en reprenant au fil du texte les critiques tour à tour ironiques• et caustiques d'Érasme contre les habitudes de vie des religieux.

2. Le titre du livre éclaire ce qu'Érasme veut dénoncer. Notez l'insistance sur tout ce qui est aberration, absurdité, attitude inepte, dérèglement, etc.

3. Le texte ne s'en prend pas à la foi. Mais la fin montre que le projet d'Érasme est très proche de l'esprit de la Réforme. En quoi ? Aidez-vous de la page 176.

Hans Holbein (1497-1543), *Érasme*, Paris, Louvre, ph. H. Josse.

Le modèle italien et le poète courtisan

Les expéditions des rois Charles VIII, Louis XII et François Ier, pour faire valoir leurs droits sur Naples et Milan, ont obligé la noblesse française à passer les Alpes. Subjuguée par le raffinement des arts et des mœurs d'Italie, elle va faire importer bien des chefs-d'œuvre et attirer en France des musiciens, des peintres, des sculpteurs, des décorateurs. L'**italianisme** va ainsi exercer son influence, en tous domaines. Les tenues vestimentaires, les bijoux, les architectures se mettent au goût italien. Notre vocabulaire s'enrichit de plus de deux cents mots italiens, et la culture mondaine — à la cour, surtout — se fait plus civile : la conversation, les jeux d'esprit, les fêtes élégantes veulent rivaliser de qualité avec le modèle de la péninsule. Le poète peut espérer un meilleur statut au sein d'une aristocratie qui se met à avoir le culte des méthodes policées et stylées.

François Ier donne d'ailleurs l'exemple. Sa cour de Fontainebleau, brillante et fastueuse, est un foyer artistique. Il y attire Léonard de Vinci ou le Primatice, et lui-même ne dédaigne pas de rimer, protégeant poètes et savants. Il obtient même de Baldassare Castiglione (1478-1529) la rédaction d'un manuel de civilité, code du savoir-vivre aristocratique : *Le Courtisan* (1528) sera le livre d'or de la noblesse européenne. Surnommé le « Père des Lettres », François Ier, comme sa sœur Marguerite (cf. p. 186), permet à l'homme de lettres de se faire une condition : assuré d'un revenu, sous forme d'un bénéfice religieux (Ronsard, Rabelais), d'une pension (Marot) ou d'une charge dans la maison royale (Budé), l'**écrivain est** donc **soumis à la loi du mécénat royal**. Il a beau rechigner, comme du Bellay (cf. p. 260), il peut en tout cas se consacrer à son œuvre, quitte à rédiger de temps à autre d'édifiantes louanges — pour les naissances, les mariages, les traités, etc. — qu'on ne lit plus guère aujourd'hui. La plupart des poètes du XVIe siècle a vécu dans cette situation ambiguë.

EXTRAIT

Du Bellay ironise•...

Laisse moi doncques là ces Latins et Grégeois[(1)],
Qui ne servent de rien au poète françois,
Et soit la seule Cour ton Virgile et Homère,
Puisqu'elle est (comme on dit) des bons esprits la mère.
5 La Cour te fournira d'arguments suffisants,
Et seras estimé entre les mieux disants,
Non comme ces rêveurs, qui rougissent de honte
Fors[(2)] entre les savants, desquels on ne fait compte.
     Or si les grands seigneurs tu veux gratifier,
10 Arguments à propos il te faut épier,
Comme quelque victoire, ou quelque ville prise,
Quelque noce, ou festin, ou bien quelque entreprise
De masque ou de tournoi ; avoir force desseins,
Desquels à cette fin tes coffres[(3)] seront pleins.
15 Je veux qu'aux grands seigneurs tu donnes des devises,
Je veux que tes chansons en musique soient mises,
Et afin que les grands parlent souvent de toi,
Je veux que l'on les chante en la chambre du Roi.
Un sonnet à propos, un petit épigramme,
20 En faveur d'un grand Prince, ou de quelque grand Dame,
Ne sera pas mauvais ; mais garde-toi d'user
De mots durs, ou nouveaux, qui puissent amuser
Tant soit peu le lisant ; car la douceur du style
Fait que l'indocte[(4)] vers aux oreilles distille ;
25 Et ne faut s'enquérir s'il est bien ou mal fait,
Car le vers plus coulant est le vers plus parfait...
     Retiens doncques ce point : et si tu m'en veux croire,
Au jugement commun ne hasarde ta gloire.
Mais, sage, sois content du jugement de ceux
30 Lesquels trouvent tout bon, auxquels plaire tu veux,
Qui peuvent t'avancer en états et offices,
Qui te peuvent donner les riches bénéfices,
Non ce vent populaire et ce frivole bruit
Qui de beaucoup de peine apporte peu de fruit.

(1) Grecs
(2) hormis, si ce n'est
(3) tiroirs
(4) inculte

Du Bellay, *Le Poète Courtisan*, 1559.

1. Bien qu'ironique•, cet extrait, plein d'amertume (cf. p. 259), donne des conseils de réussite fort réalistes. Qu'est-ce qu'un poète courtisan, finalement ?

2. A contrario, ces vers permettent peut-être de définir comment du Bellay voit une vraie vocation poétique. Montrez-le, en prenant le contrepied de ses conseils paradoxaux.

Raphaël (1483-1520), *Baldassare Castiglione* (1478-1529), Paris, Louvre, ph. H. Josse.

Louis de Caullery (XVIᵉ-XVIIᵉ siècles), *Bal sous Henri IV*, musée de Rennes, ph. Giraudon.

■ L'idéal humaniste et le rêve contrarié ■

La Renaissance correspond d'abord à un sentiment, vivement éprouvé par les contemporains de François Ier : ils ont eu l'impression d'entrer dans une ère nouvelle. Les uns y voyaient une forme de progrès, d'histoire en marche ; d'autres croyaient que le temps est un vaste cycle et que le XVIᵉ siècle allait revivre l'âge d'or chanté par les Anciens. Foi dans un devenir qui s'accélère ou certitude du retour à une époque bénie : l'une et l'autre de ces conceptions du temps se confondent en une même **joie de participer à une période exaltante.**

DOCUMENT 1 _____

Je félicite cet âge qui est le nôtre et qui promet d'être un âge d'or s'il y en eut jamais, lorsque je vois, sous vos heureux auspices et grâce à vos saints conseils, trois des plus grands biens de l'humanité sur le point d'être restaurés : premièrement cette piété chrétienne véritable, qui à plusieurs égards était tombée en décadence ; deuxièmement les bonnes études qui jusqu'ici étaient en partie négligées et en partie corrompues, et troisièmement la concorde publique et durable de la chrétienté, source et mère de l'érudition et de la piété.

Érasme (1469-1538), *Lettre au Pape Léon X,* 1517.

Ainsi le culte des Anciens se double-t-il d'un esprit de découverte résolu. La tradition n'est pas la stagnation. L'humaniste voit le monde comme une richesse presque inépuisable qu'il faut mettre à jour et déchiffrer.

DOCUMENT 2 _____

Vos philosophes qui se complaignent toutes choses être par les Anciens décrites, rien ne leur être laissé de nouveau à inventer, ont tort trop évident. Ce que du ciel vous apparaît et appelez phénomènes, ce que la terre vous a exhibé, ce que la mer et tous autres fleuves contiennent n'est comparable à ce qui est en terre caché.

Rabelais, *Cinquième Livre,* chap. 47, cf. p. 239.

Pour l'humaniste, toute la dignité de l'homme consiste donc dans l'activité de sa raison, nourrie des sagesses de ceux qui l'ont précédé. Démarche à la fois collective (la civilisation) et individuelle (la culture), l'intelligence humaine « est née pour quêter la vérité », comme dira Montaigne (III, 8). Mais cette attitude intellectuelle, qui ne peut être passive, conduit l'écrivain à des **engagements.** Le XVIᵉ siècle croit que la vérité est un combat : contre l'intolérance (Marot ou Montaigne), contre la corruption des clercs (Rabelais), contre les habitudes intellectuelles (du Bellay), contre la guerre ou la torture, etc. L'idéal de justice et de raison qui habite tous les penseurs et écrivains ne tardera pas à se heurter aux réalités cruelles de l'histoire des hommes. Le bilan de Montaigne sera fort critique (cf. pp. 329 et 338). L'éloge du savoir, la conviction que l'homme est l'être perfectible, créature élue, et l'amour de la sagesse doivent coexister avec d'**incessantes remises en cause.** Les trois principales sont celles-ci : la découverte du Nouveau Monde, qui fait vaciller bien des certitudes ; la révolution de Copernic qui interdit désormais de croire que la Terre — et l'homme — soit le centre de l'univers ; le protestantisme.

Hans Holbein (1497-1543), *Les Ambassadeurs français,* Londres, National Gallery, ph. E. Lessing-Magnum. *La forme allongée, au centre, est un crâne vu en distorsion. Notez les objets sur la table qui évoquent les divers aspects de la Renaissance : arts, mathématiques, religion, voyages, etc.*

Cette contradiction, que tous les écrivains du XVIᵉ siècle ont sentie, est résolue de diverses manières. Par exemple, par la critique religieuse, politique ou sociale, et par une volonté réformiste (Calvin, La Boétie, d'Aubigné) ; ou par un individualisme agité (Marot) ou jouisseur (l'école lyonnaise) ; ou par le culte des sciences nouvelles (Rabelais) ; ou par le doute et la retraite, enfin (Montaigne). Au fond, tous ces tempéraments, profondément ébranlés par les changements de perspectives géographiques, cosmologiques et culturels, essaient, chacun à leur manière, de dresser l'inventaire et de trouver une clef pour dominer méthodiquement l'effervescence des choses.

DOCUMENTS

a/ L'univers change de centre

Pour Ptolémée (vers 150 après J.-C.), la Terre est le centre fixe du monde. Les planètes décrivent des mouvements circulaires autour de points centraux qui se déplacent eux-mêmes selon une orbite circulaire (théorie des épicycles).

Copernic (1473-1543) calcule que le Soleil est immobile : la Terre tourne autour de lui en une année, tout en tournant sur elle-même en vingt-quatre heures.

Cette découverte essentielle sera confirmée par **Galilée** (1564-1642) et complétée par les calculs de **Kepler** (1571-1630) et Newton (1642-1727) sur la gravitation.

b/ La Terre change de dimension

Limites du monde connu en 1490 :

Atelier d'imprimerie à Paris au XVIᵉ siècle, manuscrit fr. 1537, fol. 29, Paris, Bibl. Nat.

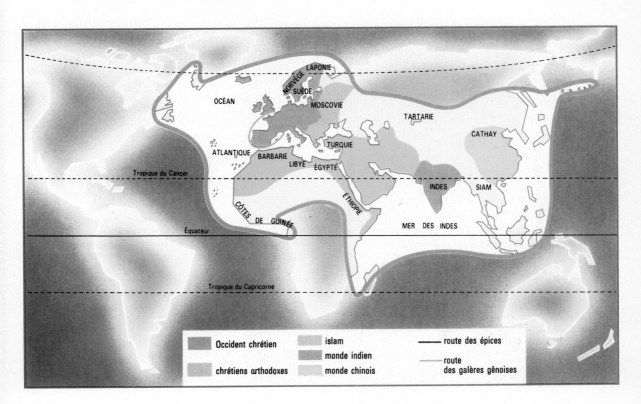

OCÉAN — LAPONIE — NORVÈGE — SUÈDE — MOSCOVIE — TARTARIE — CATHAY — ATLANTIQUE — BARBARIE — LIBYE — ÉGYPTE — TURQUIE — Tropique du Cancer — CÔTES DE GUINÉE — ÉTHIOPIE — INDES — SIAM — Équateur — MER DES INDES — Tropique du Capricorne

Occident chrétien — islam — route des épices
chrétiens orthodoxes — monde indien — monde chinois — route des galères gênoises

Les grands découveurs de la Renaissance :

Christophe Colomb (1450-1506), Italien, atteint Cuba, Haïti et les côtes du Brésil.
Vasco de Gama (1469-1524), Portugais, contourne le Sud de l'Afrique (Cap de Bonne-Espérance), puis le Sud-Est, avant de traverser vers les Indes.
Amerigo Vespucci (1454-1512), Italien, refait le voyage de Colomb et atteint le quart Nord-Est de l'Amérique du Sud, et lui donne son prénom.
Fernand de Magellan (1480-1521), Portugais, longe la côte Est de l'Amérique du Sud, contourne ce continent par le sud (détroit de Magellan) et atteint les Philippines.
Fernand Cortez (1485-1547), Espagnol, fait la conquête du Mexique et Francisco Pizarro (1475-1541) celle du Pérou, tandis que le Français Jacques Cartier installe une colonie au Canada.

Cosmographie universelle de G. Le Testu, 1555, fol. 41 vᵒ, Bibl. du ministère de la Guerre, ph. Giraudon.

c/ L'Europe change en partie de religion

Martin Luther (1483-1546), le 31 octobre 1517, affiche ses « 95 thèses » sur la porte d'une église de Wittenberg. Son idéal est de faire revenir l'Église aux principes du christianisme primitif, en le débarrassant des superstitions, traditions et intercessions multiples de l'appareil ecclésiastique. Il est excommunié en 1520. La Confession d'Augsbourg (1530) définit la foi luthérienne qui, après divers conflits, s'impose en Allemagne et dans l'Europe du Nord (traité d'Augsbourg, 1555).
Tandis que le luthéranisme a gagné l'Europe, c'est **Calvin** (1509-1564) qui propage la Réforme en France, sous François Iᵉʳ. Contraint à l'exil, il s'installe finalement à Genève (1536). Il définit sa doctrine : seul Dieu est souverain (refus de reconnaître le pape et son Église) ; le culte est exprimé en langue vulgaire ; les élus et les réprouvés sont prédestinés ; la confession, le célibat des prêtres, les indulgences, les pèlerinages, le culte des saints, etc. sont supprimés.
Michel de l'Hospital essaie de faire triompher des principes de tolérance entre catholiques et réformés. Mais le massacre de Wassy, ordonné par le duc de Guise en 1562, déchaîne les guerres de religion.

En Angleterre, Henri VIII se sépare de Rome (1531). L'**anglicanisme** va peu à peu s'installer, Édouard VI (1547-1553) et Élisabeth Iʳᵉ (1558-1603) lui donnant une forme et un statut définitifs.

Survivance
et novation

La sottie

Marguerite de Navarre

Une forte personnalité et son influence :
Marot et les « marotiques »

La sottie

■ Survivance et aboutissement : le rire dérangeant de la sottie

Au cours de la deuxième moitié du XVe siècle, dans la nébuleuse du théâtre gai médiéval, le genre de la sottie acquiert peu à peu son autonomie pour atteindre son apogée au cours du XVIe siècle. Il tire son nom des Sots qui organisaient et jouaient le spectacle. Il s'agissait d'associations joyeuses comme, à Paris, les Enfants-Sans-Souci auxquels appartinrent Marot et Gringore. Elles se recrutaient dans le milieu intellectuel et contestataire des étudiants, surtout la Basoche (cf. document 1).

Les Sots se placent sous le signe de la folie, dont ils adoptent certains attributs (notamment le capuchon à oreilles d'âne) qui tout à la fois constituent leur emblème et leur apportent une protection ancrée dans la tradition. Ainsi la sottie se relie à l'antique fête des fous, mais elle ne se confond pas avec elle. La fête des fous appartenait au monde de l'inversion carnavalesque, elle était occasion d'exubérance licencieuse et de libération des instincts. La folie des Sots ne se réduisait pas à ce dérèglement, même si elle en prenait les apparences : face à la prétendue sagesse du monde qui aux yeux de la sottie est folie véritable, elle tend à se présenter comme seule sagesse.

Dans les spectacles composés (jeux comportant une sottie, une moralité ou un mystère et, pour terminer, une farce), **la sottie** qui **ouvrait la représentation** créait, par l'ivresse verbale, une disponibilité complète du spectateur.

DOCUMENT 1 _____

Basoches : associations fondées autour des parlements et regroupant les futurs juristes, dont l'organisation était calquée, dans un dessein pédagogique, sur celle du royaume ; elles étaient dirigées par un roi, entouré de grands dignitaires et avaient leurs propres tribunaux pour juger les différends entre clercs.

Jean-Claude Aubailly, article « Théâtre comique médiéval », *Dictionnaire des littératures de langue française*, Bordas, 1984.

Voici le début (première strophe d'une ballade) du « cri » par lequel Pierre Gringore annonçait son spectacle.

Sots lunatiques, sots étourdis, sots sages,
Sots de villes, de châteaux, de villages,
Sots rassotés, sots niais, sots subtils,
Sots amoureux, sots privés[1], sots sauvages,
Sots vieux, nouveaux et sots de tous âges,
Sots barbares, estranges[2] et gentils[3],
Sots raisonnables, sots pervers, sots rétifs,
Votre Prince, sans nulles intervalles,
Le Mardy gras jouera ses Jeux aux Halles [...]

_____

(1) familiers, apprivoisés
(2) étrangers ou étranges
(3) nobles, aimables, mais aussi païens

Gravure anonyme du XVIe siècle, *Un bouffon,* dans le *Recueil des pièces facétieuses et bouffonnes de 1500-1630,* Paris, Bibl. Nat., ph. Hachette.

DOCUMENT 2 _____

Par son rire, la sottie veut provoquer et faire se manifester [...] une prise de conscience vengeresse à l'égard d'autrui comme à l'égard de soi [...]. Dans ses grincements s'exprime toute la gamme des sentiments les plus divers, de la douleur et de l'effroi à la haine [...]. Si la farce est le théâtre du divertissement superficiel, la sottie est celui des émotions d'une âme en révolte.

Jean-Claude Aubailly, *Le Monologue, le Dialogue et la Sottie,* Champion, 1976.

La corrosion par le dialogue perverti

Dans la sottie, **le dialogue affirme sa prééminence** : quand il ne constitue pas, à lui seul, l'action, comme dans les sotties-jugements (cf. p. 184), on peut dire qu'il la crée (cf. p. 182).

Mais **il fait subir au langage un dangereux traitement,** il l'enlève à ses fonctions usuelles : communiquer entre hommes, transmettre un message. Cette métamorphose passe par la voie paradoxale de l'excès :

— multipliant les sujets de parole et les échanges verbaux, accusant par là cette caractéristique du théâtre qui veut que le discours n'y soit pas centralisé, le dialogue de la sottie tend à **priver la parole de toute origine** (d'autant plus que les personnages sont souvent interchangeables) ;

— procédant par opposition, rupture, émiettement, accumulation (dans les énumérations), redoublement (notamment usage du refrain, pratique de la rime plus que riche), **le texte joue de tous les «parallélismes»** qui, selon Jakobson *(Essais de linguistique générale)* définissent la fonction poétique du langage et met en valeur le signifiant dans tous ses aspects. Tendance qui trouve son aboutissement naturel dans un appel insistant aux formes fixes : rondeau, rondel, ballade.

Ainsi, alors même que le dialogue se charge de références à la pratique sociale (mœurs, structures, idéologie), la société se trouve contestée par le retournement de ce qui la fonde : son langage. Du même coup, dans l'euphorie du verbe délirant, un grand souffle de liberté traverse la scène. Enfin, non content de pratiquer couramment la polysémie•, ce théâtre vise souvent à faire table rase de toute signification : la parole peut s'y compliquer au point de devenir opaque, se prendre au vertige de son exubérance ou même découvrir les affres de l'autodestruction.

DOCUMENT

Comme il est agréable d'entendre «baver», bavarder à tort et à travers ! Ce jeu perpétuel avec les mots donne finalement l'impression d'un jeu avec les notions et les choses qui forment pourtant, d'habitude, un ensemble très rigide et très peu malléable ; grâce à ce jeu, tout semble se métamorphoser, se délivrer de la contrainte journalière ; la logique n'a plus que faire ici : on lui a donné congé en ce jour de fête.

R. Garapon, *La Fantaisie verbale et le Comique dans le théâtre français,* A. Colin, 1957.

EXTRAIT

Abus demande comment doit être fait le nouveau monde.

Abus. — Dites-moi maintenant, gros veaux
       De quelle quantité le faut-il ?
Sot Dissolu. — Grand
Sot Glorieux. —   Petit
Sot Corrompu. —   Gros
Sot Trompeur. —   Pryn[1]
Sot Ignorant. —   Long
Sotte Folle. —   Puzil[2]
Sot Dissolu. — Menu
Sot Glorieux. —   Douge[3]
Sot Corrompu. —   Comme un douzil[4] ;
Sot Trompeur. — Rond
Sot Ignorant. —   Carré
Sotte Folle. —   Haut
Sot Dissolu. —   Bas
Sot Glorieux. —   Étroit
Sot Corrompu. —   Large
Sot Trompeur. — Plat
Sot Ignorant. —   Aigu
Sotte Folle. —   Tort[5]
Sot Dissolu. —   Droit
Sot Glorieux. —   Au grand marge[6].

(1) mince
(2) tout petit
(3) délicat
(4) cheville qui sert à boucher le trou fait dans un tonneau
(5) tordu
(6) bord

André de la Vigne, *La Sotise,* jouée en 1507.

Piste de recherche

Émietté, rapide, le dialogue est un jeu : à quoi fait-il penser ? Montrez qu'il échappe à toute règle et qu'il n'est plus véritable discussion.

Le Premier. — Le jour de Carême-prenant[1]
    sera, cette année, au mardi
Le Second. — Et, par saint Jacques, je m'ardi[2]
    Hier en pêchant en la rivière.
Le Tiers. — Ne vend-on pas encore la bière,
    comme on soulait[3], quatre tournois[4]?
Le Premier. — Si c'est année de grosses noix,
    Si Dieu plaît[5], nous aurons de l'huile.
Le Second. — C'est bon temps pour couvreurs de tuiles
    Quand les maisons si[6] se découvrent.
Le Tiers. — Aussitôt que les moules s'ouvrent
    Il ne faut plus que du vinaigre.

(1) Mardi gras
(2) brûlai
(3) avait coutume
(4) monnaie
(5) il plaît à Dieu
(6) ainsi

Les Menus Propos.

Sotonart. — Où êtes-vous, fols affolés
    Follement folant en folie?
Croquepie. — Ah Dia! Ils s'en sont envolés!
    Légers esperits[1], volez, volez,
    Ôtez-vous de mélancolie,
    Pour présent[2] foler[3] en folie
    Par les foloyants[4] folements,
    Ces folâtres affolements
    Affolés de folle affolance,
    Par trop folle comme affolance.
    Fol qui ne fole n'est pas fol.

(1) esprits
(2) à présent
(3) être fou
(4) folâtrants

Vigiles Triboulet.

Le Premier. — Je ne suis ni valet ni maître
    Et ne sais si je suis ou non.
Le Second. — Ce ne suis pas[1].
Le Premier. —   Ce ne suis mon[2].
    Point ne suis moi certainement.
Le Second. — Mais qu'en dis-tu par ton serment[3]?
    Suis-je?
Le Premier. —   Tu es. Et moi? non rien.
Le Second. — Par saint Jacques, je te vois bien,
    Tu es toi, et moi rien quelconque.
Le Premier. — Et qu'es-tu donc?
Le Second. —   Je ne fus onques[4]
Le Premier. — Tu n'es... Tu es, je le connais[5]
    Et moi non.
Le Second. —   Tu te méconnais
    Tu as été et si[6] seras.
    Non pas moi.
Le Premier. —   Tu en mentiras,
    Je le vois bien, car tu es toi
    Et connais que ne suis[7] pas moi.

(1) je n'existe pas
(2) assurément, je n'existe pas
(3) sur ta parole
(4) jamais
(5) je le vois bien
(6) aussi
(7) je sais bien que je ne suis...

La Folie des gorriers.

Pistes de recherche

Les Menus Propos

Comment les personnages qui dialoguent sont-ils reliés à la vie quotidienne hors du théâtre? Quel est le seul élément de continuité dans ce dialogue? L'impression d'absurdité est intense. Par quels moyens est-elle produite?

Vigiles Triboulet

Étudiez la répétition et la variété aux niveaux sémantique et phonique. Qu'apporte au thème de la folie le thème de l'envol qui lui est associé?

La Folie des gorriers

D'où vient le vertige (angoissé?)? Vous pouvez tenir compte notamment du fait du dialogue, de la nature des personnages, du jeu des contradictions (entre personnages et dans la structure de l'énoncé), du contenu de l'énoncé.

■ Un théâtre de la distance critique

Outre le dialogue, tout, dans la sottie, contribue à mettre en place une dramaturgie fondée sur le symbole• à interpréter, à établir une distance propice à la réflexion critique, à heurter entre elles les images scéniques et à les opposer aux représentations mentales instituées par l'idéologie• sociale. Bref, la sottie se propose comme un **théâtre de l'agitation intellectuelle, de la cogitation.**

Quelques notes sur le costume et les personnages aideront à s'imaginer ce spectacle singulier à la fois rudimentaire et compliqué, intellectuel et grotesque, où les divers moyens jouent tantôt en redondance, tantôt en contrepoint.

DOCUMENT 1

La mise en scène, abstraite et rudimentaire, le décor réduit, [...] les gambades [des acteurs] [...] et les échanges de coups et d'injures ont [...], comme le costume, une valeur signifiante [...]. Les sots portaient **un costume consacré,** aux couleurs symboliques, le vert et le jaune : pourpoint, chausses collantes, grelots aux jambes, parfois une marotte à la main. Une robe grise le plus souvent recouvrait le tout. La pièce essentielle était le capuchon à oreilles d'âne, insigne de la folie [...]. Le costume [...] tient un rôle capital : [...] le nœud de l'action consiste à dépouiller de ses vêtements un personnage respectable [...]; les sots s'aperçoivent alors qu'ils ont affaire à l'un des leurs.

[...] **Les trois groupes antagonistes des personnages** de la sottie : les sots représentent l'élément contestataire [...]. Ils sont désignés par une appellation générique et distingués par des numéros : car le sot n'est jamais un personnage unique. Des êtres symboliques incarnent l'élément mis en cause : «Chascun, [...] Marchandise, le Monde». Des allégories• abstraites désignent [...] les responsables des malheurs publics, «le Temps-qui-court, [...] Malice.»

M. Lazard, *Le Théâtre en France au XVIe siècle*, P.U.F., 1980.

La Sotise d'André de la Vigne ou le combat contre le pire

Membre important de la Basoche parisienne, auteur de poèmes très divers, de moralités et du *Mystère de saint Martin*, André de la Vigne nous a laissé une des sotties les plus amples qui nous soient parvenues, *La Sotise à huit personnages*, jouée probablement en 1507. Elle offre l'exemple d'un des deux types les plus fréquents : la sottie-action. Ici la pièce «concrétise une donnée abstraite par une action imaginée et signifiante» (Aubailly). Elle donne aussi une bonne idée des mobiles moraux, des thèmes satiriques et aussi des limites de la contestation sociale dans les sotties (cf. document ci-dessous). **Dénonçant la nouveauté** qui perturbe la société du Moyen Âge finissant, la pensée peut paraître ici réactionnaire, mais quand il s'agit des ravages du capitalisme naissant, de la justice livrée à l'arbitraire, d'une communauté déchirée entre les appétits des divers corps dominants, on pourra aussi bien parler de **paradoxal progressisme.** Si on reconnaît volontiers la vigueur d'une détermination, on insistera aussi sur la **limitation de l'espérance** : le nouveau monde des fous s'écroule, mais le vieux monde qui se rétablit n'a rien de très réconfortant.

DOCUMENT 2

Le sot [...] stigmatise le comportement des classes dominantes qui se disputent le pouvoir dans le chaos qui résulte de l'éclatement du monde féodal [...]. Les anciens cadres ont éclaté et les anciennes valeurs sociales et morales ont disparu devant la puissance nouvelle et effrayante que représente le capital [...]. L'Église est ruinée par les abus [...]. Dans le royaume en proie à l'anarchie, ébranlé par le choc des ambitions rivales, les inégalités sociales sont plus gravement accusées.

Jean-Claude Aubailly, *Le Monologue, le Dialogue et la Sottie*, Champion, 1976.

Jérôme Bosch (1462-1516). *L'Adoration des mages* (détail). Madrid. musée du Prado. D. R.

EXTRAIT

Abus s'offre à remplacer le vieux Monde, puis l'endort. Dans le verger que représente le théâtre, il entreprend alors de cueillir les fruits de son travail. Ainsi fait-il naître de l'arbre de Dissolution, Sot Dissolu habillé en homme d'Église. Puis apparaissent Sot Glorieux, habillé en militaire, Sot Corrompu, Sot Trompeur, Sot Ignorant qui personnifient respectivement les magistrats, les marchands et le peuple. La dernière, mais la plus débridée et la plus délirante, arrive Sotte Folle. Tous entreprennent de bâtir, comme un jeu de construction, un monde nouveau dont les pièces seront Hypocrisie, Trahison, Corruption, etc., remplaçant toutes les vertus. Une fois réalisée cette belle œuvre, voilà que les sots masculins tombent tous amoureux de Sotte Folle. La belle se promet à « qui fera le plus beau saut ». Dans la lutte qui s'ensuit, s'écroule le fragile édifice et le vieux Monde rentre en possession de son domaine.

Ici les sots s'en prennent au Monde « vieux et transi ».

Sotte Folle. — Eut onc œil⁽¹⁾ en sa vision
Une si laide créature ?
Sot Dissolu. — Oh qu'il est laid !
Sot Glorieux. — Fi ! Quelle ordure !
5 Sot Corrompu. — En poil follet.
Sot Trompeur. — Oh qu'il est laid !
Sot Ignorant. — En poil follet.
Sotte Folle. — Plein de laidure⁽²⁾
Abus. — Oh qu'il est laid !
10 Sot Dissolu. — Fi ! Quelle ordure !
Sotte Folle. — Je me merveille⁽³⁾ qu'on l'endure⁽⁴⁾
Et, par le jour qui en l'an dure,
Il le convient hors de nous mettre.

Les sots terminent le pilier de Sot Trompeur avant de passer à celui de Sot Ignorant.

Sotte Folle. — Voici largesse.
15 Vous voyez bien que trop large est ce
Où faut la mettre⁽⁵⁾. Plus propice
Sera celle-ci : Avarice.
Joint-elle ?
Abus. — Très bien. C'est merveille.
Larcin garde les oreilles
20 Des marchands du Monde nouveau.
Sot Corrompu. — Veez cy⁽⁶⁾ un pilier très beau :
Tromperie, mêlé d'Usures,
Parjurements, Fausses Mesures,
Feintise⁽⁷⁾ et puis Avarice.
25 Ceci est aux marchands propice.
Sot Ignorant. — Quand chacun aura eu sa lice⁽⁸⁾
Abus, n'aurai-je pas ma part ?
Abus. — Que tiens-tu⁽⁹⁾ ?
Sot Ignorant. — Labeur tout gaillard⁽¹⁰⁾.
Maître, or⁽¹¹⁾ besognons pour moi.
30 Sot Dissolu. — Pour reconnaître un dieu, un roi,
Un seigneur tenant une loi,
Veux-tu avoir Reconnaissance ?
Sot Ignorant. — Ôtez ; point n'est à ma plaisance⁽¹²⁾
Sot Glorieux. — Comme bête vivant sans foi,
35 Mangeant, buvant, sans savoir quoi
Te fonderons-nous d'Ignorance ?
Sot Ignorant. — Mettez, car c'est mon assurance.
Sot Glorieux. — Humble, de tous états souffrant,
Comme plus bas toujours se offrant⁽¹³⁾
40 Prendrais-tu en toi Patience ?
Sot Ignorant. — Ôtez ; point n'est à ma plaisance.
Sot Corrompu. — Voudrais-tu point murmurement,
Comme qui tant murmure et ment,
Prêchant toujours en différance⁽¹⁴⁾ ?
45 Sot Ignorant. — Mettez, car c'est mon assurance.
Sot Trompeur. — Pour obéir à ton seigneur,
À chacun comme à ton greigneur⁽¹⁵⁾
Mettrons-nous point Obéissance ?
Sot Ignorant. — Ôtez ; point n'est à ma plaisance. [...]
50 Sot Glorieux. — Robuste, dur, plein de rancœur,
Ireux⁽¹⁶⁾, méchant, pervers de cœur,
Veux-tu Fureur par Despérance⁽¹⁷⁾.
Sot Ignorant. — Mettez, car c'est mon assurance.

André de la Vigne, *La Sotise.*

(1) Est-ce qu'un œil eut jamais...
(2) laideur
(3) m'émerveille
(4) supporte
(5) trop large est l'endroit où il faut la mettre
(6) voici
(7) tromperie
(8) palissade, champ clos
(9) quelle est ton activité ?
(10) vigoureux
(11) maintenant
(12) convenance
(13) qui te considère toujours comme le plus bas
(14) poussant toujours à la querelle
(15) à tous comme à tes supérieurs
(16) coléreux
(17) désespoir

Pistes de recherche

1. Montrez comment le dialogue du début enlève à l'allégorie• (le Monde) son abstraction.

2. **Le discours dénonciateur** : comment est-il dramatisé ? Mettez en évidence la netteté de sa structure. Par quels moyens — usuels dans la sottie — évite-t-il platitude et monotonie ?

3. **Signification idéologique•** : dans le cas du peuple (Sot Ignorant) ne peut-on percevoir une ambiguïté ? Comment son état ancien est-il présenté ? En quoi a-t-il changé ? Vers quel parti semble pencher le texte ? Faut-il tenir compte de l'identité des Sots qui interviennent ?

Jérôme Bosch (1462-1516), La Charrette de foin, Madrid, musée du Prado, ph. Giraudon.

Ce tableau est inspiré d'un proverbe flamand : « Le monde est une charrette de foin, dont chacun tire ce qu'il peut. » Sous le regard du Christ, les hommes s'efforcent de prendre leur part du «gâteau», de ce foin, tiré par les démons, qui représente les biens matériels et les plaisirs trompeurs de la vie. À gauche, l'empereur et le pape, suivis du cortège des nobles. À l'entour, des pauvres, des mendiants, des moines, des assassins. Ailleurs, des amants, des couples, des musiciens, mais tous semblent menacés par des sorciers ou des êtres maléfiques, et promis à cet enfer qui se dessine à la droite du tableau.

Observation et recherche

Identifiez chacune des allégories• satiriques et moralisatrices du tableau. Montrez les liens entre cette représentation et l'univers de la sottie.

Pierre Gringore ou la propagande équivoque

Autre exemple de ces écrivains qui trouvent dans la sottie un moyen d'expression sans pourtant s'y limiter (il a écrit aussi des poésies morales et historiques, des moralités et *Le Mystère de Monseigneur Saint Louis*), Pierre Gringore fait, avec *Le Prince des Sots*, joué en 1512, glisser la sottie dans **le théâtre politique**. Il y attaque avec violence le pape Jules II qui, désireux de donner à la papauté le rôle d'arbitre en Italie s'était allié au roi de France Louis XII pour abattre la puissance de Venise avant de renverser ses alliances et de chercher à chasser de la péninsule les Français. Louis XII aimait le théâtre, semble-t-il, et le protégeait, car il prétendait y apprendre ce que ses conseillers lui cachaient. En tout cas, dans la situation difficile qui l'opposait au pouvoir spirituel, il usait de toutes les armes de la propagande. Les audaces antipapistes de Gringore ne doivent donc pas tromper : elles sont encouragées par le pouvoir royal. À l'inverse, il ne faudrait pas faire de lui un écrivain à gages : il partage sincèrement le gallicanisme des Parisiens et surtout la satire politique n'est pas univoque : témoins, ce Prince qui semble éprouver tant de difficultés à voir et à entendre, et cette Sotte Commune, qui exprime vivement la lucidité désabusée et l'esprit indépendant du peuple. Gringore se montre aussi un brillant homme de théâtre, utilisant à plein toutes les ressources de la sottie-jugement : virtuosité du dialogue, vigueur signifiante d'une allégorie• dramatisée, rythme endiablé du spectacle. Le roi suivant, François Ier, ne se méprit pas sur les vertus contestataires de la sottie : il la poursuivit avec constance de ses arrêts royaux. Si une estampe nous montre Gringore « chassé par l'arrivée des comédiens italiens », son départ en Lorraine n'était pas seulement révélateur d'un changement dans les goûts dramatiques. Mais il était aussi cela : il symbolisait la fin d'un genre original, étonnamment moderne à nos yeux, et, plus largement, la fin d'une époque.

EXTRAIT

Le Prince des sots (c'est le roi) veut passer en revue les principaux de ses sujets. Ainsi défilent divers Sots en qui s'incarnent grands seigneurs et dignitaires ecclésiastiques. Mère Sotte arrive, à son tour, revêtue des attributs de l'Église, mais aussi de la cuirasse du pape guerrier et suivie de ses ministres Sotte Fiance et Sotte Occasion. Elle pousse à la révolte contre le Prince, mais seuls les abbés se laissent entraîner à la trahison. Au cours de la « bataille de prélats et de princes » qui suit, on dépouille Mère Sotte de ses ornements sacrés, et on découvre son identité véritable à son costume de sotte. Tout le monde alors l'abandonne.

(1) Peut-être personnage réel.
(2) je veux
(3) se démener à chercher
(4) veulent se nourrir
(5) prélat grotesque
(6) manœuvres conformes aux règles de la religion
(7) rideaux de lit
(8) livres d'heures
(9) et aussi
(10) qui ont abandonné la vie chrétienne
(11) se dérègle
(12) dévalue
(13) qu'
(14) m'importe
(15) s'égare
(16) pourvu que

Gaieté. — Et où est Frevaulx[1]?

L'Abbé de Frevaulx. —   Me voilà ;
      Par devant vous veux[2] comparaître.
      J'ai dépensé, notez cela,
      Et mangé par ci et par là
5   Tout le revenu de mon cloître.

Le Prince. — Vos moines ?

L'Abbé. —   Eh, ils doivent être
      Par les champs pour se pourchasser[3].
      Bien souvent quand cuident repaître[4],
      Ils ne savent les dents où mettre,
10   Et sans souper s'en vont coucher

Gaieté. — Et Saint Liger[5], notre ami cher,
      Veut-il laisser ses prélats dignes ?

Le Second Sot. — Quelque part va le temps passer,
      Car mieux se connaît à chasser
      Qu'il ne fait à dire matines.
15 Le Troisième Sot. — Vos prélats font un tas de mines
      Ainsi que moyens réguliers[6],
      Mais souvent dessous les courtines[7]
      Ont créatures féminines
      En lieu d'heures[8] et de psautiers.
20 Le Premier Sot. — Tant de prélats irréguliers !

Le Deuxième Sot. — Mais[9] tant de moines apostats[10] !

Le Troisième Sot. — L'Église a de mauvais piliers !

Le Premier Sot. — Il y a un grand tas d'âniers
      Qui ont bénéfices à tas.
25 La Sotte Commune. — Par Dieu, je ne m'en tairai pas !
      Je vois que chacun se desrune[11] !
      On décrie[12] florins et ducats,
      J'en parlerai, cela répugne
30 Le Prince. — Qui parle ?

Gaieté. —   La Sotte Commune.

La Sotte Commune. — Et que[13] ai-je à faire de la guerre,
      Ni que à la chaire de Saint Pierre
      Soit assis un fol ou un sage ?
      Que m'en chaut-il[14] si l'Église erre[15],
35   Mais que[16] paix soit en cette terre ?
      Jamais il ne vint bien d'outrage.

Raphaël (1483-1520), *Le Pape Jules II,*
Florence, musée des Offices, ph. Scala.
*Pape autoritaire, guerrier, politique : il
fut la cible des humanistes (d'Érasme,
surtout) et du théâtre satirique (Gringore), mais c'est sous sa protection que
Raphaël et Michel-Ange réalisèrent leurs
plus beaux chefs-d'œuvre. Cet homme
voyait dans l'art un des moyens d'affermir le pouvoir temporel de l'Église.*

(17) en sécurité
(18) accords
(19) trahisons
(20) poisons
(21) mêlés
(22) actes sur lesquels on
appose le sceau
(23) réellement
(24) certains
(25) ont provoqué la
guerre
(26) le sort
(27) embarrassés
(28) il a
(29) le droit
(30) réduit la taille (impôt
direct)
(31) voler
(32) en quantité extraordinaire
(33) provision
(34) motif
(35) chanson de l'époque

Je suis asseur(17) en mon village
Quand je veux, je soupe et déjeune !
Le Prince. — Qui parle ?
Le Premier Sot. —   La Sotte Commune.
40 La Sotte Commune. — Tant d'allées et tant de venues,
Tant d'entreprises inconnues !
Appointements(18) rompus, cassés !
Traysons(19) secrètes et connues !
Mourir de fièvres continues !
45 Breuvages et boucons(20) brassés(21) !
Blancs scellés(22) en secret passés !
Faire feux, et puis voir rancune !
Le Prince. — Qui parle ?
La Sotte Commune. —   La Sotte Commune.
Regardez-moi bien hardiment.
50 Je parle sans savoir comment,
À cela suis accoutumée ;
Mais à parler réalement(23),
Ainsi qu'on dit communément,
Jamais ne fut feu sans fumée ;
55 Aucuns(24) ont la guerre enflammée(25),
Qui doivent redouter fortune(26)
Le Prince. — Qui parle ?
La Sotte Commune. —   La Sotte Commune.
Le Premier Sot. — La Sotte Commune, approchez.
Le Deuxième Sot. — Qu'y a-t-il ? Qu'est-ce que cherchez ?
60 La Sotte Commune. — Par mon âme, je n'en sais rien.
Je vois les plus grands empêchés(27)
Et les autres se sont cachés.
Dieu veuille que tout vienne à bien !
Chacun n'a pas ce qui est sien,
D'affaires d'autrui on se mêle.
65 Le Troisième Sot. — Toujours la Commune grommelle
Le Premier Sot. — Commune, de quoi parles-tu ?
Le Deuxième Sot. — Le Prince est rempli de vertu
Le Troisième Sot. — Tu n'as ni guerre ni bataille.
70 Le Premier Sot. — L'orgueil des Sots a(28) abattu.
Le Deuxième Sot. — Il a selon droit(29) combattu.
Le Troisième Sot. — Mêmement a mis au bas taille(30)
Le Premier Sot. — Te vient-on rober(31) ta poulaille ?
Le Deuxième Sot. — Tu es en paix en ta maison.
75 Le Troisième Sot. — Justice te prête l'oreille.
Le Premier Sot. — Tu as des biens tant que merveille(32)
Dont tu peux faire garnison(33).
Le Deuxième Sot. — Je ne sais par quelle achoison(34)
À grommeler on te conseille.
80 La Sotte Commune *chante.* — Faute d'argent, c'est douleur non pareille(35).

Pierre Gringore, *Le Prince des Sots,* jouée en 1512.

Pistes de recherche

1. Le personnel dramatique : montrez sa diversité. Essayez de caractériser l'originalité des Sots comme personnages. Dans ces conditions, l'illusion dramatique est-elle possible ?

2. Le dialogue : mettez en évidence sa structure et son rythme. Peut-on parler de véritable échange ? Comment interprétez-vous le peu de place fait à Gaieté et au Prince ?

3. La Sotte Commune : faites apparaître les particularités de sa parole. Comment en joue-t-elle ? Peut-on
parler de conscience de classe ?

4. Les Sots : leur discours semble contradictoire (début et fin de passage), mais cette contradiction peut se
comprendre dans la situation particulière de la pièce. Expliquez-la. Pourtant, dans la dernière partie, l'ironie
est possible. Quel vers vous semble pousser vers cette interprétation ?

5. Quelle impression vous laisse cette scène ?

Marguerite de Navarre

Sœur de François Ier, Marguerite d'Angoulême (ou de Navarre) semble avoir été déçue par ses deux mariages : elle épousa d'abord, en 1509, Charles d'Alençon, inculte et épais, puis, en 1527, Henri d'Albret, le volage roi de Navarre. Seule sa fille, Jeanne d'Albret, future mère d'Henri IV, lui apporta quelques joies familiales et une complicité. L'échec sentimental de cette femme, très cultivée et profonde, est compensé par l'ardeur du seul amour de sa vie : celui qu'elle vouait à son frère. Cet attachement étroit et passionné explique le rôle qu'elle a pu jouer auprès du roi comme **protectrice des poètes, des humanistes,** des novateurs : sensible, pondérée, rayonnante d'intelligence et de bonté, elle accueillit — dans sa cour de Nérac, en particulier — tous les plus fins esprits de son temps.

Mais, comme beaucoup des penseurs de la Renaissance, Marguerite de Navarre est **fascinée par la réflexion religieuse et par l'expérience de la foi**. Son âme inquiète et mystique• a été séduite par la pureté de l'évangélisme (cf. p. 170) et elle a pu comprendre le zèle spirituel des principes réformateurs (cf. p. 176). Ce désir d'élévation et de salut (« Las, viens Jésus ! car je languis d'amour ») a guidé son existence, droite et indulgente, ouverte à l'échange et à la convivialité. Ses lectures de Platon (cf. p. 252) l'ont aussi confirmée dans la recherche d'un amour sublime et absolu.

Les premières œuvres de Marguerite de Navarre reflètent presque exclusivement cette céleste attraction. Mais, aux alentours de 1540, l'agitation religieuse rend inconfortable sa position conciliatrice. Des raisons politiques aussi font que son frère l'écarte de son entourage. Double déchirure : elle se sépare de l'homme qui est tout pour elle et doit renoncer à influer sur le royaume qu'elle espérait rendre meilleur et docile au dessein de Dieu. Retirée dans son royaume de Navarre, sans cesse guettant des nouvelles de François Ier, elle trompe la désillusion en s'entourant de courtisans distingués. Dans sa cour alternent les moments de joies polissonnes et des discussions évangéliques ou platoniciennes. Cette opposition s'exprime dans l'*Heptaméron* (vers 1545) : ce recueil de contes imite en sept jours les dix journées du *Décameron* de Boccace (1313-1375) en mêlant des **récits tantôt brutaux, tantôt naïfs**. Courtoisie et sauvagerie, candeur et violence, amour spirituel et sexualité gaillarde : l'*Heptaméron* est une revue exemplaire des **métamorphoses de l'amour**.

DOCUMENT

L'amour est au cœur du livre ; il est question de la « malice et tromperie » des femmes, des dames légères ou avides de plaisirs, des amants insouciants ou volages, des « transis d'amour » et des moines paillards, en somme de tous les types amoureux, victimes ou héros. Les uns sont prêts à sacrifier leur propre vie, d'autres cachent une « grande hardiesse sous une extresme hypocrisie » ; ici, l'on n'hésite pas à supprimer un amant devenu gênant, là des années d'absence et l'entrée en religion ne parviennent pas à entamer un amour fidèlement entretenu. C'est que Marguerite est prise dans un faisceau de contradictions où se mire la vie réelle : elle a donné, pêle-mêle, le meilleur et le pire, dans ces épisodes galants ou scatologiques, dans ces tragédies de l'amour « traversé » ou menant à la mort, dans ces hymnes de l'amour préservé, ennobli et victorieux.

Yves Giraud et Marc-René Jung, *La Renaissance*, I, Littérature française, Arthaud, 1972.

Nous proposons deux exemples qui donnent une idée de cette narration si contrastée.

Dix personnes de qualité, réfugiées dans une abbaye à cause du mauvais temps qui les empêche de faire route, racontent tour à tour des histoires. Chacun de ces «devisants» donne son récit pour authentique : «nous avons juré de dire la vérité» (V). En tout cas, les faits racontés sont tous hors du commun : meurtres, suicides, viols, incestes, etc. Mais ils se colorent différemment : tantôt ils cherchent à susciter un saisissement d'effroi, tantôt ils montrent des âmes pures finalement capables de sublimer° leur passion.

Dans le genre «conte noir»...

◄ Jean Clouet (1485-1541), *François Ier*, Paris, Louvre, ph. H. Josse.

François Clouet (1510-1572), *Marguerite de Navarre* (1492-1549), Chantilly, musée Condé, ph. H. Josse.

(1) la raison
(2) nourriture, repas
(3) ses mains avant le repas
(4) personne
(5) de cet endroit
(6) récipient surprenant
(7) ce dont je croyais m'apercevoir
(8) cependant, l'amour...
(9) sortis

Punition plus rigoureuse que la mort d'un mari envers sa femme adultère

Le Roi Charles, huitième de ce nom, envoya en Allemagne un gentilhomme nommé Bernage, sieur de Sivray près Amboise, lequel, pour faire bonne diligence, n'épargnait jour ni nuit pour avancer son chemin ; de sorte que, un soir bien tard, arriva en un château d'un gentilhomme où il 5 demanda logis, ce qu'à grand peine put avoir. Toutefois, quand le gentilhomme entendit qu'il était serviteur d'un tel Roi, s'en alla au-devant de lui et le pria de ne se mal contenter de la rudesse de ses gens car, à cause de quelques parents de sa femme qui lui voulaient mal, il était contraint tenir ainsi la maison fermée. Aussi ledit Bernage lui dit l'occasion(1) de sa léga- 10 tion, en quoi le gentilhomme s'offrit de faire tout son service à lui possible au Roi son maître. Et le mena dedans sa maison, où il le logea et festoya honorablement.

Il était heure de souper. Le gentilhomme le mena en une belle salle tendue de belle tapisserie. Et ainsi que la viande(2) fut apportée sur la table, vit 15 sortir de derrière la tapisserie une femme, la plus belle qu'il était possible de regarder ; mais elle avait sa tête toute tondue, le demeurant du corps habillé de noir, à l'allemande. Après que ledit seigneur eut lavé(3) avec le seigneur de Bernage, l'on porta l'eau à cette dame qui lava et s'alla seoir au bout de la table, sans parler à nullui(4), ni nul à elle. Le seigneur de Bernage la regarda 20 bien fort, et lui sembla une des plus belles dames qu'il avait jamais vues, sinon qu'elle avait le visage bien pâle et la contenance bien triste. Après qu'elle eut mangé un peu, elle demanda à boire, ce que lui apporta un serviteur de léans(5), dedans un émerveillable vaisseau(6), car c'était la tête d'un mort, dont les yeux étaient bouchés d'argent. Et ainsi but deux ou trois fois 25 la demoiselle. Après qu'elle eut soupé et fait laver les mains, fit une révérence au seigneur de la maison et s'en retourna derrière la tapisserie, sans parler à personne. Bernage fut tant ébahi de voir chose si étrange qu'il en devint tout triste et pensif. Le gentilhomme, qui s'en aperçut, lui dit : «Je vois bien que vous vous étonnez de ce que vous avez vu en cette table. 30 Mais, vu l'honnêteté que je trouve en vous, je ne vous veux celer que c'est, afin que vous ne pensiez qu'il y ait en moi telle cruauté sans grande occasion. Cette dame que vous avez vue est ma femme, laquelle j'ai plus aimée que jamais homme pourrait aimer femme, tant que, pour l'épouser, j'oubliai toute crainte, en sorte que je l'amenai ici dedans malgré ses parents. Elle 35 aussi me montrait tant de signes d'amour que j'eusse hasardé dix mille vies pour la mettre céans à son aise et à la mienne, où nous avons vécu un temps à tel repos et contentement que je me tenais le plus heureux gentilhomme de la chrétienté. Mais en un voyage que je fis, où mon honneur me contraignit d'aller, elle oublia tant son honneur, sa conscience et l'amour 40 qu'elle avait en moi qu'elle fut amoureuse d'un jeune gentilhomme que j'avais nourri céans. Dont à mon retour je me cuidai(7) apercevoir ; si est-ce que(8) l'amour que je lui portais était si grand que je ne me pouvais défier d'elle jusqu'à la fin que l'expérience me creva les yeux : et vis ce que je craignais plus que la mort. Parquoi l'amour que je lui portais fut converti 45 en fureur et désespoir, en telle sorte que je la guettai de si près qu'un jour, feignant aller dehors, me cachai en la chambre où maintenant elle demeure, où bientôt après mon partement elle se retira ; et y fit venir ce jeune gentilhomme, lequel je vis entrer avec la privauté qui n'appartenait qu'à moi avoir à elle. Mais quand je vis qu'il voulait monter sur le lit auprès d'elle, je 50 saillis(9) dehors et le pris entre ses bras, où je le tuai. Et pource que le crime de ma femme me sembla si grand qu'une telle mort n'était suffisante pour la punir, je lui ordonnai une peine que je pense qu'elle a plus désagréable que la mort : c'est de l'enfermer en ladite chambre où elle se retirait pour prendre ses plus grandes délices, et en la compagnie de celui qu'elle aimait 55 trop mieux que moi. Auquel lieu je lui ai mis dans une armoire tous les os de son ami, tendus comme une chose précieuse en un cabinet. Et afin qu'elle

n'en oublie la mémoire, en buvant et mangeant lui fais servir à table, au lieu de coupe, la tête de ce méchant, et là tout devant moi, afin qu'elle voie vivant celui qu'elle a fait son mortel ennemi par sa faute, et mort pour
60 l'amour d'elle celui duquel elle avait préféré l'amitié à la mienne. Et ainsi elle voit à dîner et à souper les deux choses qui plus lui doivent déplaire : l'ennemi vivant et l'ami mort, et tout par son péché. Au demeurant, je la traite comme moi-même, sinon qu'elle va tondue, car l'arraiement[10] des cheveux n'appartient à l'adultère, ni le voile à l'impudique. Parquoi s'en va
65 rasée, montrant qu'elle a perdu l'honneur de la chasteté et pudicité. S'il vous plaît de prendre la peine de la voir, je vous y mènerai. »

(10) l'arrangement

Marguerite de Navarre, *Heptaméron*, 32e nouvelle, vers 1545.

Pistes de recherche

1. Relevez les éléments qui concourent à créer une étrangeté inquiétante (décor, allures des personnages, gestes, mystère des comportements, etc.).
2. À quel type de psychologie, à quelle conception de la faute correspond la punition choisie par le mari ? En quoi ce châtiment vous paraît-il atroce ou, au contraire, compréhensible ? Ne perdez pas de vue l'intention « réaliste » et morale de la nouvelle.

EXTRAIT 2

Dans le genre édifiant...
Poline et un gentilhomme s'aiment, mais leur mariage est impossible. Le jeune amoureux est donc entré en religion. Quelques mois plus tard, Poline, à la messe, reconnaît son ami sous ses habits religieux.

Titien (1490-1576), *François Ier*, Paris, Louvre, ph. H. Josse.

(1) permission
(2) le couvent des moines cordeliers où son ami est entré en religion

Quand Poline le vit en tel habillement où sa beauté et grâce étaient plutôt augmentées que diminuées, fut si émue et troublée que, pour couvrir la cause de la couleur qui lui venait au visage, se prit à tousser. Et son
5 pauvre serviteur, qui entendait mieux ce son-là que celui des cloches de son monastère, n'osa tourner sa tête mais, en passant devant elle, ne put garder ses yeux qu'ils ne prissent le chemin que si longtemps ils avaient tenu. Et en regardant piteusement Poline, fut si saisi du feu qu'il pensait quasi éteint qu'en le voulant plus couvrir qu'il ne voulait tomba tout de son haut à terre devant elle. Et la crainte qu'il eut que la cause en fût connue lui fit
10 dire que c'était le pavé de l'église qui était rompu en cet endroit.

Quand Poline connut que le changement d'habit ne lui pouvait changer le cœur, et qu'il y avait si longtemps qu'il s'était rendu religieux que chacun excusait qu'elle l'eût oublié, se délibéra de mettre à exécution le désir qu'elle avait eu de rendre la fin de leur amitié semblable
15 en habit, état et forme de vivre, comme elle avait été, vivant en une maison sous pareil maître et maîtresse. Et pource qu'elle avait, plus de quatre mois par avant, donné ordre à tout ce qui lui était nécessaire pour entrer en religion, un matin, demanda congé[1] à la marquise
20 d'aller ouïr messe à Sainte-Claire, ce qu'elle lui donna, ignorant pourquoi elle le demandait. Et en passant devant les Cordeliers[2], pria le gardien de lui faire venir son serviteur, qu'elle appelait son parent. Et quand elle le vit en une chapelle à part, lui dit : « Si mon honneur
25 eût permis qu'aussitôt que vous je me fusse osée mettre en religion, je n'eusse tant attendu. Mais, ayant rompu par ma patience les opinions de ceux qui plutôt jugent mal que bien, je suis délibérée de prendre l'état, la robe et la vie telle que je vois la vôtre, sans m'enquérir quel il
30 y fait. Car si vous y avez du bien, j'en aurai ma part, et si vous recevez du mal, je n'en veux être exempte. Car par tel chemin que vous irez en paradis je vous veux suivre, étant assurée que Celui qui est le vrai, parfait et digne d'être nommé Amour nous a tirés à son service, par une
35 amitié honnête et raisonnable, laquelle il convertira par son saint Esprit du tout en lui. Vous priant que vous et moi oublions le corps qui périt et tient du vieil Adam, pour recevoir et revêtir celui de notre époux Jésus-

François Clouet (1510-1572), *Renée de France (1510-1575)*, Paris, Bibl. du protestantisme, ph. Lauros-Giraudon. *Fille de Louis XII, prédécesseur et cousin de François Ier. Elle fut favorable aux protestants (cf. p. 198).*

Christ. » Ce serviteur religieux fut tant aise et tant content d'ouïr sa sainte volonté qu'en pleurant de joie lui fortifia son opinion le plus qu'il lui fut possible, lui disant que, puisqu'il ne pouvait plus avoir d'elle au monde autre chose que la parole, il serait bien heureux d'être en lieu où il aurait toujours moyen de la recouvrer, et qu'elle serait telle que l'un et l'autre n'en pourrait que mieux valoir, vivant en un état d'un amour, d'un cœur et d'un esprit tirés et conduits de la bonté de Dieu, lequel il suppliait les tenir en sa main, en laquelle nul ne peut périr. Et en ce disant et pleurant d'amour et de joie, lui baisa les mains. Mais elle abaissa son visage jusqu'à la main, et se donnèrent par vraie charité le saint baiser de dilection[(3)]. Et en ce contentement se partit Poline, et entra en la religion de sainte Claire où elle fut reçue et voilée.

Marguerite de Navarre, *Heptaméron*, 19e nouvelle, vers 1545.

_____

(3) d'amour tendre et pur

Pistes de recherche

1. Comment est ici peinte la passion ? Quelle est sa nature, quels effets produit-elle, quelle épreuve impose-t-elle à ceux qui s'aiment sans le pouvoir ?

2. La sublimation• de l'amour humain : comment passe-t-on de la passion terrestre (et charnelle) à l'amour de Dieu ? Que signifie ce choix et pourquoi s'impose-t-il ? Quelle idée de la religion Marguerite de Navarre — elle-même profondément croyante — nous présente-t-elle ?

3. Comparez avec l'extrait précédent : malgré les apparences, ils se fondent tous deux sur une pensée commune du devoir, de la justice, du péché, etc. Précisez-la.

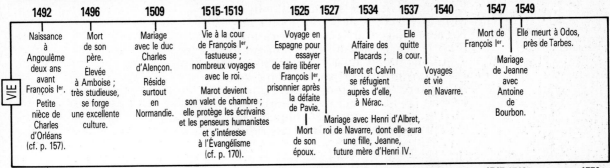

Biographie de Marguerite de Navarre

	1492	1496	1509	1515-1519	1525	1527	1534	1537	1540	1547	1549
VIE	Naissance à Angoulême deux ans avant François Ier. Petite nièce de Charles d'Orléans (cf. p. 157).	Mort de son père. Élevée à Amboise ; très studieuse, se forge une excellente culture.	Mariage avec le duc Charles d'Alençon. Réside surtout en Normandie.	Vie à la cour de François Ier, fastueuse ; nombreux voyages avec le roi. Marot devient son valet de chambre ; elle protège les écrivains et les penseurs humanistes et s'intéresse à l'Évangélisme (cf. p. 170).	Voyage en Espagne pour essayer de faire libérer François Ier, prisonnier après la défaite de Pavie. Mort de son époux.	Mariage avec Henri d'Albret, roi de Navarre, dont elle aura une fille, Jeanne, future mère d'Henri IV.	Affaire des Placards ; Marot et Calvin se réfugient auprès d'elle, à Nérac.	Elle quitte la cour.	Voyages et vie en Navarre.	Mort de François Ier.	Elle meurt à Odos, près de Tarbes. Mariage de Jeanne avec Antoine de Bourbon.

	1525-1526	1530	1531	1540...	1547	1548	...1559
ŒUVRES	Prières et écrits religieux, tels que l'*Oraison de l'âme fidèle.*	Théâtre religieux : « tétralogie biblique » sur la Nativité, etc.	*Miroir de l'âme pécheresse* (condamné par la Sorbonne en 1533).	Début probable de la rédaction de l'*Heptaméron.*	Diverses farces et comédies. *Marguerites. De la Marguerite. Des princesses.*		Publication posthume de l'*Heptaméron.*

Une forte personnalité et son influence : Marot et les « marotiques »

■ Le changement dans la continuité ■

Sous le règne de François Ier, entre 1515 et 1547, la poésie traverse une période de mutation. Jusqu'en 1530 environ, cette littérature semble se partager en deux impasses : d'un côté des rhétoriqueurs• déjà dépassés essaient de perpétuer les techniques et le patrimoine médiévaux (tels Jean Lemaire ou Jean Marot) ; de l'autre, des rimeurs sans vrai talent, qui n'arrivent pas à s'imposer. Seul Clément Marot (1496-1544) va réussir une **synthèse des traditions**, tout en devenant l'**initiateur d'un ton vraiment nouveau**. Homme d'esprit, ouvert, cordial, volontiers insolent, Marot a le tempérament d'un inventeur. Il innove non par volonté consciente ou par esprit de système. Il ne cherche guère à imposer une théorie ou à codifier des styles nouveaux. Mais son caractère malicieux, sa virtuosité, ses hardiesses, quoique s'appliquant aux formes traditionnelles (ode, ballade, rondeau, épigramme, etc.) font éclater les cadres. La spontanéité, la drôlerie, la sensibilité viennent donner sève et bonheur à un héritage qui s'usait.

EXTRAIT

Un exemple de la virtuosité de Marot : cette épître, destinée à obtenir quelque subside du roi, fait jongler rime et rythme (orthographe de l'époque).

En m'esbatant je fais rondeaulx en rithme[1],
Et en rithmant[2] bien souvent je m'enrime[3] :
Brief, c'est pitié d'entre nous rithmailleurs[4],
Car vous trouvez assez de rithme ailleurs,
5 Et quand vous plaist, mieulx que moy rithmassez[5].
Des biens avez et de la rithme assez.
Mais moy, à tout ma rithme et ma rithmaille,
Je ne soustiens[6] (dont je suis marry) maille.
Or ce me dist (ung jour) quelque rithmart :
10 « Vien çà, Marot, treuves[7]-tu en rithme art
Qui serve aux gens, toy qui as rithmassé ?
— Ouy vrayement (respond-je) Henry Macé[8] ;
Car, vois-tu bien, la personne rithmante,
Qui au jardin de son sens[9] la rithme ente[10],
15 Si elle n'a des biens en rithmoyant,
Elle prendra plaisir en rithme oyant.
Et m'est advis, que si je ne rithmoys,
Mon povre corps ne seroit nourry moys[11],
Ne demy-jour. Car la moindre rithmette
20 C'est le plaisir où fault que mon rys mette[12]. »
Si vous supply qu'à ce jeune rithmeur
Faciez avoir un jour par sa rithme heur[13],
Affin qu'on die, en prose ou en rithmant :
« Ce rithmailleur, qui s'alloit enrimant,
25 Tant rithmassa, rithma et rithmonna,
Qu'il a congneu[14] quel bien par rithme on a. »

Clément Marot, *Épîtres*, II, 1518.

(1) rime
(2) rimant
(3) m'enrhume
(4) c'est bien triste pour nous, poètes
(5) François Ier était lui-même poète.
(6) possède... (maille = monnaie)
(7) trouves
(8) Nom sans doute inventé pour la rime.
(9) intelligence
(10) greffe
(11) pas même un mois
(12) où il faut que je mette mon rire
(13) bonheur
(14) connu

■ Pistes de recherche

1. Étudiez les rimes « équivoquées » (= le jeu de mots ou le calembour du groupe verbal formant la rime). Pourquoi avoir choisi une succession de dérivés du mot « rime » ? Quel intérêt trouvez-vous à cette jonglerie ?

2. Malgré l'apparence bouffonne, Marot ne perd pas de vue sa requête. Montrez comment il suggère, puis amène et formule la demande. Observez que l'art de quémander utilise des registres fort divers (humour•, flatterie, plainte, etc.).

Le caractère indépendant et malicieux de Marot n'a pas manqué de lui attirer bien des soucis (cf. p. 194 et le tableau biographique p. 200), au point qu'il finira sa vie en exil. Mais cette ingéniosité frondeuse fait merveille dans les courtes **épigrammes**, poèmes brefs tout concentrés autour d'un jeu de mot, d'une pointe — délicate ou assassine —, d'un trait surprenant, d'une antithèse• brillante. Spirituelle ou acérée, la poésie se révèle comme un simple jeu de l'intelligence, hésitant entre la facétie et le défi.

EXTRAITS

Contre son rival Mellin de Saint-Gelais, qui vient de lui adresser un recueil où Marot est pris à partie.

Ta lettre, Mellin, me propose[1]
Qu'un gros sot en rythme compose
Des vers, par lesquels il me point[2] :
Tiens-toi sûr qu'en rythme n'en prose
Celui n'écrit aucune chose
Duquel l'ouvrage on ne lit point.

Clément Marot, *Épigrammes,* 116.

_____
(1) me fait savoir
(2) me blesse, m'attaque

Accusé à tort de malversations, le financier royal Semblançay est condamné à être pendu. Le supplice, pour raison d'État, de cet homme de plus de soixante-dix ans, suscita quelque émotion (1527).

Lorsque Maillart[1], juge d'Enfer menait
À Montfaucon Semblançay l'âme rendre,
À votre avis, lequel des deux tenait
Meilleur maintien ? Pour le vous faire entendre[2],
Maillart semblait homme qui mort va prendre
Et Semblançay fut si ferme vieillard,
Que l'on cuidait[3] pour vrai qu'il menât pendre
À Montfaucon le lieutenant Maillart.

Clément Marot, *Épigrammes,* 13.

_____
(1) lieutenant de police
(2) comprendre
(3) pensait

Giovanni-Battista Moroni (1525-1578), *Clément Marot,* Paris, Bibl. du protestantisme, ph. Giraudon.

Humour noir.

Pauline est riche et me veut bien
Pour mari : je n'en ferai rien,
Car tant vieille elle est que j'en ai honte.
S'elle[1] était plus vieille d'un tiers
Je la prendrais plus volontiers
Car la dépêche[2] en serait prompte.

Clément Marot, *Épigrammes,* 132.

_____
(1) si elle
(2) disparition

Quentin Metsys (1466-1530), *Vieille Femme monstrueuse,* Londres, National Gallery, ph. Giraudon.

Un gage imposé à Marot par une dame de compagnie de Marguerite de Navarre, Hélène de Tournon. Suivent la réponse de la reine elle-même et la nouvelle réplique de Marot.

Pour un dizain que gagnâtes mardi,
Cela n'est rien, je ne m'en fais que rire,
Et fus très aise alors que je le perdis,
Car aussi bien je vous voulais écrire,
Et ne savais bonnement[(1)] que vous dire,
Qui[(2)] est assez pour se taire tout coi.
Or, payez-vous, je vous baille de quoi,
D'aussi bon cœur que si je le donnois[(3)] ;
Que plût à Dieu que ceux à qui je dois
Fussent contents de semblable monnoie.

Clément Marot, *Épigrammes*, 49.

(1) vraiment
(2) ce qui
(3) sans y être obligé (par le gage)
(4) Noms de commerçants.
(5) ce texte, ce poème
(6) de l'or

La Reine de Navarre répond pour Hélène de Tournon.

Si ceux à qui devez, comme vous dites,
Vous connaissaient comme je vous connois,
Quitte seriez des dettes que vous fîtes
Le temps passé, tant grandes que petites,
En leur payant un dizain toutefois,
Tel que le vôtre, qui vaut mieux mille fois
Que l'argent dû par vous, en conscience ;
Car estimer on peut l'argent au poids,
Mais on ne peut (et j'en donne ma voix)
Assez priser votre belle science.

Clément Marot, *Épigrammes*, 50.

Réplique à la Reine de Navarre.

Mes créanciers, qui de dizains n'ont cure,
Ont lu le vôtre, et sur ce leur ai dit :
«Sire Michel[(4)], sire Bonaventure[(4)],
La sœur du Roi a pour moi fait ce dit[(5)]. »
Lors eux, cuidant que fusse en grand crédit,
M'ont appelé Monsieur à cri et cor,
Et m'a valu votre écrit autant qu'or,
Car promis ont, non seulement d'attendre,
Mais d'en[(6)] prêter, foi de marchand, encor,
Et j'ai promis, foi de Clément, d'en prendre.

Clément Marot, *Épigrammes*, 51.

Piero di Cosimo (1462-1521), *Simonetta Vespucci*, Chantilly, musée Condé, ph. H. Josse.

Pistes de recherche

1. L'esprit de Marot : comment le poète de cour fait-il varier ses finesses ou sa malice ? Observez aussi l'art de la composition (chute, style direct, etc.).
2. Le thème principal de ces épigrammes nous rappelle la condition du poète au sein de la société : à quoi renvoient-ils sans cesse ? Pourquoi ? Notez qu'on perçoit même, dans «*Lorsque Maillart...*» une sorte de violence contenue.
3. Ces badinages annoncent une forme de la préciosité : vous en saisirez mieux l'intérêt en comparant avec *Le XVII⁰ siècle*, pp. 89-93.

Puisque les vers que pour toi je compose
T'ont fait tancer, Anne, ma sœur, ma mie,
C'est bien raison que ma main se repose.
Ce que je fais : ma plume est endormie.
Encre, papier, la main pâle et blêmie,
Reposent tous par ton commandement ;
Mais mon esprit reposer ne peut mie,
Tant tu me l'as travaillé[1] grandement.
Pardonne donc à mes vers le tourment
Qu'ils t'ont donné, et, ainsi que je pense,
Ils te feront vivre éternellement :
Demandes-tu plus belle récompense ?

Clément Marot, *Épigrammes*, 201.

———————
(1) troublé, fait souffrir

Anne par jeu me jeta de la neige
Que je cuidais[1] froide certainement ;
Mais c'était feu, l'expérience en ai-je,
Car embrasé je fus soudainement.
Puisque le feu loge secrètement
Dedans la neige, où trouverai-je place
Pour n'ardre[2] point ? Anne, ta seule grâce
Éteindre peut le feu que je sens bien,
Non point par eau, par neige, ni par glace,
Mais par sentir un feu pareil au mien.

Clément Marot, *Épigrammes*, 151.

———————
(1) croyais
(2) brûler (cf. ardent)

Pistes de recherche

1. On sent ici un étrange mélange de sincérité et de convention : essayez de faire la part de ce qui semble spontané, original, réaliste, et de ce qui a recours à des formes ou expressions précieuses.

2. L'art de l'inversion et du contraste : un procédé commun préside aux deux poèmes, malgré des différences apparentes. Montrez-le.

3. Étudiez plus particulièrement le procédé de l'antithèse• (oppositions, parallélismes, symétries, etc.) dans le « dizain de neige ».

4. Sur l'image de l'amour et sur le destin du poète, comparez avec Scève, p. 198 et p. 201 ; du Bellay, pp. 248-251 et Ronsard pp. 275-281. Et reportez-vous dans l'index thématique à AMOUR et POÈTE.

DOCUMENT

— Les strophes pratiquées par Marot :
Le **sixain**, généralement en octosyllabes, suit la rime AABCCB
Le **huitain**, divisé en deux **quatrains**, suit la rime ABABBCBC
Le **dizain**, en décasyllabes ou octosyllabes, suit la rime ABABBCCDCD

— Les poèmes à forme fixe :
La **ballade** : trois huitains et quatre quatrains, le plus souvent
Le **rondeau** : trois strophes (AABBA AAB AABBA) ; à chaque fin de strophe, on répète les premiers mots du début du poème
Le **sonnet**, d'origine italienne, que Marot introduit en France et qui aura un immense succès : deux quatrains, deux tercets (ABBA ABBA CCD EED ou EDE)

Le quatrain s'écourte en tercet : le poème semble se délester et s'élever. La réussite du sonnet s'explique peut-être par cet équilibre à la fois apaisant, rigoureux et dynamique, fluide.

— Comment nommer les rimes ?
AA : plates ou suivies
ABBA : embrassées
ABAB : croisées ou alternées

Andrea Solario (1460-1522), *Joueuse de mandore*, Rome, Galerie Nationale, ph. Scala.

Le courtisan contestataire

Marot, comme tous les écrivains de son temps, a passé sa vie à quémander pensions et subsides : à la cour de la reine de Navarre (cf. p. 186) ou à celle de François Ier, il s'employait à plaire, en misant surtout sur l'humour• et sur une verve narquoise. Mais précisément la cour française, sous l'influence de l'humanisme italien, se civilise peu à peu. Marot est pris dans le mouvement de restauration des belles lettres. Sa pétulance indocile doit donc se tempérer, bon gré mal gré. Son **œuvre** semble **partagée entre le naturel,** spirituel et contestataire, **et le devoir** du poète au sein de l'entourage royal, où l'on veut rivaliser de culture et de raffinement avec les Italiens. Sa gaillardise y acquiert du tact. Sa pratique des auteurs latins, tardive mais étendue, enrichit ses vers : il commence à imiter (cf. p. 193). Ses emprunts et ses réminiscences lui donnent peu à peu une maîtrise dans l'adaptation et la traduction. Toute la dernière partie de son œuvre sera consacrée à de vastes poèmes religieux, inspirés par la Bible. L'évolution est ainsi achevée : le bouillant plaisantin, après la décantation courtisane, crée et impose un lyrisme• nouveau, en particulier avec les *Psaumes* (cf. p. 170).

EXTRAIT

Le Marot insoumis : en 1526, il est emprisonné au Châtelet pour avoir mangé du lard en Carême — il récidivera en 1532. Ce manquement à la règle chrétienne peut être puni de mort. Il fait alors appel à son ami Lyon (Léon) Jamet, conseiller du roi : placé sous la protection de l'évêque de Chartres, Marot sera bientôt tiré d'affaire — pour cette fois.

Mais je te veux dire une belle fable,
C'est à savoir du lion et du rat.
    Cestui lion, plus fort qu'un vieil verrat[1],
Vit une fois que le rat ne savait
5 Sortir d'un lieu, pour autant qu'[2]il avait
Mangé le lard et la chair toute crue ;
Mais ce lion (qui jamais ne fut grue[3])
Trouva moyen et manière et matière,
D'ongles et dents, de rompre la ratière,
10 Dont maître rat échappe vitement,
Puis mit à terre un genou gentement,
Et, en ôtant son bonnet de la tête,
À mercié mille fois la grand bête,
Jurant[4] le dieu des souris et des rats
15 Qu'il lui rendrait. Maintenant tu verras
Le bon du conte. Il advint d'aventure
Que le lion, pour chercher sa pâture,
Saillit dehors sa caverne et son siège[5],
Dont (par malheur) se trouva pris au piège,
20 Et fut lié contre un ferme poteau.
    Adonc le rat, sans serpe ni couteau,
Y arriva joyeux et ébaudi[6],
Et du lion (pour vrai) ne s'est gaudi[7],
Mais dépita chats, chattes et chatons,
25 Et prisa fort rats, rates et ratons,
Dont[8] il avait trouvé temps favorable
Pour secourir le lion secourable,
Auquel a dit : « Tais-toi, lion lié,
Par moi seras maintenant délié :
30 Tu le vaux bien, car le cœur joli as ;
Bien y parut quand tu me délias.
Secouru m'as fort lionneusement,

Or secouru seras rateusement. »
    Lors le lion ses deux grands yeux vêtit[9],
35 Et vers le rat les tourna un petit
En lui disant : « Ô pauvre verminière,
Tu n'as sur toi instrument ni manière,
Tu n'as couteau, serpe ni serpillon,
Qui sût couper corde ni cordillon,
40 Pour me jeter de cette étroite voie.
Va te cacher, que le chat ne te voie.
— Sire lion (dit le fils de souris)
De ton propos (certes) je me souris :
J'ai des couteaux assez, ne te soucie,
45 De bel os blanc, plus tranchants qu'une scie ;
Leur gaine, c'est ma gencive et ma bouche ;
Bien couperont la corde qui te touche
De si très près, car j'y mettrai bon ordre. »
    Lors sire rat va commencer à mordre
50 Ce gros lien : vrai est qu'il y songea[10]
Assez longtemps ; mais il le vous rongea
Souvent, et tant, qu'à la parfin[11] tout rompt,
Et le lion de s'en aller fut prompt,
Disant en soi : « Nul plaisir[12] (en effet)
55 Ne se perd point, quelque part où soit fait. »
    Voilà le conte en termes rimassés :
Il est bien long, mais il est vieil assez.
Témoin Ésope[13] et plus d'un million.
    Or viens me voir pour faire le lion,
60 Et je mettrai peine, sens et étude
D'être le rat, exempt d'ingratitude,
J'entends, si Dieu te donne autant d'affaire
Qu'au grand lion, ce qu'il ne veuille faire.

Clément Marot, *Épîtres*, 9, 1526.

---

(1) porc   (2) parce que   (3) oiseau stupide   (4) prenant Dieu à témoin   (5) [sortit de] son repaire   (6) tout content   (7) moqué (« se gausser de »)   (8) parce que   (9) recouvrit de ses paupières   (10) s'en occupa   (11) finalement   (12) service rendu   (13) Fabuliste grec (vi^e siècle av. J.-C.).

Marot semble avoir été dénoncé par une de ses amies qu'il aurait déçue.

Ballade contre celle qui fut s'amie

Un jour récrivis à m'amie[1]
Son inconstance seulement,
Mais elle ne fut endormie
À me le rendre chaudement,
Car dès l'heure tint parlement[2]
À je ne sais quel papelard
Et lui a dit tout bellement :
« Prenez-le, il a mangé le lard. »
Lors six pendards ne faillent mie[3]
À me surprendre finement,
Et de jour, pour plus d'infamie,
Firent mon emprisonnement.
Ils vinrent à mon logement :
Lors, se va dire un gros paillard :
« Par le mordieu, voilà Clément,
Prenez-le, il a mangé le lard. » [...]

Clément Marot, *Ballades*, 12.

(1) j'ai reproché à mon amie
(2) s'en alla dire à la ronde
(3) ne manquent pas de...

Léonard de Vinci (1452-1519), *La Belle Ferronière*, Paris, Louvre, ph. H. Josse.

Pistes de recherche

1. L'anecdote et le récit : repérez les principaux épisodes et montrez la progression de l'aventure.

2. Le comportement des personnages : le poème permet de tracer pour chacun des deux leur caractère, les raisons de leur conduite, la façon dont ils raisonnent et s'analysent, l'écart entre leurs paroles et leurs actes, etc.

3. L'humour• et l'art du fabuliste : relevez, en particulier, le sens du pittoresque ou du croquis, et le maniement du détail qui doit frapper l'attention ou faire vrai (gestes, attitudes, familiarité ou piquant de l'expression, etc.).

4. Malgré la plaisanterie, Marot écrit alors qu'il est en réel danger : le perçoit-on ? Quels sont la « morale » et le sens symbolique• de cette fable ? Comment expliquer, par ailleurs, la « culpabilité » de Marot aux yeux de l'Église ?

Suggestion de lecture :
La Fontaine, *Fables*, II, 11 (1668).

Sandro Botticelli (1445-1510), *Pallas et le Centaure*, Florence, musée des Offices, ph. Giraudon.

Le Marot courtisan : *comment demander de l'argent au roi sans le lasser ? Pour éviter le style cérémonieux et les compliments trop appuyés, Marot allège la confession, abrège la supplique, au profit d'une anecdote imprévue et plaisante.*

J'avais un jour un valet de Gascogne,
Gourmand, ivrogne, et assuré menteur,
Pipeur(1), larron, jureur, blasphémateur,
Sentant la hart(2) de cent pas à la ronde,
5 Au demeurant, le meilleur fils du monde
[...]
Ce vénérable hillot(3) fut averti
De quelque argent que m'aviez départi
Et que ma bourse avait grosse apostume(4);
Si(5) se leva plus tôt que de coutume,
10 Et me va prendre en tapinois icelle;
Puis la vous mit très bien sous son aisselle,
Argent et tout, cela se doit entendre,
Et ne crois point que ce fût pour la rendre,
Car onques puis(6) n'en ai ouï parler.
15 Bref, le vilain ne s'en voulut aller
Pour si petit(7), mais encore il me happe
Saie(8) et bonnet, chausses, pourpoint et cape;
De mes habits, en effet, il pilla
Tous les plus beaux; et puis s'en habilla
20 Si justement, qu'à le voir ainsi être
Vous l'eussiez pris, en plein jour, pour son maître.
Finalement, de ma chambre il s'en va
Droit à l'étable, où deux chevaux trouva;
Laisse le pire, et sur le meilleur monte,
25 Pique et s'en va. Pour abréger le conte,
Soyez certain qu'au sortir dudit lieu
N'oublia rien, fors(9) à me dire adieu.
Ainsi s'en va, chatouilleux de la gorge,
Ledit valet, monté comme un Saint George,

30 Et vous laissa Monsieur dormir son soûl,
Qui au réveil n'eût su finer(10) d'un sou.
Ce Monsieur-là, Sire, c'était moi-même,
Qui, sans mentir, fus au matin bien blême,
Quand je me vis sans honnête vêture,
35 Et fort fâché de perdre ma monture;
Mais, de l'argent que vous m'aviez donné,
Je ne fus point de le perdre étonné;
Car votre argent, très débonnaire Prince,
Sans point de faute, est sujet à la pince(11).
40 Bientôt après cette fortune-là,
Une autre pire encore se mêla
De m'assaillir, et chacun jour m'assaut,
Me menaçant de me donner le saut,
Et de ce saut m'envoyer à l'envers
45 Rimer sous terre et y faire des vers.
C'est une lourde et longue maladie
De trois bons mois, qui m'a toute élourdie(12)
La pauvre tête, et ne veut terminer,
Mais me contraint d'apprendre à cheminer
50 Tout affaibli m'a d'étrange manière,
Et si m'a fait la cuisse héronnière,
L'estomac sec, le ventre plat et vague.
Que dirai plus ? Au misérable corps
Dont je vous parle, il n'est demeuré fors
55 Le pauvre esprit, qui lamente et soupire,
Et en pleurant tâche à vous faire rire. [...]

Clément Marot, *Épîtres*, 23, 1er janvier 1532.

(1) trompeur
(2) corde du gibet
(3) garçon
(4) enflure
(5) ainsi
(6) jamais depuis
(7) peu
(8) casaque
(9) sauf
(10) payer, « financer »
(11) est souvent dilapidé
ou soustrait (cf. p. 191)
(12) alourdi (accord avec
le c.o.d.)

Pistes de recherche

1. L'art du conteur : relevez les traits pittoresques dans la narration du début, et étudiez comment la versification participe à la vie du récit.

2. Bien que réellement ruiné, Marot évite de sombrer dans le pathétique•. Il joue les naïfs, il évite toute aigreur, il plaisante. Montrez-le et dites pourquoi. Par exemple, élucidez le vers 45.

3. Le retour à soi (à partir du vers 40) fait changer le ton et même la forme : comment? Le dernier vers résume peut-être cette technique, qui exige un difficile équilibre.

Denis ven Alstoot († en 1628), *Les Patineurs*, Madrid, musée du Prado, ph. Oroñoz-Artephot.

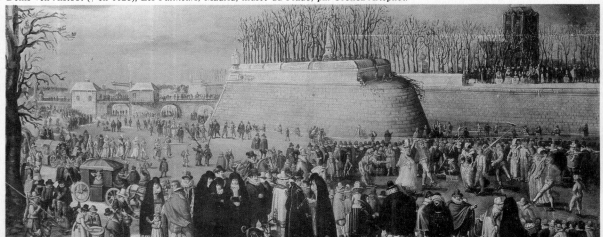

Un jeu qui devient un genre : le blason

L'esprit inventif de Marot en fait un fondateur. Outre le sonnet, qu'il a contribué à imposer en France (cf. p. 193), il est aussi l'initiateur d'un jeu littéraire : le **blason**. Inspiré par les sensuelles fantaisies de la poésie italienne, il veut prouver que la langue française est capable de la même impertinente et savoureuse dextérité. Son blason du «beau tétin» suscite aussitôt (vers 1535) un véritable concours : tous les poètes s'ingénient à rivaliser, en chantant à leur tour telle ou telle partie du corps féminin : sourcil, front, cheveux, pied ou cuisse — et autres endroits plus intimes...

À l'origine, «blasonner» consiste à **détailler** et expliquer les armoiries d'un écu (d'une famille ou d'une cité, par exemple). S'appliquant à l'anatomie, cette description tourne à l'énumération. La liste ressasse **les aspects et les contours** pour épuiser les optiques possibles et créer la présence. Fascination, fétichisme, litanies du désir : **le blason harcèle l'objet qu'il veut captiver**. Genre érotique, si l'on veut, sa volonté de saisir et de scruter illustre surtout le besoin fondamental de l'époque : dévoiler et satisfaire un appétit incessant de curiosités nouvelles. Délaissant le nombril féminin, Rémy Belleau «blasonnera» bientôt les minéraux, dont la mystérieuse beauté l'obsède (cf. pp. 284-285).

EXTRAIT   *Blason du beau tétin*

Tétin refait[1], plus blanc qu'un œuf,
Tétin de satin blanc tout neuf,
Toi qui fais honte à la rose,
Tétin plus beau que nulle chose,
5 Tétin dur, non pas tétin voire[2],
Mais petite boule d'ivoire
Au milieu duquel est assise
Une fraise ou une cerise
Que nul ne voit, ne touche aussi,
10 Mais je gage qu'il en est ainsi.
Tétin donc au petit bout rouge,
Tétin qui jamais ne se bouge,
Soit pour venir, soit pour aller,
Soit pour courir, soit pour baller[3],
15 Tétin gauche, tétin mignon,
Toujours loin de son compagnon,
Tétin qui portes témoignage
Du demeurant[4] du personnage,
Quand on te voit, il vient à maints
20 Une envie[5] dedans les mains
De te tâter, de te tenir :
Mais il se faut bien contenir
D'en approcher, bon gré ma vie,
Car il viendrait une autre envie.
25 Ô tétin, ni grand ni petit,
Tétin mûr, tétin d'appétit,
Tétin qui nuit et jour criez
«Mariez moi tôt, mariez !»
Tétin qui t'enfles, et repousses
30 Ton gorgias[6] de deux bons pouces :
À bon droit heureux on dira
Celui qui de lait t'emplira,
Faisant d'un tétin de pucelle,
Tétin de femme entière et belle.

Clément Marot, *Épigrammes*, 104, 1535.

(1) nouvellement formé
(2) qui n'est pas, à vrai dire, un tétin
(3) danser
(4) de tout le reste de la personne
(5) trois syllabes
(6) décolleté, haut de la robe, corsage

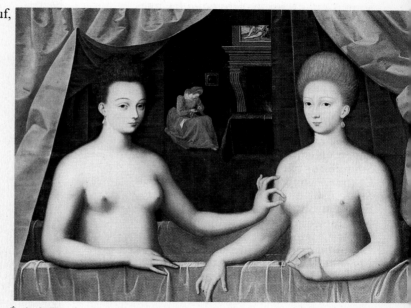

École de Fontainebleau (fin XVIe siècle), *Gabrielle d'Estrée et sa sœur la duchesse de Villars*, Paris, Louvre, ph. H. Josse. *Gabrielle d'Estrée, favorite d'Henri IV, lui donna deux fils, César et Alexandre de Vendôme.*

Pistes de recherche

1. Tout le poème vise à combiner une sensualité (soit exprimée, soit, le plus souvent, suggérée) avec une délicatesse qui exclut toute vulgarité. Essayez de montrer ce mélange de registres, en citant les vers les plus expressifs.

2. Étudiez la progression : on passe du visuel (développé par diverses métaphores•, à relever) au psychologique, puis le fantasme• du poète se dévoile, s'avoue.

3. Le blason est une «synecdoque», c'est-à-dire une métonymie• où l'on exprime le tout (la maison, le bateau) par la partie (le toit, la voile). Ici le sein exprime la femme. Quelle image de la femme, vue par l'homme, peut-on en dégager ?

Le blason a permis bien des outrances et Marot s'inquiétait de voir fleurir des descriptions fort indécentes des attraits féminins les plus cachés. Victime de son succès, ce genre indiscret aura vite mauvaise réputation. Mais, entre 1535 et 1550, les divers tempéraments y trouvent un moyen d'expression privilégié. De son exil de Ferrare, Marot collecte les envois de ses amis et rivaux. Avec l'accord de Renée de France (cf. p. 189), duchesse de Ferrare, il décide que c'est le *Blason du Sourcil*, de Maurice Scève (cf. p. 201), qui mérite la palme de ce concours improvisé.

EXTRAIT   *Blason du sourcil*

Sourcil tractif en voûte fléchissant
Trop plus qu'ébène, ou jayet[(1)] noircissant ;
Haut forgeté[(2)] pour ombrager les yeux,
Quand ils font signe, ou de mort ou de mieux ;
5 Sourcil qui rend peureux les plus hardis,
Et courageux les plus accouardis ;
Sourcil qui fait l'air clair obscur soudain,
Quand il froncit par ire ou par dédain,
Et puis le rend serein, clair et joyeux
10 Quand il est doux, plaisant et gracieux.
Sourcil qui chasse et provoque les nues
Selon que sont ses archées[(3)] tenues ;
Sourcil assis au lieu haut pour enseigne
Par qui le cœur son vouloir nous enseigne
15 Nous découvrant sa profonde pensée,
Ou soit de paix ou de guerre offensée.
Sourcil, non pas sourcil mais un sous ciel
Qui est le dixième et superficiel,
Où l'on peut voir deux étoiles ardentes,
20 Lesquelles sont de son arc dépendantes,
Étincelant plus souvent et plus clair
Qu'en été chaud un bien soudain éclair ;
Sourcil qui fait mon espoir prospérer,
Et tout à coup me fait désespérer ;
25 Sourcil sur qui amour prit le portrait
Et le patron de son arc, qui attrait[(4)]
Hommes et dieux à son obéissance,
Par triste mort ou douce jouissance.
Ô sourcil brun sous tes noires ténèbres
30 J'ensevelis en désirs trop funèbres
Ma liberté et ma dolente vie,
Qui doucement par toi me fut ravie.

Maurice Scève, 1535.

_____
(1) jais
(2) placé en avant, en saillie
(3) ses arcs (formés par le sourcil)
(4) attire

Léonard de Vinci (1452-1519), *Sainte Anne, la Vierge et l'enfant Jésus*, Paris, Louvre, ph. H. Josse.

Pistes de recherche

1. Le sourcil est plus inattendu que le sein, pour chanter la féminité. Ce sujet peu « physique », la disparition de l'inventaire anatomique, le jeu des antithèses• qui se répand partout : montrez que l'image de la femme est sensiblement différente de celle de Marot. Elle semble moins suave, plus ombrageuse, plus mystérieuse, etc.

2. Observez la progression : l'impression faite par le sourcil ; son rôle dans la communication muette de l'amour ; le pouvoir qu'il exerce sur le poète. Montrez comment évolue le poème, de la chose à l'être, de l'objet au mystère. On peut en déduire toute une conception de l'amour, bien entendu : il sera utile de comparer avec les extraits de *Délie*, pp. 201-203.

3. À la fois précieux, baroque et lyrique•, on comprend pourquoi ce poème l'a emporté sur ses concurrents. Relevez ces trois aspects. Le document, où Marot s'en prend aux blasonneurs triviaux, vous aidera aussi à saisir pourquoi Scève fut le vainqueur.

« À ceux, qui, après l'épigramme du beau tétin, en firent d'autres... »

[...] En me suivant vous avez blasonné :
Dont hautement je me sens guerdonné (= récompensé).
L'un de sa part la chevelure blonde,
L'autre le cœur, l'autre la cuisse ronde,
L'autre la main décrite proprement,
L'autre le bel œil déchiffré doctement,
L'autre un esprit, cherchant les cieux ouverts,
L'autre la bouche, où sont plusieurs beaux vers,
L'autre une larme, et l'autre a fait l'oreille,

L'autre un sourcil de beauté non pareille.
[...] Mais je vous prie que chacun blasonneur
Veuille garder en ses écrits honneur :
Arrière ! mots qui sonnent salement.
Parlons aussi des membres seulement
Que l'on peut voir sans honte découverts,
Et des honteux ne souillons point nos vers [...]

Clément Marot, *Épîtres*, 47, 1536.

EXTRAIT

Blason de l'œil : Mellin de Saint-Gelais profite du blason pour reprendre une habituelle métaphore•, celle du regard, astre, lumière et saisons de l'amant...

Œil attrayant, œil arrêté[(1)],
De qui la céleste clarté
Peut les plus clairs yeux éblouir,
Et les plus tristes éjouir :
5 Œil, le seul soleil de mon âme,
De qui la non visible flamme
En moi fait tous les changements
Qu'un soleil fait aux éléments,
Disposant le monde par eux
10 À temps froid ou à chaleureux[(2)],
À temps pluvieux ou serein,
Selon qu'il est proche ou lointain.
Car, quand de vous loin je me trouve, [treuve]
Bel œil, il est force qu'il pleuve
15 Des miens une obscure nuée,
Qui jamais n'est diminuée,
Ni ne s'éclaircit ou découvre,
Jusqu'à tant que je vous recouvre[(3)] ;
Et puis[(4)] nommer avec raison
20 Mon triste hiver cette saison.
Mais quand il vous plaît qu'il advienne
Que mon soleil à moi revienne,
Il n'est pas si tôt apparu,
Que tout mon froid est disparu
25 Et qu'il n'amène un beau printemps
Qui rend mes esprits tout contents ;
Et hors de l'humeur[(5)] de mes pleurs
Je sens renaître en lieu de fleurs
Dans mon cœur dix mille pensées
30 Si douces et si dispensées
Du sort commun de cette vie,
Qu'aux dieux ne porte nulle envie.

Mellin de Saint-Gelais (1491-1558), *Œuvres*, 1547.

(1) équilibré, plein de retenue
(2) chaud
(3) retrouve
(4) et je puis
(5) naissant de l'humidité de...

Titien (1490-1576), *La Vanité terrestre*, Munich, Alte Pinakothek, ph. Giraudon.

Pistes de recherche

1. Reprenez, en soulignant les termes principaux, le fil de la métaphore• qui se développe du début à la fin du poème.

2. Ici, la partie du corps (l'œil) n'est guère décrite. Le blason veut exprimer une idée, un symbole•. Définissez-les. Cette lecture psychologique du poème traduira aussi quel type de femme est loué, ici. Résumez cet éloge.

Bruegel de Velours (1568-1625), *Allégorie de l'ouïe*, Madrid, musée du Prado, ph. Oroñoz-Artephot. *Vénus (ou Euterpe) chante, accompagnée par un amour. Le cerf est un symbole• de l'ouïe. Oiseaux, instruments, horloges, tableaux : tout évoque la musique et les sons.*

Biographie de Marot

	1496	1506	1514	1519	1526 1527	1529	1532	1534	1536	1542-1543	1554
VIE	Naissance à Cahors ; fils du poète Jean Marot.	Vient vivre à la cour d'Anne de Bretagne avec son père.	Vagues études à Blois et à Paris ; devient page d'un secrétaire du roi.	Entre au service de Marguerite d'Alençon, sœur de François Ier. Voyages avec le duc d'Alençon.	Incarcéré au Châtelet pour avoir fait gras en Carême. Il s'éprend d'Anne d'Alençon (nièce de Marguerite).	Mariage et voyage en Picardie. Malade et dévalisé par son valet. Second emprisonnement, pour le même motif qu'en 1526. Succède à son père, décédé, comme valet de chambre du roi.		Affaire des Placards ; recherché comme suspect, doit s'enfuir ; condamné par contumace, il s'exile en Suisse, puis en Italie ; accueilli à la cour de Ferrare par Renée de France.	Doit fuir Ferrare comme suspect d'être favorable à Luther Venise, Genève puis retour en France. Il abjure à Lyon et regagne la cour.	À nouveau accusé de protestantisme. Il s'enfuit à Genève, mais est vite suspect même auprès de Calvin. Rejoint Turin. Grande faveur de Marot à la cour. Polémique très vive avec son rival Sagon.	Mort à Turin.

	1514	1526	1532	1533	1536	1538	1541
ŒUVRES	*Le Temple de Cupido* (sur le mariage de François Ier).	*Épître à son ami Lyon.* Il rédige *L'Enfer* (qui sera publié en 1542 sans son accord et irritera la Sorbonne•).	*Épître au roi pour avoir été dérobé.*	Édite les œuvres de François Villon. *L'adolescence clémentine.*	*Blason du beau tétin* et concours (cf. p. 197). Publication de ses *Œuvres complètes.* Premières traductions bibliques : *Psaumes.*		Autres *Psaumes* (tous interdits).

Riche ne suis, certes je le confesse,
Bien né pourtant, et nourri noblement,
Mais je suis lu du peuple et gentillesse
Par tout le monde, et dit-on « c'est Clément ».
Maints vivront peu, moi éternellement.
Et toi tu as près, fontaines et puits,
Bois, champs, châteaux, rentes et gros appuis.
C'est de nous deux la différence et l'être :
Mais tu ne peux être ce que je suis,
Ce que tu es, un chacun le peut être.

Épigramme 218.

Devise de marot
La mort n'y mord

Le foyer littéraire de Lyon : Maurice Scève

Au début du XVIe siècle, la ville de Lyon est **un important carrefour économique et culturel** : intermédiaire obligé entre l'Italie et Paris, elle est accueillante aux idées et aux belles-lettres venues d'ailleurs. Plaque tournante de multiples échanges commerciaux, c'est aussi une ville de banquiers ou de riches marchands, très soucieux de leur indépendance, ouverts et actifs. Ces hommes pragmatistes ont su accorder, par exemple, des privilèges à l'imprimerie : les plus beaux livres de l'époque sortent tous des presses de Lyon... La cour vient fréquemment y séjourner et y côtoie les érudits et les beaux esprits. Ce cosmopolitisme• favorise, comme toujours, curiosité et tolérance. Les cercles lyonnais s'intéressent aux penseurs religieux de la Réforme, à tous les ésotérismes•, à l'astrologie, aux nombres, etc. L'humanisme, si sensible à toutes les ressources de la création et de l'intelligence humaine, trouve en Lyon un creuset sans rival dans tout le royaume.

Une telle atmosphère a donc permis un épanouissement exceptionnel aux lettrés. Dans les demeures des plus riches familles lyonnaises se multiplient les « salons » et les cercles, volontiers enjoués, où la poésie et la musique servent à la fois aux divertissements mondains et à l'approfondissement des techniques créatrices. Au sein de ce **foisonnement artistique** (on pourrait citer une bonne cinquantaine de poètes et « poétesses » !) s'impose la forte personnalité de **Maurice Scève** (1500?-1560?), homme secret, contemplatif, mystérieux. Issu d'une famille de notables, il semble pouvoir se consacrer tout entier à son œuvre, entouré d'un petit groupe de fidèles sur lesquels il exerce un puissant ascendant.

L'œuvre principale de Maurice Scève est *Délie, Objet de plus haute vertu* (1544). Ce recueil complexe est composé de 449 dizains, en vers décasyllabes, qui suivent tous la rime ABABBCCDCD. L'ordre d'apparition des unités, leur nombre et les obscurités de certains vers ont fourni matière aux interprétations les plus bizarres. Il est vrai que Scève était versé dans l'hermétisme• et que l'idéalisme• de Pétrarque (cf. p. 250) ou des platonisants (cf. p. 252) le fascinait. En tout cas, *Délie* n'est pas une histoire continue et cohérente, mais **la quête désordonnée et tourmentée d'un anxieux vers une perfection** et un au-delà dont la femme aimée est l'image.

EXTRAITS

L'amour est d'emblée placé sous le signe du coup de foudre et d'une réduction à un asservissement définitif à la sombre et triple déesse Hécate (cf. pp. 202 et 203).

(1) de souci

Libre vivais en l'avril de mon âge,
De cure[(1)] exempt sous cette adolescence
Où l'œil, encor non expert de dommage,
Se vit surpris de la douce présence
Qui, par sa haute et divine excellence,
M'étonna l'âme, et le sens tellement
Que de ses yeux l'archer tout bellement
Ma liberté lui a toute asservie :
Et dès ce jour continuellement
En sa beauté gît ma mort, et ma vie.

Maurice Scève, *Délie*, 6, 1544.

(1) me renfermer
(2) d'où je... embarras
(3) a jointe

Comme Hécate, tu me feras errer
Et vif, et mort, cent ans parmi les ombres ;
Comme Diane au Ciel me resserrer[(1)],
D'où descendis en ces mortels encombres[(2)] ;
Comme régnante aux infernales ombres
Amoindriras ou accroîtras mes peines.
Mais comme lune infuse dans mes veines
Celle tu fus, es, et seras Délie,
Qu'Amour a joint[(3)] à mes pensées vaines
Si fort, que Mort jamais ne l'en délie.

Maurice Scève, *Délie*, 22, 1544.

Maurice Scève, Paris, Bibl. Nat., ph. H. Josse.

Pistes de recherche

Délie, 6 et 22

1. L'image de l'amour (la rencontre, la passion) : soulignez les termes et les expressions qui l'évoquent. Comparez avec Ronsard, p. 277.
2. Pourquoi choisir le mythe• d'Hécate ? C'est encore un thème de Scève qui sera beaucoup imité : voyez p. 288 et p. 294, pour comparer.
3. « Ma mort, et ma vie » ; « et vif, et mort » : que pensez-vous de cette obsession ?

Diane, omniprésente sur terre, au ciel comme déesse de la Lune, aux enfers, sous la forme d'Hécate, exprime l'obsession amoureuse. [...] Ces comparaisons mythologiques traduisent le double mouvement de l'amour chez Scève : celui qui le fait « errer » et qui vient de la Diane-Hécate, déesse des enfers et des carrefours, celui qui le fait rentrer en lui-même et y contempler l'autre en lui, l'astre intérieur, et cet amour est placé sous le patronage de la Diane lunaire, déesse du silence et du recueillement.

Pierre Albouy, *Mythes et Mythologie dans la littérature française*, A. Colin, 1969.

Cette image de l'amour comme apparition qui illumine ou foudroie s'exprime volontiers par des métaphores* solaires. Sur le thème de la « belle matineuse », voyez p. 249 et Le XVIIᵉ siècle, p. 93.

(1) les plus basses
(2) le dieu du soleil
(3) passer sans dormir
(4) rappelai
(5) les canaux des larmes

L'aube éteignait étoiles à foison,
Tirant le jour des régions infimes[1],
Quand Apollo[2] montant sur l'horizon
Des monts cornus dorait les hautes cimes.
Lors du profond des ténébreux abîmes,
Où mon penser par ses fâcheux ennuis
Me fait souvent percer[3] les longues nuits,
Je révoquai[4] à moi l'âme ravie
Qui, desséchant mes larmoyants conduits[5],
Me fit clair voir le Soleil de ma vie.

Maurice Scève, *Délie*, 79, 1544.

Puisque l'amour est contrarié, ou vécu comme un déchirement où alternent exaltation et plongées masochistes, l'antithèse* est la figure constante de Délie.

Moins je la vois, certes plus je la hais ;
Plus je la hais, et moins elle me fâche.
Plus je l'estime, et moins compte j'en fais ;
Plus je la fuis, plus veux qu'elle me sache.
En un moment deux divers traits me lâche
Amour et haine, ennui avec plaisir.
Forte est l'amour qui lors me vient saisir,
Quand haine vient et vengeance me crie :
Ainsi me fait haïr mon vain désir
Celle pour qui mon cœur toujours me prie.

Maurice Scève, *Délie*, 43, 1544.

(1) je sois
(2) ainsi la nature se sent-elle outragée
(3) opérant sans mal apparent
(4) passif

En toi je vis, où que tu sois absente ;
En moi je meurs, où que je sois présent.
Tant loin sois tu, toujours tu es présente ;
Pour près que sois[1], encore suis-je absent.
Et si nature outragée se sent[2]
De me voir vivre en toi trop plus qu'en moi ;
Le haut pouvoir qui, ouvrant sans émoi[3],
Infuse l'âme en ce mien corps passible[4],
La prévoyant sans son essence en soi,
En toi l'étend comme en son plus possible.

Maurice Scève, *Délie*, 144, 1544.

Bronzino (1503-1572), *Éléonore de Tolède*, Prague, Galerie Nationale, ph. Giraudon.

(1) qu'ainsi
(2) brûle

Si tu t'enquiers pourquoi sur mon tombeau
L'on aurait mis deux éléments contraires,
Comme tu vois être le feu et l'eau
Entre éléments les deux plus adversaires,
Je t'avertis qu'ils sont très nécessaires
Pour te montrer par signes évidents
Que si[1] en moi ont été résidents
Larmes et feu, bataille âprement rude ;
Qu'après ma mort encore ci-dedans
Je pleure et ars[2] pour ton ingratitude.

Maurice Scève, *Délie*, 447, 1544.

Autre contraste, qui prend une dimension quasi mystique• : l'amour ici-bas est un exil ténébreux, un nocturne enfermement, mais il est promesse d'une immortalité lumineuse, surpassant toutes les beautés terrestres.

(1) qui prouve que la nuit est
(2) dès le moment où

Le jour passé de ta douce présence
Fut un serein en hiver ténébreux,
Qui fait prouver la nuit de ton absence
À l'œil de l'âme être[1] un temps plus ombreux
Que n'est au corps ce mien vivre encombreux
Qui maintenant me fait de soi refus.
Car dès le point que partie tu fus[2],
Comme le lièvre accroupi en son gîte,
Je tends l'oreille, oyant un bruit confus,
Tout éperdu aux ténèbres d'Égypte.

Maurice Scève, *Délie*, 129, 1544.

(1) ligne de crête
(2) vivant
(3) naviguer

De toute mer tout long et large espace,
De terre aussi tout tournoyant circuit,
Des monts tout terme[1] en forme haute et basse,
Tout lieu distant, du jour et de la nuit,
Tout intervalle, ô qui par trop me nuit,
Seront remplis de ta douce rigueur.
Ainsi passant des siècles la longueur,
Surmonteras la hauteur des étoiles
Par ton saint nom, qui vif[2] en ma langueur
Pourra partout nager[3] à pleines voiles.

Maurice Scève, *Délie*, 259, 1544.

DOCUMENT

Du point de vue symbolique [...], *Délie* (Artémis-Hécate-Séléné n'est-elle pas née à Délos?) chante et détaille les cruels aspects lunaires de l'éternel féminin qui, selon les dispositions intelligentes d'une fatalité providentielle, revêt parfois le masque de Diane, observe parfois la noire allure d'Hécate, diffuse parfois le rayonnement de l'astre des nuits. Se mesurant, dans un combat inégal, et incertain, et sans espoir, avec cette triple unité, Maurice Scève, avide de rédemption, s'applique à persévérer, non pas dans son être, mais dans un état de souffrance par contrastes. Celui-ci élargit son esprit à la mesure de l'univers entier. Il commence à goûter en espérance de divines délices et à se savoir promis à une série progressive de libérations.

Albert-Marie Schmidt, *Poètes du XVIe siècle*, Pléiade-N.R.F., 1953.

Pistes de recherche

Délie, 79.
Comparez avec la page 249 et avec les poèmes donnés p. 93 dans *Le XVIIe siècle*. Comment expliquez-vous l'influence de ce dizain? Malgré la convention de l'image, la suggestion du sentiment est forte. Comment sa présence est-elle exprimée?

Délie, 43, 144 et 447
1. La dualité du sentiment amoureux. En dégageant clairement les termes ou les champs lexicaux qui s'opposent, un à un, analysez les divers développements de l'antithèse•.
2. Comment comprenez-vous cette idée de l'amour, conflit permanent des contraires? Est-ce que l'amour et la haine sont de même source? Ou bien le corps et l'esprit entrent-ils en lutte dès que la passion s'installe? Diriez-vous que cette antithèse• est une simple figure de style, un artifice ou, au contraire, la forme vraie de la relation amoureuse?

Délie, 129 et 259
1. Ces deux dizains font entrevoir l'amour comme une double révélation: celle de l'obscurité du monde (l'amant, dans son inquiétude et son doute, éprouve la confusion et l'absurdité de l'ici-bas) et celle de la victoire de l'amour sur la mort (la perfection du sentiment et de l'acte poétique laisse entrevoir un possible ailleurs, une éternité). Analysez cette ambiguïté mystique• en relevant les expressions les plus frappantes et les contrastes les plus évidents.
2. Délie est peut-être l'anagramme de « l'Idée ». Voyez du Bellay, p. 252. Le document d'A.-M. Schmidt vous aidera aussi à saisir cette complexe et contradictoire condition du poète amoureux.

Les fragments féminins du discours amoureux

Dans l'entourage de Scève, la poésie est indissociable de l'analyse de l'état amoureux : on n'y distingue ni progrès, ni évolution, ni rémission. Le poème est un inlassable exercice concentrique, où l'on revit et retrace la stupéfiante expérience de l'amour, meurtrière catastrophe et salvateur éblouissement. La femme, source et objet de ce sublime inconfort, est donc au cœur de la parole poétique. Il ne lui reste plus qu'à y participer en faisant entendre sa voix.

L'inspiratrice de Scève, sa *Délie*, qu'il nomme aussi, plus familièrement, « Cousine », est **Pernette du Guillet** (1520 env.-1545). Elle a à peine seize ans quand Scève (qui en a trente-cinq) en subit la révélation, à la première rencontre. Mais la noble et pudique jeune fille est promise à une autre union. Ses relations avec son chantre ont dû rester, pour l'essentiel, platoniques•. Du moins veut-elle être respectée, et non traitée comme un objet où s'énerve le désir masculin : cette exigence « féministe » ne manque pas d'équivoque, cependant. Car Pernette du Guillet savoure et entretient l'impatience galante de son fidèle amoureux, tout en refusant que le feu qu'elle attise se souille des appels de la chair. Cette continence passionnée et cette excitante chasteté produisent en tout cas, outre les habituelles antithèses• (cf. p. 202), une poésie très personnelle, à la fois juvénile et décantée, allègre et modeste, où une femme tâche d'imposer, sans vanité, tranquillement, son droit d'être elle-même.

EXTRAITS

Humour•, provocation, jeu innocent ou rébellion ? Pernette imagine de se jeter nue dans l'eau d'une fontaine, sous les yeux de son amoureux et assidu poète, avant de se refuser à lui.

Anonyme, *Femme copiant un livre*, XVIe siècle, musée de Montargis, ph. Bulloz.

(1) avec celui... qui exercite (= exerce)
(2) gracieux (sans doute ironique)
(3) suite, compagnie, escorte
(4) mais plutôt
(5) Diverses divinités protectrices de la poésie.
(6) laisserais.
(7) pareillement
(8) puisse l'onde avoir l'efficacité
(9) Chasseur qui surprit Artémis-Diane au bain : changé en cerf, il fut alors dévoré par ses chiens.
(10) croirais

Combien de fois ai-je souhaité
Me rencontrer sur la chaleur d'été
Tout au plus près de la claire fontaine,
Où mon désir avec cil[(1)] se promène
5 Qui exercite en sa philosophie
Son gent[(2)] esprit, duquel tant je me fie
Que ne craindrais, sans aucune maignie[(3)],
De me trouver seule en sa compagnie :
Que dis-je, seule ? ains[(4)] bien accompagnée
10 D'honnêteté, que Vertu a gagnée
À Apollon, Muses et Nymphes maintes[(5)],
Ne s'adonnant qu'à toutes œuvres saintes.
Là grand j'aurais bien au long vu son cours,
Je le lairrais[(6)] faire à part ses discours,
15 Puis peu à peu de lui m'écarterais
Et toute nue en l'eau me jetterais.
Mais je voudrais lors quant et quant[(7)] avoir
Mon petit luth accordé au devoir,
Duquel ayant connu et pris le son,
20 J'entonnerais sur lui une chanson,
Pour un peu voir quels gestes il tiendrait.
Mais si vers moi il s'en venait tout droit,
Je le lairrais[(6)] hardiment approcher ;
Et s'il voulait tant soit peu me toucher,
25 Lui jetterais — pour le moins — ma main pleine
De la pure eau de la claire fontaine,
Lui jetant droit aux yeux ou à la face.
Ô qu'alors eût l'onde telle efficace[(8)]
De le pouvoir en Actéon[(9)] muer,
30 Non toutefois pour le faire tuer
Et dévorer à ses chiens, comme cerf,
Mais que de moi se sentit être serf. [...]
Combien heureuse et grande me dirais !
Certes déesse être me cuiderais[(10)].
35 Mais, pour me voir contente à mon désir,
Voudrais-je bien faire un tel déplaisir
À Apollon, et aussi à ses Muses[(5)],

De les laisser privés et confuses
D'un, qui les peut toutes servir à gré,
40 Et faire honneur à leur haut chœur sacré ?
Ôtez, ôtez, mes souhaits, si haut point
D'avecques vous : il ne m'appartient point.
Laissez-le aller les neuf Muses servir,
Sans le vouloir dessous moi asservir,
45 Sous moi qui suis sans grâce et sans mérite.
Laissez-le aller : qu'Apollon je n'irrite,
Le remplissant de Déité[11] profonde,
Pour contre moi susciter tout le monde,
Lequel[12] un jour par ses écrits s'attend
50 D'être avec moi et heureux, et content.

Pernette du Guillet, *Rimes*, éd. 1545.

(11) divinité
(12) [laissez-le aller] lui qui

Chanson

Qui dira ma robe fourrée
De la belle pluie dorée
Qui Danaé enclose ébranla[1] ?
Je ne sais rien moins que cela.
5 Qui dira qu'à plusieurs je tends
Pour en avoir mon passetemps,
Prenant mon plaisir çà et là ?
Je ne sais rien moins que cela.
Qui dira que t'ai révélé
10 Le feu longtemps en moi célé
Pour en toi voir si force il a ?
Je ne sais rien moins que cela.
Qui dira que, d'ardeur commune
Qui les jeunes gens importune,
15 De toi je veux... et puis holà !
Je ne sais rien moins que cela.
Mais qui dira que la Vertu
Dont tu es richement vêtu
En ton amour m'étincella :
20 Je ne sais rien mieux que cela.
Mais qui dira que d'amour sainte
Chastement au cœur suis atteinte,
Qui mon honneur onc[2] ne foula :
Je ne sais rien mieux que cela.

Pernette du Guillet, *Rimes*, éd. 1545.

(1) Jupiter féconda Danaé prisonnière, sous forme d'une pluie d'or.
(2) Jamais

Jan Gossaert (1478?-1532), *Danaé*, Munich, Alte Pinakothek, ph. J. Blauel-Artothek. *Selon la mythologie, Danaé, prisonnière, fut fécondée par Zeus transformé en pluie d'or.*

Pistes de recherche

Combien de fois...
1. L'historiette imaginaire définit les divers rapports que la femme entend imposer à son galant poète : faites le recensement de ces échanges ambigus. Notez aussi le curieux mélange de moquerie et d'admiration, d'ironie• et de sympathie, etc.
2. La nature, l'enjouement des attitudes, le recours discret à la mythologie, la modestie : montrez comment le poème atteint une fraîcheur, une simplicité qui arrivent à s'affranchir du poids des conventions.

Qui dira ma robe fourrée...
1. Étudiez les divers procédés qui suscitent une impression d'allégresse et de mouvement (énonciations, rythmes, versification, jeux des sonorités, refrain, etc.).
2. Nous sommes loin de la femme distante, compassée et terrible (de Maurice Scève, par exemple). En quoi peut-on ici parler d'une poésie féminine, voire féministe ?

À la différence de Pernette du Guillet, **Louise Labé** (1526-1565) revendique pleinement l'ardeur des amours charnelles. La « Belle Cordière » (elle avait épousé un riche cordier) renonce aux pudiques subtilités de Scève. Sa poésie, délivrée de l'hypocrisie des mœurs et du style, célèbre sans vaines fioritures l'amour-passion, voluptueux ou pantelant. Tant de franchise et d'abandon au plaisir attira sur la « poétesse » insultes et calomnies. Les censeurs et les imbéciles auraient peut-être mieux supporté une telle indépendance dans la bouche d'un homme. Louise Labé, femme riche et admirée, se moque bien de ces qu'en-dira-t-on. D'ailleurs, sa poésie ne recherche nullement la provocation ou l'outrance. Le siècle a eu d'autres audaces autrement indécentes (cf. p. 290) ! C'est une amante qui parle, s'avouant sans complexe — ni complaisance, au fond.

Pierre Woeiriot (1532-1596), *Louise Labé*,
Paris, Bibl. Nat., ph. Hachette.

EXTRAIT   *Les extrémités de la passion*

Ô beaux yeux bruns, ô regards détournés,
Ô chauds soupirs, ô larmes épandues,
Ô noires nuits vainement attendues,
Ô jours luisants vainement retournés ;
5 Ô tristes plaints(1), ô désirs obstinés,
Ô temps perdu, ô peines dépendues,
Ô mille morts en mille rets(2) tendues,
Ô pires maux contre moi destinés.

Ô ris(3), ô front, cheveux, bras, mains et doigts,
10 Ô luth plaintif, viole, archet et voix :
Tant de flambeaux pour ardre(4) une femelle.

De toi me plains, que tant de feux portant,
En tant d'endroits d'iceux mon cœur tâtant,
N'en est sur toi volé quelque étincelle.

(1) plaintes
(2) filets, pièges
(3) sourire
(4) brûler

Louise Labé, *Sonnets*, I, 1554.

Pistes de recherche

1. Les effets de l'amour, selon Louise Labé : faites un relevé complet et définissez ce qu'est la passion.
2. Comparez avec l'écho d'Olivier de Magny. Pourquoi modifie-t-il les tercets et comment fait-il conclure le sonnet ? Notez que l'évolution de la métaphore• et celle de la plainte y sont sensiblement différentes.
3. Utilisez l'étude de Nicolas Ruwet (document) : pourquoi ce sonnet se fonde-t-il sur deux groupes phonématiques différents ? Notez le rapport étroit du son et du sens.

DOCUMENT 1

L'amant de Louise Labé est Olivier de Magny (1530-1561), poète ami de du Bellay (cf. p. 260) et de Ronsard. Voici l'écho qu'il renvoie au sonnet ci-dessus : les deux quatrains sont exactement identiques.

Ô pas épars, ô trop ardente flamme,
Ô douce erreur, ô pensées de mon âme
Qui çà, qui là, me tournez nuit et jour,
Ô vous mes yeux, non plus yeux mais fontaines,
Ô dieux, ô cieux, et personnes humaines,
Soyez, par Dieu, témoins de mon amour.

Olivier de Magny, *Les Soupirs*, LV, 1556.

DOCUMENT 2

Dans Langage, musique, poésie *(Le Seuil, 1972), Nicolas Ruwet observe que tout ce sonnet développe un parallélisme :* « yeux bruns » *et* « soupirs » *forme chacun un groupe phonématique différent :*

Aux vers 1 et 2, *(z)yeux bruns* et *soupirs* sont assez différents dans leur structure phonématique, mais ils présentent une équivalence sensible, si l'on considère le mouvement global de chaque hémistiche, selon les dimensions vocaliques grave/aigu et arrondi/non

arrondi (bémolisé/non bémolisé) :

grave, arrondi $\dfrac{\text{o bo z jø brœ}}{\text{o ʃo} \quad \text{supir}}$ aigu, non arrondi

On peut en effet grouper les équivalences phoniques en deux tableaux, soit en rapprochant par deux les vers qui se suivent :

soit en opposant l'ensemble des deux quatrains :

1/2 { o bo z ʒø brœ / o fo supir } o rəgar deturne / o larmə z epãdy(ə)

3/4 { o nwarə nyi / oʒ ur lyizã } vɛnəmã t atãdy(ə) / vɛnəmã rəturne

5/6 { o tristə plɛ̃ / o tã pɛrdy } o dezir z ɔbstine / o pɛnə depãdy(ə)

7/8 { o milə mɔr (z) / o pirə mo } ã milə rɛ tãdy(ə) / kɔ̃trə mwa dɛstine

1/5 { o bo z ʒø brœ / o tristə plɛ } o rəgar deturne / o dezir z ɔbstine

2/6 { o fo supir / o tã pɛrdy } o larmə z epãdy(ə) / o pɛnə depãdy(ə)

3/7 { o nwarə nyi / o milə mɔr (z) } vɛnəmã t atãdy(ə) / ã milə rɛ tãdy(e)

4/8 { o ʒur lyizã / o pirə mo } vɛnəmã rəturne / kɔ̃trə mwa dɛstine

EXTRAITS *Les délices et les épreuves du corps*

Baise m'encor, rebaise-moi et baise :
Donne m'en un de tes plus savoureux,
Donne m'en un de tes plus amoureux :
Je t'en rendrai quatre plus chauds que braise.
5 Las, te plains-tu ? çà, que ce mal j'apaise
En t'en donnant dix autres doucereux.
Ainsi mêlant nos baisers tant heureux
Jouissons nous l'un de l'autre à notre aise.
Lors double vie à chacun en suivra,
10 Chacun en soi et son ami vivra.
Permets m'amour[1] penser quelque folie
Toujours suis mal, vivant discrètement,
Et ne me puis donner contentement,
Si hors de moi ne fais quelque saillie[2].

---

[1] permets à mon amour de
[2] hardiesse, fougue

Je vis, je meurs, je me brûle et me noie,
J'ai chaud extrême en endurant froidure,
La vie m'est et trop molle et trop dure,
J'ai grands ennuis entremêlés de joie.
5 Tout à un coup, je ris et je larmoie,
Et en plaisir maint grief[1] tourment j'endure,
Mon bien s'en va, et à jamais il dure,
Tout en un coup je sèche et je verdoie.
Ainsi Amour inconstamment me mène.
10 Et, quand je pense avoir plus de douleur,
Sans y penser, je me trouve hors de peine.
Puis, quand je crois ma joie être certaine
Et être au haut de mon désiré heur[2],
Il me remet en mon premier malheur.

Louise Labé, *Sonnets*, XVII et VII, 1554.

---

[1] pénible, grave [1 syllabe]
[2] bonheur

École de Fontainebleau (XVIe siècle), *Dame à sa toilette*, Dijon, musée des Beaux-Arts, ph. Giraudon.

Pistes de recherche

1. Le premier sonnet, bien que jouisseur et tendre, contient finalement l'origine de l'état exprimé par le second sonnet. Au lieu d'opposer les deux poèmes, montrez leur lien. C'est une seule et même amante qui parle ici, avec sa passion ambiguë.

2. Faites l'étude, terme à terme, des oppositions développées par le deuxième sonnet. Comment définir cet état ? Comparez avec *Délie*, p. 202.

3. Calvin — entre autres — traita Louise Labé de « putain » et de « débauchée ». En quoi ces poèmes sont-ils plus scandaleux que ceux des autres auteurs de la même époque ? Pourquoi pouvaient-ils choquer ? Les aurait-on remarqués s'ils avaient été écrits par un homme ?

Louise Labé incarne une des formes de la Renaissance. Comme Érasme (cf. p. 170) ou Rabelais (cf. p. 169), elle a le sentiment que son époque sort des ténèbres et s'achemine vers un ordre nouveau, où s'atténueront l'ignorance, les préjugés et les mœurs brutales. Cette espérance humaniste se traduit chez elle en termes de « **féminisme** » : elle invite les femmes à cultiver les belles lettres et à « regarder un peu au-dessus de leurs quenouilles et de leurs fuseaux ».

DOCUMENT

Dans son effort d'affranchissement résolu, Louise Labé refuse les attributs traditionnels de la femme-objet : ce qui compte, pour elle, ce n'est pas de se parer de colliers, de bagues et de somptueux vêtements, mais de participer à égalité à cette culture nouvelle, ou renouvelée, qui donnera sa véritable identité. Refus quasi sartrien, avant l'heure, de se définir par le regard de l'autre et joie de revendiquer un « être à soi » qui ne dépende pas du désir objectivant du sexe dominant.

François Rigolot, préface aux *Œuvres de Louise Labé*, Flammarion, 1986.

EXTRAIT

Louise Labé dédie ses œuvres à une autre jeune femme cultivée, fille d'un haut magistrat lyonnais (un « échevin »), Clémence de Bourges.

Étant venu le temps, mademoiselle, où les sévères lois des hommes n'empêchent plus les femmes de s'appliquer aux sciences et disciplines, il me semble que celles qui en ont la commodité[1] doivent employer cette honnête liberté, que notre sexe a autrefois tant désirée, à icelles apprendre, et montrer aux hommes le tort qu'ils nous faisaient en nous privant du bien et de l'honneur qui nous en pouvait venir. Et si quelqu'une parvient en tel degré que de[2] pouvoir mettre ses conceptions par écrit, le faire soigneusement et non dédaigner la gloire, et s'en parer plutôt que de chaînes, anneaux et somptueux habits, lesquels ne pouvons vraiment estimer nôtres que par usage[3]. Mais l'honneur que la science nous procurera sera entièrement nôtre, et ne pourra nous être ôté, ni par finesse de larron, ni force d'ennemis, ni longueur du temps. Si j'eusse été tant favorisée des Cieux que d'avoir[3] l'esprit assez grand pour comprendre ce dont il a eu envie, je servirais en cet endroit plus d'exemple que d'admonition[4]. Mais ayant passé partie de ma jeunesse à l'exercice de la musique, et ce qui m'est resté de temps l'ayant trouvé trop court pour la rudesse de mon entendement[5], et ne pouvant de moi-même satisfaire au bon vouloir que je porte à notre sexe de le voir non en beauté seulement, mais en science et vertu dépasser ou égaler les hommes, je ne puis faire autre chose que prier les vertueuses Dames d'élever un peu leurs esprits par-dessus leurs quenouilles et fuseaux, et s'employer à faire entendre au monde que si nous ne sommes faites pour commander, nous ne devons être dédaignées pour compagnes tant dans les affaires domestiques que publiques de ceux qui gouvernent et se font obéir. Et outre la réputation que notre sexe en recevra, nous aurons valu au public que les hommes mettront plus de peine et d'étude aux sciences vertueuses, de peur qu'ils n'aient honte de voir précéder celles dont ils ont toujours prétendu être supérieurs quasi en tout. Pour ce, nous faut-il animer l'une l'autre à[6] si louable entreprise.

(1) la possibilité
(2) arrive à
(3) tradition, coutume
(4) je me citerais en exemple au lieu de donner des conseils
(5) la simplicité de mon intelligence
(6) nous inciter les unes les autres à

Louise Labé, début de l'*Épître dédicatoire*, 24 juillet 1555.

Pistes de recherche

1. Distinguez les arguments de Louise Labé en faveur des activités intellectuelles des femmes : raisons morales, sociales, exemplaires, etc. Définissez son ambition.
2. Modestie, délicatesse, « vertu », ton de sincérité : montrez comment Louise Labé illustre ici sa propre revendication.

François
Rabelais

François Rabelais

1483?
1553

■ Un grand écrivain controversé

Rabelais possède tous **les privilèges du grand écrivain** : un nom, bien sûr, qu'on attribue à des institutions ou des rues, des personnages si bien connus qu'ils disputent sa notoriété à leur créateur : Gargantua, Pantagruel, Panurge et même l'épisodique Grandgousier ; deux adjectifs au moins, et qui ne sont pas confinés à l'univers de la critique littéraire (rabelaisien et pantagruélique) ; une légende qu'il a contribué à accréditer, celle du « philosophe ivre » (Voltaire) ; et ce qui est plus rare, une succession ininterrompue de lecteurs nombreux : son œuvre, immédiatement célèbre n'a cessé d'être rééditée sans « purgatoire » ni « traversée du désert ». Pourtant il échappe à la disgrâce qui accompagne souvent la gloire : la momification. **Le mystère de l'homme** y est pour quelque chose : sa vie est très mal connue — ce qui rend, par ailleurs, impraticable ou illusoire toute approche de son œuvre gouvernée par la biographie. Mais **l'origine des controverses** se situe surtout, comme il convient à un écrivain, **dans son œuvre même**, c'est-à-dire dans les quatre ou cinq livres (ou quatre et demi, on le verra) qu'il a écrits, entre la cinquantaine et la mort, pour le public que l'auteur voulait engendrer, celui des « bons pantagruélistes ». **Autrefois on a discuté Rabelais :** au XVIᵉ siècle, doctrinaires catholiques et protestants, pour une fois unis, l'ont condamné violemment ; le bon goût classique du XVIIᵉ et du XVIIIᵉ siècle a fait la fine bouche. **Maintenant on se le dispute :** dans ce miroir énigmatique et pourtant étrangement fraternel, chacun veut reconnaître le visage de sa propre pensée. Destin exemplaire, sans doute, d'une libre écriture.

École française du XVIᵉ siècle, *François Rabelais*, Versailles, ph. ▶
H. Josse.

DOCUMENTS

· Notre culture a perdu le sens de l'inextricable [...]. Que comprendre de Rabelais quand on a perdu l'habitude des bonnes histoires transmises dans la salle commune parmi les cris absurdes des enfants et les énigmatiques réparties des ivrognes et des idiots ? [...] Le ton qu'il emploie discorde mirifiquement avec le sujet de ses propos ; il disserte avec un détachement facétieux de ce qu'il y a de plus grave au monde. Inversement on nous détaille avec une admiration extatique des babioles [...]. Quel critère permettra de démêler l'enchevêtrement du sérieux et du bouffon ?

Guy Demerson, *Rabelais, Œuvres complètes*, Le Seuil, 1973.

Une œuvre dont l'obscurité ou l'ambiguïté est un moyen d'expression a une vie [...]. Elle s'incruste dans l'histoire et évolue avec celle-ci.

M. De Grève, *L'Interprétation de Rabelais au XVIᵉ siècle*, Droz, 1961.

Son originalité est absolue, car jamais auparavant un récit en prose n'a atteint cette liberté. Liberté-désinvolture devant des sujets réputés sérieux : droit, religion, guerre, culture officielle ; liberté-parodie• au niveau de la tradition littéraire [...] ; liberté-libération par le refus d'admettre le signifié comme donné.

Y. Giraud et M.-R. Jung, *Littérature française, La Renaissance I*, Arthaud, 1972.

Pistes de recherche ────────────────▶

1. Dégagez les deux idées maîtresses de cette page (p. 211). Étudiez les changements de ton et les renversements du discours. À quoi aboutissent-ils dans la pensée du lecteur ?
2. Quel rôle jouent les énumérations et la luxuriance des comparaisons et exemples invoqués ?
3. Quelles images de l'auteur et du lecteur ressortent de cette page ?

Comme tous les livres de Rabelais, Gargantua s'ouvre par un prologue où l'auteur s'explique sur son ouvrage et sur son mode d'emploi.

Buveurs très illustres et vous vérolés très précieux (car à vous, non à autres, sont dédiés mes écrits), Alcibiades, au dialogue de Platon intitulé *Le Banquet,* louant son précepteur Socrates, sans controverse prince des philosophes, entre autres paroles le dit être semblable ès[1] Silènes. Silènes étaient jadis petites boîtes, telles que voyons de présent ès boutiques des apothicaires, peintes au-dessus de figures joyeuses et frivoles, comme de harpies, satyres, oisons bridés, lièvres cornus, canes bâtées, boucs volants, cerfs limoniers[2], et autres telles peintures contrefaites[3] à plaisir pour exciter le monde à rire (quel[4] fut Silène, maître du bon Bacchus). Mais, au dedans, l'on réservait les fines drogues, comme baume, ambre gris, amomum[5], musc, civette[6], pierreries et autres choses précieuses. Tel disait être Socrates : parce que, le voyant au dehors et l'estimant par l'extérieure apparence, n'en eussiez donné un copeau d'oignon, tant laid il était de corps et ridicule en son maintien, le nez pointu, le regard d'un taureau, le visage d'un fol, simple en mœurs, rustique[7] en vêtements, pauvre de fortune, infortuné en femmes, inepte[8] à tous offices de la république, toujours riant, toujours buvant d'autant à un chacun[9], toujours se gabelant[10], toujours dissimulant son divin savoir. Mais, ouvrant cette boîte, eussiez au dedans trouvé une céleste et impréciable[11] drogue[12], entendement plus qu'humain, vertu merveilleuse, courage invincible, sobresse[13] non pareille, contentement certain[14], assurance parfaite, déprisement[14] incroyable de tout ce pourquoi les humains tant veiglent[15], courent, travaillent, naviguent et bataillent. [...]

C'est pourquoi faut ouvrir le livre, et soigneusement peser ce qui y est déduit[16]. Lors connaîtrez que la drogue dedans contenue est bien d'autre valeur que ne promettait la boîte, c'est-à-dire que les matières ici traitées ne sont tant folâtres[17] comme le titre au-dessus prétendait.

Et, posé le cas qu'au sens littéral vous trouvez matières assez joyeuses et bien correspondantes au nom, toutefois pas demeurer là ne faut, comme au chant des sirènes, ains[18] à plus haut sens interpréter ce que par aventure cuidiez[19] dit en gaîté de cœur.

Crochetâtes-vous onques[20] bouteilles? Cagne[21]! Réduisez à mémoire[22] la contenance qu'aviez. Mais vîtes-vous onques chien rencontrant quelque os médullaire[23]? C'est, comme dit Platon, lib. II, *de Rep.*[24]. la bête du monde plus philosophe. Si vu l'avez, vous avez pu noter de quelle dévotion il le guette, de quel soin il le garde, de quel ferveur il le tient, de quelle prudence il l'entame, de quelle affection[25] il le brise, et de quelle diligence il le suce. Qui l'induit[26] à ce faire? Quel est l'espoir de son étude? Quel bien prétend-il? Rien plus qu'un peu de moelle. Vrai est que ce peu plus est délicieux que le beaucoup de toutes autres, pour ce que la moelle est aliment élaboré à perfection de nature, comme dit Galen[27], III, *Facult. nat.*, et XI, *de Usu partium.*

À l'exemple d'icelui vous convient être sages, pour fleurer, sentir et estimer ces beaux livres de haute graisse, légers au pourchas[28] et hardis à la rencontre[29]. Puis, par curieuse leçon[30] et méditation fréquente, rompre l'os et sucer la substantifique moelle, c'est-à-dire ce que j'entends[31] par ces symboles pythagoriques, avec espoir certain être faits escors[32] et preux[33] à ladite lecture, car en icelle bien autre goût trouverez et doctrine plus absconse[34], laquelle vous révélera de très hauts sacrements et mystères horrifiques, tant en ce qui concerne notre religion que aussi l'état politique et vie économique.

Croyez-vous en votre foi qu'onques Homère, écrivant l'*Iliade* et *Odyssée,* pensât ès allégories lesquelles de lui ont calfreté[35] Plutarque, Héraclides Pontique, Eustathe, Phornute, et ce que d'iceux Politien a dérobé[36]? Si le croyez, vous n'approchez ni de pieds ni de mains à mon opinion, qui décrète icelles aussi peu avoir été songées d'Homère que d'Ovide, en ses *Métamorphoses,* les sacrements[37] de l'Évangile, lesquels[38] un frère Lubin, vrai croquelardon[39], s'est efforcé démontrer, si d'aventure il rencontrait gens aussi fols que lui, et (comme dit le proverbe) couvercle digne du chaudron...

François Rabelais, *Gargantua,* Prologue, 1534.

(1) aux
(2) dans des brancards
(3) monstres imaginés
(4) tel que
(5) aromate
(6) parfum animal
(7) fruste
(8) inapte
(9) répondant à tous les toasts
(10) se moquant
(11) inappréciable
(12) ingrédient
(13) sobriété
(14) sérénité incontestable; déprisement : mépris
(15) veillent
(16) exposé
(17) frivoles
(18) mais
(19) pensiez
(20) n'avez-vous jamais attaqué?
(21) nom d'un chien
(22) rappelez-vous
(23) os à moelle
(24) *La République*
(25) passion
(26) le pousse (à faire cela)
(27) Galien, médecin grec
(28) à la poursuite
(29) attaque
(30) lecture attentive
(31) je veux dire
(32) avisés
(33) vertueux
(34) philosophie cachée
(35) calfaté, rafistolé
(36) emprunté
(37) mystères
(38) ce que
(39) pique-assiette

Le langage dans tous ses états

Qu'un écrivain aime le langage, rien de plus naturel. Mais chez Rabelais cet amour paraît frénésie. Dans ses livres s'exprime un **appétit linguistique forcené**. Il accumule les mots en les isolant (ce sont les énumé-rations), en recueillant en collectionneur leurs groupements électifs (ce sont les expressions proverbiales ou figurées), plus généralement en empruntant à tous les types de discours (les diverses éloquences, les multi-ples formes de l'exposé philosophique, scientifique ou technique, et bien sûr à peu près tous les modèles litté-raires). **Il puise dans les langues** étrangères, anciennes et même imaginaires, **dans tous les états du fran-çais** : archaïque (c'est le médiéval), étymologique (dans le goût humaniste), dialectal (sans exclusive, mais avec une préférence marquée pour sa contrée natale : les pays d'Ouest), dans tous les lexiques (notamment techniques), dans tous les niveaux de langue (du plus savant à l'obscène en passant par le soutenu et le familier). Homme de la Renaissance, **il fait aussi avancer le français**, avec les écrivains de son temps ama-teurs de nouveauté (cf. p. 242), mais également par la création individuelle de néologismes• ou associations inédites qui pour nous sont devenus locutions courantes ou proverbiales.

Pareil flot torrentiel réserve bien des étonnements. Par exemple, cet érudit dont les savoirs paraissent prodi-gieux, au point de parfois nous être pesants, est pourtant **un champion du langage oral**, du parler naturel. Mais **il souligne aussi bien le caractère conventionnel des langues** : « c'est abus [de] dire que ayons lan-gage naturel, les langages sont par institutions arbitraires » (*Tiers livre*, chap. 19) sans pour autant s'interdire de proclamer, au chapitre suivant, la valeur de tous les signifiants, si différents qu'ils soient : « Tout vrai à tout vrai consonne » chap. 20). Plus encore **le propos poursuivi laisse perplexe** : Rabelais veut-il tout dire et le tout de chaque chose ? Ou bien les mots et les phrases qui, souvent, dans ses pages, ouvrent, comme par déclic, une succession d'autres mots, d'autres phrases ne trouveraient-ils pas ici une indépendance par rapport au signifié, une gratuité ? Rabelais parle-t-il pour parler ?

Comme toutes les grandes passions, celle de Rabelais pour le langage ne va pas sans ambiguïté ou même inquiétude. Car l'écrivain usant de tous les registres, montre un goût particulier pour **l'humour• et la paro-die•** qui, ici moins encore que dans d'autres œuvres, ne se résolvent par la simple antiphrase• ironique•. **Cet amateur de langages souvent les dénonce** comme volontairement obscurs (l'écolier limousin, *Pantagruel*, chap. 6), creux (la dispute entre le Baisecul et Humevesne, *Pantagruel*, chap. 10), sclérosés (la rhétori-que• scolastique• du théologien Maître Janotus de Bragmardo, *Gargantua*, chap. 19) asservis et instruments d'asservissement (les conseils à leur roi des « gouverneurs » de Picrochole, *Gargantua* chap. 33) et semble parfois prôner leur abandon pour les gestes ou le mutisme. **Mais il exalte aussi le verbe**, chez les autres que sont ses personnages (Pantagruel, Frère Jean, mais également l'équivoque Panurge sont d'admirables parleurs) et surtout pour lui-même, dans le texte de ses chroniques. **Illustration qui n'échappe pas à la complexité** : car le pouvoir des mots consiste-t-il à imiter ou représenter notre monde (et on parle du réalisme de Rabelais), à nous imposer l'existence d'une réalité supérieure au vraisemblable et au connu, ou à s'épanouir dans la pure fantaisie de la créativité verbale ? Pour Rabelais, et, à sa suite, ses lecteurs, amour du langage et interrogation sur le langage (sur son rapport avec l'homme, le monde, la vérité) sont indissociables.

Rabelais lisant, dessin du XVIIe siècle, Paris, musée Carnavalet, ph. Bulloz.

DOCUMENTS

Je me mets à lire tout ingénument. Je suis saisi par un tumulte de mots. Que signifie ? On dirait que l'écrivain se plaît à faire entendre la langue. La variété, l'extraordinaire l'emportent. Il ne se soucie point du sens ; un son en attire un autre ; ce n'est point ressemblance qui les enchaîne, c'est plutôt différence, contraste. Il joue de la langue comme un musicien prélude, cherchant la combinaison et se laissant conduire. [...] Cet auteur s'enivre de sa lan-gue, il est ravi de cette abondance qui se montre.

Alain, « Rabelais » dans *Tableau de la littérature française*, Gallimard, 1962.

François Rigolot parle de « parti-pris pour l'oralité » et il ajoute :

Il suffit de voir l'importance accordée aux dis-cours : paradoxes, plaidoyers, polémiques, haran-gues, consultations jalonnent l'œuvre. Comme l'avait déjà noté Jean Plattard, Rabelais « parle son livre ». Jacques Boulenger écrivait pour sa part, à propos de la fin du prologue du *Tiers Livre* : « C'est telle-ment oral que je vous défie de lire sans mettre le ton ».

François Rigolot, *Les Langages de Rabelais*, Droz, 1972.

Pieter Bruegel (1525-1569), *La Tempête*, Vienne, Kunsthistorisches Museum, ph. E. Lessing-Magnum.

EXTRAIT

Le savant anglais Thaumaste est venu à Paris, attiré par la renommée de Pantagruel. Il veut s'enrichir de son savoir et discuter avec lui de la vérité. Mais il veut aussi que la conversation se fasse exclusivement par gestes. Panurge qui s'offre à remplacer Pantagruel triomphe dans le débat et son adversaire, reprenant la parole, termine par un vibrant éloge de... Pantagruel.

Dénonciation ou paradoxale exaltation du discours ?

(1) pour et contre
(2) Pythagore (VIᵉ siècle av. J.-C.)
(3) Pic de la Mirandole (XVᵉ siècle)
(4) comme je le veux
(5) après quoi
(6) le majeur
(7) droite
(8) vers le haut
(9) pour former le poing
(10) comme s'il était mécontent
(11) aussi
(12) grands
(13) chaque
(14) profondément
(15) comme il semblait aux assistants
(16) en ce qui concerne l'explication
(17) selon leur relation personnelle
(18) omettre
(19) dispense

«Mais voici la manière comme j'entends que nous disputerons. Je ne veux disputer *pro* et *contra*[1], comme font ces fols sophistes de cette ville, et d'ailleurs. Semblablement je ne veux disputer en la manière des Académiques, par déclamations, ni aussi par nombres comme faisait Pythagoras[2], et comme voulut fait Picus Mirandula[3] à Rome. Mais je veux disputer par signes seulement, sans parler, car les matières sont tant ardues que les paroles humaines ne seraient suffisantes à les expliquer à mon plaisir[4]. [...]»

Voici la fin de cette discussion muette.

À quoi [5] Panurge baissa sa tête du côté gauche, et mit le doigt milieu[6] en l'oreille dextre[7], élevant le pouce contre mont[8]. Puis croisa les deux bras
10 sur sa poitrine, toussant par cinq fois, et, à la cinquième, frappant du pied droit contre terre ; puis leva le bras gauche, et, serrant tous les doigts au poing[9], tenait le pouce contre le front, frappant de la main dextre[7] par six fois contre la poitrine. Mais Thaumaste, comme non content de ce[10], mit le pouce de la gauche sur le bout du nez, fermant le reste de ladite main.
15 Dont[11] Panurge mit les deux maîtres[12] doigts à chacun[13] côté de sa bouche, la retirant tant qu'il pouvait, et montrant toutes ses dents, et des deux pouces rabaissait les paupières des yeux bien parfondément[14], en faisant assez laide grimace, selon que semblait ès assistants[15]. [...]

Au regard de l'exposition[16] des propositions mises par Thaumaste et
20 significations des signes desquels ils usèrent en disputant, je vous les exposerais selon la relation d'entre eux-mêmes[17], mais l'on m'a dit que Thaumaste en fit un grand livre imprimé à Londres, auquel il déclare tout sans rien laisser[18]. Par ce je m'en déporte[19] pour le présent.

François Rabelais, *Pantagruel*, chap. 18, 19 et 20, 1532.

Pistes de recherche

1. Confrontez les documents au texte : relevez des exemples qui vous paraissent confirmer (ou contester) les idées avancées.
2. Qu'ajoute cette page au portrait de Panurge ? (cf. chap. 9 et 16).

Le lecteur est obligé de se représenter les gestes décrits pour suivre le fil du récit. Il refait en pensée ce que Panurge et Thaumaste faisaient sur scène. La gesticulation physique des acteurs devient une gesticulation mentale pour le lecteur. Tout cela est parfaitement inutile. [...] Thaumaste refuse de s'exprimer par des mots. Le voici qui parle contre la parole, comme Pascal ou Malebranche parleront en imaginatifs contre l'imagination. Et pour montrer la gageure de vouloir mettre le verbe entre parenthèses, Rabelais s'empresse de récupérer la parole laissée vacante par son personnage. Il multiplie les descriptions du geste muet comme pour remplir le vide créé par l'argumentation silencieuse. En somme, le signe privé de parole a besoin d'une parole narrative pour se justifier : langage à propos du non-langage.

François Rigolot, *Les Langages de Rabelais*, Droz, 1972.

Le récit insiste sur le caractère soit diabolique, soit animal du signe gestuel. Le geste est équivoque ; énigme sans solution préétablie, il prête à interprétation libre [...]. Le débat adm[et] pour le signifié comme pour le signifiant, l'arbitraire de l'individu.

Guy Demerson, *Rabelais*, Balland, 1986.

EXTRAIT

Au cours des navigations du Cinquième Livre, *les personnages rencontrent l'inouï et l'écrivain l'impose.*

Comment nous visitâmes le pays de Satin

Joyeux d'avoir vu la nouvelle religion des Frères Fredon, naviguâmes par deux jours. Au troisième, découvrit notre pilote une île belle et délicieuse sur toutes autres : on l'appelait l'île de Frise, car les chemins étaient de frise(1). En icelle était le pays de Satin, tant renommé entre les pages de cour,
5 duquel les arbres et herbes jamais ne perdaient fleurs ni feuilles, et étaient de damas et velours figuré(2). Les bêtes et oiseaux étaient de tapisserie. Là nous vîmes plusieurs bêtes, oiseaux et arbres, tels que les avons de par deçà en figure, grandeur, amplitude(3) et couleur, excepté qu'ils ne mangeaient rien et point ne chantaient, point aussi ne mordaient-ils comme font les nôtres.
10 Plusieurs aussi y vîmes que n'avions encore vus : entre autres y vîmes divers éléphants en diverses contenances ; sur tous(4) j'y notai les six mâles et six femelles présentés à Rome, en théâtre, par leur instituteur au temps de Germanicus, neveu de l'empereur Tibère, éléphants doctes, musiciens, philosophes, danseurs, pavaniers(5), baladins, et étaient à table assis en belle
15 composition(6), buvant et mangeant en silence comme beaux pères au réfectoire. Ils ont le museau long de deux coudées, et le nommons proboscide(7), avec lequel ils puisent eau pour boire, prennent palmes, prunes, toutes sortes de mangeailles, s'en défendent et offendent(8) comme d'une main, et au combat jettent les gens haut en l'air et à la chute les font crever de rire. [...]
20 J'y vis trente-deux unicornes. C'est une bête félonne à merveille, du tout(9) semblable à un beau cheval, excepté qu'elle a la tête comme un cerf, les pieds comme un éléphant, la queue comme un sanglier, et au front une corne aiguë, noire et longue de six ou sept pieds, laquelle ordinairement lui pend en bas comme la crête d'un coq d'Inde ; elle, quand veut combattre ou
25 autrement s'en aider, la lève roide(10) et droite. Une d'icelles je vis, accompagnée de divers animaux sauvages, avec sa corne émonder(11) une fontaine. Là me dit Panurge que son courtaut ressemblait à cette unicorne, non en longueur du tout, mais en vertu et en propriété. [...]

(1) laine frisée (grossière) ou drap de Frise (Pays-Bas)
(2) portant des figures
(3) pareils à ceux que nous avons de ce côté-ci des mers en figure, grandeur, envergure...
(4) surtout
(5) danseurs de pavane
(6) ordre
(7) trompe
(8) s'en servent pour se défendre et attaquer
(9) tout à fait
(10) raide
(11) nettoyer

François Rabelais, *Cinquième Livre*, chap. 29, 1564.

Pistes de recherche

1. L'atmosphère de sérénité joyeuse : par quels moyens est-elle communiquée ? Est-elle habituelle dans ce genre de récit ? Quel effet s'en trouve produit ?
2. L'extraordinaire : comment nous y apprivoise-t-on et comment le fait-on progresser ? Étudiez particulièrement l'unicorne : comment le langage arrive-t-il à dire l'inconnu et à en imposer la présence ?

Le rire énorme de Rabelais : philosophie joyeuse et dynamisme corporel

> « Mieux est de ris que de larmes écrire,
> Pour ce que rire est le propre de l'homme. »

C'est sous ce signe majeur que s'ouvre l'œuvre et son développement le confirmera. Mais on n'a pas toujours bien saisi la portée d'un tel engagement. Le mérite d'en avoir mesuré toute l'ampleur revient au critique russe Mikhaïl Bakhtine, dans un livre célèbre : *L'Œuvre de François Rabelais et la Culture populaire au Moyen Âge et sous la Renaissance*, Gallimard, 1976. Loin d'être réservée à certains moments du vécu ou à une fonction bien délimitée, comme la satire dénonciatrice des travers humains ou des adversaires dans le siècle, **la vision comique s'élève à une conception globale du monde,** qui s'exprimait déjà dans la tradition carnavalesque et dans le théâtre populaire et profane du Moyen Âge (cf. pp. 104-106). L'originalité de Rabelais serait alors d'avoir voulu la perpétuer dans cette civilisation nouvelle de l'écrit qu'institue l'imprimerie, et d'avoir cherché à l'insérer dans les mentalités — également nouvelles — de l'âge renaissant où la personne individuelle affirme de plus en plus ses droits et exigences. La caractéristique fondamentale de la philosophie (implicite) du carnaval consiste en **la grande loi d'ambivalence.** « Tout le livre, du commencement à la fin, [...] est imprégné d'une atmosphère de Carnaval [...]. La destruction et le détrônement sont associés à la renaissance et à la rénovation, la mort de l'ancien est liée à la naissance du nouveau. (Mikhaïl Bakhtine, *op. cit.*, p. 218). Ce principe met au premier plan le mouvement dans l'univers des phénomènes, la métamorphose perpétuelle des objets, le devenir comme forme majeure du temps ; ainsi la mort, perçue comme simple passage, pure limite théorique, perd-elle sa tragique réalité. **Cette loi d'ambivalence s'applique à la vie sociale :** les deux rois tyrans de *Pantagruel* et de *Gargantua* l'illustrent clairement. Leur sort est celui du roi de Carnaval : détrônés, ils ne sont pas mis à mort mais, dépouillés de leurs ornements de majesté pour revêtir des oripeaux grotesques, ils trouvent dans l'ordre nouveau du monde, d'humbles et comiques fonctions : le premier est fait « vendeur de sauce verte » et le second, devenu « gagne-denier » (gagne-petit) à Lyon, guette le passage des « Coquecigrues » qui doivent annoncer sa restauration.

Mais, Rabelais y insiste encore davantage, **l'ambivalence gouverne l'existence la plus quotidienne,** où les hommes vivent et comprennent la gestation et la transformation de la matière. Chez Rabelais, **c'est le corps qui rit.** Ce qui revient à rappeler l'importance du corporel dans cette œuvre et à souligner le lien qui rend indissociables rire rabelaisien et corps grotesque. **La vision rabelaisienne du corps rassemble le plus possible la naissance et la mort** (d'où l'insistance sur le sexe, mais aussi le combat meurtrier, d'où aussi le registre médical avec ses deux pôles, l'anatomique et le thérapeutique) ; **elle insiste sur l'ouverture du corps à l'extérieur,** sur ses relations avec le monde (d'où les gros plans sur les orifices et les protubérances, d'où le privilège accordé aux besoins et instincts naturels) ; **elle mêle le corps à tous les éléments du cosmos** conçu comme un emboîtement de microcosmes et macrocosmes (d'où le thème récurrent• du géant et le goût pour le monstrueux et les métamorphoses), **enfin elle rabaisse :** « Rabaisser consiste à rapprocher de la terre, comprise comme un principe d'absorption *en même temps* que de naissance : en rabaissant, on ensevelit et on sème du même coup. [...] Rabaisser, cela veut dire faire communier avec la vie de la partie inférieure du corps, celle du ventre et des organes génitaux. » (Mikhaïl Bakhtine, *op. cit.*, p. 30).

Cette vision comique oriente enfin la pensée et la création littéraire. Pas plus que l'intérêt porté au bas ne supprime le haut (le visage), il ne s'agit de dénier ses droits à l'idéal et au spirituel, mais de **leur donner pour but la joie** qui est d'abord euphorie (Rabelais définit aussi le « pantagruélisme » comme « certaine gaieté d'esprit confite en mépris des choses fortuites »). De même, si la littérature, grâce au **rire satirique ou parodique•,** est une arme contre le sérieux bien vite despotique, elle est aussi construction et bonheur : **le rire d'épanouissement** n'est jamais, chez lui, longtemps éloigné du rire corrosif. Du moins dans les deux premiers livres (auxquels s'appliquent le mieux les propositions de Bakhtine) où dominent les figures des bons géants et de ce merveilleux Frère Jean, qui est l'incarnation la plus humaine et la plus complète du rire et du corps rabelaisiens. Par la suite, avec la place grandissante faite à un Panurge notablement redessiné, le rire se fera moins franc.

Illustration de l'édition de 1873 des *Œuvres* de Rabelais par Gustave Doré, Paris, Bibl. Nat., ph. Hachette.

Quand Pantagruel fut né, qui fut bien ébahi et perplexe ? Ce fut Gargantua son père, car, voyant d'un côté sa femme Badebec morte, et de l'autre son fils Pantagruel né, tant beau et tant grand, ne savait que dire ni que faire, et le doute qui troublait son entendement était à savoir s'il devait
5 pleurer pour le deuil de sa femme, ou rire pour la joie de[1] son fils.

« Pleurerai-je ? disait-il. Oui, car pourquoi ? Ma tant bonne femme est morte, qui était la plus ceci, la plus cela qui fût au monde. Jamais je ne la verrai, jamais je n'en recouvrerai une telle : ce m'est une perte inestimable. Ô mon Dieu ! que t'avais-je fait pour ainsi me punir[2] ? Que n'envoyas-
10 tu la mort à moi premier qu'à[3] elle ? car vivre sans elle ne m'est que languir. Ha ! Badebec, ma mignonne, m'amie, mon petit con (toutefois elle en avait bien trois arpents et deux sexterées[4]), ma tendrette, ma braguette, ma savate, ma pantoufle, jamais je ne te verrai. Ha ! pauvre Pantagruel, tu as perdu ta bonne mère, ta douce nourrice, ta dame très aimée. Ha ! fausse[5]
15 mort, tant tu m'es malévole[6], tant tu m'es outrageuse, de me tollir[7] celle à laquelle immortalité appartenait de droit. »

Et, ce disant, pleurait comme une vache ; mais tout soudain riait comme un veau, quand Pantagruel lui venait en mémoire. « Ho ! mon petit fils, disait-il, mon couillon, mon peton, que tu es joli ! et tant je suis tenu à Dieu
20 de ce qu'il m'a donné un si beau fils, tant joyeux, tant riant, tant joli. Ho, ho, ho, ho ! que je suis aise ! buvons. Ho ! laissons toute mélancolie ; apporte du meilleur, rince les verres, boute[8] la nappe, chasse ces chiens, souffle ce feu, allume la chandelle, ferme cette porte, taille ces soupes[9], envoie ces pauvres, baille[10]-leur ce qu'ils demandent, tiens ma robe[11] que je me mette
25 en pourpoint pour mieux festoyer les commères. »

François Rabelais, *Pantagruel,* chap. 3, 1532.

(1) causée par (la naissance de) son fils
(2) pour que tu me punisses ainsi
(3) avant
(4) sexterée : surface nécessaire pour semer un setier de blé
(5) perfide
(6) cruelle
(7) enlever
(8) mets
(9) tranches de pain
(10) donne
(11) la robe recouvrait le justaucorps (pourpoint)

Pistes de recherche

1. Comment la philosophie de l'ambivalence s'implante-t-elle dans une situation très forte et s'exprime-t-elle dans une structure très nette ? La mort a-t-elle ici une véritable présence ?

2. Étudiez, dans le deuxième paragraphe, la parodie• de l'éloge funèbre : quels sont ses procédés ? Enlève-t-elle au chagrin toute sincérité ?

3. Comment la vie impose-t-elle sa prééminence dans le récit et dans le discours du personnage ? Étudiez notamment la façon dont Gargantua évoque sa femme et son fils (modalités, thèmes et formes du discours).

Pieter Bruegel (1525-1569), *Le Mât de cocagne*, Munich, Alte Pinakothek, ph. J. Blauel-Artothek.

EXTRAIT

Les troupes du roi Picrochole envahissent le pays de Grandgousier et arrivent au couvent de Seuillé.

En l'abbaye était pour lors un moine claustrier[1], nommé frère Jean des Entommeures[2], jeune, galant[3], frisque[4], de hait[5], bien à dextre[6], hardi, aventureux, délibéré[7], haut , maigre, bien fendu de gueule, bien avantagé en nez, beau dépêcheur d'heures[8], beau débrideur de messes, beau décrotteur de vigiles ; pour tout dire sommairement, un vrai moine si onques[9] en fut depuis que le monde moinant moina de moinerie ; au reste clerc jusques ès[10] dents en matière de bréviaire.

Icelui, entendant le bruit que faisaient les ennemis par le clos de leur vigne, sortit hors pour voir ce qu'ils faisaient, et avisant qu'ils vendangeaient leur clos, auquel était leur boite de tout l'an fondée[11], retourne au chœur de l'église où étaient les autres moines, tous étonnés comme fondeurs de cloches[12], lesquels voyant chanter *ini, nim, pe, ne, ne, ne, ne, ne, tum, ne, ne, num, num, ini, i, mi, i, mi, co, o, ne, no, o, o, ne, no, no, no, rum, ne, num, num*[13]. « C'est, dit-il, bien chié chanté. Vertus Dieu ! que ne chantez-vous : Adieu paniers, vendanges sont faites ?... »

Il choqua donc si raidement sur eux, sans dire gare, qu'il les renversait comme porcs, frappant à tort et à travers, à la vieille escrime.

Ès[10] uns escarbouillait la cervelle, ès autres rompait bras et jambes, ès autres délochait les spondyles[14] du col[15], ès autres démoulait[16] les reins, avalait[17] le nez, pochait les yeux, fendait les mandibules, enfonçait les dents en la gueule, décroulait[18] les omoplates, sphacelait les grèves[19], dégondait les ischies[20], débezillait les faucilles[21].

Si quelqu'un se voulait cacher entre les ceps plus épais, à icelui froissait toute l'arête du dos et l'éreinait[22] comme un chien.

Si aucun sauver se voulait en fuyant, à icelui faisait voler la tête en pièces par la commissure lambdoïde[23]. Si quelqu'un gravait[24] en un arbre, pensant y être en sûreté, icelui de son bâton empalait par le fondement.

Si quelqu'un de sa vieille connaissance lui criait : « Ha ! frère Jean, mon ami, frère Jean, je me rends !

— Il t'est, disait-il, bien forcé[25] ; mais ensemble tu rendras l'âme à tous les diables. » Et soudain lui donnait dronos[26]. Et si personne tant fut épris de témérité qu'il lui voulût résister en face, là montrait-il la force de ses muscles, car il leur transperçait la poitrine par le médiastin et par le cœur ; à d'autres, donnant sur la faute[27] des côtes, leur subvertissait[28] l'estomac, et mouraient soudainement. Ès[10] autres tant fièrement[29] frappait par le nombril qu'il leur faisait sortir les tripes. Ès autres, parmi les couillons[30], perçait le boyau culier[31]. Croyez que c'était le plus horrible spectacle qu'on vît onques.

Les uns criaient sainte Barbe, les autres saint Georges, les autres sainte Nitouche, les autres Notre-Dame de Cunault, de Lorette, de Bonnes-Nouvelles, de la Lenou, de Rivière. Les uns se vouaient à saint Jacques, les autres au saint Suaire de Chambéry, mais il brûla trois mois après, si bien qu'on n'en put sauver un seul brin. Les autres à Cadouin, les autres à saint Jean d'Angely, les autres à saint Eutrope de Saintes, à saint Mexmes de Chinon, à saint Martin de Candes, à saint Clouaud de Sinais, ès reliques de Javrezay, et mille autres bons petits saints[32]. Les uns mouraient sans parler, les autres parlaient en mourant. Les autres criaient à haute voix : « Confession ! confession ! *Confiteor, miserere, in manus*[33]. »

Tant fut grand le cri des navrés[34] que le prieur de l'abbaye avec tous ses moines sortirent, lesquels, quand aperçurent ces pauvres gens ainsi rués[35] parmi la vigne et blessés à mort, en confessèrent quelques-uns. Mais, cependant que les prêtres s'amusaient à confesser, les petits moinetons coururent au lieu où était frère Jean, et lui demandèrent en quoi il voulait qu'ils lui aidassent.

À quoi répondit qu'ils égorgetassent ceux qui étaient portés par terre. Adonc[36], laissant leurs grandes capes sur une treille au plus près, commencèrent égorgeter et achever ceux qu'il avait déjà meurtris. Savez-vous de quels ferrements[37] ? À beaux gouvets[38], qui sont petits demi-couteaux dont les petits enfants de notre pays cernent les noix[39].

S'étant saisi du « bâton de la croix qui était de cœur de cormier, long comme une lance, rond à plein poing », Frère Jean se jette seul contre les ennemis.

(1) cloîtré
(2) entamures ou hachis
(3) gaillard
(4) pimpant
(5) joyeux
(6) adroit
(7) décidé
(8) il expédie les heures du bréviaire
(9) jamais
(10) aux
(11) sur lequel reposait toute leur boisson de l'année
(12) Expression proverbiale.
(13) impetum inimicorum (l'assaut des ennemis) en chant grégorien
(14) démettait les vertèbres
(15) cou
(16) disloquait
(17) effondrait
(18) défonçait
(19) meurtrissait les jambes
(20) déboîtait les fémurs
(21) émiettait les os des bras
(22) cassait les reins
(23) en le frappant à la suture occipito-pariétale
(24) grimpait
(25) tu es bien forcé
(26) une volée de coups (languedocien)
(27) les frappant au défaut des côtes
(28) lui retournait l'estomac
(29) violemment
(30) couilles
(31) du cul
(32) Invocations aux saints et aux reliques que certains humanistes considéraient comme des superstitions.
(33) Débuts de prières.
(34) blessés
(35) renversés
(36) alors
(37) outils
(38) couteaux
(39) enlèvent la coque verte des noix

60 Puis, à tout[40] son bâton de croix, gagna la brèche qu'avaient fait les ennemis. Aucuns des moinetons emportèrent les enseignes et guidons[41] en leurs chambres pour en faire des jartiers[42]. Mais quand ceux qui s'étaient confessés voulurent sortir par icelle brèche, le moine les assommait de coups, disant : «Ceux-ci sont confès[43] et repentants et ont gagné les par-
65 dons[44] : ils s'en vont en paradis aussi droit comme une faucille, et comme est le chemin de Faye[45].» Ainsi, par sa prouesse, furent déconfits tous ceux de l'armée qui étaient entrés dedans le clos, jusques au nombre de treize mille six cents vingt et deux, sans les femmes et petits enfants, cela s'entend toujours. Jamais Maugis ermite, ne se porta si vaillamment à tout son ba-
70 ton contre les Sarrasins, desquels est écrit ès gestes[46] des quatre fils Aymon, comme fit le moine à l'encontre des ennemis avec le bâton de la croix.

(40) avec
(41) drapeaux
(42) jarretières
(43) confessés
(44) l'absolution
(45) chemin tortueux près de Chinon
(46) dans la geste des quatre fils Aymon (cf. p. 45)

Bourdon

François Rabelais, *Gargantua*, chap. 27, 1534.

Pistes de recherche

1. Mettez en évidence la dualité du personnage chez Frère Jean, dans le portrait et la scène, au début du texte. Disparaît-elle totalement par la suite ?

2. La satire anti-monastique : comment la présentation des autres moines, l'évolution du récit, l'intervention des «moinetons» y participent-elles ?

3. La transformation d'un massacre en une scène irrésistiblement comique : dédramatisation (par quels moyens ?), discordance des tons, invention et ivresse verbales, parodie° de l'épopée (reportez-vous aux pages 18-47).

4. Le passage peut poser un problème moral et religieux. Définissez votre position, à la lumière des documents cités.

DOCUMENT

Frère Jean, fervent amateur de jurons [dont, selon Mikhaïl Bakhtine, «le thème dominant est le dépeçage du corps humain»] a pour surnom «d'Entommeures» ou chair à pâté, farce, hachis. Sainéan voit dans ce fait une double allusion, d'un côté à l'esprit martial du moine, de l'autre à sa prédilection marquée pour la bonne chère. L'important pour nous est que... la bataille, d'une part, et la cuisine, de l'autre, ont un point d'intersection commun : le corps dépecé, le hachis.

Frère Jean a entrepris cet horrible massacre pour sauver le vin nouveau. Et tout ce sanglant épisode résonne non seulement de joie, mais encore d'allégresse. C'est d'ailleurs à la fin de l'été que se déroule la scène. Les gouvets des moinetons nous laissent entrevoir derrière la bouillie rouge de corps humains déchiquetés les cuves pleines de la «purée septembrale» dont parle si souvent Rabelais. C'est la transformation du sang en vin.

Mikhaïl Bakhtine, *L'Œuvre de François Rabelais et la Culture populaire au Moyen Âge et sous la Renaissance*, Gallimard, 1976.

Les Vendanges, tapisserie d'un atelier bourguignon du XVIe siècle, Paris, musée de Cluny, ph. H. Josse. ▼

■ Deux lectures pour deux Rabelais

Les grandes œuvres poursuivent une folle ambition : elles veulent se saisir du monde entier ou en construire un et le plus souvent les deux ensemble, dans des formules infiniment variées. L'objectif reste le même : **faire des mots une totalité,** ce qui semble impliquer une structure et une fin, et, de fait, les grands livres obéissent à une savante organisation. Mais l'écrivain est le premier à constater qu'il n'a pas réalisé ce qu'il a entrepris. D'où le livre immense et jamais achevé ou, plus souvent, les livres ajoutés aux livres, **la dérive d'une écriture infinie.** Ici encore, Rabelais paraît exemplaire : il illustre cette étrange formule de l'œuvre : la totalité infinie. **Ensemble achevé ?** *Pantagruel* enclôt dans le corps de son géant un univers de champs et de villes et jusqu'à l'auteur du livre. *Gargantua* se ferme sur le modèle d'un édifice social parfait : Thélème. **Glissement sans fin ?** D'autres livres viendront, maintenant modestement numérotés, et on y retrouvera le héros fondateur Frère Jean qui, curieusement, n'entre pas dans l'abbaye de l'utopie•. Cas plus révélateur encore : ce *Cinquième Livre* qui fournit un dernier mot singulièrement évasif, et termine un voyage par une invitation à l'entreprise. Plus troublant aussi puisque la mort paraît collaborer à cette pseudo-fin, apportée par un ouvrage qui est et n'est pas de Rabelais (cf. Document 1), terminé, mais par d'autres mains.

À cette dualité de l'œuvre, **les lecteurs répondent par une attitude également double :** certains **se laissent aller de page en page,** au gré de leur plaisir, d'autres veulent comprendre et **quêtent le sens.** La réception

de Rabelais depuis le XVIe siècle illustre et accuse cette division : tantôt on le lit comme **un dispensateur de jouissance** qui amuse par ses étranges fictions ou fait goûter toutes les saveurs du langage humain, tantôt on y cherche **l'apport du maître à penser :** révélations ésotériques, découvertes à l'aide de clés (la gnose•, la kabbale•, les traditions folkloriques...) ; interprétations variées selon les lecteurs ou les siècles (à commencer par le sien : quand on éclaire son livre par tout un savoir sur son époque) ; ou vérités très raisonnables et un peu grises d'un humanisme moyen et unanimiste.

Comme on le sait, depuis qu'on a lu le prologue du *Gargantua*, Rabelais encourage les deux lectures. **Tantôt il insiste sur les images d'emboîtement** (boîte à parfum ou os à moelle) où non seulement s'inverse une apparence première, mais s'affirme l'apport d'une substance plus précieuse et il les confirme par la fiction (auteur incorporé dans le personnage et y découvrant un monde) comme par la genèse de son œuvre : *Gargantua* imaginé dans le moule de Pantagruel. À sa suite, on proposera alors une **« méthode d'inclusion »** (cf. Document 2), très attentive à la composition, qui privilégie la synchronie• dans le texte vu comme un tableau et rapproche les chapitres d'un même livre. On en étendra encore le champ en relevant les correspondances de thèmes et de motifs dans deux ou plusieurs livres et en mettant en parallèle les textes qui les proposent.

Jérôme Bosch (1462-1516), *La Nef des fous,* Paris, Louvre, ph. H. Josse. *Ce monde est une barque d'insensés qui braillent et s'empiffrent. Le mât central fait penser à un arbre de mort. La folie du péché nous conduit à la mort. Tel est le « secret », telle est la « grande aventure », pour le moraliste J. Bosch.*

Tantôt Rabelais souligne par la fiction même la fuite de son écriture : série des consultations dans le *Tiers Livre*, navigation d'île en île dans le *Quart Livre* et le *Cinquième Livre*, et il en marque la double valeur : ce perpétuel glissement du vaisseau fantôme, ces mondes abstraits déçoivent, mais des contrées plus visibles, la cohésion de la micro-société groupée autour de Pantagruel apportent la plénitude d'une création que des hymnes au génie infini de l'invention (le pantagruélion au *Tiers Livre*, Messer Gaster au *Quart Livre*) viennent encore exalter. Avec l'auteur on s'abandonnera alors à la lecture de mouvement, fidèle à la diachronie•, mais on aura garde de considérer cette lecture comme simplement naïve, car le plaisir qu'elle apporte est un aspect fondamental de l'art et de plus elle met en évidence le caractère perpétuellement nouveau du texte littéraire : le sens n'est jamais posé, mais toujours remis en cause et en chantier.

Les exemples invoqués signalent d'eux-mêmes que le premier Rabelais domine dans les deux premiers livres et le second dans les trois suivants où il s'interroge et s'étonne. Mais il s'agit bien de **simple dominante** : les deux premiers livres sont entraînés par le mouvement d'un apprentissage et d'une conquête ; le prologue du *Cinquième Livre* développe le motif de la fève en gousse, et sa fin fait avaler au consultant livre oraculaire et leçon. On soulignera enfin que ces remarques et propositions ne valent pas pour le seul Rabelais et peuvent s'étendre à toute œuvre littéraire. Mais Rabelais invite avec plus d'éclat que d'autres à dégager cette dialectique• de l'œuvre et de sa lecture et en retour ses livres y gagnent d'apparaître comme éminemment littéraires.

DOCUMENT 1

Guy Demerson rend compte de travaux sur le Cinquième Livre, *qui utilisent les méthodes statistiques :*

Ces études, sans prétendre à des certitudes absolues, donnent quelque apparence de crédibilité à l'idée que le *Cinquième Livre* a été constitué à partir d'une collection de manuscrits élaborés [par Rabelais] en vue d'utilisations littéraires diverses, et peut-être pour un *« Quint Livre »*, qui aurait eu certainement une tout autre apparence que celui dont nous disposons.

Guy Demerson, *Rabelais*, Balland, 1986.

DOCUMENT 2

Maintes correspondances thématiques suggèrent cependant que Rabelais a eu recours à un procédé de disposition bien connu de l'Antiquité et de la Bible et fréquemment utilisé à la Renaissance, l'*inclusion :* ce qui apparaît comme un kaléidoscope de motifs apparentés mais désunis, d'éléments analogues éparpillés, pour un œil myope et indolent, est en fait une mise en ordre par symétrie concentrique (A.B.C.D.E.D'.C'.B'.A'.), appelant l'attention du lecteur éveillé et éduqué sur l'élément central (E), et lui faisant désirer la surgie des éléments finaux ; pour le lecteur non averti, ce procédé peut laisser une impression déconcertante de désordre labyrinthique ou de géniale mystification.

Exemples pour Gargantua :

A {
chap. 2 : Énigme des Fanfreluches.
chap. 58 : Énigme en prophétie.
}

B {
chap. 8-15 : Comment on vêtit Gargantua ; comment Gargantua fut institué.
chap. 56-57 : Comment étaient vêtus les Thélémites ; comment étaient réglés les Thélémites.
}

C {
chap. 17-20 : Les cloches de Paris dérobées.
chap. 52 : C'est rêverie que de se gouverner au son d'une cloche.
etc.
}

Guy Demerson, *Rabelais*, Balland, 1986.

Rabelais tenté par l'affirmation : *Gargantua* et *Pantagruel*

Publiés à peu de distance l'un de l'autre, les deux livres superposent leurs structures (le modèle premier étant à chercher du côté du conte de géant, issu du roman de chevalerie, lui-même transformation en prose de la chanson de geste). Ce qui, d'un livre à l'autre, se présente comme semblable acquiert ainsi la force du probable.

Pantagruel (1532)		
I	Généalogie et enfance de Pantagruel, fils de Gargantua	(chap. 1 à 4)
II	Tour de France et arrivée à Paris / Éducation de Pantagruel / Tours de Panurge	(chap. 5 à 24)
III	Guerre contre les Dipsodes / Retour en Utopie / Exploits de Pantagruel et Panurge	(chap. 25 à 30)
IV	Châtiment d'Anarche, roi des Dipsodes / Conquête du pays des Dipsodes / Descentes dans le corps du géant	(chap. 31 à 34)

Gargantua (1534)		
I	Généalogie et enfance	(chap. 1 à 13)
II	Éducation et / Voyage à Paris	(chap. 14 à 24)
III	Guerre contre Picrochole / Retour de Gargantua / Exploits de Gargantua et Frère Jean	(chap. 25 à 48)
IV	Châtiment de Picrochole / Récompense des bons serviteurs / Construction de l'abbaye de Thélème	(chap. 49 à 58)

Confiance et construction

« Je ne bâtis que pierres vives : ce sont hommes », a dit plus tard Rabelais par la bouche de Panurge (*Tiers Livre*, chap. 6). C'est bien ce qu'il fait déjà dans *Pantagruel* et *Gargantua* et sur trois plans : **construction d'une fiction** où le récit des hauts faits se suture au roman d'apprentissage ; **construction d'un homme** de la naissance à la royauté, **construction d'une société** qui, à travers la guerre présentée comme une activité de nécessaire sauvegarde, accède à une organisation plus équilibrée et plus heureuse. Car ici s'exprime une confiance : **double confiance en la nature et en Dieu**, conforme à l'Évangélisme du moment (cf. p. 170) ; **confiance dans le pouvoir royal**, facteur de progrès ; **confiance** enfin **dans la littérature** apte à dire le monde et à le dépasser dans une écriture où la liberté arbitraire de l'auteur, souvent affichée, et le pouvoir de représentation du langage paraissent plus complémentaires qu'antinomiques• (surtout dans *Gargantua*). Cette confiance se figure clairement dans **la puissance des deux géants**, complaisamment étalée dans des formes volontairement naïves et elle s'était aussi manifestée dans la tendance du *Pantagruel* à insister sur la **profondeur du divertissement** : Panurge (aux mille tours de mauvais plaisant, chap. 16, 17, 22) est pris en amitié par Pantagruel parce qu'il sait plaisanter de ses malheurs et de sa faim tout en captivant l'attention (cf. chap. 9).

EXTRAIT

De l'adolescence de Gargantua

Gargantua, depuis les trois jusques à cinq ans, fut nourri et institué[1] en toute discipline convenante[2], par le commandement de son père, et celui temps passa comme les petits enfants du pays : c'est à savoir à boire, manger et dormir ; à manger, dormir et boire ; à dormir, boire et manger.

5 Toujours se vautrait par[3] les fanges, se mascarait[4] le nez, se chaffourait[5] le visage, aculait[6] ses souliers, bâillait souvent aux mouches et courait volontiers après les parpaillons[7], desquels son père tenait l'empire. Il pissait sur ses souliers, il chiait en sa chemise, il se mouchait à ses manches, il morvait dedans sa soupe, et patrouillait[8] par tous lieux, et buvait en
10 sa pantoufle, et se frottait ordinairement le ventre d'un panier. Ses dents aiguisait d'un sabot, ses mains lavait de potage, se peignait d'un gobelet, s'asseyait entre deux selles le cul à terre, se couvrait de sac mouillé, buvait en mangeant sa soupe, mangeait sa fouace[9] sans pain, mordait en riant, riait en mordant, souvent crachait on bassin[10], pétait de graisse, pissait
15 contre le soleil, se cachait en l'eau pour la pluie, battait[11] à froid, songeait creux, faisait le sucré, écorchait le renard[12], disait la patenôtre du singe[13], retournait à ses moutons, tournait[14] les truies au foin, battait le chien devant le lion[15], mettait la charrette devant les bœufs, se grattait où ne lui démangeait point, tirait les vers du nez, trop embrassait et peu étreignait,
20 mangeait son pain blanc le premier, ferrait les cigales, se chatouillait pour se faire rire, ruait[16] très bien en cuisine, faisait gerbe de feurre[17] aux dieux, faisait chanter *Magnificat*[18] à matines et le trouvait bien à propos, mangeait choux et chiait poirée, connaissait[19] mouches en lait, faisait perdre les pieds aux mouches, [...] de cheval donné toujours regardait en la gueule, sautait
25 du coq à l'âne, mettait entre deux vertes une mûre, faisait de la terre le fossé[20], gardait la lune des[21] loups, si les nues tombaient espérait prendres les alouettes toutes rôties, faisait de nécessité vertu, faisait de tel pain soupe[22], se souciait aussi peu des rais[23] comme des tondus, tous les matins écorchait le renard. Les petits chiens de son père mangeaient en son écuelle ;
30 lui de même mangeait avec eux. Il leur mordait les oreilles, ils lui grafinaient[24] le nez ; il leur soufflait au cul, ils lui léchaient les badigoinces[25].

Et sabez quoi, hillots ? Que mau de pipe vous bire[26] ce petit gaillard toujours tâtonnait[27] ses gouvernantes c'en[28] dessus dessous, c'en devant derrière, harri bourriquet[29], et déjà commençait exercer sa braguette...

François Rabelais, *Gargantua*, chap. 11, 1534.

Pistes de recherche

1. Quels sont les traits caractéristiques de cette vision de l'enfance ? Pourquoi cette insistance sur des faits et gestes « grossiers » ?

2. À quels signes peut-on percevoir l'enthousiasme du narrateur ?

3. Montrez comment on glisse de la description des activités de l'enfant à une cascade d'expressions proverbiales pour revenir à une évocation directe du vécu. Qu'apportent ces énoncés figurés à l'évocation de la vie enfantine et en revanche qu'y gagnent-ils ?

Comment Grandgousier connut l'esprit merveilleux de Gargantua à l'invention d'un torchecul

Quand son fils atteint la fin de sa cinquième année, Grandgousier s'inquiète de savoir si son fils est propre. À quoi Gargantua répond qu'il est le garçon le plus propre du pays. À son heureuse nature s'ajoute maintenant l'esprit d'invention, ce qui ouvre d'exaltantes perspectives !

(1) minutieuse
(2) commode
(3) déformation de cache-nez (cache-laid)
(4) douceur
(5) cache-oreilles
(6) rouge foncé
(7) des perles
(8) brûle
(9) fin mot (répons marquant la fin d'une lecture liturgique)
(10) baudruche
(11) couilles
(12) amorce
(13) sale
(14) bu ou attaché au fond du pot, d'où épouser le moule (en dialecte d'Ouest, rimer c'est attacher à la marmite en brûlant)
(15) équivoque avec enrhumer
(16) murs des cabinets
(17) foireux
(18) péteux
(19) plein de bren (merde)
(20) qui s'échappe
(21) se disperse
(22) dégoûtant
(23) qui s'égouttes
(24) puisse te brûler
(25) béants

— J'ai, répondit Gargantua, par longue et curieuse[1] expérience, inventé un moyen de me torcher le cul, le plus royal, le plus seigneurial, le plus excellent, le plus expédient[2] que jamais fut vu.

— Quel ? dit Grandgousier.

5 — Comme vous le raconterai, dit Gargantua, présentement.

« Je me torchai une fois d'un cachelet[3] de velours d'une damoiselle, et le trouvai bon, car la mollice[4] de sa soie me causait au fondement une volupté bien grande. Une autre fois d'un chaperon d'icelle, et fut de même. Une autre fois d'un cache-cou. Une autre fois des oreillettes[5] de satin cramois[6], mais la dorure d'un tas de sphères[7] de merde qui y étaient m'écorchèrent tout le derrière. Que le feu saint Antoine arde[8] le boyau culier de l'orfèvre qui les fit et de la damoiselle qui les portait ! [...]

— Voire, mais, dit Grandgousier, lequel torchecul trouvas-tu meilleur ?

— J'y étais, dit Gargantua, et bientôt en saurez le *tu autem*[9]. Je me torchai de foin, de paille, de bauduffe[10], de bourre, de laine, de papier. Mais

> Toujours laisse aux couillons[11] émorche[12]
> Qui son ord[13] cul de papier torche.

— Quoi, dit Grandgousier, mon petit couillon, as-tu pris au pot[14], vu que tu rimes déjà ?

20 — Oui-da, répondit Gargantua, mon roi, je rime tant et plus, et, en rimant, souvent m'enrime[15].

« Écoutez que dit notre retrait[16] aux fianteurs :

Chiard,	Ordous[22],
Foirart[17],	Merdous,
Pétart[18],	Egous[23]
Brenous[19],	Le feu de saint Antoine t'ard[24]
Ton lard	Si tous
Chappart[20]	Tes trous
S'épart[21]	Éclous[25]
Sur nous.	Ne torches avant ton départ...

— Mais, dit Gargantua, voulez-vous payer un bussart[26] de vin breton si je vous fais quinaut[27] en ce propos ?

— Oui, vraiment, dit Grandgousier.

— Il n'est, dit Gargantua, point besoin[28] torcher le cul, sinon qu'il y ait ordure. Ordure n'y peut être, si on n'a chié, chier donc nous faut devant que le cul torcher[29].

45 — Ô ! dit Grandgousier, que tu as bon sens, petit garçonnet ! Ces premiers jours, je te ferai passer docteur en Sorbonne, par Dieu ! car tu as de raison plus que d'âge.

« Or poursuis ce propos torcheculatif, je t'en prie. [...]

— Je me torchai après, dit Gargantua, d'un couvre-chef, d'un oreiller, 50 d'une pantoufle, d'une gibecière, d'un panier — mais ô le malplaisant torchecul ! — puis d'un chapeau. Et notez que des chapeaux les uns sont ras, les autres à poil, les autres veloutés, les autres taffetassés, les autres satinisés. Le meilleur de tous est celui de poil, car il fait très bonne abstersion[30] de la matière fécale.

55 « Puis me torchai d'une poule, d'un coq, d'un poulet, de la peau d'un veau. [...]

« Mais, concluant, je dis et maintiens qu'il n'y a tel torchecul que d'un oison bien dumeté[31], pourvu qu'on lui tienne la tête entre les jambes. Et m'en croyez sur mon honneur, car vous sentez au trou du cul une volupté

Gargantua continue à prouver ses talents en proposant un rondeau (cf. p. 153) aussi scatologique que grivois.

Gargantua énumère et commente d'autres essais.

(26) barrique
(27) dame le pion
(28) il n'y a pas besoin de
(29) avant de nous torcher le cul
(30) nettoyage
(31) duveteux

₆₀ mirifique, tant par la douceur d'icelui dumet[32] que par la chaleur tempérée
de l'oison, laquelle facilement est communiquée au boyau culier et autres
intestins, jusques à venir à la région du cœur et du cerveau.

« Et ne pensez que la béatitude des héros et semi-dieux, qui sont par les
Champs Élyséens, soit en leur asphodèle, ou ambroisie, ou nectar, comme
₆₅ disent ces vieilles ici. Elle est, selon mon opinion, en ce qu'ils se torchent le
cul d'un oison, et telle est l'opinion de maître Jean d'Écosse[33]. »

(32) ce duvet
(33) Duns Scot, théologien
médiéval (XIIIᵉ siècle)

François Rabelais, *Gargantua*, chap. 13, 1534.

Pistes de recherche

1. Illustrez à l'aide de cet extrait les idées contenues dans la page sur le rire (cf. p. 215). Comment interprétez-vous le dernier paragraphe ?
2. Quels rapports s'établissent ici entre un père et son fils ?
3. L'esprit d'invention : montrez la diversité des domaines où il s'exerce. Faites-en valoir les contrastes.

Bruegel de Velours (1568-1625), *Marché et Lavoir en Flandres*, Madrid, musée du Prado, ph. H. Josse.

DOCUMENT

Nous avons donc rencontré deux qualités de parole au service d'un même scénario. Rendue plus apparente par la métrique, la grossièreté s'impose dans toute son opacité. « Chiart, Foirart, Petart... » : autant de mots-choses, huis-clos pour l'imagination. À l'opposé, il existe un langage qui délivre son contenu de toute tyrannie. C'est la *parole-levier* qui s'abaisse pour mieux élever le sujet qu'elle exprime. On aboutit ainsi à deux niveaux dans l'*obscénité*, suivant que c'est le thème qui absorbe le style ou que c'est le style qui absorbe le thème. Ou bien la parole reste au niveau de son sujet et alors, malgré tout l'attirail métrique dont elle s'entoure, c'est le sujet qui l'annexe. Ou bien la parole transcende son sujet, et la fantaisie de l'expression se charge de l'apprivoiser.

François Rigolot, *Les Langages de Rabelais*, Droz, 1972.

Les deux extraits rapprochés dans les pages suivantes (cf. pp. 224 et 225) permettent de voir à l'œuvre les vertus de l'inclusion (comme thème et comme méthode comparative).
On pourra lire notamment un approfondissement de l'idée de progrès : dans *Pantagruel*, Alcofribas reçoit certes une leçon (de modestie, d'encouragement, de relativisme...), mais le monde qu'il découvre est étrangement semblable au sien et à celui de ses lecteurs, actuels et futurs ; dans *Gargantua* les pèlerins vivent une expérience initiatique (à propos de la religion, mais aussi sur l'usage des textes) qui est d'abord mal comprise, mais qui aboutira pourtant à une véritable transformation de nature, les rendant à une humanité active.

EXTRAIT

Au cours de la guerre, une grosse averse surprend l'armée. Pantagruel tire sa langue à moitié seulement et abrite tous ses hommes.

Cependant, je, qui vous fais ces tant véritables contes, m'étais caché dessous une feuille de bardane[1], qui n'était moins large que l'arche du pont de Monstrible[2], mais quand je les vis ainsi bien couverts, je m'en allai à eux rendre à l'abri[3] [...]

Mais il n'y a plus de place !

5 Donc, le mieux que je pus, montai par-dessus, et cheminai bien deux lieues sur sa langue, tant que j'entrai dedans sa bouche. Mais, ô dieux et déesses, que vis-je là ? Jupiter me confonde de sa foudre trisulque[4] si j'en mens. J'y cheminais comme l'on fait en Sophie[5] à Constantinople, et y vis
10 de grands rochers, comme les monts des Danois (je crois que c'étaient ses dents) et de grands prés, de grandes forêts, de fortes et grosses villes, non moins grandes que Lyon et Poitiers.

Le premier qu'y trouvai ce fut un bonhomme qui plantait des choux. Dont, tout ébahi, lui demanda : « Mon ami, que fais-tu ici ?
— Je plante, dit-il, des choux. [...]
15 — Jésus ! dis-je, il y a ici un nouveau monde ?
— Certes, dit-il, il n'est mie nouveau ; mais l'on dit bien que hors d'ici, y a une terre neuve où ils ont et soleil et lune, et tout plein de belles besognes[6] ; mais celui-ci est plus ancien. »

(1) plante qui pousse dans les décombres
(2) Déformation du pont de Mantrible qui apparaît dans le roman *Fierabras*
(3) vers eux me mettre à l'abri
(4) qui trace trois sillons
(5) la basilique Sainte-Sophie
(6) affaires

Lorsque Maître Alcofribas Nasier (anagramme de François Rabelais et son pseudonyme pour Pantagruel et Gargantua) sortira, six mois plus tard, de la bouche du géant, la conquête du pays des Dipsodes sera terminée.

François Rabelais, *Pantagruel*, chap. 32, 1532.

Pistes de recherche

1. Quels rapports s'établissent ici entre l'auteur, le narrateur et la fiction racontée ? Quel en est l'effet sur le lecteur ?
2. Le connu dans le prodigieux : quel en est l'effet ?
3. Une leçon de relativisme : comparez à Cyrano de Bergerac et à Voltaire (*Micromégas*).

Pieter Bruegel (1515-1569), *Les Mendiants*, Paris, Louvre, ph. H. Josse. *Misère et aveuglement humains. Comme ces mendiants estropiés, chacun porte un peu la mort en soi, même si la vie est toujours plus forte que l'infirmité. Voyez p. 34.*

(1) avant
(2) avalé
(3) long bâton de pèlerin
(4) escargot
(5) en même temps
(6) rasade
(7) ils attendirent
(8) ils pensèrent se noyer
(9) les pèlerins du Mont Saint-Michel
(10) ils s'échappèrent par le bord des dents
(11) pour savoir
(12) le trou
(13) toucha
(14) ce qui provoqua
(15) à cause de la douleur
(16) noyer à corbeaux (grolles)
(17) dénicha
(18) attrapait
(19) bourse
(20) frappé
(21) il l'accrocha

Gargantua les mit avec ses laitues dedans un plat de la maison, grand comme la tonne de Cîteaux, et, avec l'huile et vinaigre et sel, les mangeait pour soi rafraîchir devant[1] souper, et avait déjà engoulé[2] cinq des pèlerins. Le sixième était dedans le plat, caché sous une laitue, excepté son bourdon[3] qui apparaissait au-dessus, lequel voyant, Grandgousier dit à Gargantua : « Je crois que c'est là une corne de limaçon[4], ne le mangez point.

— Pourquoi ? dit Gargantua ; ils sont bons tout ce mois. » Et tirant le bourdon, ensemble[5] enleva le pèlerin et le mangeait très bien. Puis but un horrible trait[6] de vin pineau et attendirent[7] que l'on apprêtât le souper.

Les pèlerins, ainsi dévorés, se tirèrent hors les meules de ses dents le mieux que faire purent, et pensaient qu'on les eût mis en quelque basse-fosse des prisons, et lorsque Gargantua but le grand trait[6], cuidèrent noyer[8] en sa bouche, et le torrent du vin presque les emporta au gouffre de son estomac ; toutefois sautant avec leurs bourdons comme font les miquelots[9], se mirent en franchise l'orée[10] des dents. Mais par malheur l'un d'eux, tâtant avec son bourdon le pays, à savoir[11] s'ils étaient en sûreté, frappa rudement en la faute[12] d'une dent creuse et férut[13] le nerf de la mandibule, dont fit[14] très forte douleur à Gargantua, et commença crier de rage[15] qu'il endurait. Pour donc se soulager du mal, fit apporter son cure-dents, et, sortant vers le noyer grollier[16], vous dénigea[17] messieurs les pèlerins.

Car il arrapait[18] l'un par les jambes, l'autre par les épaules, l'autre par la besace, l'autre par la foilluse[19], l'autre par l'écharpe, et le pauvre hère qui l'avait féru[20] du bourdon, l'accrocha[21] par la braguette.

Les pèlerins arrivent pourtant à s'enfuir et l'un d'eux prétend trouver, après coup, dans un psaume, la prédiction et l'explication de leur aventure.

François Rabelais, *Gargantua*, chap. 38, 1534.

Pour comprendre les dangers des voyages, l'inutilité des pèlerinages et la valeur de la paix en son foyer, il leur faudra encore être pris, comme espions, par les soudards de Picrochole (chap. 43), libérés par Frère Jean (chap. 44) et enfin renvoyés chez eux par Grandgousier qui ajoute quelques paroles salutaires :

(22) ne vous laissez aller
(23) oisifs
(24) profession

« Allez-vous en, pauvres gens, au nom de Dieu le Créateur, lequel vous soit en guide perpétuelle et dorénavant ne soyez faciles[22] en ces otieux[23] et inutiles voyages. Entretenez vos familles, travaillez chacun en sa vocation[24], instruisez vos enfants et vivez comme nous enseigne le bon apôtre saint Paul. »

François Rabelais, *Gargantua*, chap. 45, 1534.

Pistes de recherche

1. Un récit vraisemblable et animé : montrez sa logique et ses renversements.
2. Mettez en évidence les effets de disproportion et le décalage des expériences, le mélange du familier et de l'extraordinaire.
3. Comparez cet extrait à l'extrait précédent.

Le Combat des tire-lires et des coffres-forts, d'après le dessin de Pieter Bruegel, 1560, Paris, Bibl. Nat., ph. Hachette.

Rabelais réformateur

Le dynamisme du bâtisseur conduit assez logiquement l'écrivain à une intervention sur le monde qui l'entoure et on a souvent vu en Rabelais un militant des idées nouvelles. Deux domaines paraissent privilégiés : **l'éducation et le pouvoir politique.** Ce choix se comprend aisément : le gouvernement des hommes peut entraîner les sociétés en des évolutions profondes, ou du moins les orienter et les accélérer et particulièrement, comme ici, chercher à les prémunir contre ce qui est encore tenu, en ce XVIe siècle, pour leur mal naturel : la guerre ; l'enfant étant « le père de l'homme » et la transmission de la sagesse et du savoir acquis un caractère spécifique de l'espèce humaine, l'enseignement s'impose comme un secteur-clé pour toute pensée tournée vers l'action. Dans Gargantua, **les deux soucis convergent** puisque nous assistons à **la formation d'un roi.** Toutefois il faut noter que **Rabelais n'est pas ici un inventeur,** il se range, contre Machiavel et sous l'inspiration d'Érasme qui fut son correspondant, dans le camp de l'innovation humaniste.

Son originalité tient surtout à ce qu'il exprime ces idées dans une fiction qui se destine à un large public et qui démontre par la simple évidence, à condition de s'implanter dans le vécu du lecteur. C'est ainsi poser **la question du « réalisme »** de Rabelais. Certes dans Gargantua, les **références au vérifiable** (notamment les lieux : Paris et la Touraine) **et au vraisemblable** (notations précises sur la vie rustique, en particulier) semblent révéler l'intention d'un auteur soucieux d'imposer un univers crédible d'autant plus qu'il y ajoute souvent d'autres techniques de « l'effet de réel » et même, comme l'a dit la critique marxiste, **une analyse sociologique** pertinente (les fouaciers, propriétaires terriens entrent en conflit avec les bergers, ouvriers agricoles aussitôt soutenus par les métayers, menacés par l'extension du fermage capitaliste). Pourtant, on remarquera que même dans les parties (II et III) les plus réalistes du Gargantua, le gigantisme ne s'estompe pas tout à fait et surtout persistent **ces variations de taille** qui empêchent le lecteur de « se reposer à un niveau de réalité [merveilleux ou commun] qui lui serait familier » (Auerbach, Mimésis), ce qui remet tout en question.

EXTRAIT

Comment fut mû entre les fouaciers de Lerné et ceux du pays de Gargantua le grand débat dont furent faites grosses guerres

En celui temps, qui fut la saison de vendanges au commencement d'automne, les bergers de la contrée étaient à garder les vignes, et empêcher que les étourneaux ne mangeassent les raisins. On quel temps[1], les fouaciers de Lerné passaient le grand carroi[2], menant dix ou douze charges de foua-
5 ces[3] à la ville[4]. Lesdits bergers les requirent courtoisement leur en bailler[5] pour leur argent, au prix du marché. Car notez que c'est viande[6] céleste manger à déjeuner raisins avec fouace fraîche. [...]

Les fouaciers refusent, mais n'épargnent pas les injures (plusieurs lignes !).

Auquel outrage[7] un d'entre eux nommé Frogier, bien honnête homme de sa personne et notable bachelier[8], répondit doucement : « Depuis quand
10 avez-vous prix cornes, qu'êtes tant rogues[9] devenus ? Dea[10], vous nous en souliez[11] volontiers bailler et maintenant y refusez. Ce n'est fait de bons voisins, et ainsi ne vous faisons, nous, quand venez ici acheter notre beau froment, duquel vous faites vos gâteaux et fouaces. Encore par le marché[12] vous eussiez-nous donné de nos raisins ; mais, par la mer Dé[13], vous en
15 pourriez repentir, et aurez quelque jour affaire de nous. Lors nous ferons envers vous à la pareille, et vous en souvienne. »

Adonc Marquet, grand bâtonnier de la confrérie des fouaciers, lui dit : « Vraiment, tu es bien acrêté[14] à ce matin ; tu mangeas hier soir trop de mil[15]. Viens çà[16], je te donnerai de ma fouace. » Lors Frogier en toute sim-
20 plesse approcha, tirant un onzain[17] de son baudrier, pensant que Marquet lui dût dépocher de ses fouaces, mais il lui bailla[5] d'un son fouet à travers les jambes si rudement que les nœuds y apparaissaient ; puis voulut gagner à la fuite. Mais Frogier s'écria au meutre et à la force tant qu'il put, ensemble lui jeta un gros tribard[18] qu'il portait sous son aisselle, et l'atteint par la
25 jointure coronale de la tête[19] sur l'artère crotaphique[20], du côté dextre[21], en telle sorte que Marquet tomba de sa jument ; mieux semblait homme mort que vif.

Cependant les métayers, qui là auprès challaient[22] les noix, accoururent avec leurs grandes gaules, et frappèrent sur ces fouaciers comme sur seigle
30 vert. Les autres bergers et bergères, oyant[23] le cri de Frogier, y vinrent avec leurs fondes[24] et brassiers[25], et les suivirent à grands coups de pierres, tant menus qu'il semblait que ce fût grêle. Finalement, les aconcèrent[26], et ôtè-rent[27] de leurs fouaces environ quatre ou cinq douzaines, toutefois ils les

(1) au même moment
(2) carrefour
(3) galettes
(4) Chinon, dont Lerné est proche (8 km)
(5) donner
(6) nourriture
(7) à ces outrages
(8) connu comme un bon garçon
(9) agressifs
(10) vraiment
(11) vous aviez l'habitude
(12) par-dessus le marché
(13) par la mère de Dieu
(14) arrogant (comme un coq)
(15) millet (nourriture des coqs)
(16) là
(17) monnaie
(18) trique
(19) suture fronto-pariétale
(20) temporale
(21) droit
(22) gaulaient
(23) entendant
(24) frondes
(25) gourdins
(26) rattrapèrent
(27) prirent

payèrent au prix accoutumé, et leur donnèrent un cent de quecas[28] et trois
35 panerées[29] de francs-aubiers[30]. Puis les fouaciers aidèrent à monter[31] Marquet, qui était vilainement blessé, et retournèrent à Lerné sans poursuivre
le chemin de Parillé[32], menaçant fort et ferme les bouviers, bergers et
métayers de Seuillé et de Sinais.

Ce fait, et bergers et bergères firent chère lie[33] avec ces fouaces et beaux
40 raisins, et se rigolèrent ensemble au son de la belle bousine[34], se moquant
de ces beaux fouaciers glorieux, qui avaient trouvé malencontre[35] par faute
de s'être signés de la bonne main au matin. Et avec gros raisins chenins[36],
étuvèrent les jambes de Frogier mignonnement, si bien qu'il fut tantôt[37] guéri.

(28) noix (dialecte)
(29) paniers
(30) variété de raisin blanc
(31) sur une charrette
(32) sans continuer leur
route vers Parilly (près de
Chinon)
(33) se régalèrent
(34) cornemuse
(35) malheur
(36) variété de raisin
(37) vite

François Rabelais, *Gargantua*, chap. 25, 1534.

Pistes de recherche

1. Le réalisme rustique : étudiez ses moyens. Le récit en tire un double avantage (vraisemblance et scandale). Expliquez.
2. La portée idéologique• : montrez que tout désigne les fouaciers comme les agresseurs. Pourquoi ?
3. La gaieté ne perd pas ses droits : étudiez notamment le titre, le récit du combat, et le dernier paragraphe.

Pistes thématiques
Sur les questions, intimement liées, de **la guerre** (conditions de sa légitimité, comment la préparer, la mener, la terminer) et du **pouvoir politique** (responsabilités, distinction entre tyrannie et royauté, méthodes de gouvernement), on lira, plus particulièrement, dans *Gargantua*, les chapitres 26, 28, 29, 31, 32, 33, 46, 47, 50, 51.

EXTRAIT

*Grandgousier confie
d'abord son fils à un
maître que les premières éditions appellent
«théologien», c'est-à-dire appartenant à la
Sorbonne•, centre des
études théologiques.
Par la suite Rabelais
dit «sophiste», par
prudence et pour préciser ce qu'il dénonce :
le raisonnement formaliste et la «science sans
conscience». Puis,
voyant que Gargantua
devient «fou, niais,
tout rêveux et rassoté»,
Grandgousier lui donne
pour précepteur Ponocratès qui est inspiré
par l'humanisme.
Ponocratès d'abord ne
change rien pour observer son élève.*

(1) Dans sa housse, le bréviaire est comme un pied
dans une pantoufle.
(2) à peu près
(3) entendait
(4) titre
(5) encapuchonné
(6) huppe
(7) qui avait immunisé
son haleine à grand renfort
de sirop de vigne

Après avoir bien à point déjeuné, allait à l'église, et lui portait-on, dedans
un grand panier, un gros bréviaire empantouflé[1], pesant, tant en graisse
qu'en fermoirs et parchemin, poi plus poi moins[2], onze quintaux six livres.
Là oyait[3] vingt et six ou trente messes. Cependant venait son diseur d'heu-
5 res en place[4], empaletoqué[5] comme une dupe[6], et très bien antidoté son
haleine à force sirop vignolat[7]. Avec icelui marmonnait toutes ses kyriel-
les[8], et tant curieusement[9] les épluchait qu'il n'en tombait un seul grain
en terre. Au partir de l'église, on lui amenait, sur une traîne[10] à bœufs, un
farat[11] de patenôtres de Saint-Claude, aussi grosses chacune qu'est le moule
10 d'un bonnet[12], et, se promenant par les cloîtres, galeries ou jardin, en disait
plus que seize ermites.

Puis étudiait quelque méchante demi-heure, les yeux assis dessus son
livre ; mais, comme dit le Comique[13], son âme était en la cuisine.

On passe alors à l'application des nouvelles méthodes.

Il ne perdait heure quelconque du jour : ains[14] tout son temps consom-
15 mait en lettres et honnête savoir. S'éveillait donc Gargantua environ quatre
heures du matin. Cependant qu'on le frottait, lui était lue quelque pagine[15]
de la divine Écriture, hautement et clairement, avec prononciation compétente à la matière, et à ce était commis un jeune page, natif de Basché,
nommé Anagnostes. Selon le propos et argument[16] de cette leçon, souven-
20 tes fois s'adonnait à révérer, adorer, prier et supplier le bon Dieu, duquel la
lecture montrait la majesté et jugements merveilleux.

Puis allait ès lieux secrets faire excrétion des digestions naturelles. Là son
précepteur répétait ce qu'avait été lu, lui exposant les points plus obscurs
et difficiles. Eux retournant, considéraient l'état du ciel, si tel était comme
25 l'avaient noté au soir précédent, et[17] quels signes entrait le soleil, aussi la
lune, pour icelle journée.

Ce fait, était habillé, peigné, testonné[18], accoutré et parfumé, durant lequel temps on lui répétait les leçons du jour d'avant. Lui-même les disait par cœur et y fondait quelques cas pratiques[19] et concernant l'état humain[20], lesquels ils étendaient aucunes fois jusque deux ou trois heures, mais ordinairement cessaient lorsqu'il était du tout habillé. Puis par trois bonnes heures lui était faite lecture.

Ce fait, issaient[21] hors, toujours conférant[22] des propos de la lecture, et se déportaient[23] en Bracque[24], ou ès[25] prés, et jouaient à la balle, à la paume, à la pile trigone[26], galantement[27] s'exerçant les corps comme ils avaient les âmes auparavant exercé. Tout leur jeu n'était qu'en liberté, car ils laissaient la partie quand leur plaisait, et cessaient ordinairement lorsque suaient parmi le corps, ou étaient autrement las. Adonc[28] étaient très bien essuyés et frottés, changeaient de chemise, et, doucement se promenant, allaient voir si le dîner était prêt. Là attendant, récitaient clairement et éloquemment quelques sentences[29] retenues de la leçon.

Cependant Monsieur l'Appétit venait, et par bonne opportunité s'asseyaient à table. Au commencement du repas, était lue quelque histoire plaisante des anciennes prouesses, jusques à ce qu'il eût pris son vin. Lors, si bon semblait, on continuait la lecture, ou commençaient à deviser joyeusement ensemble, parlant, pour les premiers mois, de la vertu, propriété, efficace[30] et nature de tout ce que leur était servi à table : du pain, du vin, de l'eau, du sel, des viandes, poissons, fruits, herbes, racines, et de l'apprêt[31] d'icelles. Ce que faisant, apprit en peu de temps tous les passages à ce compétants[32] en Pline, Athénée, Dioscorides, Julius Pollux, Galien, Porphyre, Oppian, Polybe, Héliodore, Aristotèles, Élian[33] et autres. Iceux propos tenus, faisaient souvent, pour plus être assurés, apporter les livres susdits à table. Et si bien et entièrement retint en sa mémoire les choses dites, que, pour lors, n'était médecin qui en sût à la moitié tant comme il faisait. Après, devisaient des leçons lues au matin, et, parachevant leur repas par quelque confection de cotoniat[34], s'écurait les dents avec un trou[35] de lentisque, se lavait les mains et les yeux de belle eau fraîche, et rendaient grâce à Dieu par quelques beaux cantiques faits à la louange de la munificence et bénignité[36] divine.

Ce fait, on apportait des cartes, non pour jouer, mais pour y apprendre mille petites gentillesses[37] et inventions nouvelles, lesquelles toutes issaient[38] d'arithmétique. En ce moyen entra en affection d'icelle science numérale, et, tous les jours après dîner et souper, y passait temps aussi plaisantement qu'il soulait ès[39] dés ou ès cartes. À tant[40] sut d'icelle et théorique et pratique, si bien que Tunstal[41], Anglais qui en avait amplement écrit, confessa que vraiment, en comparaison de lui, il n'y entendait que le haut allemand.

Et non seulement d'icelle, mais des autres sciences mathématiques comme géométrie, astronomie et musique ; car, attendant la concoction et digestion[42] de son past[43], ils faisaient mille joyeux instruments et figures géométriques, et de même pratiquaient les canons[44] astronomiques. Après s'esbaudissaient[45] à chanter musicalement à quatre et cinq parties, ou sur un thème, à plaisir de gorge[46]. Au regard des instruments de musique, il apprit jouer du luc[47], de l'épinette, de la harpe, de la flûte d'allemand[48] et à neuf trous, de la viole et de la sacquebutte[49].

Cette heure ainsi employée, la digestion parachevée, se purgeait des excréments naturels ; puis se remettait à son étude principal par trois heures ou davantage.

L'après-midi sera consacrée à l'entraînement du chevalier, fait d'exercices militaires et de sport puis les études continueront jusqu'au coucher.

François Rabelais, *Gargantua*, chap. 23, 1534.

(8) longue suite de paroles
(9) soigneusement
(10) chariot à deux roues
(11) tas
(12) la tête
(13) Térence
(14) mais
(15) page
(16) sujet
(17) et en
(18) coiffé
(19) y appliquait des exemples
(20) la vie des hommes
(21) sortaient
(22) discutant
(23) allaient faire du sport
(24) un jeu de paume
(25) aux
(26) jeu de balle en triangle
(27) élégamment
(28) alors
(29) formules
(30) les effets
(31) préparation
(32) relatifs à cela
(33) écrivains antiques
(34) confiture de coings
(35) brin
(36) bonté
(37) amusements
(38) venaient
(39) avec autant de plaisir qu'il en prenait d'habitude aux
(40) de cette façon
(41) auteur d'un traité d'arithmétique
(42) digestion et assimilation
(43) repas
(44) lois
(45) s'amusaient
(46) en faisant des variations
(47) luth
(48) traversière
(49) trombone

1. La satire de l'éducation « sorbonicole » : définissez les cibles qu'elle vise et les moyens qu'elle utilise. Quelle différence dans l'éducation religieuse avec la seconde méthode ?
2. L'éducation nouvelle veut être complète et harmonieuse. Montrez-le et dites si ce pari, selon vous, peut être tenu. Pour en juger, disposons-nous de tous les éléments nécessaires ?
3. Que pensez-vous de l'emploi du temps ?
4. Dégagez les méthodes pédagogiques mises en œuvre.

Piste thématique

À propos de l'éducation, on rapprochera les textes précédents de l'extrait du *Pantagruel*, cité antérieurement (cf. p. 169). Au surplus, on lira dans *Gargantua* les chapitres 14, 15 et 21 qui présentent et critiquent la première éducation de type scolastique• et pour compléter l'exposé du programme et des méthodes humanistes, la fin du chap. 23 (fin de la journée-type) et le chap. 24 (variantes, notamment quand le temps est pluvieux).

Le phare d'une étrange utopie•

À la fin du *Gargantua*, Rabelais ne se contente pas d'un mieux aller, il nous propose **le parfait** sous la forme d'un édifice merveilleux et d'une société harmonieuse. Déjà, dans *Pantagruel*, il avait été tenté par l'image du **monde à l'envers** : dans la bouche du géant se découvrait le paysage le plus quotidien, échange entre le prodigieux et le commun propre à donner le vertige à l'imagination. **Thélème** a plus de stabilité, mais c'est également **l'inverse d'un couvent**, avec sa porte qui s'ouvre à volonté et sa règle de liberté. L'ailleurs, où elle se situe, la perfection qu'elle est censée atteindre, sa description comme une organisation déjà éprouvée par les faits en font aussi **une utopie•**. Rien d'étonnant jusque là (dans cette rencontre du monde à l'envers et de l'utopie•), car l'utopie• se conçoit souvent comme l'opposé de l'existant. Mais curieuse utopie• ici ! on y néglige les problèmes économiques, la réglementation des conduites individuelles et on en sort sans difficulté : voilà qui est fondamentalement **anti-utopique•** (cf. Document 1).

Thélème fait alors penser à une **rêverie** qui ne dessinerait pas un terme, mais ferait miroiter la direction d'un havre encore lointain, à l'image de cette merveilleuse liberté collective où se confondent et s'abolissent les désirs individuels. Mais au gré de certains (cf. document 2), la poésie paraît ici manquer cruellement au rêveur...

DOCUMENT 1

Extraits de l'*Utopie* de Thomas More (1516)
Les femmes servent leurs maris ; les enfants, leurs père et mère ; les plus jeunes servent les plus anciens [...]. Celui qui de son propre mouvement se permet de franchir les limites de sa province est traité en criminel ; pris sans le congé du prince, il est ramené comme un déserteur et sévèrement puni [...]. Chacun, sans cesse exposé au regard de tous, se trouve dans l'heureuse nécessité de travailler et de se reposer, suivant les lois et coutumes du pays.

Thomas More, *Utopie*, 1516.

DOCUMENT 2

L'épisode tout entier semble bâti sur une double postulation contradictoire : une peinture idéalisée, une sorte de projection allégorique du bonheur pour aristocrates ; un style monocorde et fané qui rend toute promesse de bonheur illusoire [...]. C'est donc..., une écriture qui dément une intention [...], une forme qui repousse son contenu.

François Rigolot, *Les Langages de Rabelais*, Droz, 1972.

EXTRAIT

Toute leur vie était employée[1], non par lois, statuts ou règles, mais selon leur vouloir et franc[2] arbitre. Se levaient du lit quand bon leur semblait, buvaient, mangeaient, travaillaient, dormaient quand le désir leur venait. Nul ne les éveillait, nul ne les parforçait[3] ni à boire, ni à manger, ni à faire chose autre quelconque. Ainsi l'avait établi Gargantua. En leur règle n'était que cette clause :

FAIS CE QUE VOUDRAS,

parce que gens libères[4], bien nés, bien instruits, conversant[5] en compagnies honnêtes, ont par nature un instinct et aiguillon qui toujours les pousse à faits vertueux et retire de vice, lequel[6] ils nommaient honneur. Iceux, quand par vile subjection[7] et contrainte sont déprimés[8] et asservis, détournent la noble affection par laquelle à vertu franchement tendaient, à

(1) organisée
(2) libre
(3) forçait
(4) libres
(5) vivant
(6) a pour antécédent aiguillon
(7) sujétion
(8) opprimés

déposer et enfreindre ce joug de servitude, car nous entreprenons toujours choses défendues et convoitons ce que nous est dénié[9].

15 Par cette liberté, entrèrent en louable émulation de faire tous ce qu'à un seul voyaient plaire. Si quelqu'un ou quelqu'une disait : «Buvons,» tous buvaient. Si disait : «Jouons,» tous jouaient. Si disait : «Allons à l'ébat ès[10] champs,» tous y allaient. Si c'était pour voler[11], ou chasser, les dames, montées sur belles haquenées, avec leur palefroi[12] gorrier[13], sur le poing
20 mignonnement engantelé portaient chacune ou un épervier, ou un laneret[14] ou un émerillon[14] : les hommes portaient les autres oiseaux.

Tant noblement étaient appris[15], qu'il n'était entre eux celui ni celle qui ne sût lire, écrire, chanter, jouer d'instruments harmonieux, parler de cinq à six langages, et en iceux composer, tant en carme[16] qu'en oraison solue[17].
25 Jamais ne furent vus chevaliers tant preux, tant galants, tant dextres[18] à pied et à cheval, plus verts, mieux remuants, mieux maniant tous bâtons[19], que là étaient. Jamais ne furent vues dames tant propres[20], tant mignonnes, moins fâcheuses, plus doctes[21] à la main, à l'aiguille, à tout acte muliè-bre[22] honnête et libre, que là étaient. Par cette raison quand le temps venu
30 était que aucun d'icelle abbaye, ou à la requête de ses parents, ou pour autre cause, voulût issir[23] hors, avec soi il emmenait une des dames, celle laquelle l'aurait pris pour son dévot[24], et étaient ensemble mariés, et si bien avaient vécu à Thélème en dévotion[25] et amitié, encore mieux la continuaient-ils en mariage, d'autant s'entr'aimaient-ils à la fin de leurs
35 jours comme le premier de leurs noces.

(9) refusé
(10) aux
(11) chasser au faucon
(12) elles ont une jument pour le déplacement et un cheval pour la chasse
(13) élégant
(14) sorte de petit faucon
(15) instruits
(16) vers
(17) prose
(18) adroits
(19) armes
(20) élégantes
(21) adroites
(22) féminin
(23) sortir
(24) dévoué
(25) dévouement

François Rabelais, *Gargantua,* chap. 57, 1534.

Pistes de recherche

1. Rassemblez les traits qui font de Thélème un anti-couvent.
2. L'idéal ici exposé est-il réservé à une élite? Si oui, de quel ordre?
3. Comment peut-on comprendre la formule «Fais ce que voudras» (selon le contenu sémantique attribué aux mots, l'importance relative accordée à chacun d'eux, selon même l'intonation)? Par quels raisonnements est-elle justifiée et quelles images la traduisent?
4. Quelles difficultés vous paraissent sous-jacentes? Comment sont-elles ici résolues ou éludées?

Piste thématique

Comparez Thélème à l'Autre Monde de Cyrano de Bergerac (cf. *Le XVIIe siècle,* pp. 124-130) et à l'Eldorado du *Candide* de Voltaire (cf. *Le XVIIIe siècle,* p. 126).

Andries Benedetti (1620-?), *Nature morte,* Madrid, musée du Prado, ph. Oroñoz-Artephot.

Au gré des mots et des flots : un Rabelais dubitatif

Entre les deux premiers livres et les trois derniers, **le changement est net** : la structure des œuvres, on l'a vu, mais aussi les protagonistes, Panurge (maintenant au premier plan) et Pantagruel, paraissent différents. Rien n'est plus révélateur que le prologue du *Tiers Livre* : le personnage emblématique•, figure et modèle du penseur, n'y est plus Socrate, comme dans le prologue du *Gargantua*, mais Diogène, le philosophe cynique, qui refuse de s'engager dans la vie sociale, mais roule inlassablement son tonneau pour moquer l'agitation fébrile de ses compatriotes et susciter leur interrogation. Auparavant Rabelais multipliait les réponses, maintenant il va multiplier les questions.

Cette évolution de Rabelais correspond, il est vrai, à **un revirement de l'histoire** : le siècle de la Renaissance est en train de faire place aux guerres de religion. **Les tensions ne cessent de croître : entre les deux camps** qui vont en découdre et qui peu à peu se constituent en blocs homogènes, **catholiques et protestants,** mais également **entre l'humanisme** (cf. p. 168) optimiste qui privilégiait l'harmonie (dans la société des hommes, dans le rapport des hommes avec Dieu), conciliait volontiers puissance divine et nature, voyait dans les religions païennes des ébauches de la révélation judéo-chrétienne, **et la Réforme** qui met au premier plan la grandeur de Dieu, la Bible et la foi, réduisant ainsi au minimum la liberté de l'homme et limitant aux élus l'espérance du salut. Déjà, en 1525, premier signe révélateur, Érasme et Luther s'étaient opposés à propos du libre arbitre. De surcroît, on est vite passé du religieux au politique et **le pouvoir royal,** en la personne de François Iᵉʳ, dès l'Affaire des Placards (1534, l'année même du *Gargantua*), **voit dans les novateurs une opposition organisée** qui attente à la majesté royale : les mesures de répression iront croissant, à la fin du règne et à l'avènement (1547) d'Henri II. Dans ces conditions, la situation des modérés et conciliateurs, les Évangélistes, dont Rabelais s'est toujours senti proche, devient de plus en plus difficile. **À l'incertitude de Rabelais s'ajoutera donc la nécessaire prudence** et les travestissements qui peuvent l'accompagner. Elle n'empêchera pourtant pas la condamnation de ses livres.

DOCUMENT

Toujours fidèle en doctrine à l'Évangélisme érasmien, Rabelais passe de l'érasmisme avoué, prédicant, qui était celui des premiers livres, à un érasmisme plus secret, que j'ai proposé de nommer un hésuchisme. En deux mots, il s'agit de mettre une sourdine à sa prédication, afin de ne pas ameuter les pouvoirs de répression, et de poursuivre néanmoins avec ténacité la bonne propagande. Telle est l'attitude caractéristique des derniers livres.

V.-L. Saulnier, *Rabelais dans son enquête*, t. 2, S.E.D.E.S., 1982.

Le *Tiers livre* (1546) : inquiétude et consultations

Entre un éloge des dettes parfaitement ambigu (caricature ou démonstration de la solidarité universelle ?) et l'exaltation du Pantagruélion, plante miraculeuse qui doit permettre tous les progrès, mais donne lieu à un mythe• littérairement aussi décevant — sinon plus — que Thélème, **le *Tiers Livre* n'est que discours,** accumulation vertigineuse de phrases souvent compliquées et lourdes d'emprunts à une culture très diverse. **Dans ses dialogues** (quand il ne s'agit pas de soliloques ou de consultations, l'échange des paroles se limite, le plus souvent, à deux interlocuteurs), **la communication se fait mal** comme si chacun restait confiné en soi, sans vouloir ou pouvoir transmettre son expérience profonde. Fait significatif, Panurge est à l'origine et au centre de toutes ces paroles. Et ce **Panurge a changé** : ce n'est plus le marginal et l'ironiste• du *Pantagruel* mais un inquiet, **malade de désir et d'anxiété,** dont le rire de plus en plus sardonique cache mal la faiblesse et le malaise. **À première vue, son problème est simple** : doit-il se marier, au risque d'être cocu ? Mais derrière la question superficielle, qui permet de maintenir un vernis de gaieté en empruntant à la tradition « gauloise » empreinte de misogynie, se dévoile **l'angoisse humaine devant le destin promis et le souci de le connaître.** Mais comment savoir ? on va visiter les interprètes des signes : oracles et prophètes de tout poil, puis on convoque une suite de spécialistes des divers savoirs humains. Au bout du compte, une seule certitude : **l'enquête a échoué,** comme le reconnaît lucidement Panurge. Mais pourquoi ? **Faut-il incriminer la personne de Panurge ?** Certes il étale son égoïsme en ne voyant dans le mariage que prétexte à satisfactions personnelles, il fait éclater la puissance de l'illusion (aux réponses décevantes, il oppose son désir de mariage toujours renaissant), il découvre sa volonté malade incapable d'assumer les responsabilités et les risques de la liberté et se retournant sans trêve vers le conseil d'autrui. **Faut-il s'en prendre aux pseudo-réponses** des consultés ? Les oracles sont souvent pure caricature et charlatanisme, mais Rabelais ne dénie pas toute possibilité à la parole prophétique. Les savants prêtent parfois à rire, mais la conduite de leur pensée et le contenu de leurs dires ne sont pas sans logique ou sans valeur. Est-ce leur faute s'il se révèle que l'accumulation des savoirs n'aboutit pas à leur synthèse et que les savants sont des techniciens dont la compétence ne saurait outrepasser l'ordre où elle s'exerce ? Surtout, peut-être la question était-elle mal posée, la recherche mal engagée. En tout cas, à la fin du *Tiers Livre*, Panurge et Pantagruel procèdent à un **renversement de méthode** : on va agir au lieu de parler, voir au lieu de recevoir, on fera l'expérience du monde.

*Comme la divination
s'est révélée décevante,
Pantagruel propose
d'inviter à dîner les
savants. On entend
ainsi un théologien, un
médecin. Vient main-
tenant le tour du phi-
losophe. Plus tard, les
sages n'ayant rien
apporté, on ira consul-
ter Triboulet, le fou du
roi, qui ne répondra
que par des mimiques.*

PANURGE. — On[1] nom de Dieu soit! je ne veux sinon[2] ce que me conseillerez. Que m'en conseillez-vous?

TROUILLOGAN. — Rien.

PANURGE. — Me marierai-je?

5 TROUILLOGAN. — Je n'y étais pas.

PANURGE. — Je ne me marierai donc point?

TROUILLOGAN. — Je n'en peux mais.

PANURGE. — Si je ne suis marié, je ne serai jamais cocu.

TROUILLOGAN. — J'y pensais.

10 PANURGE. — Mettons le cas que je sois marié.

TROUILLOGAN. — Où le mettrons-nous?

PANURGE. — Je dis, prenez le cas que marié je sois.

TROUILLOGAN. — Je suis d'ailleurs empêché[3].

PANURGE. — Merde en mon nez! Dea[4]! si j'osasse jurer quelque petit
15 coup en[5] cape, cela me soulagerait d'autant. Or, bien, patience! Et donc, si je suis marié, je serai cocu?

TROUILLOGAN. — On le dirait.

PANURGE. — Si ma femme est prude et chaste, je ne serai jamais cocu?

TROUILLOGAN. — Vous me semblez parler correct.

20 PANURGE. — Écoutez.

TROUILLOGAN. — Tant que voudrez.

PANURGE. — Sera-t-elle prude et chaste? Reste seulement ce point.

TROUILLOGAN. — J'en doute.

PANURGE. — Vous ne la vîtes jamais.

25 TROUILLOGAN. — Que je sache.

PANURGE. — Pourquoi donc doutez-vous d'une chose que ne connaissez?

TROUILLOGAN. — Pour cause.

PANURGE. — Et si la connaissiez?

TROUILLOGAN. — Encore plus.

30 PANURGE. — Page, mon mignon, tiens ici mon bonnet : je te le donne, sauve[6] les lunettes, et va en la basse cour[7] jurer une petite demi-heure pour moi. Je jurerai pour toi quand tu voudras. Mais qui me fera cocu?

TROUILLOGAN. — Quelqu'un. [...]

PANURGE. — Or çà, de par Dieu, j'aimerais, par le fardeau[8] de saint
35 Christophe, autant entreprendre tirer un pet d'un âne mort que de vous une résolution[9]. Si[10] vous aurai-je à ce coup. Notre féal, faisons honte au diable d'enfer, confessons vérité. Fûtes-vous jamais cocu? Je dis vous qui êtes ici, je ne dis pas vous qui êtes là-bas au jeu de paume[11].

TROUILLOGAN. — Non, s'il n'était prédestiné.

40 PANURGE. — Par la chair, je renie ; par le sang, je renague[12] ; par le corps je renonce. Il m'échappe. »

À ces mots, Gargantua se leva et dit : «Loué soit le bon Dieu en toutes choses. À ce que je vois, le monde est devenu beau fils[13] depuis ma connaissance première. En sommes-nous là? Donc sont hui[14] les plus doctes et
45 prudents[15] philosophes entrés au phrontistère[16] et écoles des pyrrhoniens, aporrhétiques, sceptiques et éphectiques[17]. Loué soit le bon Dieu! Vrai-
ment on pourra dorénavant prendre les lions par les jubes[18], les chevaux par les crins, les buffles par le museau, les bœufs par les cornes, les loups par la queue, les chèvres par la barbe, les oiseaux par les pieds, mais jà[19]
50 ne seront tels philosophes par leurs paroles pris. Adieu, mes bons amis. »

François Rabelais, *Tiers Livre*, chap. 36, 1546.

(1) au
(2) que
(3) Trouillogan prend l'énoncé au sens propre et répond qu'il a les mains prises à tenir autre chose.
(4) Dieu
(5) sous
(6) mais enlève les lunettes
(7) cour intérieure
(8) Jésus enfant porté par saint Christophe.
(9) conclusion
(10) pourtant
(11) Autrement dit, dans la lune.
(12) renie (languedocien)
(13) habile
(14) aujourd'hui
(15) sages
(16) pensoir
(17) Diverses dénomina-tions des philosophes de l'école sceptique, qui sus-pendent leur jugement.
(18) par le crinière
(19) jamais

Pistes de recherche

1. Le dialogue : faites apparaître la variété dans les interrogations de Panurge. Quel but vise-t-il (une phrase l'énonce clairement)? Pourquoi les énoncés qui sont acceptés par Trouillogan ne peuvent-ils satisfaire Panurge? L'attitude de Trouillogan est cohérente et son raisonnement logique. Montrez-le.

2. D'où vient le comique? Distinguez le ressort profond de quelques excès caricaturaux.

3. Double dénonciation? Que reproche Gargantua à la philosophie, représentée par Trouillogan? Mais Panurge a-t-il pour cela raison?

Sur la nef des « gentils compagnons », des attitudes positives

Le *Quart Livre* apparaît comme une éclaircie, pour le lecteur entraîné maintenant non plus dans une suite de discours, mais dans **une aventure,** dans un univers d'événements à raconter et de choses à décrire. Les personnages de Rabelais retrouvent l'action et c'est l'occasion pour l'auteur de s'assurer sur **quelques certitudes minimales,** sur quelques comportements qui constituent le fond permanent de sa pensée. Rabelais rejoint ici la sagesse des simples : intuitions dont la profondeur se mesure non à la complexité des concepts, mais à la difficulté de les faire passer dans une pratique. L'épreuve de la tempête (chap. 19) parle d'elle-même, exaltant **l'activité courageuse,** mais fondée sur une indispensable foi et orientée par l'intelligence réfléchie. On insistera davantage sur **l'échange** qui vient s'opposer au défaut capital de Panurge, dénoncé au *Tiers Livre* (chap. 29), sous le nom de philautie, c'est-à-dire amour de soi, égocentrisme, attachement à son idée. **Véritable loi d'échange,** complémentaire et corollaire de la loi d'ambivalence, elle préside à l'univers rabelaisien. Elle s'étend à tous les domaines : lien privé qui unit réciproquement père et fils, et on voit bien là son fondement : le sentiment ; échange de services où se justifie l'édifice social ; principe cosmique, comme l'explique Panurge dans l'éloge des dettes ; principe esthétique aussi, gouvernant les rapports d'un auteur qui a beaucoup reçu du monde et de ses lecteurs appelés à créer c'est-à-dire à donner, dans leur lecture active. **Universel, l'échange se retrouve partout dans l'œuvre,** dans le *Gargantua,* chap. 28, lorsque Grandgousier médite sur sa fonction de roi, au *Cinquième Livre* quand Bacbuc déclare « Il n'est sous le ciel roi si puissant qui puisse se passer d'autrui ; il n'est pauvre si arrogant qui puisse se passer du riche » et, en ce début du *Quart Livre,* sous la forme d'une correspondance qui donne à l'échange une figuration à la fois matérielle et sentimentale, banale peut-être, mais d'autant plus probante.

EXTRAIT

Les voyageurs sont partis, mais de part et d'autre de l'océan, on ne s'oublie pas, on correspond, car Pantagruel répondra à la lettre de Gargantua.

(1) animaux exotiques du premier pays visité par les navigateurs
(2) deux sortes de petits canons
(3) et en même temps
(4) vaisseau rapide
(5) l'hirondelle (en grec)
(6) parce que
(7) fixée sur la poupe
(8) écailles
(9) telles qu'elles
(10) sur les
(11) apprendre
(12) comportement
(13) salut du bonnet
(14) avant d'
(15) et de
(16) pigeon (en hébreu)
(17) faisant éclore
(18) il lui aurait attaché des liens noirs aux pattes
(19) aux
(20) fendant l'air
(21) revenir vers
(22) sorte
(23) parcouru
(24) avec continuel vent en poupe
(25) au
(26) alors
(27) départ
(28) le contenu suit
(29) aucune autre pensée ne m'a distrait
(30) me laissant au cœur

Pantagruel occupé en l'achat de ces animaux pérégrins[1], furent ouïs du môle dix coups de verses et fauconneaux[2] ensemble[3] grande et joyeuse acclamation de toutes les nefs. Pantagruel se tourne vers le havre, et voit que c'était une des céloces[4] de son père Gargantua, nommé *la Chéli-*
5 *doine*[5], pour ce que[6], sur la poupe, était en sculpture d'airain corinthien une hirondelle de mer élevée[7]. C'est un poisson grand comme un dard de Loire, tout charnu, sans esquames[8], ayant ailes cartilagineuses qu'elles[9] sont ès[10] souris-chauves, fort longues et larges, moyennant lesquelles je l'ai souvent vu voler une toise au-dessus de l'eau, plus d'un trait d'arc. À Mar-
10 seille, on le nomme lendole. Ainsi était ce vaisseau léger comme une hirondelle, de sorte que plutôt semblait sur mer voler que voguer. En icelui était Malicorne, écuyer tranchant de Gargantua, envoyé expressément de par lui entendre[11] l'état et portement[12] de son fils le bon Pantagruel, et lui porter lettres de créance.
15 Pantagruel, après la petite accolade et barretade[13] gracieuse, avant[14] ouvrir les lettres ni[15] autres propos tenir à Malicorne, lui demanda : « Avez-vous ici le gozal[16], céleste messager ?
— Oui, répondit-il, il est en ce panier emmailloté. » C'était un pigeon pris au colombier de Gargantua, éclouant[17] ses petits sur l'instant que le susdit
20 céloce[4] départait. Si fortune adverse fût à Pantagruel advenue, il y eût des jets noirs attaché ès pieds[18] ; mais pour ce que[6] tout lui était venu à bien et prospérité, l'ayant fait démailloter, lui attacha ès[19] pieds une bandelette de taffetas blanc, et, sans plus différer, sur l'heure le laissa en pleine liberté de l'air. Le pigeon soudain s'envole, hachant[20] en incroyable hâti-
25 veté, comme vous savez qu'il n'est vol que de pigeon quand il a œufs ou petits, pour l'obstinée sollicitude en lui par nature posée de recourir[21] et secourir ses pigeonneaux. De mode[22] qu'en moins de deux heures il franchit par l'air le long chemin qu'avait le céloce[4] en extrême diligence par trois jours et trois nuits parfait[23], voguant à rames et à voiles et lui conti-
30 nuant vent en poupe[24]. Et fut vu entrant dedans le colombier on[25] propre nid de ses petits. Adonc[26] entendant le preux Gargantua qu'il portait la bandelette blanche, resta en joie et sûreté du bon partement[27] de son fils.
Le gozal[16] lâché, Pantagruel lut les missives de son père Gargantua, desquelles la teneur ensuit[28].
35 « Fils très cher, l'affection que naturellement porte le père à son fils bien-aimé est en mon endroit tant accrue par l'égard et révérence des grâces particulières en toi par élection divine posées que, depuis ton partement[27], m'a non une fois tollu tout autre pensement[29], me délaissant en cœur[30] cette

unique et soigneuse[31] peur que votre embarquement ait été de quelques
40 méshaing[32] ou fâcherie accompagné ; comme tu sais qu'à la bonne et sincère amour est crainte perpétuellement annexée.

Ledit porteur te dira plus amplement toutes nouvelles de cette cour. La
paix de l'Éternel soit avec toi. Salue Panurge, frère Jean, Épistémon, Xéno-
manes, Gymnaste, et autres tes domestiques[33], mes bons amis. De ta mai-
45 son paternelle, ce treizième de juin.

Ton père et ami
GARGANTUA. »

(31) obsédante
(32) ennui
(33) et tes autres compa-
gnons

François Rabelais, *Quart Livre*, chap. 3, 1552.

Pistes de recherche

1. Les thèmes de la rapidité et de l'affection : montrez leur récurrence• à divers niveaux (notamment narratif et métaphorique•) du texte. Rassemblez-en les figures. Pourquoi cette insistance et cette extension ?
2. L'échange, au plein sens du terme, semble proprement humain. Mettez-le en évidence. Comment le texte
orchestre-t-il cette idée ?
3. Le père et le fils : malgré le lien profond qui les unit, ne note-t-on pas, entre eux, quelque différence
(notamment dans la manière de parler, cf. aussi p. 169) ? Comment l'interpréter ?

Démons et merveilles

Mais naviguer, c'est aussi voir surgir, comme d'elles-mêmes, des îles étranges, c'est aller à **la rencontre
des monstres.** Chez ces figures horribles ou ridicules, le niveau de réalité varie sans cesse (allégorie• trans-
parente, symbole• ouvert, caricature réaliste...), ce qui tout à la fois aiguise le désir d'interpréter et frappe
d'incertitude toute interprétation. La fiction d'un périple non orienté et la narration, très fragmentée imposent
pourtant une vision globale du monde, celle d'un **chaos absurde et dangereux,** mais elles semblent également
en promettre la destruction. Quand se présentent, parfois, des prodiges moins inquiétants, ils n'en étonnent que davantage : à propos de ces merveilles, l'intuition des symboles semble pouvoir glisser à l'infini.

EXTRAIT

*Un jour, en pleine
mer, Pantagruel et ses
compagnons entendent
des cris. Mais ils ne
voient personne. D'où
leur étonnement et la
peur panique de
Panurge qui, une fois
de plus, ne parle que
de fuite. Le pilote
explique alors que
l'hiver précédent a eu
lieu une grande
bataille, que les paro-
les, sur le moment, ont
gelé et que maintenant
elles dégèlent.*

(1) au bord
(2) Moïse
(3) en langue de blason :
rouge
(4) vert
(5) bleu
(6) noir
(7) après avoir été
(échauffés)
(8) entendions
(9) comprenions
(10) entaillées
(11) petit canon

— Tenez, tenez, dit Pantagruel, voyez-en ci qui encore ne sont dégelées. »
Lors nous jeta sur le tillac pleines mains de paroles gelées, et semblaient dra-
gées perlées de diverses couleurs. Nous y vîmes des mots de gueule[3], des
mots de sinople[4], des mots d'azur[5], des mots de sable[6], des mots dorés.
5 Lesquels, être[7] quelque peu échauffés entre nos mains, fondaient comme
neiges, et les oyons[8] réellement, mais ne les entendions[9], car c'était langage
barbare. Excepté un assez grosset, lequel ayant frère Jean échauffé entre ses
mains, fit un son tel que font les châtaignes jetées en la braise sans être
entommées[10] lorsque s'éclatent, et nous fit tous de peur tressaillir. « C'était,
10 dit frère Jean, un coup de faucon[11] en son temps. » Panurge requit Pantagruel lui en donner encore. Pantagruel lui répondit que donner paroles était
acte des amoureux. « Vendez-m'en donc, disait Panurge.

— C'est acte d'avocats, répondit Pantagruel, vendre paroles. Je vous
vendrais plutôt silence et plus chèrement, ainsi que quelquefois le vendit
15 Démosthènes moyennant son argentangine[12]. »

Ce nonobstant il en jeta sur le tillac trois ou quatre poignées. Et y vis
des paroles bien piquantes, des paroles sanglantes (lesquelles le pilote nous
disait quelquefois retourner on[13] lieu duquel étaient proférées, mais c'était
la gorge coupée), des paroles horrifiques, et autres assez mal plaisantes à
20 voir. Lesquelles ensemblement fondues[14] ouïmes, hin, hin, hin, hin, his,
ticque, torche, lorgne, brededin, brededac, frr, frrr, frrrr, bou, bou, bou,
bou, bou, bou, bou, bou, tracc, tracc, trr, trr, trr, trrrrrr, on, on, on, on,
ouououououon, goth, magoth, et ne sais quels autres mots barbares, et disait
que c'étaient vocables du hourt[15] et hennissement des chevaux à l'heure

(12) angine d'argent
(Démosthène se serait
laissé acheter et aurait feint
une angine pour ne pas
intervenir dans le débat)
(13) au
(14) ayant fondu ensemble
(15) heurt
(16) dans de la paille bien
propre
(17) jamais on ne manque
(18) fureur
(19) pas
(20) Dans *La Farce de
Maître Pathelin,* le drapier
vend son drap sur parole.
(21) au cas où il serait
marié
(22) Imita la sorcière
Baboue en faisant claquer
les lèvres, grâce à un doigt
introduit dans la bouche.
(23) sans aller plus avant

25 qu'on choque. Puis en ouïmes d'autres grosses, et rendaient son en dége-
lant, les unes comme de tambours et fifres, les autres comme de clairons et
trompettes. Croyez que nous y eûmes du passe-temps beaucoup. Je voulais
quelques mots de gueule mettre en réserve dedans de l'huile comme l'on
garde la neige et la glace, et entre du feurre bien net[16]. Mais Pantagruel ne
30 le voulut, disant être folie faire réserve de ce dont jamais l'on n'a faute[17] et
que toujours on a en main, comme sont mots de gueule entre tous bons et
joyeux pantagruélistes. Là Panurge fâcha quelque peu frère Jean, et le fit
entrer en rêverie[18], car il le vous prit au mot sur l'instant qu'il ne s'en dou-
tait mie[19], et frère Jean menaça de l'en faire repentir en pareille mode que
35 se repentit G. Jousseaulme vendant à son mot le drap au noble Patelin[20],
et advenant qu'il fût marié[21] le prendre aux cornes, comme un veau, puisqu'il l'avait pris au mot comme un homme. Panurge lui fit la babou[22], en
signe de dérision. Puis s'écria, disant : « Plût à Dieu qu'ici, sans plus avant
procéder[23], j'eusse le mot de la dive bouteille ! »

François Rabelais, *Quart Livre,* chap. 56, 1552.

Pistes de recherche

1. Le prodige : comment le récit y fait-il croire (rôle du langage héraldique, des jeux de mots sur donner,
vendre et prendre, des exemples invoqués, de la narration elle-même) ?

2. Guerre et mort : mettez en évidence ces thèmes et montrez comment la richesse sensorielle et l'insistance sur la vie du langage, sur les jeux de mots y apportent une compensation.

3. La signification : il est ici question du rapport entre le signifiant et le signifié, entre les mots et les choses
et de l'usage des mots (les faire fondre, les conserver peut-être). En vous aidant des documents, proposez des interprétations.

Jan van Hemessen, (1501-1566), *Le Chirurgien,* Madrid, musée du Prado, ph. Oroñoz-Artephot.

Paroles dégelées, déluge d'interprétations.

Rabelais a su, par son imagination verbale, rendre poétiquement non seulement des traits divers de la langue humaine (par les jeux de mots, le polysémantisme des mots, par la série d'onomatopées, le matériel brut, etc.), mais le phénomène principal qui la caractérise : son caractère objectif et «fixé», transcendant l'individu, subsistant à l'état latent en lui, toujours susceptible d'être actualisé par lui. Il est étonnant de voir Rabelais, et M. Guiton l'a bien noté, anticiper l'enseignement du linguiste moderne Saussure, qui parle de conversion de «langue» en «parole», là où Rabelais, plus poétiquement, nous fait voir les «mots gelés» qui se «dégèlent».

Léo Spitzer, *Studi francesi*, 12, Società editrice internazionale, 1960.

Les paroles «gelées» représentent donc un silence. Taisons-nous, en présence de l'infortune des temps. Mais gardons confiance : le grain ne meurt pas. La vérité que l'on cache, et qui se cache, un jour la verra bien paraître. Laissons passer le temps des contraintes et des incompréhensions : il vient un temps où toute parole, conservée dans les glaces, reprend voix et se fait entendre.

V.-L. Saulnier, *Rabelais dans son enquête*, t. 2, S.E.D.E.S., 1982.

La première dissociation qui s'accomplit ainsi est celle de la parole et du sujet parlant [...]. La seconde dissociation, celle du son et du sens, ôte au signe toute prétention à la plénitude et l'arrache définitivement à l'ordre extérieur. En fondant, ces paroles restituent la substance sonore, mais pré-signifiante du discours. [...] Le langage, au lieu d'exister comme l'écriture matérielle des choses, ne trouvera plus son espace que dans le régime général des signes représentatifs [...] Le signifiant cesse ici de participer du signifié, entre eux le lien est désormais tranché, qui jusqu'alors les unissait en Dieu.

Jean Paris, *Rabelais au futur*, Le Seuil, 1970.

EXTRAITS

Le jour des paroles dégelées, Pantagruel débarque dans une « île admirable » : au sommet d'une haute montagne, c'est le « vrai Paradis terrestre » et son gouverneur est Messire Gaster (le ventre), «premier maître ès arts de ce monde».
(1) s'occupe
(2) travaille
(3) artifices
(4) aux animaux sauvages
(5) que la nature refuse
(6) perroquets
(7) poétesses
(8) oiseaux de fauconnerie, mal domestiqués
(9) migrateurs
(10) jeunes faucons
(11) qui gardent la proie
(12) en suspens
(13) minaudant
(14) rhinocéros
(15) danser au bal

Pour le servir tout le monde est empêché[1], tout le monde laboure[2]. Aussi, pour récompense, il fait ce bien au monde qu'il lui invente toutes arts, toutes machines, tous métiers, tous engins[3] et subtilités. Même ès animants brutaux[4] il apprend arts déniés de nature[5]. Les corbeaux, les geais,
5 les papegais[6], les étourneaux, il rend poètes ; les pies il fait poétrides[7], et leur apprend langage humain proférer, parler, chanter. Et tout pour la tripe !

Les aigles, gerfauts, faucons, sacres, laniers, autours, éperviers, émerillons, oiseaux hagards[8], pérégrins[9], essors[10], rapineux[11], sauvages, il domestique et apprivoise, de telle façon que, les abandonnant en pleine liberté du
10 ciel quand bon lui semble, tant haut qu'il voudra, tant que lui plaît, les tient suspens[12], errant, volant, planant, le muguetant[13], lui faisant la cour au-dessus des nues; puis soudain les fait du ciel en terre fondre. Et tout pour la tripe !

Les éléphants, les lions, les rhinocérotes[14], les ours, les chevaux, les
15 chiens il fait danser, baller[15], voltiger, combattre, nager, soi cacher, apporter ce qu'il veut, prendre ce qu'il veut. Et tout pour la tripe !

Les poissons tant de mer comme d'eau douce, baleines et monstres marins, sortir il fait du bas abîme, les loups jette hors des bois, les ours hors les rochers, les renards hors les tanières, les serpents lance hors la terre. Et
20 tout pour la tripe !

François Rabelais, *Quart Livre*, chap. 57.

Dans les chapitres suivants, le narrateur étale — et Rabelais dénonce — les excès des adorateurs de Gaster ou Gastrolâtres. Puis c'est le récit des inventions de Gaster.

(16) manquerait
(17) du forgeron
(18) afin
(19) sûreté
(20) pendant
(21) au

Ces diables Gastrolâtres retirés, Pantagruel fut attentif à l'étude de Gaster, le noble maître des arts. Vous savez que par institution de nature, pain avec ses apanages lui a été pour provision adjugé et aliment, adjointe cette bénédiction du ciel que pour pain trouver et garder rien ne lui défaudrait[16].
25 Dès le commencement il inventa l'art fabrile[17] et agriculture pour cultiver la terre, tendant à fin[18] qu'elle lui produisît grain. Il inventa l'art militaire et armes pour grain défendre; médecine et astrologie, avec les mathématiques nécessaires pour grain en sauveté[19] par[20] plusieurs siècles garder et mettre hors les calamités de l'air, dégât des bêtes brutes, larcin des bri-
30 gands. Il inventa les moulins à eau, à vent, à bras, et autres mille engins, pour grain moudre et réduire en farine, le levain pour fermenter la pâte, le sel pour lui donner saveur (car il eut cette connaissance que chose on[21] monde plus les humains ne rendait à maladies sujets que de pain non fer-

menté, non salé user), le feu pour le cuire, les horloges et cadrans pour
35 entendre le temps de la cuite[22] de pain, créature de grain.

Est advenu que grain en un pays défaillait[23] : il inventa art et moyen de
le tirer d'une contrée en autre. Il, par invention grande, mêla deux espèces
d'animaux, ânes et juments, pour production d'une tierce[24], laquelle nous
appelons mulets, bêtes plus puissantes, moins délicates, plus durables au
40 labeur que les autres. Il inventa chariots et charrettes pour plus commodé-
ment le tirer. Si la mer ou rivières ont empêché la traite[25], il inventa
bateaux, galères et navires, choses de laquelle se sont les éléments ébahis,
pour, outre mer, outre fleuves et rivières, naviguer et, de nations barbares,
inconnues et loin séparées, grain porter et transporter. [...]

45 Autre infortune est advenue. Les pillards et brigands dérobaient grain et
pain par les champs. Il inventa art de bâtir villes, forteresses et châteaux
pour les resserrer et en sûreté conserver. Est advenu que par les champs ne
trouvant pain, entendit qu'il était dedans les villes, forteresses et châteaux
resserré, et plus curieusement[26] par les habitants défendu et gardé que ne
50 furent les pommes d'or des Hespérides par les dragons. Il inventa art et
moyen de battre et démolir forteresses et châteaux.

*Puis il inventa les canons et même l'art mirifique d'arrêter les boulets ou de leur faire rebrous-
ser chemin, tout cela exposé avec force détails techniques et arguments (fantaisistes !).*

François Rabelais, *Quart Livre*, chap. 61, 1552.

(22) pour connaître le
temps de la cuisson
(23) manquait
(24) troisième
(25) transport
(26) avec plus de soin

Pistes de recherche

1. La puissance de Gaster sur les animaux : par quels moyens le récit l'impose-t-il ? Peut-on discerner un
ordre dans les divers cas exposés ? Si oui, lequel et pour quelle signification ? À quoi tient la poésie du paragraphe sur les faucons ? Quel est, selon vous, l'effet et la signification du refrain (Notez la différence d'énonciation) ?
2. Les inventions de Gaster : mettez en évidence la logique de leur enchaînement. Est-elle sans faille, excessive ? Que penser de l'aboutissement (signalé dans le résumé final) ? D'où vient le charme de cette énumération ? En quoi contribue-t-il à la signification ?

EXTRAIT

*Une île fabuleuse,
parmi bien d'autres...*

Nous étant bien à point sabourés[1] l'estomac, eûmes vent en poupe, et
fut levé notre grand artimon, dont advint[2] qu'en moins de deux jours arri-
vâmes en l'île des Ferrements[3] déserte, et de nul habitée ; et vîmes grand
nombre d'arbres portant marroches[4], piochons, serfouettes, faux, faucilles,
5 bêches, truelles, cognées, serpes, scies, doloires, forces, ciseaux, tenailles, pel-
les, virolets[5] et vilebrequins.

Autres portaient daguenets[6], poignards, sangdedez[7], canivets[8], poin-
çons, épées, verduns[9], braquemarts[10], cimeterres, estocs, raillons[11] et couteaux.

10 Quiconque en voulait avoir, ne fallait que crouler[12] l'arbre ; soudain tombaient comme prunes. Davantage[13], tombant en terre, rencontraient une
espèce d'herbe, laquelle on nommait fourreau, et s'engainaient là dedans.
À sa chute, se fallait bien garder qu'ils ne tombassent sur la tête, sur les
pieds, ou autres parties du corps : car ils tombaient de pointe (c'était
15 pour droit engainer), et eussent affolé la personne. Dessous ne sais quels
autres arbres, je vis certaines espèces d'herbes, lesquelles croissaient comme
piques, lances, javelines, hallebardes, vouges[14], pertuisanes, rançons[15],
fourches, épieux, croissant haut, ainsi[16] qu'elles touchaient à l'arbre, rencontraient leurs fers et allumelles[17], chacune compétente à sa sorte. Les
20 arbres supérieurs jà[18] les avaient apprêtées à leur venue et croissance,
comme vous apprêtez les robes des petits enfants quand les voulez démailloter. Plus y a, afin que désormais n'abhorriez l'opinion de Platon, Anaxa-
goras et Démocritus (furent-ils petits philosophes ?), ces arbres nous semblaient animaux terrestres, non en ce différentes[19] des bêtes qu'elles n'eus-
25 sent[20] cuir, graisse, chair, veines, artères, ligaments, nerfs, cartilages, adè-
nes[21], os, moelle, humeurs, matrices, cerveau et articulations connues, car
elles en ont, comme bien déduit Théophraste ; mais en ce qu'elles ont la
tête, c'est le tronc, en bas ; les cheveux, ce sont les racines, en terre ; et les

(1) lesté
(2) ce qui fit
(3) instruments en fer
(4) petites houes
(5) vrilles
(6) petites dagues
(7) glaives
(8) canifs
(9) épées longues
(10) épée courte
(11) dards
(12) n'avait qu'à secouer
(13) bien plus
(14) lance à fer recourbé
(15) hallebardes
(16) tellement
(17) lames
(18) déjà
(19) non pas qu'ils diffé-
raient
(20) en ce qu'ils n'auraient
pas
(21) glandes

pieds, ce sont les rameaux, contremont[22], comme si un homme faisait le chêne fourchu. [...]

Vrai est qu'en toutes choses (Dieu excepté) advient quelquefois erreur. Nature même n'en est exempte quand elle produit choses monstrueuses et animaux difformes. Pareillement en ces arbres je notai quelque faute ; car une demi-pipe[23] croissant haut en l'air sous ces arbres ferrementiportes[24], 35 en touchant les rameaux, en lieu de fer rencontra un balai : bien, ce sera pour ramoner la cheminée. Une pertuisane rencontra des cisailles : tout est bon, ce sera pour ôter les chenilles des jardins. Une hampe de hallebarde rencontra le fer d'une faux, et semblait hermaphrodite : c'est tout un, ce sera pour quelque faucheur. C'est belle chose croire en Dieu ! Nous retournant 40 à nos navires, je vis derrière je ne sais quel buisson je ne sais quels gens faisant je ne sais quoi et je ne sais comment, aiguisant je ne sais quels ferrements[3], qu'ils avaient je ne sais où, et ne sais en quelle manière.

(22) en l'air
(23) demi-pique
(24) Adjectif composé selon les préceptes de la Pléiade.

François Rabelais, *Cinquième Livre*, chap. 9, 1564.

Pistes de recherche

1. Un monde fantastique : étudiez le rôle joué par les énumérations, l'énonciation à la 1re personne et les incertitudes du narrateur, la tendance à l'abstraction dans la description. Définissez la nature des prodiges ici présentés.
2. La portée philosophique : essayez de la définir, en tenant compte du document cité ici, mais également du troisième document p. 236.
3. Mettez en évidence les contrastes dans la pensée et l'expression du narrateur. (Étudiez notamment la dernière phrase.) Comment les interpréter ?

Piste thématique

Pour débattre de la religion chez Rabelais on réunira la lettre de Gargantua à Pantagruel (p. 169) et les extraits pp. 217-218, 223 (dernier paragraphe), 225, 227-228, 234-235, 236 (doc. 3), 237-238.

DOCUMENT

Cette méditation sur le monstre et l'anomalie est d'intérêt capital, chez un auteur qui met son idéal dans la nature et le respect de la nature. On voit sa conclusion. Il y a un ordre de nature, auquel il faut croire, mais sans s'imaginer qu'il puisse être sans faille. Les choses vont comme elles vont, parfois un peu cahin-caha. L'ordre naturel admet un hasard. Ce hasard qui ne dépend pas de nous, il nous faut aussi l'admettre.

Cet ordre de nature dépend-il ou non d'un dieu ? «C'est belle chose croire en Dieu» : la taquinerie n'est pas douteuse. Elle vise toutefois à notre avis non pas la confiance, mais l'excès de confiance, la crédulité qui verrait dans le moindre accident le signe d'une intervention providentielle.

V.-L. Saulnier, *Rabelais dans son enquête*, t. 2, S.E.D.E.S., 1982.

Dernier mot ?

Au *Cinquième Livre*, l'œuvre trouve un aboutissement digne d'elle, c'est-à-dire singulier. Résumons d'abord cette **suite de chapitres** (32 à 47) qui **constitue une fin** étrangement filée. Bien accueillis au Pays de Lanternois, nos héros reçoivent un premier guide, une lanterne-femme qui, à travers un grand vignoble, les conduit jusqu'à l'entrée d'un souterrain. Là, ils sont pris en charge par Bacbuc, la prêtresse des mystères de la Dive Bouteille. Avec elle ils entrent dans un temple magnifique, dont les portes s'ouvrent d'elles-mêmes. Tout y est admirable : la mosaïque, la voûte qui représente la victoire de Bacchus, l'éclairage semblable au jour, mais surtout une merveilleuse fontaine où **commence l'initiation**. Buvant son eau, chaque personnage s'aperçoit qu'elle prend, selon son imagination, le goût de tel ou tel vin. On va alors à l'eau d'une autre fontaine, sur laquelle est «à demi-posée la sacrée Bouteille». Après quoi, la Bouteille profère enfin son mot, aussitôt glosé par Bacbuc (notre extrait). Après quoi, **Panurge**, ivre de confiance, **prophétisera en vers son heureux mariage** et Bacbuc, en leur donnant congé, **ajoutera quelques paroles de «haut sens»** : «nous établissons le souverain bien non en prendre et recevoir, mais en élargir [distribuer] et donner» ; «vos philosophes qui se complaignent [se plaignent de] toutes choses être par les anciens écrites [...] ont tort trop évident. Ce que [...] vous apparaît [...] n'est comparable à ce qui est en terre caché» ; et encore «Tous philosophes et sages antiques, pour bien sûrement et plaisamment parfaire le chemin de la connaissance divine et chasse de sapience [sagesse] ont estimé deux choses nécessaires : guide de Dieu et compagnie d'homme.»
Voilà de quoi interpréter. Le refuser ce serait être infidèle au message de l'œuvre, mais il faut aussi que ce soit interprétation personnelle. Pour essayer d'échapper au piège, nous proposerons deux commentaires, laissant au lecteur le soin d'apprécier s'ils se recoupent et comment.

Chacun découvre un vin préconçu [...] La leçon générale est [...] simple. [...] Elle est de refermer l'être humain sur lui-même, en lui faisant comprendre que cette limitation n'est pas une mutilation.

L'homme n'atteint pas le vrai par la seule raison, mais par une intelligence de tout son être. [...]

Bacbuc a dit le devoir de conscience. La Dive Bouteille dit le devoir de volonté. Bacbuc a fait comprendre qu'il ne faut pas être aveugle : la Dive Bouteille fait comprendre qu'il ne faut pas être paralytique. [...]

Une autre leçon de Bacbuc, fondamentale, est un encouragement à l'effort humain. La vérité est cachée, il est des mystères à sonder, et pour cela il faut travailler soi-même et examiner les choses au lieu de se laisser prendre à l'apparence des phénomènes. [...]

Mais la leçon la plus décisive de Bacbuc est dans le « congé » même qu'elle donne.

La sagesse est de quitter le gîte même de la sagesse. La sagesse est de se réembarquer. L'enquête sera toujours en marche.

V.-L. Saulnier, *Rabelais dans son enquête*, t. 2, S.E.D.E.S., 1982.

La seule certitude, c'est que personne ne nous exemptera de décider du *sens*. [...]

Nul espoir ainsi de découvrir dans le *présent* quelque formule qui résolve l'ambiguïté : elle est notre condition naturelle, la conséquence de notre temporalité. [...] Il n'y a point de Lecture de l'existence ni de l'histoire, il n'y a que cette attente interminablement déçue d'un sens possible — et c'est pourquoi le seul oracle qui vaille est celui qui nous assigne à *l'avenir*. « Buvez ! » L'impératif suppose le futur. [...]

Le futur fait irruption, chez Rabelais, à ce point exact où se clôt la recherche. Que l'oracle de la Bouteille, par son obscurité, appelle une glose qui le complète marque déjà cette ouverture sur l'horizon, le lieu toujours différé de la connaissance.

Jean Paris, *Rabelais au futur*, Le Seuil, 1970.

EXTRAIT

Cette chanson parachevée, Bacbuc jeta je ne sais quoi dedans la fontaine, et soudain commença l'eau bouillir à force, comme fait la grande marmite de Bourgueil[1] quand y est fête à bâtons[2]. Panurge écoutait d'une oreille en silence, Bacbuc se tenait près de lui agenouillée, quand de la sacrée bouteille issit[3] un bruit tel que font les abeilles naissantes de la chair d'un jeune taureau occis et accoutré[4] selon l'art et invention d'Aristéus[5], ou tel que fait un garot[6], débandant l'arbalète[7], ou en été une forte pluie soudainement tombant. Lors fut ouï ce mot : *Trinc*. « Elle est, s'écria Panurge, par la vertu Dieu, rompue ou fêlée, que je ne mente : ainsi parlent les bouteilles cristallines[8] de nos pays quand elles près du feu éclatent. »

Lors Bacbuc se leva, et prit Panurge sous le bras doucettement, lui disant : « Ami, rendez grâces ès cieux, la raison vous y oblige : vous avez promptement eu le mot de la dive Bouteille. Je dis le mot le plus joyeux, plus divin, plus certain, qu'encore[9] d'elle aie entendu depuis le temps qu'ici je ministre[10] à son très sacré oracle. Levez-vous, allons au chapitre, en la glose duquel est le beau mot interprété.

— Allons, dit Panurge, de par Dieu. Je suis aussi sage qu'antan. Éclairez. Où est ce livre ? Tournez. Où est ce chapitre ? Voyons cette joyeuse glose. »

Bacbuc, jetant ne sais quoi dans le timbre[11], dont soudain fut l'ébullition de l'eau restreinte[12], mena Panurge au temple major[13], au lieu central, auquel était la vivifique fontaine. Là, tirant un gros livre d'argent en forme d'un demi-muid[14] ou d'un quart de sentences[15], le puisa[16] dedans la fontaine, et lui dit : « Les philosophes prêcheurs et docteurs de votre monde vous paissent[17] de belles paroles par les oreilles ; ici, nous réellement[18] incorporons nos préceptions[19] par la bouche. Pourtant[20] je ne vous dis : Lisez ce chapitre, voyez cette glose ; je vous dis : Tâtez[21] ce chapitre, avalez cette belle glose. Jadis un antique prophète de la nation Judaïque[22] mangea un livre et fut clerc jusques aux dents ; présentement vous en boirez un, et serez clerc jusques au foie. Tenez, ouvrez les mandibules. »

Panurge ayant la gueule bée, Bacbuc prit le livre d'argent, et pensions que fût véritablement un livre, à cause de sa forme qui était comme d'un bréviaire ; mais c'était un vrai et naturel flacon, plein de vin Falerne, lequel elle fit tout avaler à Panurge.

(1) où se trouve une abbaye entourée d'un vignoble célèbre
(2) procession où les étendards des confréries sont sortis
(3) sortit
(4) tué et préparé
(5) Cf. Virgile, *Géorgiques*, IV, 548.
(6) flèche
(7) quand l'arbalète se détend
(8) de cristal
(9) jamais
(10) sers
(11) bassin
(12) ce qui calma l'ébullition
(13) principal
(14) muid : tonneau de 268 litres
(15) Jeu de mot avec le *Quart Livre des Sentences* (XIIe siècle) : encyclopédie théologique
(16) puisa avec lui
(17) repaissent
(18) réellement
(19) préceptes
(20) aussi
(21) goûtez
(22) Ézéchiel

François Rabelais **239**

« Voici, dit Panurge, un notable[23] chapitre, et glose fort authentique : est-
35 ce tout ce que voulait prétendre le mot de la Bouteille trismégiste[24]. J'en
suis bien[25], vraiment.

— Rien plus[26], répondit Bacbuc, car *Trinc* est un mot panomphée[27],
célébré et entendu[28] de toutes nations, et nous signifie : « Buvez. »

Et ici maintenons que non rire, ains[29] boire est le propre de l'homme ;
40 je ne dis boire simplement et absolument, car aussi bien boivent les bêtes :
je dis boire vin bon et frais. Notez, amis, que de vin divin on devient, et
n'y a argument[30] tant sûr, ni art de divination moins fallace. Vos académiques l'affirment, rendant[31] l'étymologie de vin, lequel ils disent en grec
oinos[32] être comme *vis*[33], force, puissance. Car pouvoir il a d'emplir l'âme
45 de toute vérité, tout savoir et philosophie. Si avez noté ce qui est en lettres ioniques écrit dessus la porte du temple, vous avez pu entendre qu'en
vin est vérité cachée. La dive Bouteille vous y envoie : soyez vous-mêmes
interprètes de votre entreprise.

(23) remarquable
(24) trois fois grande (épiphète d'Hermès)
(25) je m'en trouve bien
(26) rien de plus
(27) d'où émanent tous les
oracles (épiphète de Zeus)
(28) compris
(29) mais
(30) indice ou preuve
(31) expliquant
(32) vin (en grec)
(33) force (en latin)

François Rabelais, *Cinquième Livre*, chap. 44 et 45, 1564.

Pistes de recherche

1. La scène d'initiation : relevez-en les indices. Montrez qu'elle est aussi parodiée•. Quels sont les moyens de la parodie• ? La parodie• est-elle ici totalement destructrice ?

2. Les images de l'inclusion et de l'écoulement (cf. pp. 219-220) se rassemblent ici en formules synthétiques. Montrez-le.

3. Les thèmes majeurs de l'œuvre (la parole, le livre, le vin et le rire) sont ici réunis. Comparez cet extrait à l'extrait p. 211 : on peut parler de répétition, mais aussi de progression. Développez cette amorce. Comment interprétez-vous l'attitude de Panurge ? Peut-on percevoir chez lui une évolution au cours de la scène ?

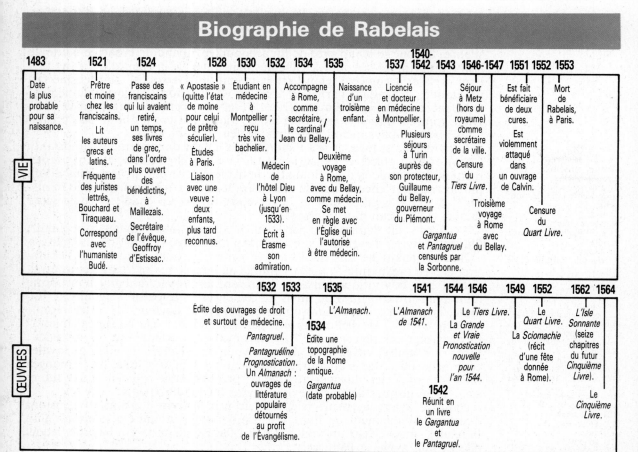

Biographie de Rabelais

	1483	1521	1524	1528	1530	1532	1534	1535	1537	1540-1542	1543	1546-1547	1551	1552	1553
VIE	Date la plus probable pour sa naissance.	Prêtre et moine chez les franciscains. Lit les auteurs grecs et latins. Fréquente des juristes lettrés, Bouchard et Tiraqueau. Correspond avec l'humaniste Budé.	Passe des franciscains qui lui avaient retiré, un temps, ses livres de grec, dans l'ordre plus ouvert des bénédictins, à Maillezais. Secrétaire de l'évêque, Geoffroy d'Estissac.	« Apostasie » (quitte l'état de moine pour celui de prêtre séculier). Études à Paris. Liaison avec une veuve : deux enfants, plus tard reconnus.	Étudiant en médecine à Montpellier ; reçu très vite bachelier. Médecin de l'hôtel Dieu à Lyon (jusqu'en 1533). Écrit à Érasme son admiration.		Accompagne à Rome, comme secrétaire, le cardinal Jean du Bellay. Deuxième voyage à Rome, avec du Bellay, comme médecin. Se met en règle avec l'Église qui l'autorise à être médecin.	Naissance d'un troisième enfant.	Licencié et docteur en médecine à Montpellier. Plusieurs séjours à Turin auprès de son protecteur, Guillaume du Bellay, gouverneur du Piémont. *Gargantua* et *Pantagruel* censurés par la Sorbonne.	Séjour à Metz (hors du royaume) comme secrétaire de la ville. Censure du *Tiers Livre*. Troisième voyage à Rome avec du Bellay.		Est fait bénéficiaire de deux cures. Est violemment attaqué dans un ouvrage de Calvin. Censure du *Quart Livre*.		Mort de Rabelais, à Paris.

	1532	1533	1535	1541	1544	1546	1549	1552	1562	1564
ŒUVRES	Édite des ouvrages de droit et surtout de médecine. *Pantagruel.*	*Pantagruéline Prognostication.* Un *Almanach* : ouvrages de littérature populaire détournés au profit de l'Évangélisme.	*L'Almanach.* **1534** Édite une topographie de la Rome antique. *Gargantua* (date probable)	*L'Almanach de 1541.* La *Grande et Vraie Pronostication nouvelle pour l'an 1544.* **1542** Réunit en un livre le *Gargantua* et le *Pantagruel.*		Le *Tiers Livre.*	Le *Quart Livre.* La *Sciomachie* (récit d'une fête donnée à Rome).			*L'Isle Sonnante* (seize chapitres du futur *Cinquième Livre*). Le *Cinquième Livre.*

Andrea del Sarto (1488-1530), *Lucrecia Baccio del Fede*, Madrid, musée du Prado, ph. Oroñoz-Artephot / Titien (1490-1576) *Diane surprise par Actéon* The Bridgeman Art Library

La révolution poétique de 1550

Remue-ménage littéraire

Joachim du Bellay

Pierre de Ronsard

**Le sillage de Ronsard
et la crise des valeurs**

Remue-ménage littéraire

■ La Défense et Illustration de la langue française (1549)

L'*Art-poétique* de Thomas Sébillet venait de défendre les tendances marotiques, en insistant sur les mérites du « style doux » et en dénonçant les genres nouveaux « qui corrompent le goût de notre langue, et ne servent sinon à porter témoignage de notre ignorance ». Tout en convenant que le besoin de s'exprimer en vers procède d'une « divine afflation » [= inspiration], Sébillet multipliait les conseils techniques en prenant l'exemple des meilleurs des Anciens. Il n'y avait rien là qui puisse vraiment scandaliser la jeune génération des poètes français. Pourtant, un an plus tard, en 1549, du Bellay et ses amis réagissent très vivement. Tout en plagiant le malheureux Sébillet — sur le culte d'un art difficile et élaboré, en particulier —, ils le prennent pour cible : il faut renoncer à une poésie ornementale, pur divertissement mondain, inadaptée au génie français. Comme toutes les querelles d'écrivains, la guerre poétique entre la Pléiade (cf. p. 246) et ses prédécesseurs fut excessive, insolente, maniant l'invective et la mauvaise foi. Derrière cette polémique• souvent embrouillée, le débat de fond est cependant essentiel. Il va conditionner toute l'évolution de la poésie jusqu'à nos jours. Il s'agit de dire **le pouvoir des mots** : chaque langue possède un pouvoir particulier et intraduisible. C'est en elle que se trouvent toute beauté et toute vérité transmissibles. Si la langue imite, se répète, s'affadit ; si personne ne l'élabore, ne la réveille ni ne l'enrichit, ce n'est pas seulement la communication entre les hommes qui s'affaiblit, mais le génie d'un peuple. Tout l'art poétique va viser à déceler et à cultiver la force et la beauté du français, tout en le réanimant et diversifiant : il faut exploiter toutes les possibilités qui rendront à notre langue « lumière », « énergie », « âme » et « ardeur.

Cette révolution est un modèle de tous les grands débats littéraires de notre histoire. Le sujet tourne toujours autour de la même question : comment concilier une certaine tradition et la nécessité de faire neuf ? Les « révoltés » de la littérature, nourris de leurs aînés, se posent en champions d'une écriture nouvelle, affranchie de stériles contraintes, re-créatrice grâce à des exigences jusqu'à eux inouïes : les « Modernes » (cf. *Le XVIIe siècle*, p. 336) ou la première génération romantique (cf. *Le XIXe siècle*, pp. 48 sq), pour ne citer qu'eux, exprimeront un identique désir de renouveau et la même confiance dans la littérature, sève du monde éternellement renaissant.

DOCUMENT

La Renaissance était une période de révolution, exactement comme le fut le romantisme. On y montra le même esprit de combat, la même adoration des nouveautés. La Renaissance se poursuit, comme un combat spirituel, non pas sur le seul champ des lettres, mais sur celui de toutes les connaissances. Des hommes vigoureux, partis à la découverte de l'anti- quité, ont beaucoup détruit ; ils ont aussi beaucoup construit, plus peut-être dans l'ordre de la critique et de la science, que dans les lettres et les arts. De ce grand combat est sorti le monde moderne, et aussi en partie, par réaction ou accommodement, naquirent l'esprit classique et le rationalisme•.

P. Champion, *Vue générale du XVIe siècle*, Fayard, 1956.

Plan de la *Défense et Illustration...*

Livre I : la langue française

— Le français n'est ni « barbare » ni inférieur aux langues anciennes ou à l'italien mais notre peuple s'est trop soucié du « bien faire » au lieu du « bien dire » ; il faut cesser de négliger la langue (1-3).
— Les traductions sont utiles : elles prouvent l'habileté du français mais elles ne peuvent seules faire exister notre langue ; d'autre part, il est inepte de traduire les poètes étrangers : c'est les trahir. Il faut donc **imiter** et non traduire (4-8).
— En tous domaines, un homme d'aujourd'hui peut égaler, voire surpasser, un homme de l'Antiquité (9-10).
— Le français est mal étudié, car on passe trop de temps à enseigner les langues anciennes, comme si elles étaient notre langue maternelle (11).

Livre II : la nouvelle poésie

— La poésie française est à inventer car les exemples actuels ne sont pas satisfaisants (c'est surtout Marot qui est visé) (1-2).
— Un poète a besoin d'un don, sans doute, mais plus encore de travail et de culture (3).
— Exemples de techniques qu'il lui faudra pratiquer : s'essayer à tous les genres anciens (élégies, odes, satires, etc.) ou étrangers (le sonnet italien) mais privilégier les sujets empruntés à notre histoire nationale (4-5).
— Il faut enrichir la langue de mots nouveaux (6).
— Les grandes ressources de la beauté poétique : la rime (7) ; les tours, les figures, les rythmes, la diction, etc. (8-10).
— Ainsi le poète atteindra la gloire nationale : il aura défendu le génie de son pays au même titre que les guerriers ou les politiques. Il faut mépriser les rimailleurs et amuseurs frivoles : le poète a une mission patriotique (11-12).

◀ Giulio Romano (1492-1546), *Danse d'Apollon avec les muses,* Florence, Palais Pitti, ph. Giraudon.

Raphaël (1483-1520), *Les Trois Grâces,* Chantilly, musée Condé, ph. H. Josse.

*Imitation,
« innutrition° ».*

(1) nuit et jour
(2) laisse-moi de côté
(3) Institution littéraire, qui encourage la poésie et distribue, sous forme de «fleurs», des récompenses annuelles.
(4) Confrérie qui s'appliquait à cultiver la poésie et la musique.
(5) Auteur latin d'épigrammes (Ier siècle ap. J.-C.).
(6) enjouement
(7) Poètes élégiaques latins du Ier siècle av. J.-C.

Lis donc et relis premièrement (ô poète futur), feuillette de main nocturne et journelle[1] les exemplaires grecs et latins ; puis me laisse[2] toutes ces vieilles poésies françaises aux Jeux Floraux[3] de Toulouse et au Puy de Rouen[4], comme rondeaux, ballades, virelais, chants royaux, chansons, et autres telles épiceries, qui corrompent le goût de notre langue, et ne servent sinon à porter témoignage de notre ignorance. Jette-toi à ces plaisants épigrammes ; non point comme font aujourd'hui un tas de faiseurs de contes nouveaux, qui en un dizain sont contents n'avoir rien dit qui vaille aux neuf premiers vers, pourvu qu'au dixième il y ait le petit mot pour rire ; mais à l'imitation d'un Martial[5], ou de quelque autre bien approuvé, si la lascivité[6] ne te plaît, mêle le profitable avec le doux. Distille avec un style coulant et non scabreux ces pitoyables élégies, à l'exemple d'un Ovide[7], d'un Tibulle[7] et d'un Properce[7], y entremêlant quelquefois de ces fables anciennes, non petit ornement de poésie. Chante-moi ces odes inconnues encore de la Muse française, d'un luth bien accordé au son de la lyre grecque et romaine ; et qu'il n'y ait vers où n'apparaisse quelque vestige de rare et antique érudition.

Joachim du Bellay, *Défense et Illustration de la langue française*, II, 4, 1549.

*La poésie « divine »
et la mission du vrai
poète.*

Les uns aiment les fraîches ombres des forêts, les clairs ruisselets doucement murmurant parmi les prés ornés et tapissés de verdure. Les autres se délectent du secret des chambres et doctes études. Il faut s'accommoder à la saison et au lieu. Bien te veux-je avertir de chercher la solitude et le silence ami des Muses, qui aussi (afin que ne laisses passer cette fureur divine, qui quelquefois agite et échauffe les esprits poétiques, et sans laquelle ne faut point que nul espère faire chose qui dure) n'ouvrent jamais la porte de leur sacré cabinet, sinon à ceux qui heurtent[1] durement. Je ne veux oublier l'émendation[2], partie certes la plus utile de nos études. L'office d'elle est ajouter, ôter, ou muer à loisir ce que cette première impétuosité et ardeur d'écrire n'avait permis de faire. [...]

Celui sera véritablement le poète que je cherche en notre langue, qui me fera indigner, apaiser, éjouir, douloir, aimer, haïr, admirer, étonner, bref, qui tiendra la bride de mes affections, me tournant çà et là à son plaisir. Voilà la vraie pierre de touche où il faut que tu éprouves tous poèmes, et en toutes langues. Je m'attends bien qu'il s'en trouvera beaucoup de ceux qui ne trouvent rien bon, sinon ce qu'ils entendent et pensent pouvoir imiter, auxquels notre poète ne sera pas agréable ; qui diront qu'il n'y a aucun plaisir, et moins de profit, à lire tels écrits, que ce ne sont que fictions poétiques, que Marot n'a point ainsi écrit. À tels, pource qu'ils n'entendent la poésie que de nom, je ne suis délibéré de répondre. [...] Seulement veux-je admonester celui qui aspire à une gloire non vulgaire, s'éloigner de ces ineptes admirateurs, fuir ce peuple ignorant, peuple ennemi de tout rare et antique savoir.

(1) frappent
(2) correction, retouche

Joachim du Bellay, *Défense et Illustration de la langue française*, II, 9, 1549.

Pistes de recherche

1. Reportez-vous aux pages 128 à 165, pour trouver des exemples de «ces vieilles poésies françaises» qui sont ici si dédaignées. Comment justifier la position des novateurs de la *Défense et Illustration* ? Que faut-il lire et comment ?

2. À l'inverse, relevez les termes qui expriment l'intérêt et l'enthousiasme de du Bellay et de ses amis pour les Anciens et les Italiens : en lisant les pages 253 et 278, par exemple, vous verrez que ces principes ont bien évolué !

3. Le poète selon du Bellay : «fureur», «secret», «études». Que pensez-vous de cette conception ? Comment lier ces sources presque contradictoires ?

4. Choisissez un poème qui vous plaise particulièrement, dans les pages qui suivent, et dites si vous ressentez ce qu'espère du Bellay. Vous pourrez plus facilement nuancer et argumenter en confrontant des poésies différentes, par exemple : Ronsard p. 267 et les sonnets de la p. 280.

La nouvelle langue...

Use hardiment de l'infinitif pour le nom comme *l'aller, le chanter, le vivre, le mourir.* De l'adjectif substantivé, comme *le liquide des eaux, le vide de l'air, le frais des ombres, l'épais des forêts, l'enroué des cymbales,* pourvu que telle manière de parler ajoute quelque grâce et véhémence ; et non pas, *le chaud du feu, le froid de la glace, le dur du fer,* et leurs semblables. Des verbes et participes, qui leur nature n'ont point d'infinitifs après eux, avec des infinitifs, *comme tremblant de mourir et volant d'y aller,* pour *craignant de mourir et se hâtant d'y aller.* Des noms[1] pour les adverbes, comme *ils combattent obstinés,* pour *obstinément, il vole léger,* pour *légèrement,* et mille autres manières de parler, que tu pourras observer par fréquente et curieuse lecture.

Joachim du Bellay, *Défense et Illustration de la langue française,* II, 9, 1549.

(1) adjectifs

Lorenzo Lotto (1480-1556), *Portrait d'homme,* Venise, galerie de l'Accademia, ph. Scala.

Le français, qui s'est lentement imposé face aux autres langues (dialectes régionaux ou latin) devient vraiment la langue officielle au XVIᵉ siècle.

Édit de Villers-Cotterets (15 août 1539) :
« Et afin qu'il n'y ait cause de douter sur l'intelligence[1] des dits arrêts, nous voulons et ordonnons qu'ils soient faits et écrits si clairement qu'il ne puisse y avoir aucune ambiguïté ou incertitude, ni lieu de demander interprétation.

Et pour ce que de telles choses sont souvent advenues sur l'intelligence[1] des mots latins contenus en ces dits arrêts, nous voulons d'ores en avant[2] que tous arrêts, ensemble[3] toutes autres procédures, soit de nos cours souveraines et autres subalternes et inférieures, soit de registres, enquêtes, commissions, contrats, sentences, testaments, et autres quelconques actes et exploits de justice, ou qui en dépendent, soient prononcés, enregistrés et délivrés aux parties en langage maternel français et non autrement. »

François Iᵉʳ.

(1) compréhension
(2) désormais
(3) ainsi que

De la Défense et Illustration... *au classicisme et à l'« aristocratie » littéraire :*

Des idées de ce genre constituent la matrice où devait prendre naissance le classicisme français. Si le beau littéraire existe, en effet, il s'en suit que l'on pourra d'autant mieux connaître cette beauté codifiée, et s'efforcer de la reproduire, que l'on possèdera une clé pour la pénétrer et pour la lire. Autrement dit, il faut des règles [...]. Si le sommet de l'art, d'autre part, consiste dans l'imitation, le problème va se poser de ce qu'il faut imiter. Ici encore, une réponse obligée : on se proposera des modèles nobles, un style élevé, on visera aussi haut que possible, en vue d'un résultat universel, durable, voire éternel. Implicitement, c'est postuler la nature aristocratique de la littérature, qui doit négliger le vulgaire — un public incapable de la comprendre — et s'adresser aux esprits nobles [...]. La vocation aristocratique de la littérature française, qui aboutira un jour à l'atmosphère raréfiée de la tragédie racinienne, prend naissance dans la *Défense.*

Enea Balmas, *La Renaissance II (1548-1570),* coll. « La Littérature française », Arthaud, 1974.

Travail de recherche

Les manifestes poétiques
Rapprochez et comparez, pour résumer l'évolution de la théorie poétique, les textes suivants :
Montaigne, p. 336.
Dans *Le XVIIᵉ siècle* : Malherbe, p. 46 ; Boileau, p. 209 ; La Querelle des Anciens et des Modernes, p. 366.
Dans *Le XVIIIᵉ siècle* : Diderot, pp. 141 et 336 ; Chénier, p. 346.
Dans *Le XIXᵉ siècle* : Novalis, p. 47 ; Vigny, pp. 100 et 112 ; Musset, p. 126 ; Hugo, p. 148 ; Gautier, p. 277 ;
Verlaine, pp. 476 et 482 ; Rimbaud, p. 501.

■ De la théorie à la pratique : la Pléiade ▬▬▬

Le retentissement de la *Défense et Illustration de la langue française* dépasse nettement l'intérêt de son contenu. À l'origine, du Bellay avait conçu ce pamphlet• pour servir de préface à son *Olive*, œuvre de jeunesse : il s'y laisse aller aux outrances d'un enthousiasme et d'une partialité juvéniles. La vie aura tôt fait de tempérer tant d'illusions et d'orgueil (cf. p. 259). Mais les certitudes véhémentes et allègres du jeune du Bellay eurent le mérite de provoquer les réactions et d'attirer définitivement l'attention. La *Défense et Illustration...* fait suite à une multitude de traités, parus entre 1430 et 1540, qui visent tous à peu près au même but : épanouir et enrichir la langue. Du Bellay compile des idées qui sont plus ou moins admises par tous, y compris par ceux qu'il attaque, tels Rabelais et Sébillet. Plagiaire, souvent injuste, du Bellay crée pourtant l'événement : il a su cristalliser des théories éparses et imposer un **manifeste** qui reflète les tensions d'une époque.

Car la *Défense et Illustration...* n'est pas un simple manuel scientifique. Et on pardonne à du Bellay et ses amis leur dédain ou leur confiance en leur propre immortalité précisément parce qu'ils n'ont pas été de simples doctrinaires mais avant tout les utilisateurs géniaux de leur propre théorie. À leur ambition répond une pratique qui va « illustrer » de façon incontestable cette « langue française » qu'ils veulent régénérer.

Qu'est-ce que la Pléiade ?

Ce n'est pas vraiment une école mais un regroupement d'auteurs qui va mettre en œuvre l'art poétique défini par la *Défense et Illustration...*

Ronsard, le chef de file, avait d'abord préféré nommer cette communauté « brigade » : ce terme agressif et « engagé » recouvre sans doute mieux les premières intentions des écrivains de la Pléiade, volontiers iconoclastes.

La constellation Pléiade a sept étoiles : Ronsard : p. 264 ; Du Bellay : p. 248 ; Pontus de Tyard : p. 286 ; Baïf : pp. 273, 277 ; Peletier : p. 247 ; Belleau : pp. 273, 285 ; Jodelle : p. 288.

Le premier lieu de rencontre est le *collège de Coqueret,* où l'helléniste Jean Dorat (1508-1588) initie ses disciples aux trésors de la littérature grecque et latine, tout en entretenant avec eux des rapports pleins de ferveur : l'enseignement se double d'une sorte de vie en communauté, ce qui accentue chez les jeunes poètes leur esprit de corps, leur volonté d'affirmer leur différence.

Pour un exemple d'imitation, reportez-vous à du Bellay p. 250 et à Ronsard pp. 272-273.

Andrea Mantegna (1431-1506), *Le Parnasse.* Paris, Louvre, ph. H. Josse.

À un poète qui n'écrivait qu'en latin

J'écris en langue maternelle,
Et tâche à la mettre en valeur,
Afin de la rendre éternelle
Comme les vieux ont fait la leur,
5 Et soutiens que c'est grand malheur
Que son propre bien mépriser
Pour l'autrui tant favoriser.
Si les Grecs sont si fort fameux,
Si les Latins sont aussi tels,
10 Pourquoi ne faisons-nous comme eux,
Pour être comme eux immortels?
Toi qui si fort exercé t'es
Et qui en latin écris tant,
Qu'es-tu sinon qu'un imitant?
15 Crois-tu que ton poème approche
De ce que Virgile écrivait?
Certes non pas (tout sans reproche)
Du moindre[1] qui du temps vivait.
Mais[2] le Français est seul qui voit
20 Ce que j'écris : et si demeure
En la France, or j'ai peur qu'il meure.
Je réponds, quoique tu écrives
Pour l'envoyer en lointains lieux,
Sans que les tiens tu en prives,
25 On pense toujours que des vieux
Le style vaut encore mieux.
Puis notre langue n'est si lourde
Que bien haute elle ne se sourde[3].
Longtemps y a qu'elle est connue
30 En Italie et en Espagne,
Et est déjà la bienvenue
En Angleterre et Allemagne.
Puis si en l'honneur on se baigne[4],
Mieux vaut être ici des meilleurs,
35 Que des médiocres ailleurs.
Or, pour ce qu'ès[5] Latins et Grecs
Les arts sont réduits et compris
Avec les naturels secrets,
C'est bien raison qu'ils soient appris :
40 Mais comme d'un riche pourpris[6],
Tout le meilleur il en faut prendre,
Pour en notre langue le rendre :
Là où tout peut être traité,
Pourvu que bien tu te disposes :
45 S'il y a de la pauvreté,
Qui garde[7] que tu ne composes
Nouveaux mots aux nouvelles choses?
Si même à l'exemple te mires
De ceux-là que tant tu admires?

Jacques Peletier du Mans (1517-1582), *Vers lyriques*, 1547.

(1) du moindre auteur
(2) Objection supposée de celui à qui s'adresse Peletier.
(3) qu'elle ne rejaillisse (verbe *sourdre*)
(4) si on se complaît dans la gloire
(5) *ès* : en les
(6) d'un riche domaine
(7) qui t'empêche de composer

Pistes de recherche

Résumez les arguments de Peletier en faveur de la langue « maternelle ». Notez que la critique des langues anciennes n'est pas une contestation des auteurs anciens. En arrière-plan du débat linguistique, on perçoit des enjeux plus vastes : politiques, au sens large. Lesquels ?

Joachim du Bellay

■ L'imitation, au risque de l'artifice : *L'Olive* ■

Du Bellay, Paris, Bibl. Nat., ph. Bulloz.

La *Défense et Illustration...* avait d'abord été conçue par du Bellay comme une préface à son premier recueil, *L'Olive*. Le poète s'y adonne à la réalisation de ses principes. En particulier, il y pratique l'imitation — en empruntant aux Italiens, surtout — et poursuit le perfectionnement formel commencé par ses modèles. Ce goût de l'écriture recherchée, ciselée, raffinée, qui enchantera les Précieux (cf. *Le XVIIᵉ siècle*, p. 86), tourne souvent à une complication factice, surchargée d'allusions littéraires, faisant défiler toutes les figures de rhétorique• connues. *L'Olive* permet sans doute de percevoir l'**idéal de pureté ou de beauté plastique** d'un tout jeune poète, savant et ambitieux ; mais, dans ces sonnets où la passion prétend parler dans sa vérité la plus sublime, l'obsession du versificateur porte toute sur l'**expression de l'amour et non** sur l'amour-même. L'aspiration à une langue réactivée et civilisée trouve ici ses premières limites. La stylisation transforme la sensualité en paralysie.

Mais une telle exigence formelle donne à la poésie amoureuse une sorte de mouvement ascensionnel : les sentiments s'épurent, la beauté contemplée se détache des banals attraits terrestres, l'amant l'idéalise au point de s'en croire indigne. Bref, ce serait corrompre ou dégrader l'amour que d'y céder. Il reste absolu mais en suspens, union des âmes, sans doute dans l'attente de la mort qui réunira en une éternelle et surhumaine communion deux êtres voués l'un à l'autre. Ainsi glisse-t-on du **pétrarquisme** (cf. document) à un **idéalisme platonicien** (cf. extrait p. 252). Ajoutons que la critique moderne voit dans cette conception une théorie au fond réaliste de l'écriture poétique : elle démystifie le stéréotype du poète traducteur d'émotions, au profit d'une mise en évidence du **travail** littéraire.

EXTRAITS

Recueil de 50 (1549) puis de 115 (1550) sonnets, L'Olive chante l'amour d'une dame qui se refuse, avant de tomber malade. Le poète reste transi, en quête d'un dépassement difficile. Il est vain de chercher à identifier précisément cette Olive : une demoiselle Viole, que du Bellay a connue, ou d'autres belles de son entourage ? L'hommage à la beauté d'Olive ne favorise guère la recherche anecdotique ou l'identification réaliste !

Le fort sommeil, que céleste on doit croire,
Plus doux que le miel, coulait aux yeux lassés,
Lorsque d'amour les plaisirs amassés
Entrent en moi par la porte d'ivoire[(1)].

J'avais lié[(2)] ce col de marbre, voire
Ce sein d'albâtre, en mes membres enlacés,
Non moins qu'on voit les ormes embrassés
Du cep lascif, au fécond bord de Loire.

Amour avait en mes lasses moelles
Dardé le trait de ses flammes cruelles,
Et l'âme errait par ces lèvres de rose,

Prête d'aller au fleuve oblivieux[(3)],
Quand le réveil, de mon aise envieux,
Du doux sommeil a les portes décloses.

(1) Selon les Anciens, les songes quittent l'Au-delà en passant par une porte d'ivoire, pour venir hanter les mortels.
(2) je tenais serrés
(3) le fleuve des Enfers, Léthé, qui apporte l'oubli

Joachim du Bellay, *L'Olive*, 14, 1550.

Pistes de recherche

1. Les conventions : relevez les comparaisons et les métaphores•. Elles jouent sur des champs lexicaux opposés : lesquels ?

2. Il n'y a là aucune trace de pittoresque ou de description, mais le sommeil est perçu d'une manière assez réaliste, ou expressive du moins. Comment ?

Déjà la nuit en son parc amassait
Un grand troupeau d'étoiles vagabondes,
Et pour entrer aux cavernes profondes
Fuyant le jour ses noirs chevaux chassait ;
Déjà le ciel aux Indes rougissait[1],
Et l'aube encor de ses tresses tant blondes,
Faisant grêler mille perlettes rondes[2],
De ses trésors les prés enrichissait ;
Quand d'occident, comme une étoile vive,
Je vis sortir dessus ta verte rive,
Ô fleuve mien ! une nymphe en riant[3].
Alors voyant cette nouvelle aurore,
Le jour honteux d'un double teint colore
Et l'Angevin et l'Indique[4] Orient.

(1) devenait rouge à l'Est,
à l'Orient
(2) la rosée
(3) qui riait
(4) des Indes (cf. vers 5)

Joachim du Bellay, *L'Olive*, 83, 1550.

Pistes de recherche

1. Là encore, le style académique• et la comparaison rituelle n'excluent pas une forme de sensualité, un effort vers une expressivité touchante : faites apparaître ce contraste.

2. Le mouvement général du sonnet, sa composition et l'apparition des images visent à rendre sensible le thème du poème. Montrez-le.

3. Comment expliquez-vous le succès de ce sujet de « La Belle Matineuse » ? Vous pourrez comparer avec Scève (p. 202, en haut), dont du Bellay s'inspire, et vous trouverez les successeurs de du Bellay, dans *Le XVIIe siècle*, p. 93. Rapprochez, appréciez et faites le bilan.

DOCUMENT

« Un des plus beaux sonnets de *L'Olive* : la création se développe non pas à partir d'un sentiment directement éprouvé, mais à partir d'images suggérées par un texte littéraire. La sobriété, le goût des oppositions simples de couleurs et de lumière, la vision gracieuse et familière de la nature, liée à l'évocation discrète du pays natal, l'art de choisir les mots à la rime sont quelques-uns des éléments qui déterminent la réussite. »

Henri Weber, *La Création poétique au XVIe siècle*, Nizet, 1956.

Le Corrège (1489-1534), *Vénus endormie contemplée par un satyre*, dit *Le Sommeil d'Antiope*, Paris, Louvre, ph. H. Josse.

Pétrarque (1304-1374) et le pétrarquisme

Dans son *Canzoniere* (= chansonnier), l'érudit latiniste Pétrarque a réanimé la tradition élégiaque des anciens, tels Catulle, Properce ou Ovide. Mais il propose surtout un modèle de l'**amour courtois** : l'amant voue à sa belle un culte quasi religieux et écrit pour trouver les mots qui puissent rivaliser avec une telle perfection. Mais cet hommage raffiné voit aussi la femme comme reflet terrestre de toute beauté idéale : la contemplation de la Dame — **Laure,** pour Pétrarque — attise chez le poète son désespoir de ne pas posséder l'harmonie, la paix, la sérénité. L'amour est une souffrance, un manque, mais il donne la volupté d'être sans cesse en état de désir : la vraie perfection est ailleurs, au-delà, toujours perçue et refusée.

Le pétrarquisme a durablement nourri toute la poésie italienne, puis la poésie française, tant pour la forme (le sonnet fut codifié par Pétrarque) que pour les thèmes (union des contraires, en particulier, tel l'amour angoisse/privilège ou telle la beauté, fascination exaltante/déprimante).

EXTRAIT

Un exemple : Pétrarque et du Bellay

Bronzino (1503-1572), *Allégorie de Venus*, Londres, National Gallery, ph. e.t. archive.

Père du ciel ! Après les jours perdus,
Après les nuits consumées en la vanité
De ce désir qui enflamma mon cœur,
À la vue d'actions, pour mon mal, si charmantes ;

Permets que désormais, par ta lumière, j'arrive
À une autre vie, à des desseins plus beaux ;
Si bien qu'ayant tendu ses rêts en vain,
Mon cruel adversaire en reste pour sa honte !

Voilà, mon Seigneur, que passe l'onzième année
Où j'ai été soumis à ce joug sans pitié,
Qui sur les plus dociles est plus farouche.

Miserere ! — Pitié pour mes tourments peu dignes ;
Ramène mes pensers errants en meilleur lieu :
Rappelle-leur qu'aujourd'hui tu fus mis en croix[1] !

Pétrarque, *Canzoniere* (trad. H. Cochin), 1338.

(1) Pétrarque a rencontré Laure le jour de Pâques, en 1327.

Ô seigneur Dieu, qui pour l'humaine race
As été seul de ton père envoyé !
Guide les pas de ce cœur dévoyé,
L'acheminant au sentier de ta grâce.

Tu as premier du ciel ouvert la trace,
Par toi la mort a son dard étuyé[1] :
Console donc cet esprit ennuyé,
Que la douleur de mes péchés embrasse.

Viens, et le bras de ton secours apporte
À ma raison, qui n'est pas assez forte,
Viens éveiller ce mien esprit dormant.

D'un nouveau feu brûle-moi jusqu'à l'âme,
Tant que l'ardeur de ta céleste flamme
Fasse oublier de l'autre le tourment.

Joachim du Bellay, *L'Olive*, 108, 1550.

(1) remis en son étui, rengainé

Après la parution de *L'Olive*, **la vogue pétrarquiste** se généralise et tous les poètes de la Pléiade s'y adonnent, à commencer par Ronsard dans ses *Amours de Cassandre* (cf. p. 275). Mais à force de chanter des maîtresses idéales avec des vers d'une excessive subtilité, la poésie s'embrouille dans un maniérisme qui ne touche plus. Du Bellay en a vite conscience et il sera le premier à critiquer la préciosité pétrarquiste, en se parodiant lui-même avec humour :

EXTRAIT

J'ai oublié l'art de pétrarquiser,
Je veux d'amour franchement deviser,
Sans vous flatter et sans me déguiser :
    Ceux qui font tant de plaintes
5 N'ont pas le quart d'une vraie amitié,
Et n'ont pas tant de peine la moitié,
Comme[(1)] leurs yeux, pour vous faire pitié,
    Jettent de larmes feintes.
Ce n'est que feu de[(2)] leurs froides chaleurs,
10 Ce n'est qu'horreur de leurs feintes douleurs,
Ce n'est encor de leurs soupirs et pleurs
    Que vent, pluie et orages,
Et bref, ce n'est, à ouïr leurs chansons,
De leurs amours que flammes et glaçons,
15 Flèches, liens, et mille autres façons
    De semblables outrages[(3)].
De vos beautés, ce n'est que tout fin or,
Perles, cristal, marbre et ivoire encor,
Et tout l'honneur de l'Indique[(4)] trésor,
20   Fleurs, lis, œillets et roses ;

De vos douceurs, ce n'est que sucre et miel,
De vos rigueurs, n'est qu'aloès et fiel,
De vos esprits, c'est tout ce que le ciel
    Tient de grâces encloses. [...]
25 Je ris souvent, voyant pleurer ces fous,
Qui mille fois voudraient mourir pour vous,
Si vous croyez de leur parler si doux
    Le parjure artifice ;
Mais quant à moi, sans feindre ni pleurer,
30 Touchant ce point je vous puis assurer
Que je veux sain et dispos demeurer,
    Pour vous faire service. [...]

Joachim du Bellay, 18 : « À une dame » ; poème de 208 vers, *Recueil de poésies*, 1553.

_____

(1) moitié autant de peine que
(2) quand ils parlent de
(3) outrances
(4) Cf. notes (1) et (4) p. 249.

Pistes de recherche

J'ai oublié l'art de pétrarquiser...

1. Le poème est à la fois une argumentation critique et une mise en œuvre parodique de ce qui est raillé. Suivez dans chaque strophe ce qui est condamné et l'exemple qui en est donné, par dérision.

2. Au-delà du pétrarquisme, du Bellay conteste une certaine forme d'ingéniosité et de subtilité poétiques. Pourquoi ? Quelle doit être alors l'inspiration ? Cherchez dans *Les Regrets* et *Les Antiquités*, pages suivantes, des illustrations d'une écriture poétique « anti-pétrarquiste ».

François Clouet (1510-1572), *Le Bain de Diane*, Rouen, musée des Beaux Arts, ph. Lauros-Giraudon.

De même que la Dame est une image présente et inaccessible de la perfection, de même nous ne perce-
vons, selon Platon, que les apparences ou des reflets : les vérités pures — que Platon nomme **Idées** —
sont dans un monde éternel, sorte de paradis. Notre âme en vient et attend d'y retourner lorsqu'elle sera
libérée de la prison du corps. Cet idéalisme• platonicien, qui peut être rapproché des croyances chrétiennes,
s'accorde plus généralement à une conception de la poésie : le poète est hanté par une aspiration à l'envol ;
son œuvre exprime un élan vers un absolu. Cette mystique poétique, déjà présente chez les Anciens à travers
l'orphisme•, se développera inconsidérément au XIXᵉ siècle (cf. *Le XIXᵉ siècle*, pages indiquées dans l'index
thématique à POÈTE).

EXTRAIT

Si notre vie est moins qu'une journée
En l'éternel, si l'an qui fait le tour[1]
Chasse nos jours sans espoir de retour,
Si périssable est toute chose née,

Que songes-tu, mon âme emprisonnée ?
Pourquoi te plaît l'obscur de notre jour,
Si, pour voler en un plus clair séjour,
Tu as au dos l'aile bien empennée[2] ?

Là est le bien que tout esprit désire,
Là le repos où tout le monde aspire,
Là est l'amour, là le plaisir encore.

Là, ô mon âme, au plus haut ciel guidée,
Tu y pourras reconnaître l'Idée
De la beauté qu'en ce monde j'adore.

(1) sa révolution
(2) garnie de plumes :
image platonicienne

Joachim du Bellay, *L'Olive*, 113, 1550.

Pistes de recherche

1. Le mouvement et la composition : analysez l'art de la progression.
Observez, en particulier, comment est suggéré le contraste entre la vie terrestre (les quatrains) et le monde de l'Idée (les tercets) : ton, rythme, sonorités des mots, rime.

2. Quel amour (vers 11) est ici célébré et désiré ? Quelle nostalgie ou quel
besoin ? Quel idéal, tout simplement ? Essayez de formuler le plus concrè-
tement possible la nature et la valeur d'une telle aspiration à la perfection.

3. L'insuffisance et l'étroitesse de la vie humaine, ressenties comme insup-
portables, sont à l'origine de la « névrose » poétique : rêve d'envol (cf.
Icare, p. 286) et mélancolie, « élévation » et « isolement ». Reportez-vous au
XIXᵉ siècle pp. 88-89 et 94 ; 300 ; 483 ; 517 et 522.

4. Demandez à votre professeur de français ou de philosophie de vous dire
ce qu'est « l'allégorie• de la caverne », dans Platon.

DOCUMENT

*Contrairement à Ron-
sard (cf. pp. 274 et 280),
du Bellay, homme
malade, mort très
jeune, semble profon-
dément hanté par l'idée
de la fugacité du temps
terrestre. Au lieu d'en
tirer des prétextes à de
promptes jouissances, il
exalte l'au-delà, l'autre
monde, le vrai bonheur
promis par la foi chré-
tienne et par le plato-
nisme. Le pessimisme
(cf. p. 259) de du Bellay
trouve là sa compensa-
tion littéraire et se confond en un désir
d'immortalisation.*

J'ai entassé moi-même tout le bois
Pour allumer cette flamme immortelle
Par qui mon âme avecque plus haute aile
Se guinde[1] au ciel d'un égal contre-poids.

Jà[2] mon esprit, jà mon cœur, jà ma voix,
Jà mon amour conçoit forme nouvelle
D'une beauté plus parfaitement belle
Que le fin or épuré par sept fois.

Rien de mortel ma langue plus ne sonne :
Jà peu à peu moi-même j'abandonne,
Par cette ardeur qui me fait sembler tel

Que se montrait l'indompté fils d'Alcmène[3]
Qui dédaignant notre figure humaine
Brûla son corps, pour se rendre immortel.

Joachim du Bellay, *Treize Sonnets de l'honnête amour*, 10, 1550.

Michel-Ange (1475-1564), *Esclave*,
Paris, Louvre, ph. H. Josse.

(1) se hausse   (2) déjà   (3) Hercule

La leçon romaine : une spontanéité très concertée

Du Bellay a tôt fait de mesurer la vanité de vouloir tout changer (cf. p. 242). Sa santé est mauvaise, il est sourd : la souffrance et la désillusion succèdent à la jovialité et à l'idéalisme•. «Mais moi qui jusqu'ici n'ai prouvé que la peine, la peine et le malheur d'une espérance vaine, la douleur, le souci, les regrets, les ennuis, je vieillis peu à peu...» (*Les Regrets*, 35). C'est un **séjour à Rome** qui va lui permettre de trouver le cadre et le prétexte nécessaires pour que s'épanouisse une expérience si amère.

Le cardinal Jean du Bellay, évêque de Paris, le protecteur de Rabelais (cf. p. 210), est envoyé par Henri II à Rome : il s'agit de négocier avec le pape Jules III l'arrangement du conflit entre la France et Charles Quint. Le prélat se fait accompagner par son cousin-poète, pour qu'il serve d'intendant. «Je suis né pour la muse, on me fait ménager» (*Les Regrets*, 39). Malgré ces tâches domestiques qui l'accaparent et l'ennuient, du Bellay va beaucoup écrire à Rome (1553-1556) :
— *Les Antiquités de Rome* évoquent la Rome de jadis et les ravages du temps ;
— *Les Regrets* ressassent les misères et décrépitudes de la ville papale où le poète solitaire souffre et s'indigne ;
— *Les Jeux rustiques*, œuvre de divertissement, font contraste : ils commémorent sur un ton badin les délassements — campagnards ou non — des Romains «en vacances» ;
— *Les Poemata*, entièrement en latin (la *Défense et Illustration*... est déjà oubliée !), complètent ces chants de l'exil.

Tous ces recueils romains ne seront publiés qu'en 1558, quelques mois après le retour à Paris. Il est probable qu'ils ont été rédigés conjointement et il est difficile de les dissocier. Dans le décor d'une Rome décadente, **le poète prétend s'abandonner à une sincérité directe et spontanée**. Ce cri du cœur a souvent été rapproché du lyrisme• des romantiques. Du Bellay déclare en effet écrire au fil de l'aventure et au gré du sentiment.

EXTRAITS

Je ne veux point fouiller au sein de la nature,
Je ne veux point chercher l'esprit de l'univers,
Je ne veux point sonder les abîmes couverts,
Ni dessiner du ciel la belle architecture.

Je ne peins mes tableaux de si riche peinture,
Et si hauts arguments ne recherche à mes vers,
Mais suivant de ce lieu les accidents divers
Soit de bien, soit de mal, j'écris à l'aventure.

Je me plains à mes vers, si j'ai quelque regret,
Je me ris avec eux, je leur dis mon secret,
Comme étant de mon cœur les plus doux secrétaires.

Aussi ne veux-je tant les peigner et friser,
Et de plus braves noms ne les veux déguiser,
Que de papiers journaux, ou bien de commentaires.

Joachim du Bellay, *Les Regrets*, 1, 1558.

Je ne veux feuilleter les exemplaires grecs,
Je ne veux retracer les beaux traits d'un Horace[1],
Et moins veux-je imiter d'un Pétrarque[2] la grâce,
Ou la voix d'un Ronsard pour chanter mes regrets.

Ceux qui sont de Phébus vrais poètes sacrés,
Animeront leurs vers d'une plus grande audace :
Moi, qui suis agité d'une fureur plus basse,
Je n'entre si avant en si profonds secrets.

Je me contenterai de simplement écrire
Ce que la passion seulement me fait dire,
Sans rechercher ailleurs plus graves arguments.

Aussi n'ai-je entrepris d'imiter en ce livre
Ceux qui par leurs écrits se vantent de revivre,
Et se tirer tous vifs dehors des monuments.

Joachim du Bellay, *Les Regrets*, 4, 1558.

(1) Poète latin (65-8 av. J.-C.).   (2) Cf. p. 250.

Pistes de recherche

1. Illustration de la réaction anti-pétrarquiste (cf. p. 251), ces deux sonnets définissent une nouvelle conception du poète. En reprenant les divers refus qu'ils expriment, dites quelle fonction du Bellay assigne à sa poésie.

2. Que penser de cette modestie, de cette simplicité sincère ? Cette humilité paraît un peu ostentatoire : le retour au «je» n'est pas forcément un effacement ! Pourquoi du Bellay écrit-il ses *Regrets* s'il dénonce ceux qui veulent «se tirer tous vifs dehors des monuments» ?

3. Le ton sera plus troublant plus loin (cf. pp. 259-262). Comparez pour saisir la difficulté du lecteur face à ce mélange de spontanéité et de méticulosité.

Sans doute, les recueils romains attestent une réaction personnelle et vécue. On imagine sans peine l'émotion du poète humaniste devant le spectacle de la grande cité antique, maîtresse du monde aujourd'hui ruinée, où s'élaborèrent une culture et une histoire dont il est totalement imprégné. Au XVIᵉ siècle, Rome est encore le principal carrefour politique du monde : c'est là que se nouent et se règlent les intrigues diplomatiques des grandes puissances européennes. Lieu privilégié pour saisir la marche du temps, passé et présent, Rome ne pouvait qu'impressionner la sensibilité et l'intelligence.

Mais ces quatre recueils n'ont rien d'une improvisation. Ils révèlent un classement très conscient et mûri, **un art très calculé.** On constate, en particulier, que du Bellay délaisse le sonnet amoureux pour créer un genre nouveau : le sonnet philosophique, élégiaque ou satirique. Même le retour au latin, avec les *Poemata*, est l'affirmation d'une volonté maîtrisée : il s'agit de confondre l'expérience personnelle avec une réflexion universelle, nourrie des grands Anciens. En **préclassique,** du Bellay retrouve dans les thèmes et les formes antiques le moyen de chanter ses propres émois.

EXTRAITS

Exemples de l'art de du Bellay pour rendre perceptible une sensation quasi-personnelle, à partir de modèles latins. Souvenir de Virgile (Enéide, VIII, 630 sq) : de la citation à la vision.

Une louve je vis, sous l'antre d'un rocher
Allaitant deux bessons[1] : je vis à sa mamelle
Mignardement jouer cette couple jumelle,
Et d'un col allongé la louve les lécher.

Je la vis hors de là sa pâture chercher,
Et, courant par les champs, d'une fureur nouvelle
Ensanglanter la dent et la patte cruelle
Sur les menus troupeaux pour sa soif étancher.

Je vis mille veneurs[2] descendre des montagnes
Qui bordent d'un côté les lombardes campagnes,
Et vis de cent épieux lui donner dans le flanc.

Je la vis de son long sur la plaine étendue,
Poussant mille sanglots, se vautrer en son sang,
Et dessus un vieux tronc la dépouille pendue.

Joachim du Bellay, *Vision,* 6, 1558.

Louve allaitant Romulus et Remus, Rome, musée du Capitole, ph. Lubtchansky.

(1) jumeaux
(2) chasseurs

Transcription d'un poète néo-latin, Naugerius (Vœux, 1547) : de la traduction à l'évocation bruissante et pittoresque.

À vous troupe légère,
Qui d'aile passagère,
Par le monde volez,
Et d'un sifflant murmure
L'ombrageuse verdure
Doucement ébranlez.

J'offre ces violettes,
Ces lis et ces fleurettes,
Et ces roses ici,
Ces vermeillettes roses,
Tout fraîchement écloses,
Et ces œillets aussi.

De votre douce haleine
Éventez cette plaine,
Éventez ce séjour,
Cependant que j'ahanne[1]
À mon blé que je vanne
À la chaleur du jour.

(1) je peine

Joachim du Bellay, *Jeux rustiques,* 3, 1558.

Au reste, les influences ne nuisent en rien à une sensualité toute personnelle. La **poésie du baiser**, par exemple, a beau être de tradition, elle semble toujours aussi proche, physique, renouvelée...

Quand ton cou de couleur de rose
Se donne à mon embrassement,
Et ton œil languit doucement
D'une paupière à demi close,
5 Mon âme se fond du désir
Dont elle est ardemment pleine,
Et ne peut souffrir à grand peine
La force d'un si grand plaisir.
Puis quand j'approche de la tienne
10 Ma lèvre, et que si près je suis,
Que la fleur recueillir je puis
De ton haleine ambrosienne[1];
Quand le soupir de ces odeurs,
Où nos deux langues qui se jouent
15 Moitement folâtrent et nouent,
Évente mes douces ardeurs,
Il me semble être assis à table
Avec les dieux, tant suis heureux
Et boire à longs traits savoureux

20 Leur doux breuvage délectable.
Si le bien qui au plus grand bien
Est plus prochain, prendre on me laisse,
Pourquoi ne permets-tu, maîtresse,
Qu'encore le plus grand soit mien?
25 As-tu peur que la jouissance
D'un si grand heur[2] me fasse Dieu,
Et que sans toi je vole au lieu
D'éternelle réjouissance?
Belle, n'aie peur de cela,
30 Partout où sera ta demeure,
Mon ciel jusqu'à tant que je meure
Et mon paradis sera[3] là.

Joachim du Bellay, *Divers Jeux rustiques*, 1555-1557.

_____

(1) d'ambroisie, le breuvage des dieux
(2) bonheur
(3) Accord de voisinage.

Pistes de recherche

1. Ces trois textes permettent de saisir l'effort du poète pour créer la sensation à partir de modèles littéraires. Essayez d'abord de définir les effets visés par chacun des exemples. Attachez-vous à l'apparition des images, au choix des expressions qui doivent faire impression (forte, insinuante ou suggestive, etc.).

2. Outre la variation du tableau, c'est la musique des mots qui cherche ici à traduire la présence. C'est surtout sensible dans le deuxième exemple (« À vous troupe légère... ») : relevez les allitérations• et assonances• qui évoquent le mouvement, l'effort, la brise, la chaleur.

3. Dans le dernier exemple (le baiser), relevez les notations perspicaces, qui semblent empruntées à la chose vue ou vécue. Notez aussi la progression qui doit faire épouser au lecteur le mouvement d'approche et de fusion des amoureux.

Joseph Heinz (1564-1609), *Vénus endormie*, Dijon, musée des Beaux Arts, ph. Bulloz.

■ La magie du verbe face au pouvoir du temps :
Les Antiquités de Rome

Les *Antiquités* constituent une sorte d'opération magique : du Bellay veut nous faire ressentir une grandeur passée, à peine exprimable, et le mystère d'une chute devant laquelle recule l'imagination. Un tel projet ne peut se réaliser sans le recours à l'incantation : nous n'avons pas affaire, ici, à une revue historique ou à un dépliant touristique, mais à une **invocation**.

DOCUMENT

Rien ne servirait d'épousseter les ruines, de les fouiller, de les passer en revue. Mieux vaut, directement, atteindre la réalité derrière les surfaces. Car le seul « monument » de Rome, entendez ce qui la fait survivre, ce ne sont pas des édifices, c'est l'unique nom de Rome. Dès lors, il n'est plus que de l'appeler, de recourir à l'invocation. Celle-ci s'entourera, poétiquement, avec discrétion mais fermeté, de toutes les pratiques du genre. [...] L'incantation : la gloire qu'il « chante » prend la forme du retour d'un esprit. Mieux encore ; un corps, tiré « de nuit », par magique savoir, « hors de la sépulture » : ce n'est pas autrement qu'il voit l'ombre de Rome.

V.-L. Saulnier, *Du Bellay*, Boivin, 1951.

Le rite des *Antiquités* vise donc à abolir le temps en mobilisant **toutes les ressources des litanies** : accumulations, répétitions, formules initiatiques ou obsessionnelles semblent vouloir tirer du silence impressionnant des ruines un improbable écho. La méditation naît d'abord d'une fascination et d'un tournoiement intérieur.

EXTRAITS

Rituel évocatoire.

Divins esprits, dont la poudreuse cendre
Gît sous le faix de tant de murs couverts[1],
Non votre los[2], qui vif par vos beaux vers
Ne se verra sous la terre descendre,

Si des humains la voix se peut étendre
Depuis ici jusqu'au fond des enfers,
Soient à mon cri les abîmes ouverts,
Tant que d'en bas vous me puissez entendre.

Trois fois cernant sous le voile des cieux
De vos tombeaux le tour dévotieux[3]
À haute voix trois fois je vous appelle :

J'invoque ici votre antique fureur[4],
En ce pendant que[5] d'une sainte horreur
Je vais chantant votre gloire plus belle.

(1) recouverts, cachés
(2) et non pas votre gloire (celle des grands écrivains qu'il invoque)
(3) j'en fais dévotement le tour : l'épithète concerne le poète (hypallage)
(4) inspiration et enthousiasme poétiques
(5) en ce moment où

Joachim du Bellay, *Les Antiquités de Rome*, 1, 1558.

Une incantation en forme de litanie.

Nouveau venu qui cherches Rome en Rome
Et rien de Rome en Rome n'aperçois,
Ces vieux palais, ces vieux arcs que tu vois,
Et ces vieux murs, c'est ce que Rome on nomme.

Vois quel orgueil, quelle ruine, et comme
Celle qui mit le monde sous ses lois,
Pour dompter tout, se dompta quelquefois[1],
Et devint proie au temps, qui tout consomme.

Rome de Rome est le seul monument,
Et Rome Rome a vaincu seulement.
Le Tibre seul, qui vers la mer s'enfuit,

Reste de Rome. Ô mondaine inconstance !
Ce qui est ferme est par le temps détruit,
Et ce qui fuit au temps fait résistance.

(1) autrefois, un jour

Joachim du Bellay, *Les Antiquités de Rome*, 3, 1558.

Les Antiquités de Rome (1 et 3)

1. Analyse des procédés litaniques :
a) l'attitude du poète, tel qu'il se décrit ;
b) les moyens expressifs choisis.

2. Dans le sonnet 1, c'est surtout le ton (à la fois magique et rituel) qui traduit le projet et les sentiments du poète. Essayez de le définir.

3. Mais dans le sonnet 3, l'impression générale est entièrement suggérée par les allitérations•, les reprises de mots, les rythmes, les raccourcis, les mises en relief, etc.

Heemskerk (XVIᵉ siècle), *Course de taureaux à l'antique*, Lille, musée des Beaux Arts, ph. Giraudon.

Puisque du Bellay renonce à décrire, il va chercher à illustrer son émotion et son analyse par des **comparaisons**. Il fait appel au mythe, à l'histoire, à la zoologie, au mouvement des astres, etc. : tout ce qui peut exprimer de façon exemplaire les injures du temps et les revers du destin. Nous en proposons trois exemples :

EXTRAITS

Comme on passe en été le torrent sans danger,
Qui soulait[1] en hiver être roi de la plaine
Et ravir par les champs, d'une fuite hautaine[2],
L'espoir du laboureur et l'espoir du berger ;
Comme on voit les couards animaux outrager
Le courageux lion gisant dessus l'arène,
Ensanglanter leurs dents et d'une audace vaine
Provoquer l'ennemi qui ne se peut venger ;
Et comme devant Troie on vit des Grecs encor
Braver les moins vaillants autour du corps d'Hector[3].
Ainsi ceux qui jadis soulaient, à tête basse,
Du triomphe romain la gloire accompagner[4],
Sur ces poudreux tombeaux exercent leur audace,
Et osent les vaincus les vainqueurs dédaigner.

(1) avait l'habitude de
(2) altière
(3) héros troyen tué par Achille
(4) Lors de la cérémonie du triomphe, les prisonniers suivaient, enchaînés, le char du général romain vainqueur.

Joachim du Bellay, *Les Antiquités de Rome*, 14, 1558.

Comme le champ semé en verdure foisonne,
De verdure se hausse en tuyau[1] verdissant,
De tuyau se hérisse en épi florissant,
D'épi jaunit en grain, que le chaud assaisonne[2] ;
Et comme en la saison le rustique[3] moissonne
Les ondoyants cheveux du sillon blondissant,
Les met d'ordre en javelle[4] et du blé jaunissant
Sur le champ dépouillé mille gerbes façonne ;
Ainsi de peu à peu crût l'empire Romain,
Tant qu'il fut dépouillé par la Barbare main[5],
Qui ne laissa de lui que ces marques antiques[6]
Que chacun va pillant : comme on voit le glaneur
Cheminant pas à pas recueillir les reliques
De ce qui va tombant après le moissonneur.

(1) tige
(2) fait mûrir
(3) paysan
(4) place en rang les poignées de blé qu'il a coupées
(5) les invasions barbares du Vᵉ siècle
(6) les ruines

Joachim du Bellay, *Les Antiquités de Rome*, 30, 1558.

Qui a vu quelquefois un grand chêne asséché[1],
Qui pour son ornement quelque trophée[2] porte,
Lever encore au ciel sa vieille tête morte,
Dont le pied fermement n'est en terre fiché,

Mais qui, dessus le champ plus qu'à demi penché,
Montre ses bras tout nus et sa racine torte[3]
Et, sans feuille ombrageux, de son poids se supporte
Sur un tronc nouailleux[4] en cent lieux ébranché ;

Et, bien qu'au premier vent il doive sa ruine,
Et maint jeune à l'entour ait ferme la racine,
Du dévot[5] populaire être[6] seul révéré :

Qui tel chêne a pu voir, qu'il imagine encore
Comme entre les cités qui plus florissent ore,
Ce vieil honneur poudreux est le plus honoré.

(1) desséché
(2) les armes des vaincus
(3) tordue
(4) noueux
(5) pieux
(6) qui a vu... être

Joachim du Bellay, *Les Antiquités de Rome*, 28, 1558.

Pistes de recherche

Trois comparaisons

Comme on passe en été...

1. On voit apparaître trois comparaisons successives : définissez-les et montrez le sens de leur progression. À quoi tient l'originalité, la force de ce développement ? Observez que chaque tableau met en valeur une nuance différente.

2. Du Bellay essaie de communiquer un peu de son sentiment : quel est-il ?

3. Notez la construction du dernier vers et, d'une façon générale, le rythme et le « désordre » de la fin.

Comme le champ semé...

1. Analysez le développement systématique de la comparaison, imitant le mouvement de la croissance et du déclin.

2. Le détail de l'expression : relevez comment sont exprimées la progression et la présence de la vie, notamment à travers les formes progressives.

3. Le choix de l'image du blé vous semble-t-il judicieux ? Pourquoi ?

Qui a vu quelquefois...

1. Ce sonnet mêle deux thèmes : la montée et la chute. Montrez ces deux développements et leurs liens presque inséparables.

2. Relevez les formules les plus réalistes ou pittoresques, ainsi que l'effort du poète pour personnaliser l'arbre. C'est vraiment une vision.

3. Le rythme et la structure de la longue et unique phrase expriment et imitent la chose décrite. Faites un schéma de plan logique pour en rendre compte visuellement (*qui, qui, dont, mais qui, et, et*, etc.).

DOCUMENT

Tous les écrivains humanistes ont médité sur Rome. Voyez Montaigne, par exemple :

J'ai vu ailleurs des maisons ruinées et des statues, et du ciel et de la terre : ce sont toujours des hommes. Tout cela est vrai ; et si pourtant ne saurais revoir le tombeau de cette ville, si grande et si puissante, que je ne l'admire et révère. Le soin des morts nous est en recommandation [...]. Est-ce par nature ou par erreur de fantaisie que la vue des places que nous savons avoir été hantées et habitées par personnes desquelles la mémoire est en recommandation, nous émeut plus qu'ouïr le récit de leurs faits, ou lire leurs écrits ?

Montaigne, *Essais*, III, 9, Livre de Poche, pp. 264-265 : reportez-vous pp. 362-365.

Josse de Momper (1564-1635), *L'Hiver*, ph. Hachette.

Le fiel, le miel et le sel : *Les Regrets*

La dédicace des *Regrets* promet à leur lecteur un « goût à la fois de fiel et de miel, mélangé de sel ». La **triple inspiration** du recueil est ainsi définie : **amertume** de l'exilé maltraité et déçu ; **douceur** élégiaque de la nostalgie, du souvenir, du désir ; **piquant** et mordant du satirique dans sa chronique des mœurs romaines.

Les 191 sonnets des *Regrets* s'organisent selon un plan assez rigoureux :
— **Introduction** (1 à 4) : voici un journal intime rédigé avec une savante simplicité (cf. p. 253).
— **Les élégies** (5 à 48) : le poète ne sait plus chanter mais il ne peut s'empêcher de pleurer sur lui-même et sur tous ceux qui sont exilés loin de France où la fortune sourit à Ronsard ; variations sur les thèmes du départ et du voyage sans retour.
— **Les satires** (49 à 127) : il faut se ressaisir, se détacher de soi, apprendre à sourire des réalités du monde ; la vie du courtisan (57-77), la décadence morale de Rome (78-86), les prostituées (87-100), la cour du Pape (101-119), les plaisirs (120-127).
— **Conclusion** (128-138) : l'heure du retour est venue ; le poète semble ressusciter en arrivant à échapper à la fascination maléfique qu'exerçait Rome sur lui.

On le voit, les *Regrets* mélangent des tonalités fort diverses. Le poète s'attendrit ou s'indigne, passe de l'ironie• désabusée à une agressivité brutale, de la dépression à l'enjouement sarcastique. La multiplicité de ces registres, tous exprimés dans la forme ramassée du sonnet, permet d'en éprouver toutes les possibilités. Véritable exercice de style, ce défilé des mille voix du sonnet met en jeu tous les procédés expressifs : antithèses•, contrastes, versifications complexes, musicalité. Du Bellay a fait du sonnet un genre « sérieux », qualité qui jusqu'à lui n'était guère reconnue qu'à l'ode (cf. p. 270).

EXTRAITS

Le registre grave : mélancolie et mystère.

Las, où est maintenant ce mépris de Fortune ?
Où est ce cœur vainqueur de toute adversité,
Cet honnête désir de l'immortalité,
Et cette honnête flamme au peuple non commune ?

Où sont ces doux plaisirs, qu'au soir sous la nuit brune
Les Muses me donnaient, alors qu'en liberté
Dessus le vert tapis d'un rivage écarté
Je les menais danser aux rayons de la Lune ?

Maintenant la Fortune est maîtresse de moi,
Et mon cœur qui soulait[1] être maître de soi,
Est serf de mille maux et regrets qui m'ennuient.

De la postérité je n'ai plus de souci,
Cette divine ardeur, je ne l'ai plus aussi,
Et les Muses de moi, comme étranges, s'enfuient.

(1) avait l'habitude de

Joachim du Bellay, *Les Regrets*, 6, 1558.

Pistes de recherche

1. Notez les thèmes développés par les quatrains et leur reprise ensuite dans les tercets. Quel est l'intérêt de cette structure d'échos rigoureux ?
2. L'art de l'évocation : l'amertume, la déchéance, la solitude sont à la fois dessinées (cf. surtout la deuxième strophe) et suggérées par les sonorités. Montrez comment est réussie cette double confidence.
3. Quelle conception de la poésie — et, par contraste, de la vie réelle — se dégage d'un tel sonnet ?

Sandro Botticelli (1445-1510), *Le Printemps*, Florence, musée des Offices, ph. Giraudon.

Cependant que Magny[1] suit son grand Avanson[2],
Panjas[1] son cardinal, et moi le mien encore,
Et que l'espoir flatteur, qui nos beaux ans dévore,
Appâte nos désirs d'un friand hameçon,

Tu courtises les rois, et d'un plus heureux son
Chantant l'heur de Henri[3], qui son siècle décore,
Tu t'honores toi-même et celui qui honore
L'honneur que tu lui fais par ta docte chanson[4].

Las! et nous cependant nous consumons notre âge
Sur le bord inconnu d'un étrange rivage,
Où le malheur nous fait ces tristes vers chanter,

Comme on voit quelquefois, quand la mort les appelle,
Arrangés flanc à flanc, parmi l'herbe nouvelle,
Bien loin sur un étang trois cygnes[5] lamenter.

Joachim du Bellay, *Les Regrets,* 16, 1558.

Pistes de recherche

1. Plusieurs destins pour le poète : analysez les similitudes et les divergences des sorts. On peut en déduire les chemins contradictoires qui s'offrent à un poète à l'époque de du Bellay. Ces parallélismes constituent la structure fondamentale du sonnet.

2. «Ces tristes vers» : comment prouver la justesse de cet «auto-commentaire»?.

3. Les tercets développent une image, puis un tableau qui se fige : observez comment cette comparaison est annoncée avant d'éclore et de laisser son «point d'orgue».

Comme leur titre l'indique, *Les Regrets* font surtout le bilan d'une déconvenue. La poésie devient alors le moyen de commuer un échec en dépassement. Il est frappant que les sonnets les plus réussis soient préci-sément ceux où du Bellay se lamente sur le vide de sa vie ou sur la faillite de son inspiration. **Les vers «ber-cent sa peine»,** entretiennent une existence affective, s'alimentent du désastre : le plaisir que nous ressen-tons dans la ritournelle mélodieuse et obsédante d'un poème de du Bellay nous révèle encore les vertus thé-rapeutiques que l'auteur en attendait. On dirait que certains de ses sonnets n'ont été écrits que pour être appris par cœur.

Lorenzo Lotto (1480-1556), *Saint Jérôme dans le désert,* Paris, Louvre, ph. H. Josse.

EXTRAITS

La lancinante musique née d'un cri sans écho.

France, mère des arts, des armes et des lois,
Tu m'as nourri longtemps du lait de ta mamelle :
Ores[1], comme un agneau qui sa nourrice appelle,
Je remplis de ton nom les antres et les bois.

Si tu m'as pour enfant avoué[2] quelquefois,
Que ne me réponds-tu maintenant, ô cruelle?
France, France, réponds à ma triste querelle[3].
Mais nul, sinon Écho, ne répond à ma voix.

Entre les loups cruels j'erre parmi la plaine;
Je sens venir l'hiver, de qui la froide haleine
D'une tremblante horreur fait hérisser ma peau.

Las! Tes autres agneaux n'ont faute de pâture,
Ils ne craignent le loup, le vent, ni la froidure;
Si[4] ne suis-je pourtant le pire du troupeau.

Joachim du Bellay, *Les Regrets,* 9, 1558.

(1) maintenant
(2) reconnu
(3) plainte
(4) toutefois

Simplicité et intensité, pour dire un malaise complexe et flou.

Heureux qui, comme Ulysse, a fait un beau voyage,
Ou comme cestui-là[1] qui conquit la toison,
Et puis est retourné, plein d'usage et raison,
Vivre entre ses parents le reste de son âge.

Quand reverrai-je, hélas! de mon petit village
Fumer la cheminée, et en quelle saison
Reverrai-je le clos de ma pauvre maison,
Qui m'est une province et beaucoup davantage ?

Plus me plaît le séjour qu'ont bâti mes aïeux
Que des palais romains le front audacieux,
Plus que le marbre dur me plaît l'ardoise fine,

Plus mon Loire gaulois que le Tibre Latin,
Plus mon petit Liré que le mont Palatin[2]
Et plus que l'air marin[3] la douceur angevine.

(1) Jason
(2) une des sept collines de Rome, sur laquelle se bâtirent les palais impériaux
(3) Rome n'est qu'à une vingtaine de km de la mer.

Joachim du Bellay, *Les Regrets*, 31, 1558.

Pistes de recherche

Heureux qui comme Ulysse...

1. Conception du bonheur : du Bellay exprime plusieurs formes d'aspirations. Essayez de montrer ces nuances (vers 1 ; 2-4 ; deuxième strophe ; tercets).

2. Étudiez les rapprochements et oppositions de la fin.

3. L'art de faire sentir la nostalgie de la terre natale : comment expliquez-vous que ce sonnet ait connu un tel écho depuis le XVIe siècle ? Pourquoi tant de générations l'ont-elles su par cœur ?

Lorenzo Costa (1460-1535), *Les Argonautes*, Padoue, Musée Civique, ph. Scala.

La fin des *Regrets*, où prédomine un ton acide et moqueur, garde la même force insinuante : **le sonnet imite** encore **musicalement**, par le rythme des phrases et les bruissements des mots, ce qu'il dénonce et ce dont il trace le croquis coloré. La banalité de la satire mondaine est transformée en petite séquence « audio-visuelle ».

EXTRAITS

Rythme pesant et guindé : le masque sérieux d'un pantin de cour.

Marcher d'un grave pas et d'un grave sourcil,
Et d'un grave souris à chacun faire fête
Balancer tous ses mots, répondre de la tête,
Avec un *Messer non* ou bien un *Messer si*[1] ;

Entremêler souvent un petit *E cosi*[2],
Et d'un *son Servitor*[3] contrefaire l'honnête,
Et, comme si l'on eût sa part en la conquête,
Discourir sur Florence, et sur Naples aussi[4],

Seigneuriser[5] chacun d'un baisement de main,
Et, suivant la façon d'un courtisan Romain,
Cacher sa pauvreté d'une brave apparence :

Voilà de cette cour la plus grande vertu,
Dont souvent, mal monté[6], mal sain, et mal vêtu,
Sans barbe[7] et sans argent, on s'en retourne en France.

(1) non monsieur, oui monsieur
(2) c'est ainsi
(3) je suis votre serviteur
(4) Allusion aux guerres franco-espagnoles.
(5) traiter en seigneur
(6) sur un mauvais cheval
(7) comme du Bellay !...

Joachim du Bellay, *Les Regrets*, 86, 1558.

Rythme entraînant, léger et bondissant : les masques enjoués du Mardi Gras.

Voici le Carnaval, menons chacun la sienne,
Allons baller[1] en masque, allons nous promener,
Allons voir Marc-Antoine ou Zany bouffonner
Avec son Magnifique[2] à la Vénitienne ;

Voyons courir le pal[3] à la mode ancienne,
Et voyons par le nez le sot buffle mener ;
Voyons le fier taureau d'armes environner,
Et voyons au combat l'adresse italienne ;

Voyons d'œufs parfumés un orage grêler,
Et la fusée ardent' siffler menu par l'air.
Sus donc ! dépêchons-nous, voici la pardonnance.

Il nous faudra demain visiter les saints lieux[4],
Là nous ferons l'amour, mais ce sera des yeux,
Car passer plus avant, c'est contre l'ordonnance.

(1) au bal
(2) Noms d'acteurs ou de bouffons.
(3) sorte de tournoi
(4) Car le lendemain du Mardi Gras, c'est le Mercredi des Cendres, jour de prières et de cérémonies d'expiation.

Joachim du Bellay, *Les Regrets*, 120, 1558.

Lorenzo Lotto (1480-1556), *Maître Marsilio et son épouse*, Madrid, musée du Prado, ph. Oroñoz-Artephot.

Pistes de recherche

**Marcher d'un grave pas...
et Voici le Carnaval...**

1. L'art du satirique, le sens du croquis, l'effort pour saisir le mouvement et l'attitude. Comparez les effets fort différents de cette même technique dans les deux sonnets. Même l'humour• ne s'exprime pas de la même manière.

2. L'emploi des modes et des temps vous aidera pour affiner cette confrontation (infinitif/impératif, par exemple), et, plus encore, le jeu des rythmes.

Lorenzo Costa (1460-1535), *Allégorie de la cour d'Isabelle d'Este*, Paris, Louvre, ph. H. Josse.

Biographie de du Bellay

	1522	1523-1531		1545	1547	1549	1551	1553-1556	1557	1558	1559	1560
VIE	Naissance à Liré en Anjou.	Mort de ses parents. Placé sous la tutelle de son frère aîné, René.	Enfance assez délaissée.	Études de droit à Poitiers.	Rencontre avec Ronsard. Au collège de Coqueret avec Jean Dorat.	La « Brigade » (future Pléiade).	Mort de son frère René. Doit s'occuper de son neveu. Procès. Maladie et début de la surdité.	Séjour à Rome, au service de son cousin le cardinal Jean du Bellay.	Retour à Paris.	Santé précaire. Nommé vicaire général du cardinal-archevêque de Paris.	La maladie s'aggrave ; surdité totale.	Nuit du 1er janvier : mort.
					Mort de François Ier.						Mort d'Henri II.	

	1549	1550	1558	1559
ŒUVRES	La Défense et Illustration de la langue française. *L'Olive*, première édition.	*L'Olive*, augmentée.	*Les Regrets. Divers Jeux rustiques. Les Antiquités de Rome. Poemata* (en latin).	*Le poète courtisan* et diverses pièces de circonstances.

Pierre de Ronsard

■ Un solitaire engagé ■

On a.peine à imaginer aujourd'hui l'ascendant que Ronsard a exercé sur son époque. Malgré sa vocation tardive — il ne se tourne vers la poésie qu'après sa vingtième année —, ses premières publications lui confèrent une autorité et un prestige qui n'iront que croissant. Sous le règne de Charles X (1560-1574), il jouit de la **gloire** et de la **fortune,** unanimement salué. Cette reconnaissance du poète par son siècle n'est pas si courante, dans l'histoire de notre littérature. Une telle **coïncidence de l'œuvre et du moment** montre au moins que Ronsard a su faire la synthèse des goûts humanistes qui, au cœur du siècle, pouvaient pleinement s'épanouir. Le génie est celui qui capte et formule, plus ou moins consciemment, les tensions et les rêves de son temps. Ronsard a beau proclamer l'indépendance et l'ambition sans compromission de son talent, il est, à tous égards, un poète « engagé », non seulement quand il se met volontairement au service d'une cause (cf. p. 296) mais aussi quand sa poésie chante, à travers des amourettes, les profondes hantises de l'homme du XVIe siècle : fuite du temps, victoire de la mort, désir de retrouver une stabilité, en se réfugiant dans la nature ou dans l'éternité des cultures antiques. Ronsard exprime une réponse au défi de l'histoire et son principal sujet est l'aspiration à l'**immortalisation,** face à la « branloire pérenne » (cf. Montaigne, p. 329).

EXTRAITS

Ce « discours » développe le thème cher à Ronsard de
l'instabilité et de la perpétuelle métamorphose de l'univers.

École française du XVIIe siècle, *Pierre de Ronsard,* Blois, ph. Bulloz.

(1) dévoreur
(2) ordres, commandements
(3) Nom du procureur au Parlement, à qui est dédié le *Discours.*
(4) couvertes de blé, de « froment »
(5) pâturages couverts d'herbe

Tout est mortel, tout vieillit en ce monde,
L'air et le feu, la terre mère et l'onde
Contre la mort résister ne pourront,
Et vieillissant comme nous ils mourront.
5 Le temps mangeard(1) toute chose consume,
Villes, châteaux, empires : voire l'homme,
L'homme à qui Dieu a promis sa maison,
Qui pense, parle et discourt par raison,
Duquel l'esprit s'envole outre la nue,
10 Changeant sa forme en une autre se mue.
Il est bien vrai qu'à parler proprement,
On ne meurt point, on change seulement
De forme en autre, et ce changement s'appelle
Mort, quand on prend autre forme nouvelle.
15 De l'homme vient un crapaud, un serpent,
Maint ver tortu qui sans os va rampant
Sur sa carcasse, et le corps changeant d'être
Autre animal en sa place fait naître :
Cet animal se change en autre après,
20 Ce sont de Dieu les mandements(2) exprès [...].
Lève, Chauveau(3), de tous côtés les yeux :
Vois ces rochers au front audacieux,
C'étaient jadis des plaines fromenteuses(4).
Vois d'autre part ces grands ondes venteuses,
25 Ce fut jadis terre ferme, où les bœufs
Allaient paissant par les pâtis herbeux(5).
Ainsi la forme en une autre se change,
Cela n'est pas une merveille étrange,
Car c'est la loi de Nature et de Dieu,
30 Que rien ne soit perdurable en un lieu.

Pierre de Ronsard, « Discours », sixième livre des *Poèmes,*
v. 45-64 et 95-104, 1569.

Réponse à la fragilité des choses de ce monde : l'œuvre poétique, qui immortalise le poète et son sujet.

Plus dur que fer j'ai fini mon ouvrage,
Que l'an, dispos à démener les pas[1],
Ni l'eau rongearde[2] ou des frères la rage
L'injuriant ne ruront[3] point à bas.
5 Quand ce viendra que mon dernier trépas
M'assoupira d'un somme dur, à l'heure[4]
Sous le tombeau tout Ronsard n'ira pas
Restant de lui la part qui est meilleure.
Toujours toujours sans que jamais je meure
10 Je volerai tout vif par l'univers,
Éternisant les champs où je demeure
De mon renom engraissés et couverts,
Pour avoir joint les deux harpeurs divers
Au doux babil de ma lyre d'ivoire,
15 Se connaissant[5] Vendômois par mes vers.
Sus donc! Muse emporte au ciel la gloire
Que j'ai gagnée annonçant la victoire
Dont à bon droit je me vois jouissant,
Et de ton fils consacre la mémoire
20 Serrant son front d'un laurier verdissant.

(1) agile à nous suivre pas à pas
(2) rongeuse
(3) ne ruineront pas malgré leurs attaques
(4) à ce moment-là
(5) qui se reconnaissent natifs de Vendôme, patrie de Ronsard.

Pierre de Ronsard, conclusion des *Odes*, 1550.

Afin que ton honneur coule parmi la plaine
Autant qu'il monte au ciel engravé dans un pin,
Invoquant tous les dieux et répandant du vin,
Je consacre à ton nom cette belle fontaine.
5 Pasteurs, que vos troupeaux frisés de blanche laine
Ne paissent à ces bords : y fleurisse le thym
Et la fleur, dont le maître eut si mauvais destin[1],
Et soit dite à jamais la fontaine d'Hélène.
Le passant en été y puisse reposer,
10 Et assis dessus l'herbe à l'ombre composer
Mille chansons d'Hélène, et de moi lui souvienne.
Quiconques[2] en boira, qu'amoureux il devienne :
Et puisse, en la humant, une flamme puiser
Aussi chaude qu'au cœur je sens chaude la mienne.

(1) Narcisse, qui se noya en contemplant son reflet dans l'eau.
(2) Avec un «s» pour éviter l'hiatus• ou l'élision.

Pierre de Ronsard, *Sonnets pour Hélène*, II, 72, 1578.

Pistes de recherche

Tout est mortel...

1. Le ton hésite entre un sermon, une grave leçon, et le jeu. Le fond se veut didactique• et moral ; la forme n'est que visions et images qui s'enchaînent et rebondissent. Montrez ces deux aspects, en citant les expressions les plus fortes du poème, et essayez d'analyser l'effet produit.

2. Comment est rendue l'universelle mutation ? Notez les enjambements de la deuxième strophe, par exemple ; ou les brusques contrastes de la fin, etc.

3. Reportez-vous aux pages citées dans l'index thématique à MÉTAMORPHOSE, pour comparer et pour saisir l'importance de ce thème au XVIᵉ siècle.

Plus dur que fer...

La conception que Ronsard se fait de son propre génie et de son œuvre : est-il bon juge ? Avons-nous retenu nous-mêmes ce qui lui paraissait le plus important ?

Afin que ton honneur...

1. Sur le genre du sonnet votif, comparez avec les extraits pp. 276 et 279.

2. Le poème ne se contente pas de dire que la fontaine (= la source) va rappeler le nom d'Hélène. Il murmure lui-même ce nom sans cesse, comme une incantation : soyez attentif au jeu des voyelles et aux sonorités.

Paradoxalement, Ronsard est un écho d'une société dont il a toujours cherché à se démarquer. Atteint de surdité, peu sociable, attiré par sa province natale bien que devant faire sa cour, il incarne **la difficile autono-mie du créateur**. Avec beaucoup de lucidité, il a saisi que le désir d'écrire promet bien des insatisfactions, même et surtout quand on est reconnu.

[...] Je n'avais pas quinze ans que les monts et les bois
Et les eaux me plaisaient, plus que la Cour des Rois,
Et les noires forêts en feuillages voûtées,
Et du bec des oiseaux les roches picotées ;
5 Une vallée, un antre, en horreur obscurci,
Un désert effroyable était tout mon souci,
Afin de voir au soir les Nymphes et les Fées
Danser dessous la Lune en cotte(1) par les prées(2),
Fantastique d'esprit, et de voir les Sylvains(3)
10 Être boucs par les pieds, et hommes par les mains,
Et porter sur le front des cornes en la sorte
Qu'un petit agnelet de quatre mois les porte.
      J'allais après la danse, et craintif je pressais
Mes pas dedans le trac(4) des Nymphes et pensais
15 Que pour mettre mon pied en leur trace poudreuse,
J'aurais incontinent l'âme plus généreuse,
Ainsi que l'Ascréan(5) qui gravement sonna,
Quand l'une des neuf Sœurs du laurier lui donna.
      Or je ne fus trompé de ma jeune entreprise,
20 Car la gentille Euterpe(6), ayant ma dextre prise,
Pour m'ôter le mortel, par neuf fois me lava
De l'eau d'une fontaine où peu de monde va,
Me charma par neuf fois, puis, d'une bouche enflée,
Ayant dessus mon chef son haleine soufflée,
25 Me hérissa le poil de crainte et de fureur,
Et me remplit le cœur d'ingénieuse erreur,
En me disant ainsi : « Puisque tu veux nous suivre,
Heureux après la mort, nous te ferons revivre
Par longue renommée, et ton los(7) ennobli,
30 Accablé du tombeau, n'ira point en oubli.
Tu seras du vulgaire appelé frénétique,
Insensé, furieux, farouche, fantastique,
Maussade, malplaisant, car le peuple médit
De celui qui de mœurs aux siennes contredit.
35 Mais courage, Ronsard ! les plus doctes Poètes,
Les Sibylles(8), Devins, Augures(9) et Prophètes,
Hués, sifflés, moqués des peuples ont été,
Et toutefois, Ronsard, ils disaient vérité.
N'espère d'amasser de grands biens en ce monde :
40 Une forêt, un pré, une montagne, une onde
Sera ton héritage, et seras plus heureux
Que ceux qui vont cachant tant de trésors chez eux.
Tu n'auras point de peur qu'un Roi, de sa tempête,
Te vienne en moins d'un jour escarbouiller la tête
45 Ou confisquer tes biens, mais, tout paisible et coi,
Tu vivras dans les bois pour la Muse et pour toi. »
      Ainsi disait la nymphe, et de là je vins être
Disciple de Dorat(10), qui longtemps fut mon maître,
M'apprit la poésie, et me montra comment
50 On doit feindre et cacher les fables proprement,
Et à bien déguiser la vérité des choses
D'un fabuleux manteau, dont elles sont encloses.
J'appris en son école à immortaliser
Les hommes que je veux célébrer et priser,
55 Leur donnant de mes biens, ainsi que je te donne
Pour présent immortel l'Hymne de cet Automne. [...]

Pistes de recherche

1. Comment Ronsard nous présente-t-il sa vocation ? Essayez de distinguer ce qui semble refléter la réalité et ce qui appartient aux conventions poétiques et à la fiction. Souvenir et rhétorique• se mêlent.

2. Quelle est la fonction du poète, selon cet extrait ? Reportez-vous à la page 244, pour voir si Ronsard est fidèle aux principes de la *Défense et Illustration*. L'exposé est assez complet : appel irrésistible ; condition d'exception à laquelle le poète est condamné ; sa mission ; sa récompense, etc.

3. Pourquoi avoir recours à tant de mytho-logie, aux figures prophétiques et légen-daires, etc. ?

(1) jupe paysanne
(2) prairies
(3) divinités des forêts
(4) la trace
(5) Hésiode (VIIIe siècle av. J.-C.), né à Ascra, en Béotie.
(6) muse de la poésie légère et de la musique
(7) gloire, louange
(8) femmes légendaires capables de prophéties
(9) devins romains
(10) Cf. p. 246.

Pierre de Ronsard, *Hymne de l'Automne*, poème de 470 vers, 1556.

Le « devin » philosophe

Quand Ronsard affirme l'immortalité du poète, il reprend à son compte un très vieux mythe auquel il redonne une nouvelle valeur. Selon les Anciens, le génie poétique est une médiation entre le monde divin et les hommes. Le poète, sorte de mage ou de prêtre, est animé d'une «fureur» divine. **La poésie remplit un sacerdoce** : elle transmet une révélation. C'est dire que les rois et les princes doivent savoir écouter ces demi-dieux : les poètes donnent la lumière et expriment, à l'usage de toute la nation, les grands idéaux, les croyances, les espérances. Le mythe du poète-devin permet donc à Ronsard d'affirmer sa prétention à un rôle politique (cf. p. 296). Mais, plus encore, il rejoint **une conception très élevée de la poésie** : face à un monde multiforme, mouvant, plein de mystères et de maléfices, la poésie saisit et met en forme tout ce qui nous échappe. L'homme du XVIᵉ siècle, très sensible à tous les changements de perspectives (cf. p. 176), voit l'univers chavirer partout. Le poète est là pour lui **donner un nom et un sens aux choses,** pour fixer les fuyantes énigmes du monde.

EXTRAIT   *Hymne à l'éternité.*

Andrea Mantegna (1431-1506), *La Sagesse victorieuse des Vices,* Paris, Louvre, ph. H. Josse.

Rempli d'un feu divin qui m'a l'âme échauffée,
Je veux mieux que devant, suivant les pas d'Orphée[1],
Découvrir les secrets de Nature et des Cieux,
Recherchés d'un esprit qui n'est point ocieux[2],
5 Je veux, s'il m'est possible, atteindre à la louange
De celle qui jamais par les ans ne se change,
Mais bien qui fait changer les siècles et les temps,
Les mois et les saisons et les jours inconstants,
Sans jamais se muer, pour n'être point sujette
10 Comme Reine et maîtresse à la loi qu'elle a faite. [...]
Donne-moi, s'il te plaît, immense Éternité,
Pouvoir de raconter ta grande Déité ;
Donne l'archet d'airain et la Lyre ferrée,
D'acier donne la corde et la voix acérée,
15 Afin que ma chanson dure aussi longuement
Que tu dures au Ciel perpétuellement,
Toi la Reine des ans, des siècles et de l'âge,
Qui as eu pour ton lot tout le Ciel en partage,
La première des Dieux, où bien loin de souci
20 Et de l'humain travail qui nous tourmente ici
Par toi-même contente et par toi bienheureuse,
Éternelle tu vis en tous biens plantureuse.
Tout au plus haut des Cieux, dans un trône doré
Tu te sieds en l'habit d'un manteau coloré
25 De pourpre rayé d'or, de qui la broderie
De tous côtés s'éclate en riche orfèvrerie,
Et là, tenant au poing un grand Sceptre aimantin,
Tu établis tes lois au sévère Destin,
Qu'il n'ose outrepasser, et que lui-même engrave
30 Fermes[3] au front du Ciel ; car il est ton esclave,
Ordonnant dessous toi les neuf temples voûtés
Qui dedans et dehors cernent de tous côtés,
Sans rien laisser ailleurs, tous les membres du monde,
Qui gît dessous tes pieds comme une boule ronde. [...]

Pierre de Ronsard, *Hymnes,* 2, 1555. [...]

(1) qui peut, grâce à ses chants, aller aux enfers et revenir vivant
(2) oisif
(3) que lui-même (le Destin) inscrit *(« grave »)* comme définitifs *(« fermes »)*

Pistes de recherche

1. Cet hymne est à rapprocher de l'extrait précédent, p. 266. Le ton est un peu moins altier, moins grandiloquent. Observez qu'ici Ronsard est surtout sensible à un mystère : comment le fait-il sentir ?

2. L'éternité, maîtresse du monde : étudiez la personnification, les images et l'effort « baroque » pour faire chatoyer les formes et les choses.

Mysticisme poétique et raison se rejoignent donc. Le poète-devin se fait philosophe. Mais, le plus souvent, c'est au travers d'une poésie beaucoup plus aimable que la pensée de Ronsard s'exprime. **Le thème de la nature** est ainsi prétexte à la même leçon : l'homme est éphémère, rejeton de la vaste nature, innervée d'une sève éternelle. Sous le couvert d'un instant de nostalgie ou d'une protestation « écologique », Ronsard nous fait sans cesse frôler la présence troublante et secrète du mystère. Comme dira Baudelaire (cf. *Le XIXᵉ siècle*, p. 295), le poète pressent et éveille des « correspondances ».

Titien (1490-1576), *Concert champêtre*, Paris, Louvre, ph. H. Josse.

EXTRAITS

Se détachant des modèles antiques, Ronsard chante ici moins l'homme qui passe que la nature qui échappe à la loi du temps, comme Dieu seul.

Quand je suis vingt ou trente mois
Sans retourner en Vendômois,
Plein de pensées vagabondes,
Plein d'un remords et d'un souci,
5 Aux rochers je me plains ainsi,
Aux bois, aux antres et aux ondes :
      « Rochers, bien que soyez âgés
De trois mille ans, vous ne changez
Jamais ni d'état ni de forme ;
10 Mais toujours ma jeunesse fuit,
Et la vieillesse qui me suit
De jeune en vieillard me transforme.
      « Bois, bien que perdiez tous les ans
En hiver vos cheveux plaisants,
15 L'an d'après qui se renouvelle
Renouvelle aussi votre chef ;
Mais le mien ne peut derechef
Ravoir sa perruque⁽¹⁾ nouvelle.
      « Antres, je me suis vu chez vous
20 Avoir jadis verts⁽²⁾ les genoux,
Le corps habile et la main bonne ;

Mais ores j'ai le corps plus dur,
Et les genoux, que n'est le mur
Qui froidement vous environne.
25   « Ondes, sans fin vous promenez
Et vous menez et ramenez
Vos flots d'un cours qui ne séjourne ;
Et moi, sans faire long séjour,
Je m'en vais de nuit et de jour
30 Au lieu d'où plus on ne retourne⁽³⁾. »
      Si est-ce que je ne voudrais
Avoir été rocher ou bois,
Pour avoir la peau plus épaisse,
Et vaincre le temps emplumé⁽⁴⁾ ;
35 Car ainsi dur je n'eusse aimé
Toi qui m'as fait vieillir, maîtresse.

Pierre de Ronsard, *Odes*, IV, 10, 1550.

_____

(1) chevelure
(2) jeunes, robustes
(3) texte de 1555 : *mais comme vous je ne retourne.*
(4) qui a des ailes et qui vole

Pistes de recherche

1. Sous une forme rigoureuse, l'ode fait lentement monter une plainte. Montrez la progression de la mélancolie à l'intérieur de cette composition régulière et froide en apparence.
2. Précisez quels rapports le poète établit avec la nature. Notez les passages et les images où la présence de la vie naturelle est suggérée. On observe même un peu de pittoresque.

[...] Écoute, bûcheron, arrête un peu le bras !
Ce ne sont pas des bois que tu jettes à bas :
Ne vois-tu pas le sang lequel dégoutte à force
Des nymphes qui vivaient dessous la dure écorce ?
5 Sacrilège meurtrier[1], si on pend un voleur
Pour piller un butin de bien peu de valeur,
Combien de feux, de fers, de morts, et de détresses,
Mérites-tu, méchant, pour tuer nos Déesses ?
    Forêt, haute maison des oiseaux bocagers,
10 Plus le cerf solitaire et les chevreuils légers
Ne paîtront sous ton ombre, et ta verte crinière
Plus du soleil d'été ne rompra la lumière.
Plus l'amoureux pasteur, sur un tronc adossé,
Enflant son flageolet[2] à quatre trous percé,
15 Son mâtin à ses pieds, à son flanc la houlette,
Ne dira plus l'ardeur de sa belle Jeannette.
Tout deviendra muet, Écho sera sans voix,
Tu deviendras campagne, et, en lieu de tes bois
Dont l'ombrage incertain lentement se remue,
20 Tu sentiras le soc, le coutre et la charrue.
Tu perdras ton silence, et, haletants d'effroi,
Ni satyres ni Pans[3] ne viendront plus chez toi.
    Adieu, vieille forêt, le jouet de Zéphyre,
Où premier j'accordai les langues[4] de ma lyre,
25 Où premier j'entendis les flèches résonner
D'Apollon[5], qui me vint tout le cœur étonner ;
Où premier, admirant la belle Calliope[6],
Je devins amoureux de sa neuvaine[7] troupe (trope),
Quand sa main sur le front cent roses me jeta,
30 Et de son propre lait Euterpe[8] m'allaita.
    Adieu, vieille forêt, adieu, têtes sacrées,
De tableaux et de fleurs autrefois honorées,
Maintenant le dédain des passants altérés,
Qui, brûlés en l'été des rayons éthérés,
35 Sans plus trouver le frais de tes douces verdures,
Accusent vos meutriers[1] et leur disent injures.
    Adieu, chênes, couronne aux vaillants citoyens,
Arbres de Jupiter, germes dodonéens[9],
Qui premiers aux humains donnâtes à repaître[10],
40 Peuples vraiment ingrats, qui n'ont su reconnaître
Les biens reçus de vous, peuples vraiment grossiers
De massacrer ainsi leurs pères nourriciers !
    Que l'homme est malheureux qui au monde se fie !
Ô dieux, que véritable est la philosophie,
45 Qui dit que toute chose à la fin périra,
Et qu'en changeant de forme une autre vêtira[11].
De Tempé[12] la vallée un jour sera montagne,
Et la cime d'Athos[13] une large campagne ;
Neptune[14] quelquefois de blé sera couvert :
50 La matière demeure et la forme se perd[11]. [...]

Pierre de Ronsard, *Élégies*, 25 poèmes, 24, 1584.

(1) Deux syllabes.
(2) flûte, pipeau
(3) dieux des campagnes et des bergers
(4) cordes
(5) dieu de la poésie
(6) muse de la poésie épique
(7) les neuf muses
(8) Cf. p. 266, note 6.
(9) Les arbres de la forêt de Dodone, en Épire, consacrés à Zeus : on donnait à leur bruissement une signification prophétique.
(10) Suivant la tradition antique, les hommes se nourrirent de glands avant la découverte de l'agriculture.
(11) Pour certains philosophes anciens, le monde est une matière permanente qui revêt des formes éphémères et successives.
(12) vallée de Thessalie, réputée pour sa fraîcheur
(13) montagne de Chalcidique, au nord de la mer Égée
(14) dieu de la mer ; ici la mer

Pistes de recherche

1. Cette élégie passe par plusieurs registres très variés : apostrophe indignée, savante évocation de la forêt, adieux « mythologiques », élargissement philosophique. Comment est assurée l'unité de cet ensemble ? Continuité de la pensée ? Force et intensité de l'émotion personnelle ? Art du mouvement ample et suivi ? Essayez de repérer toutes ces ressources et de donner votre impression.

2. L'étude des rythmes confirmera la mobilité des images et du sentiment dont elles sont l'expression. Donnez quelques exemples, en choisissant les vers qui vous paraissent les plus harmonieux ou les plus saisissants.

Bel aubépin verdissant,
    Fleurissant
Le long de ce beau rivage,
Tu es vestu jusqu'au bas
    Des longs bras
5 D'une lambrunche[1] sauvage.

Deux camps drillantz[2] de fourmis
    Se sont mis
En garnison soubz ta souche :
Et dans ton tronc mi-mangé
10   Arangé
Les avettes[3] ont leur couche.

Le gentil rossignolet
    Nouvelet,
Avecque sa bien aymée,
15 Pour ses amours aléger[4]
    Vient loger
Tous les ans en ta ramée :

Dans laquelle il fait son ny
    Bien garny
20 De laine et de fine soye,
Où ses petitz s'eclorront,
    Qui seront
De mes mains la douce proye.

Or' vy gentil aubépin,
25   Vy sans fin,
Vy sans que jamais tonnerre,
Ou la congnée, ou les vens,
    Ou les tems
Te puissent ruer par terre.

(1) vigne sauvage
(2) armés
(3) abeilles
(4) satisfaire

Pierre de Ronsard, *Odes,* IV, 22, 1556.

Pistes de recherche

Bel aubépin verdissant...

1. La description est toute tournée vers la dernière strophe : les détails cherchent à accentuer la présence de la vie et sa fragilité. Relevez les expressions qui soulignent ce contraste.

2. Le système original de versification favorise la même impression : observez surtout les effets de rythme et les termes ainsi mis en valeur.

Antres, et vous fontaines,
De ces roches hautaines
Qui tombez contre-bas,
    D'un glissant pas,
5 Et vous, forêts et ondes
Par ces prés vagabondes,
Et vous, rives et bois,
    Oyez ma voix.

Quand le ciel et mon heure
10 Jugeront[1] que je meure,
Ravi du beau séjour
    Du commun jour,
Je défends qu'on ne rompe
Le marbre, pour la pompe[2]
15 De vouloir mon tombeau
    Bâtir plus beau ;

Mais bien[3] je veux qu'un arbre
M'ombrage en lieu d'un marbre,
Arbre qui soit couvert
20   Toujours de vert.
De moi puisse la terre
Engendrer un lierre,
M'embrassant en maint tour
    Tout à l'entour.

25 Et la vigne tortisse[4]
Mon sépulcre embellisse,
Faisant de toutes parts
    Un ombre épars. [...]

Pierre de Ronsard, *Odes,* IV, 4, 1550.

(1) trouveront bon
(2) pour la vanité de...
(3) mais plutôt
(4) tortillée

Piste de recherche

Antres, et vous fontaines...

Nature du décor et sa signification : comment Ronsard caractérise-t-il son lieu de sépulcre et pourquoi ?

Atelier de Grenier Pasquier (XVᵉ siècle), *Les Bûcherons,* Tapisserie de Tournai (1450-1475), Paris, musée des Arts décoratifs, ph. H. Josse.

◾ Le technicien de l'émotion

Qui dit Ronsard, dit poète de l'amour. Cette réputation ne rend que partiellement justice à l'originalité et à l'intérêt de l'auteur. Ronsard s'est fait l'écho (cf. pp. 282 et 296) des événements de la vie nationale et a beaucoup écrit sur des **thèmes politiques** et **philosophiques**. Certes, il rédige une œuvre fortement personnalisée, toute à la première personne, où il met à nu ses sautes d'humeur, son caractère taciturne, sa morgue. Enthousiasmes· et déceptions, certitudes et doutes : Ronsard donne partout l'impression de faire de la poésie un aveu : le romantisme, qui l'a redécouvert après une éclipse de plus de deux cents ans, y voit un précurseur du poète sincère, pressé d'écrire par la force de ses sentiments. En réalité, cette conception est naïve. Ronsard a passé sa vie à changer l'anecdote intime en œuvre d'art élaborée. Ainsi, il a veillé lui-même aux six éditions successives de ses œuvres complètes, de 1560 à 1584, ne cessant de corriger, de réorganiser son plan, d'effacer les obscurités inutiles ou les formules trop désinvoltes. Ses fameux recueils de vers amoureux sont eux-mêmes refondus plusieurs fois, Ronsard n'hésitant pas à échanger des pièces dédiées à l'origine à des femmes différentes, voire à changer de dédicace. Il n'est pas douteux que Ronsard ait connu le trouble d'amours sincères, mais son œuvre atteste surtout la **volonté très consciente d'un artiste qui vise** moins la confidence que **la perfection**. L'émotion est moins la source que l'effet du poème. Au fond, s'annonce le classicisme.

Ainsi, comme tous les poètes de la Pléiade, dont il est le chef de file incontesté (cf. p. 246), Ronsard commence par s'imprégner des œuvres les plus savantes et les plus accomplies de ses prédécesseurs. Il emprunte à la Grèce ou à l'Italie. En restaurant le genre antique de l'**ode,** il veut directement rivaliser avec deux subtils virtuoses : le Thébain Pindare (521-441 av. J.-C.) et le Latin Horace (65-8 av. J.-C.).

EXTRAIT

Un exemple d'«innutrition•» : le souvenir d'Horace.

Jean Goujon († en 1567),
Fontaine des Innocents,
détail, Paris, ph. H. Josse.

(1) jeune satyre, aux oreilles et aux pieds de chèvre
(2) la postérité
(3) bétail
(4) cri de joie

Ô fontaine Bellerie,
Belle fontaine chérie
De nos Nymphes, quand ton eau
Les cache au creux de ta source
Fuyantes le satyreau[1]
Qui les pourchasse à la course,
Jusqu'au bord de ton ruisseau ;
　Tu es la Nymphe éternelle
De ma terre paternelle ;
Pour ce en ce pré verdelet
Vois ton poète qui t'orne
D'un petit chevreau de lait,
À qui l'une et l'autre corne
Sortent du front nouvelet.
　L'été je dors ou repose
Sur ton herbe, où je compose,
Caché sous tes saules verts,
Je ne sais quoi, qui ta gloire
Enverra par l'univers,
Commandant à la Mémoire[2]
Que tu vives par mes vers.
　L'ardeur de la canicule
Ton vert rivage ne brûle,
Tellement qu'en toutes parts
Ton ombre est épaisse et drue
Aux pasteurs venant des parcs,
Aux bœufs las de la charrue,
Et au bestial[3] épars.
　Iô[4], tu seras sans cesse
Des fontaines la princesse,
Moi célébrant le conduit
Du rocher percé, qui darde
Avec un enroué bruit
L'eau de ta source jasarde
Qui trépillante se suit.

Pierre de Ronsard, *Odes,* II, 9, 1550.

Ô fontaine de Bandusie, plus limpide que le verre, toi qui mérites un doux vin et des fleurs, tu recevras demain l'offrande d'un chevreau, à qui son front gonflé de cornes naissantes promet Vénus et les combats : vainement, car il va teindre, de la rougeur de son sang, le cours de tes eaux glacées, ce rejeton d'un troupeau folâtre. Fontaine, la saison impitoyable de la canicule embrasée ne saurait t'atteindre, tu offres une aimable fraîcheur aux taureaux fatigués de la charrue et au bétail errant. Tu prendras place, toi aussi, parmi les fontaines célèbres, puisque je dis l'yeuse posée sur les rochers creux d'où s'échappent en bondissant les eaux babillardes.

Horace, *Odes,* III, 13.

Pistes de recherche

Ô fontaine Bellerie...

1. Ronsard au travail : l'innutrition•. Comparez l'ode et sa source chez Horace. Notez ce que Ronsard a gardé ou imité, ce qu'il a effacé, ce qu'il a ajouté. Ces écarts devraient permettre de définir ce qui lui importe le plus.

2. La fontaine : l'hommage qui lui est rendu s'appuie sur des raisons ou des souvenirs qui semblent personnels (lesquels ?), mais le tableau déborde largement l'anecdote individuelle : c'est une conception des rapports de l'homme et de la nature qui se dégage finalement.

3. La versification très «coulante» et les rythmes concourent à donner vie et unité à cette ode, à la fois virtuose et sincère.

Cette technique, qui réactive le charme d'un texte, le perpétue en le métamorphosant, n'interdit pas l'originalité. Elle permet au contraire à Ronsard de «faire ses gammes» et de se démarquer peu à peu. En imitant — et en étant imité —, le poète participe à une création continue et rivalise d'ingéniosité.

EXTRAIT

Le petit enfant Amour
Cueillait des fleurs à l'entour
D'une ruche, où les avettes[1]
Font leurs petites logettes.
5   Comme il les allait cueillant,
Une avette sommeillant
Dans le fond d'une fleurette,
Lui piqua la main douillette.
Si tôt que piqué se vit,
10 Ah! je suis perdu, ce dit[2],
Et, s'encourant[3] vers sa mère,
Lui montra sa plaie amère :
«Ma mère, voyez ma main,
Ce disait Amour tout plein
15 De pleurs, voyez quelle enflure
M'a fait[4] une égratignure!»
    Alors Vénus se sourit,
Et en le baisant le prit,
Puis sa main lui a soufflée
20 Pour guérir sa plaie enflée.
    «Qui t'a, dis-moi, faux garçon,
Blessé de telle façon?
Sont-ce mes Grâces[5] riantes,
De leurs aiguilles poignantes?»
25   «Nenni[6], c'est un serpenteau,
Qui vole au printemps nouveau
Avecque deux ailerettes
Çà et là sur les fleurettes.»
    «Ah! vraiment, je le connais,
30 Dit Vénus; les villageois
De la montagne d'Hymette[7]
Le surnomment Mélissette[8].
    Si doncques un animal
Si petit fait tant de mal,
35 Quand son alêne[9] époinçonne
La main de quelque personne,
    Combien fais-tu de douleur
Au prix de[10] lui, dans le cœur
De celui en qui tu jettes
40 Tes amoureuses sagettes[11]?»

Pierre de Ronsard, *Odes*, IV, 16, 1555.

Un jour Éros ne vit pas une abeille qui reposait dans les roses et il fut blessé. Piqué à un doigt de la main, il poussa des cris aigus. Courant et volant vers la belle Cythérée : «Je suis mort, mère, dit-il, je suis mort, je vais mourir; un petit serpent ailé m'a mordu, celui que les laboureurs nomment abeille.» — «Si l'aiguillon de l'abeille, dit-elle, te fait souffrir, combien penses-tu que souffrent, Éros, ceux que tu frappes?»

Anacréon (vers 570 av. J.-C.), *Odes*.

Une cruelle abeille piqua une fois Éros qui volait le rayon de miel d'une ruche, et elle le piqua au bout des doigts. Éros souffrit, et il souffla sur ses doigts, frappa du pied, sauta et, montrant à Aphrodite sa blessure, se plaignit que l'abeille, une si petite bête, fît de telles blessures. Et sa mère se mit à rire : «N'es-tu pas semblable aux abeilles? Tu es petit, mais quelles profondes blessures ne fais-tu pas?»

Théocrite (315-250 av. J.-C.), *Idylles*, XIX.

Cuidant[1] ma dame un rayon de miel prendre,
Sort une guêpe âpre comme la mort
Qui l'aiguillon lui fiche en sa chair tendre,
Dont de douleur le visage tout mort.
Ah ce n'est pas, dit-elle, que me mord
Si durement cette petite mouche;
J'ai peur qu'amour sur moi ne s'escarmouche.
Mais que crains-tu, lui dis-je brièvement[2]?
Ce n'est point lui, Belle. Car, quand il touche,
Il point[3] plus doux, aussi plus grièvement[2].

Maurice Scève (cf. p. 201), *Délie*, 237, 1544.

_____
(1) croyant
(2) Trois syllabes.
(3) pique (verbe poindre)

_____
(1) abeilles
(2) dit-il
(3) accourant
(4) m'a faite
(5) Les trois suivantes de Vénus; elles lui cousaient ses robes, d'où l'allusion aux aiguilles du v. 24.
(6) non
(7) montagne au sud d'Athènes, célèbre pour son miel
(8) Du grec *melissa* : abeille.
(9) poinçon de fer pour percer le cuir
(10) en comparaison de
(11) flèches

Pistes de recherche

1. Comme pour l'extrait précédent, étudiez l'innutrition•.

2. Quels procédés, quel sens du détail permettent de donner à cette imitation une allure de réalité familière? Relevez les notations les plus justes.

3. Quel est l'intérêt ici d'utiliser le vers court et impair?

4. Les imitateurs de Ronsard : certains traits sont empruntés directement aux modèles anciens, mais l'influence de Ronsard est très sensible. Montrez-le. Étudiez ensuite les divergences entre Baïf et Belleau (décor, mouvement et ton d'ensemble, choix de la forme poétique, etc.).

L'imitateur imité

Le larron Amour
Dérobait un jour
Le miel aux ruchettes
Des blondes avettes[1]
5 Qui leurs piquants droits[2]
En ses tendres doigts
Aigrement fichèrent
Ses doigts s'en enflèrent
À ses mains l'enfant
10 Grande douleur sent,
Dépit[3] s'en courrouce :
La terre repousse
Et d'un léger saut
Il s'élance en haut
15 Et vole à[4] sa mère,
L'orine[5] Cythère[6],
Avec triste pleur
Montrer sa douleur
Et faire sa plainte :
20 « Vois, dit-il, l'atteinte
Qu'une mouche fait ;
Vois combien méfait[7]
Une bestelette
Qui si mingrelette
25 Fait un mal si grand. »
— « De même il t'en prend[8],
Vénus lui vint dire,
Se prenant à rire ;
Bien qu'enfantelet
30 Tu sois mingrelet,
Tu ne vaux pas mieux :
Vois quelle blessure
Tu fais qu'on endure
En terre et aux cieux. »

Antoine de Baïf (cf. p. 246),
Les Passetemps, 1573.

(1) Cf. page précédente.
(2) aiguillons dressés
(3) dépité (adj.)
(4) vers
(5) dorée
(6) Vénus
(7) fait du mal
(8) il en va de même pour toi

Raphaël (1483-1520), *Venus et Psyché*, Paris, Louvre, ph. Giraudon.

Lavinia Fontana (1552-1614), *Venus et Cupidon*, Rouen, musée des Beaux Arts, ph. Lauros-Giraudon. ▶

Amour ne voyait pas enclose
Entre les replis de la rose
Une mouche à miel, qui soudain
En l'un de ses doigts le vint poindre[1]
5 Le mignon commence à se plaindre
Voyant enfler sa blanche main.

Aussitôt à Vénus la belle
Fuyant il vole à tire-d'aile :
« Mère, dit-il, c'est fait de moi,
10 C'en est fait, il faut qu'à cette heure
Navré[2] jusques au cœur je meure
Si secouru ne suis par toi.

« Navré je suis en cette sorte
D'un[3] petit serpenteau, qui porte
15 Deux ailerons dessus le dos ;
Aux champs une abeille on l'appelle :
Voyez donc ma plaie[4] cruelle,
Las ! il m'a piqué jusqu'à l'os. »

« Mignon, dit Vénus, si la pointe[5]
20 D'une mouche à miel telle atteinte
Droit au cœur, comme tu dis, fait,
Combien sont navrés davantage
Ceux qui sont époints[6] de ta rage
Et qui sont blessés de ton trait.

Rémy Belleau (cf. p. 246), *Les Odes d'Anacréon
traduites*, 1556.

(1) piquer
(2) blessé
(3) par un...
(4) plai-e (Deux syllabes.)
(5) construction : si la pointe... fait telle atteinte...
(6) piqués

Mais on a beau chercher des sources, établir des comparaisons, la réussite d'un poème n'est pas réductible à un catalogue de recettes. Très tôt Ronsard a saisi que le charme poétique opère d'autant mieux qu'il sait s'effacer et faire oublier les moyens qu'il met en jeu. Résultat d'un effort de fictif appauvrissement, le poème est minutieusement forgé pour s'offrir dans la « simplicité ». Car elle seule peut imiter un instant de bonheur, un de ces fragiles moments de la vie où tout est désir de voler au temps un peu de volupté, à la « fleur » de l'âge...

EXTRAIT

Mignonne, allons voir si la rose,
Qui, ce matin, avait déclose(1)
Sa robe de pourpre au soleil,
À point perdu, cette vêprée(2),
5 Les plis de sa robe pourprée,
Et son teint au vôtre pareil.

     Las! Voyez comme en peu d'espace,
Mignonne, elle a, dessus la place,
Las! las! ses beautés laissé choir!
10 Ô vraiment marâtre Nature,

Puisqu'une telle fleur ne dure
Que du matin jusques au soir!
     Donc, si vous me croyez, mignonne,
Tandis que votre âge fleuronne
15 En sa plus verte nouveauté,
Cueillez, cueillez votre jeunesse :
Comme à cette fleur, la vieillesse
Fera ternir votre beauté.

Pierre de Ronsard, *Odes*, I, 17, 1553.

_____

(1) ouvert (2) ce soir

Pistes de recherche

1. Étudiez l'organisation et la progression, en trois étapes. Une forme de tension et d'émotion est peu à peu superposée à l'invitation aimable du premier vers.
2. Cette variation est exprimée par le changement de ton et de rythmes. Chaque strophe adopte un style propre. Montrez ces changements de forme discrets.
3. Une vieille idée, une comparaison classique, une conclusion dans le style galant : comment Ronsard arrive-t-il à dépasser les conventions et à revivifier un thème si rebattu, au point de le rendre presque inexprimable autrement ? Soyez attentif à l'effort de simplification, à la disposition, à l'appel suggestif du sentiment, etc.
4. Comment expliquez-vous que ce petit poème ait un tel pouvoir sur les lecteurs successifs qu'il a fascinés ?

DOCUMENT

L'art du poète, dans sa période de maturité, n'est pas celui de l'architecte qui pose une pierre sur une autre pierre : il procède à la manière des croissances végétales. De même que l'amour, chez lui, finit toujours par une référence à l'élan vital, au printemps des bourgeons qui éclatent, l'art s'identifie par mimétisme à l'activité d'une nature bruissante et foisonnante, qui n'a que de lointains rapports avec la nature mathématicienne et froidement modérée qu'imagineront les hommes du XVIIe siècle, à l'épo-

que de la physique mécaniste. La nature de Ronsard, comme celle de Rabelais, est une force en expansion [...]. L'œuvre sert ainsi de garant à une esthétique baroque fondée sur la mobilisation simultanée des sens, sur l'accumulation des détails concrets et des termes visuels, sur un dynamisme verbal inspiré et conduit «plus par fureur divine que par invention humaine».

Gilbert Gadoffre, *Ronsard*, Le Seuil, 1960.

Titien (1477-1576), *Danaé recevant la pluie d'or*, Madrid, Prado, ph. H. Josse. (Voyez p. 205.)

■ *Les Amours* : célébration amoureuse à trois voix ■

L'ambition de Ronsard est de chanter, par une sorte de rite de célébration ou de traduction, le mystère monde (cf. p. 268). Tout au long de sa vie, il ne renonce jamais à la «haute poésie» : hymne, discours, essais épiques, œuvres «officielles», etc. Mais, parallèlement, il rompt cette austère production pour se consacrer à ses *Amours*. Il ne faut pas opposer ces deux genres de poésie : l'amour permet à Ronsard d'éclairer cette puissance de la vie, cette animation perpétuelle du monde qui le fascine (cf. p. 269). Aimer, c'est participer à cette fécondité créatrice qui habite l'univers où l'homme n'est qu'un passant. On constate d'ailleurs que **Ronsard**, contrairement à ses prédécesseurs, **ne place pas sa vie sentimentale sous le signe de l'amour unique** et définitif. Une telle passion risquerait de s'user, de tourner en rond, de perdre sa sensualité. Il ne faut pas que l'amour devienne trop sérieux, abstrait, spirituel : il vaut mieux aller vers une autre aventure pour que le poète ne cesse de frémir et désirer.

Ronsard a donc choisi de développer le **thème littéraire** de l'amour autour de plusieurs figures de femmes : **Cassandre, Marie, Hélène**. La critique a cherché à les identifier : les résultats de cette enquête sont décevants, contradictoires et hypothétiques, d'autant que Ronsard a lui-même opéré des échanges de noms et de classements au fur et à mesure des éditions successives. La poésie amoureuse de Ronsard ne saurait être réduite à une série d'illusoires références au «vécu». Elle a une visée **esthétique**, au sens propre du mot : **la beauté par la sensation**.

Cette démarche est d'autant plus évidente que les **trois étapes** principales de l'écriture des *Amours* font apparaître une tendance continue : Ronsard veut atteindre peu à peu ce qu'il nomme le **«beau style bas»**, c'est-à-dire faire affleurer partout une sensualité à la fois lascive et familière. Le poète ne cesse de se corriger et de raffiner pour obtenir une apparente simplicité, une sorte d'évidence. La célébration amoureuse touche alors au but : chaque lecteur «y croit» vaguement, s'y projette ou y reconnaît un peu de ses propres émois. Bien loin d'être l'égoïste et authentique revue des amourettes ronsardiennes, les *Amours* élaborent patiemment **un immense panorama**, aux mille teintes et tonalités, où brillent, en poudre d'étincelles, tous les feux **de nos amours**.

Cassandre : le volcan sous la glace

Les *Amours de Cassandre* (1552) sentent encore l'artifice : le jeune poète s'y livre aux jeux pétrarquisants (cf. p. 250) avec une ingéniosité virtuose. On a identifié Cassandre comme la fille du banquier italien Salviati, qui se maria en 1546 avec un seigneur du Vendômois, qui eut pour nièce Diane Salviati, aimée d'Agrippa d'Aubigné (cf. p. 293) et pour lointain descendant Alfred de Musset. Cette Cassandre a deux faces, en tout cas : en 1550, Ronsard en parle comme d'une bonne fille qu'on presse de baisers et de faciles caresses ; en 1552, la voici inaccessible et altière. Ce double aspect a du moins l'avantage de s'accorder à la figure la plus banale des pétrarquisants, l'**antithèse•**.

EXTRAITS

Ni les combats des amoureuses nuits,
Ni les plaisirs que les amours conçoivent,
Ni les faveurs que les amants reçoivent,
Ne valent pas un seul de mes ennuis.

Heureux espoir, par ta faveur je puis
Trouver repos des maux qui me déçoivent
Et par toi seul mes passions reçoivent
Le doux oubli des tourments où je suis.

Bienheureux soit mon tourment qui r'empire,
Et le doux joug, sous qui je ne respire ;
Bienheureux soit mon penser soucieux,

Bienheureux soit le doux souvenir d'elle,
Et plus heureux le foudre(1) de ses yeux,
Qui cuit ma vie en un feu qui me gèle.

Pierre de Ronsard, *Amours de Cassandre*, 76, 1552.

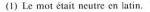

(1) Le mot était neutre en latin.

Véronèse (1528-1588), *La Belle Nani*, Paris, Louvre, ph. H. Josse.

J'espère et crains, je me tais et supplie,
Or' je suis glace et ores[1] un feu chaud,
J'admire tout et de rien ne me chaut[2],
Je me délace et mon col je relie.

Rien ne me plaît sinon ce qui m'ennuie,
J'y suis vaillant et le cœur me défaut,
J'ai l'espoir bas, j'ai le courage haut,
Je doute Amour et si[3] je le défie,

Plus je me pique et plus je suis rétif,
J'aime être libre et veux être captif,
Tout je désire et si[3] n'ai qu'une envie.

Un Prométhée[4] en passions je suis :
J'ose, je veux, je m'efforce et ne puis,
Tant d'un fil noir la Parque[5] ourdit ma vie.

(1) tantôt... tantôt...
(2) ne me soucie
(3) et cependant
(4) Selon la mythologie, son foie, qui ne cesse de repousser, est dévoré à jamais par un vautour.
(5) une des trois divinités qui «filent» nos destins

Pierre de Ronsard, *Amours de Cassandre*, 12, 1552.

Pistes de recherche

L'antithèse• : «Ni les combats...» et «J'espère et je crains...»

1. Reprenez en détail les divers développements de l'antithèse• dans les deux sonnets. On peut les réduire à un seul couple opposé de deux champs lexicaux : lesquels et pourquoi ce choix ?

2. Comparez avec Maurice Scève p. 201 et à Jodelle p. 288 : vous pourrez mettre en valeur les effets très différents visés et obtenus par chaque poète, selon son tempérament, au travers de cette figure de rhétorique•, empruntée à Pétrarque (cf. p. 250) et qui sera chère au baroque comme à la préciosité.

3. Le choix de l'antithèse• correspond aussi à une certaine conception du sentiment amoureux et des relations entre amants. Tâchez de la définir et demandez-vous pourquoi elle est si constamment exprimée par tous les poètes, à travers les âges.

Parmi les procédés de Pétrarque, Ronsard retient surtout l'**association de la nature aux sentiments** et aux peines de l'amant (avec rêveries solitaires, apostrophes aux rivières ou aux bois, etc.) et, d'autre part, la **comparaison** qui doit exprimer l'indicible beauté de la dame ou la souffrance de l'amour.

EXTRAITS

Ciel, air et vents, plains[1] et monts découverts,
Tertres vineux[2] et forêts verdoyantes,
Rivages tors et sources ondoyantes,
Taillis rasés, et vous, bocages verts,

Antres moussus à demi-front[3] ouverts,
Prés, boutons, fleurs et herbes rousoyantes[4],
Vallons bossus et plages blondoyantes,
Et vous rochers, les hôtes de mes vers,

Puisqu'au partir[5], rongé de soin et d'ire[6],
À ce bel œil adieu je n'ai su dire,
Qui près et loin me détient en émoi,

Je vous supplie, ciel, air, vents, monts et plaines,
Taillis, forêts, rivages et fontaines,
Antres, prés, fleurs, dites-le lui pour moi.

(1) plaines
(2) couverts de vignobles
(3) à mi-côte
(4) couvertes de rosée
(5) au moment de partir
(6) de soucis et de colère

Pierre de Ronsard, *Amours de Cassandre*, 66, 1552.

Pistes de recherche

1. La nature n'est qu'apparemment neutre et variée ici : on y retrouve une progression par série d'antithèses•. Relevez-les et définissez l'effet recherché.

2. Tout ce sonnet est tourné vers le dernier hémistiche•. Essayez de saisir quel sentiment veut suggérer ce plan. Là encore on retrouve une conception de l'amour assez particulière (voyez le premier tercet). À qui s'adresse cet adieu : à la «maîtresse» ou à la vie elle-même ?

Comme un chevreuil, quand le printemps détruit
Du froid hiver la poignante gelée,
Pour mieux brouter la feuille emmiellée,
Hors de son bois avec l'aube s'enfuit,

Et seul, et sûr, loin de chiens et de bruit,
Or' sur un mont, or' dans une vallée,
Or' près d'une onde à l'écart recelée,
Libre, folâtre où son pied le conduit,

De rets[1] ni d'arc sa liberté n'a crainte,
Sinon alors que sa vie est atteinte
D'un trait[2] meurtrier[3] empourpré de son sang ;

Ainsi j'allais, sans espoir de dommage,
Le jour qu'un œil, sur l'avril de mon âge,
Tira d'un coup mille traits en mon flanc.

Pierre de Ronsard, *Amours de Cassandre*, 59, 1552.

_____

(1) filets
(2) flèche
(3) Deux syllabes.

Alonso Sanchez Coello (1531-1588), *L'Infante Isabelle Claire Eugénie, Souveraine des Pays-Bas* (1566-1633), Madrid, Prado, ph. H. Josse.

Pistes de recherche

1. Étudiez le développement de la comparaison des trois premières strophes. Observez surtout la structure de la phrase et son rythme, jusqu'à la chute du vers 11.

2. Ce mouvement se veut imitatif du chevreuil lui-même : élan au printemps, course libre, surprise de la mort. Soyez attentif aux détails de l'expression (vocabulaire et effets stylistiques) pour en rendre compte.

3. Le dernier tercet permet de relire le sonnet : montrez que la comparaison est finalement très cohérente. Quelle image de la vie et de l'irruption de l'amour s'en dégage-t-il, finalement ?

4. La réussite du sonnet de Ronsard est peut-être plus évidente par la comparaison avec celui de Baïf (en document). L'imitateur est plus démonstratif mais aussi moins suggestif. Essayez de dire les mérites et les trouvailles de chacun.

DOCUMENT

L'imitation d'Antoine de Baïf :

Comme, quand le printemps de sa robe plus belle
La terre parera lorsque l'hiver départ[1],
La biche toute gaie à la Lune se part[2]
Hors de son bois aimé qui son repos recèle ;

De là va viander[3] la verdure nouvelle
Sûre, loin des bergers, dans les champs, à l'écart,
Ou dessus la montagne, ou dans le val, là part
Où son libre désir la conduit et l'appelle ;

Ni n'a crainte du trait[4], ni d'autre tromperie,
Quand à coup elle sent dans le flanc le boulet
Qu'un bon arquebusier caché d'aguet[5] lui tire ;

Tel comme un qui sans peur de rien ne se défie,
Dame, j'allai le soir que vos yeux d'un beau trait[4]
Firent en tout mon cœur une plaie[6] bien pire.

Antoine de Baïf, *L'Amour de Francine*, 2 livres de sonnets et 2 livres de chansons, II, 9, 1555.

_____

(1) s'en va
(2) sort
(3) manger
(4) Cf. vers 11 de l'extrait
précédent.
(5) par ruse, par
guet-apens
(6) Deux syllabes.

Dosso Dossi (1479-1542), *La Magicienne Circé*, Rome, galerie Borghese, ph. Scala.

L'art d'aimer, sur tous les tons

Marie est l'anagramme du verbe aimer :
> « Marie, qui voudrait votre nom retourner,
> Il trouverait aimer : aimez-moi donc, Marie. »

Ronsard l'indique donc clairement : il se détourne de la digne et intraitable Cassandre pour « vocaliser » sur le verbe « aimer ». Les *Amours de Marie* (1556) sont **un pot-pourri** : on y trouve aussi bien des exercices de style les plus sophistiqués — surtout quand Ronsard fait planer les transes de la mort en arrière-plan de la passion —, que des badineries ou « folâtries » les plus agrestes. Bref, le recueil hésite entre un « flirt » avec une accorte fille des champs et des broderies littéraires sur l'amant « serf » de sa dame qui semble solliciter et refuser l'hommage amoureux. Ronsard se souvient sans doute de Marie Dupin, adolescente gentille et jolie qu'il a courtisée en Touraine. Mais la *Continuation* fera allusion à une Marie « parisienne », et on connaît même, dans la vie de Ronsard de cette époque, une Jeanne et une Toinon. Bref, les *Amours de Marie* cherchent surtout à **toucher un public plus vaste, par une poésie plus familière,** moins distante.

École française (XVIe siècle), *Sabina Poppea*, Genève, musée d'Art et d'Histoire, ph. Giraudon.

EXTRAITS   *Langueurs et réveil : variations sur le sommeil*

J'ai l'âme pour un lit de regrets si touchée,
Que nul homme jamais ne fera que j'approche
De la chambre amoureuse, encor moins de la couche
Où je vis ma maîtresse au mois de Mai couchée.

Un somme languissant la tenait mi-penchée
Dessus le coude droit fermant sa belle bouche,
Et ses yeux dans lesquels l'archer Amour se couche,
Ayant toujours la flèche à la corde encochée.

Sa tête en ce beau mois sans plus était couverte
D'un riche escofion[1] ouvré de soie[2] verte,
Où les Grâces venaient à l'envi se nicher,

Puis en ses beaux cheveux choisissaient leur demeure.
J'en ai tel souvenir que je voudrais qu'à l'heure
Mon cœur pour n'y penser fût devenu rocher.

Pierre de Ronsard, *Amours de Marie*, 66, 1556.

_____
(1) châle, filet
(2) Deux syllabes.

Marie[1], levez-vous, ma jeune paresseuse :
Jà[2] la gaie alouette au ciel a fredonné,
Et jà[2] le rossignol doucement jargonné,
Dessus l'épine assis, sa complainte amoureuse.

Sus! Debout! Allons voir l'herbelette[3] perleuse,
Et votre beau rosier de boutons couronné,
Et vos œillets mignons auxquels avez donné,
Hier au soir, de l'eau d'une main si soigneuse.

Hier[4] soir en vous couchant vous jurâtes vos yeux
D'être plus tôt que moi ce matin éveillée ;
Mais le dormir de l'Aube, aux filles gracieux,

Vous tient d'un doux sommeil encor les yeux sillés[5].
Çà! Çà! que je les baise et votre beau tétin
Cent fois, pour vous apprendre à vous lever matin!

Pierre de Ronsard, *Amours de Marie*, 19, 1556.

_____
(1) Trois syllabes.
(2) déjà
(3) la petite herbe (Les poètes de la Pléiade ont affectionné ces diminutifs; cf. p. 283.)
(4) Une syllabe.
(5) collés, clos

Pistes de recherche

Variations sur le sommeil : « J'ai l'âme... » et « Marie, levez-vous... »

1. Bel exemple des changements de registres à l'intérieur d'un même recueil! Comparez le ton, le rythme, le mouvement d'ensemble, le détail de l'expression, etc.

2. Les deux visages de l'amour et de la fuite du temps, à travers ces deux sonnets.

3. À l'aide du document de R. Lebègue, montrez comment la rime concourt à suggérer une atmosphère et un « dessin ».

Au service de Marie et de quelques autres femmes, plus ou moins réelles, le poète met un art exquisement raffiné, sous sa simplicité apparente. Aucun mot n'est superflu. La phrase se déroule avec aisance et harmonie, aucune dissonance ne heurte l'oreille. L'image champêtre est choisie pour sa grâce, et s'accompagne d'une émotion discrètement voluptueuse. Outre les sonnets qui figurent dans toutes les anthologies, on examinera «le divin portrait d'une femme endormie» (Belleau *dixit*), qui fait l'objet du sonnet 66 : Ronsard semble vouloir rivaliser avec les meilleurs peintres de son temps, non seulement par le dessin des formes, mais par l'arabesque des phrases, et il a soin de terminer presque tous les vers par le son doux de la consonne *ch*.

Raymond Lebègue, *Ronsard*, Hatier, 1966.

En 1578, dans une des rééditions de ses œuvres complètes, Ronsard chantera la mort de Marie. On ne sait pas très bien s'il s'agit toujours de Marie l'Angevine ou de Marie de Clèves, maîtresse d'Henri III. Ronsard trouve en ce thème de quoi formuler sa vieille obsession (cf. pp. 269-270) en un curieux mélange de préciosité et de fraîcheur : le «pot-pourri» est tout fondu en un seul sonnet.

EXTRAIT

Comme on voit sur la branche, au mois de mai, la rose,
En sa belle jeunesse, en sa première fleur,
Rendre le ciel jaloux de sa vive couleur,
Quand l'aube, de ses pleurs, au point du jour l'arrose ;
La grâce dans sa feuille[(1)], et l'amour se repose,
Embaumant les jardins et les arbres d'odeur ;
Mais battue ou de pluie ou d'excessive ardeur,
Languissante, elle meurt, feuille à feuille déclose.
Ainsi, en ta première et jeune nouveauté,
Quand la terre et le ciel honoraient ta beauté,
La Parque[(2)] t'a tuée et cendre tu reposes.
Pour obsèques reçois mes larmes et mes pleurs,
Ce vase plein de lait, ce panier plein de fleurs,
Afin que, vif et mort, ton corps ne soit que roses.

(1) pétale
(2) Cf. p. 276, en haut, note 5.

Pierre de Ronsard, *Sur la mort de Marie*, 4, 1556.

Pistes de recherche

1. Épanouissement et déclin : les deux éléments de la comparaison se répondent très nettement et suivent, de façon fort expressive, la même courbe. Analysez cette correspondance, en étant surtout attentif au rythme.

2. Ce sonnet renouvelle l'assimilation rose-jeune fille (cf. p. 274). La mort y est à la fois suggérée, présente (comment ?) et discrète, sereine, sans déchirement ni désespoir. Tout vise à créer une forme d'émotion contenue. Montrez-le.

3. La mélodie : observez, par exemple, les termes qui se déplacent à l'intérieur du vers et à la rime, les échos, les sonorités évocatrices de la fin, etc.

Véronèse (1528-1588), *Bethsabée au bain*, musée de Lyon, ph. Giraudon. *David, épris de Bethsabée, fit périr son premier mari, Urie, pour l'épouser. De cette union naquit Salomon (cf. Bible, Samuel, 11 et 12).*

Un auteur pris au jeu

Ronsard a cinquante-quatre ans et a atteint l'apogée de son renom lorsqu'il publie les *Sonnets pour Hélène* (1578). Il s'agit sans doute d'une **œuvre de commande**, Catherine de Médicis ayant invité le «Prince des Poètes» à célébrer la vertu et la beauté d'une de ses demoiselles d'honneur, Hélène de Surgères, restée inconsolable à la mort de son fiancé. Ronsard va donc pouvoir rassembler plusieurs souvenirs des femmes qu'il a connues ou aimées. Avec le filtre du temps, il peut décanter ici toutes les prouesses techniques qui étaient si visibles dans les vers de sa jeunesse. Son continuel refrain — la mort (cf. p. 264) — devient nécessairement moins fictif ou abstrait. L'heure est encore à la délicatesse, mais moins à de vains trompe-l'œil. Certes, Ronsard continue à avoir recours à bien des clichés et à des métaphores• empruntés à Pétrarque (cf. p. 250). Mais c'est qu'**il s'adresse à** une femme et à **une cour** — celle d'Henri III — très férues de culture italienne et très raffinées. Il faut bien flatter le goût du lecteur et du commanditaire.

Mais, paradoxalement, c'est ce dernier recueil amoureux, si marqué par les jeux précieux de la cour, qui semble le moins pédant, le plus touchant. **Ronsard,** vieillissant, **s'est pris au jeu.** Son art aussi s'épure : on le voit presser Hélène de céder, s'impatienter et se flatter en vain d'une gloire qui ne suffit pas à faire tomber la belle dans ses bras. Il se plaint même qu'elle n'aime que les morts : «Aimer l'esprit, Madame, est aimer la sottise.» Il se moque des beaux philosophes, n'a que sarcasmes contre la morale et l'honneur. Hélène brille dans les bals et les fêtes, pendant que lui, à l'écart, se lamente de ses cheveux blancs. Visiblement Hélène se moque de la «gloire immortelle» que le vieux poète lui promet. La jeunesse ne s'échange contre rien. Ronsard, qui l'avait si bien pressenti dès ses premiers vers (cf. p. 274) en fait finalement la cruelle expérience. Si l'on veut à tout prix assimiler la vie et l'œuvre, en voici enfin l'occasion.

EXTRAITS

Le beau chantage...

Puisqu'elle est tout hiver, toute la même glace,
Toute neige, et son cœur tout armé[1] de glaçons,
Qui[2] ne m'aime sinon pour avoir mes chansons,
Pourquoi suis-je si fol que je ne m'en délace ?

De quoi me sert son nom, sa grandeur et sa race,
Que d'honnête servage et de belles prisons ?
Maîtresse, je n'ai pas les cheveux si grisons,
Qu'une autre de bon cœur ne prenne votre place.

Amour, qui est enfant, ne cèle vérité :
Vous n'êtes si superbe, ou si riche en beauté,
Qu'il faille dédaigner un bon cœur qui vous aime.

Rentrer en mon avril désormais je ne puis :
Aimez-moi s'il vous plaît, grison comme je suis,
Et je vous aimerai quand vous serez de même.

[1] et puisque son cœur est tout armé
[2] elle qui

Pierre de Ronsard, *Sonnets pour Hélène*, I, 22, 1578.

Quand vous serez bien vieille, au soir à la chandelle,
Assise auprès du feu, dévidant et filant,
Direz, chantant mes vers, en vous émerveillant :
«Ronsard me célébrait du temps que j'étais belle !»

Lors vous n'aurez servante oyant telle nouvelle,
Déjà sous le labeur à demi sommeillant,
Qui au bruit de mon nom ne s'aille réveillant,
Bénissant votre nom de louange immortelle.

Je serai sous la terre, et, fantôme sans os,
Par les ombres myrteux[1] je prendrai mon repos ;
Vous serez au foyer une vieille accroupie,

Regrettant mon amour et votre fier dédain.
Vivez, si m'en croyez, n'attendez à demain :
Cueillez dès aujourd'hui les roses de la vie.

[1] Aux enfers, une forêt de myrtes abrite les amoureux célèbres.

Pierre de Ronsard, *Sonnets pour Hélène*, II, 43, 1578.

Pistes de recherche

1. Deux décors, deux évocations, deux « climats », mais la même conception des rapports entre le poète et sa — jeune — « dame ». Définissez-les : quels sont l'attitude et l'état d'esprit de chacun d'eux ? Comparez les deux derniers tercets (« rentrer en... »/« regrettant... ») : l'idée est différente. Ce sont alors deux aspects de l'amour qui se complètent. Tâchez de les cerner.
2. Le deuxième sonnet cherche surtout à créer un tableau, une scène animée, qui va contraster avec les deux images un peu inquiétantes du premier tercet. Étudiez les moyens expressifs de ce procédé de visualisation.
3. Un lieu commun (cf. p. 274) est ici revivifié et orienté vers une sorte de réalisme. Comparez et, en vous aidant du document ci-dessous, montrez à quoi tiennent l'originalité et la réussite de ce sonnet si célèbre.
4. Grévin, Bourget, Corneille, Queneau : que de variations sur ce même thème ! Cernez le style et le genre retenu par chacun. Pourquoi cette permanence de ce même sujet à travers les âges et les styles ?

DOCUMENTS

Son art s'est épuré. Ronsard évite les maladresses de forme et les néologismes. Il réussit à merveille les descriptions limitées, les tableautins ; au reste, pour Hélène, il a presque complètement abandonné la prolixe élégie. Telle description d'un ballet de Cour à la grâce élégante et précise d'un poème d'Henri de Régnier ; tel tableau bucolique pourrait être signé par le Poussin : *Je plante en ta faveur...* Et la vieille assise auprès du feu semble détachée d'un tableau hollandais.

Raymond Lebègue, *Ronsard,* Hatier, 1966.

Lorsqu'au soleil couchant les rivières sont roses,
Et qu'un tiède frisson court sur les champs de blé,
Un conseil d'être heureux semble sortir des choses
Et monter vers le cœur troublé.
Un conseil de goûter le charme d'être au monde
Cependant qu'on est jeune et que le soir est beau,
Car nous nous en allons,
Comme s'en va cette onde :
Elle à la mer,
Nous au tombeau.

Paul Bourget, vers 1878. (Poème mis en musique par Debussy : vous pouvez l'entendre dans le disque I des « Classical » chantés par Barbara Streisand, chez CBS.)

Un imitateur : Jacques Grévin (1538-1570).

Ces beaux cheveux crêpés, qu'en mille et mille sortes
Tu trousses bravement sur le haut de ton front,
Dedans vingt ou trente ans au monde ne seront,
Mais avec le corail de tes deux lèvres mortes :

Ces deux monts cailletés, ces deux fraises retortes,
Ces deux bras potelés, et ces beaux doigts mourront,
Seulement au cercueil les cendres demourront[1]
Encloses pesamment dessous les pierres fortes.

Et puis pour tout cela tu te fais adorer,
Tu fais plaindre, gémir, pleurer, désespérer,
Puis mourir, puis revivre, un amant en martyre.

Uses-en cependant, Françoise, que le temps
T'en donne le loisir : car tous ces poursuivants
En la fin comme moi ne s'en feront que rire.

Jacques Grévin, « Sonnets de la Gélodacrye », *L'Olympe,* 1560.

_____
(1) demeurront

Pour un autre air sur le même refrain, voyez Corneille (« Marquise, si mon visage... » — *chanté par Brassens* —) *et même Queneau :*

« Si tu t'imagines, fillette, fillette,
Xa va xa va xa va durer toujours... »

Hans Baldung Grien (1484-1545), *Les Trois Âges,* Vienne, Kunst Historische Museum, ph. E. Lessing-Magnum.

■ Le clair-obscur final

Bien qu'il ait souvent affecté un superbe mépris pour les poètes courtisans, **Ronsard n'a cessé de rimer sur commande,** même dans ses *Amours* (cf. p. 280). Le roi Charles IX, son protecteur, attend mieux que des pièces divertissantes : le poète est engagé à composer un grand poème épique à la gloire de la monarchie et de la nation française, pour rivaliser, en français, avec les grandes épopées antiques. La *Franciade* (1572), vaste et fastidieuse « geste » nationaliste, n'aura guère de succès et restera inachevée. À côté de ce ratage, les *Hymnes* et autres *Discours* de Ronsard attirent encore l'attention par leur verve fougueuse : le poète, servile aux fureurs partisanes, se livre contre les hérétiques à des appels au meurtre, traversés de cris sauvages et de haine. Les protestants ne manqueront pas de lui retourner un zèle comparable : cible de ripostes féroces et d'attaques infâmantes, Ronsard doit défendre son œuvre et montrer la pureté de sa vie qu'on incrimine. Nous reviendrons plus loin sur cette littérature engagée et politisée (cf.p. 296).

Toutes ces tensions ne réussissent guère à Ronsard. Il s'aigrit, devient taciturne et vit presque toujours dans un des nombreux prieurés de Touraine, dont les princes l'ont gratifié. À la mort de Charles IX (1574), il a le sentiment que la dynastie dégénère. On lui préfère du Bartas ou Desportes (cf. p. 286). Les protestants ne lui pardonnent pas ses vers fanatiques. Il a beau tempêter et critiquer ses rivaux (« crevés d'enflures et rampants »), **son heure est passée.** Les derniers poèmes reflètent donc ce crépuscule : il se justifie et il geint. Avec son réalisme habituel, il décrit sa décrépitude. Mais sa nostalgie de la « volupté et des Grâces » donne à ces **funèbres poésies** une **ultime sensualité.** Une sorte d'amour païen de la vie brille ici de ses derniers feux.

EXTRAITS

Requiems...

Il faut laisser maisons et vergers et jardins,
Vaisselles et vaisseaux[1] que l'artisan burine
Et chanter son obsèque en la façon du cygne[2],
Qui chante son trépas sur les bords méandrins.

C'est fait, j'ai dévidé le cours de mes destins.
J'ai vécu. J'ai rendu mon nom assez insigne.
Ma plume vole au ciel pour être quelque signe
Loin des appâts mondains qui trompent les plus fins.

Heureux qui ne fut onc[3], plus heureux qui retourne
En rien, comme il était, plus heureux qui séjourne
D'homme fait nouvel ange, auprès de Jésus-Christ,

Laissant pourrir çà-bas[4] sa dépouille de boue
Dont le sort, la fortune et le dessein se joue,
Franc[5] des liens du corps pour n'être qu'un esprit.

(1) récipients
(2) Cf. p. 260.
(3) qui ne fut jamais
(= qui n'a jamais vécu)
(4) ici-bas
(5) affranchi, libéré

Pierre de Ronsard, *Derniers Vers*, 1585.

Je n'ai plus que les os, un squelette je semble,
Décharné, dénervé[1], démusclé, dépoulpé[2],
Que le trait de la mort sans pardon a frappé :
Je n'ose voir mes bras que[3] de peur je ne tremble.

Apollon[4] et son fils[5], deux grands maîtres ensemble,
Ne me sauraient guérir ; leur métier m'a trompé.
Adieu, plaisant soleil ! Mon œil est étoupé[6],
Mon corps s'en va descendre où tout se désassemble.

Quel ami, me voyant en ce point dépouillé,
Ne remporte au logis un œil triste et mouillé,
Me consolant au lit et me baisant la face,

En essuyant mes yeux par la mort endormis ?
Adieu, chers compagnons ! Adieu, mes chers amis !
Je m'en vais le premier vous préparer la place.

(1) épuisé
(2) qui a perdu le pouls
(3) sans que
(4) dieu de la poésie et de
la médecine
(5) Asclépios ou Esculape,
médecin grec légendaire
(6) voilé

Pierre de Ronsard, *Derniers Vers*, 1585.

Ah ! longues nuits d'hiver, de ma vie bourrelles[1],
Donnez-moi patience et me laissez dormir !
Votre nom seulement et suer et frémir
Me fait par tout le corps, tant vous m'êtes cruelles.

Le sommeil tant soit peu n'évente de ses ailes
Mes yeux toujours ouverts, et ne puis affermir[2]
Paupière sur paupière, et ne fais que gémir,
Souffrant, comme Ixion[3], des peines éternelles.

Vieille ombre de la terre, ainçois[4] l'ombre d'enfer,
Tu m'as ouvert les yeux d'une chaîne de fer,
Me consumant au lit, navré de mille pointes :

Pour chasser mes douleurs, amène-moi la mort.
Ha ! Mort ! le port commun, des hommes le confort,
Viens enterrer mes maux, je t'en prie à mains jointes !

Pierre de Ronsard, *Derniers Vers*, 1585.

_____

(1) féminin pluriel de bourreau
(2) appliquer
(3) Criminel de l'Antiquité condamné par Jupiter, après sa mort, à tourner éternellement sur une roue en feu.
(4) ou plutôt

> *Épitaphe...*
>
> Amelette Ronsardelette,
> Mignonnelette, doucelette,
> Très chère hôtesse de mon corps,
> Tu descends là-bas faiblelette,
> Pâle, maigrelette, seulette,
> Dans le froid royaume des morts ;
> Toutefois simple, sans remords
> De meurtre, poison, ou rancune,
> Méprisant faveurs et trésors
> Tant enviés par la commune.
> Passant, j'ai dit : suis ta fortune,
> Ne trouble mon repos, je dors.

Pistes de recherche

1. Ces trois sonnets, malgré de sensibles différences qu'il faudra définir, cherchent à accepter la mort. Relevez les raisons invoquées, où alternent orgueil et simplicité, foi et inquiétude contenue, dignité et tourment, etc.

2. La lucidité, le réalisme, la volonté d'être poignant et de faire impression. Soulignez et commentez les formules les plus fortes, qui font « vécues ».

3. Êtes-vous surpris par l'emploi d'allusions mythologiques et de souvenirs antiques ou légendaires ? Quelle est leur fonction dans ces sonnets d'adieu ? Que permettent-ils d'atténuer ou d'exprimer ?

4. Que pensez-vous de l'épitaphe : sa tonalité, son esprit, l'accumulation des diminutifs conviennent-ils à fixer la dernière image qu'il nous faut garder de Ronsard ?

Biographie de Ronsard

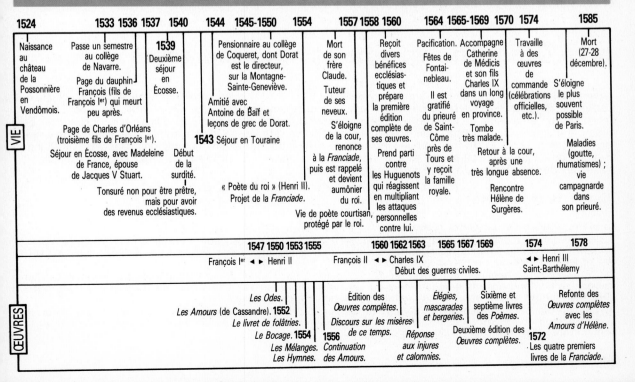

Le sillage de Ronsard et la crise des valeurs

La Pléiade avait essayé de fixer une doctrine (cf. p. 246) à laquelle les deux protagonistes principaux, du Bellay et Ronsard, ne furent pas longtemps fidèles. Les ambitieux objectifs théoriques n'ont pu contenir d'aussi fortes personnalités. Mais un **ton nouveau** — et non pas un contenu vraiment différent — s'est imposé au public. Tout un style semble alors durablement démodé : les chansons de geste, Villon, la poésie courtoise, le *Roman de la Rose,* par exemple. La Pléiade ne fut certainement pas cette structure unitaire que l'on imagine parfois, par commodité. Mais, autour de Ronsard, gravite **une nébuleuse** hétéroclite, aux contours flottants, **de disciples et d'imitateurs.** Certains sont ses amis privés (Belleau, Baïf ou Pontus de Tyard), d'autres des partenaires en courtisanerie, comme son rival Desportes, d'autres enfin sont fascinés par son art tout en ne partageant pas ses choix religieux ou politiques (le protestant Agrippa d'Aubigné). Du vivant de Ronsard, tous admettaient sa supériorité et justifiaient par là des imitations presque plagiaires (cf. pp. 277 et 281). À sa mort, chacun se prend pour l'héritier, notamment, outre Desportes, Bertaut et du Perron (cf. *le XVIIᵉ siècle,* p. 20). Montaigne a raison d'ironiser : « Depuis que Ronsard et du Bellay ont donné crédit à notre poésie française, je ne vois si petit apprenti qui n'enfle des mots, qui ne range les cadences à peu près comme eux. »

Entre la Pléiade naissante, en 1550, et les années où tout le monde « ronsardise », vers 1570-1580, **le climat a changé.** La conjuration d'Amboise (1560) et la répression qui la sanctionne donnent le signal du début des guerres civiles qui vont déchirer les consciences et ensanglanter le pays pendant trente-cinq ans. La violence et les horreurs vont se généraliser. **L'humanisme se fait plus sombre,** plus tragique : le macabre va faire irruption en poésie, à nouveau (cf. p. 296). Le sentiment de l'éphémère, si fort chez du Bellay et Ronsard, va s'accentuer encore vers le pathétisme•, vers une imagination convulsée. Les amateurs de plaisirs, par réaction, deviennent eux-mêmes plus scabreux : ils invitent à une jouissance brute et immédiate. Le néo-platonisme des pétrarquisants (cf. p. 250) cède le pas à un **érotisme plus impatient** et fort gaillard. Du coup, enfin, les poètes du pittoresque, qui veulent encore chanter les merveilles de la nature, renoncent peu à peu aux fades et niaises « bergeries » : le lyrisme sentimental s'éteint, laissant extravaguer **une nature qui éclate** de toute part et qui semble elle-même atteinte par la mouvance et la fermentation. Le baroque est né (cf. *Le XVIIᵉ siècle,* pp. 18 à 64).

Cette triple thématique — la mort, la chair, la métamorphose — cohabite évidemment avec la plus simple imitation marotique (cf. p. 190) ou ronsardienne. Il n'y a pas rupture mais lente substitution. Pour la commodité de la présentation, nous proposons ici quelques regroupements qui illustrent cette **évolution des sujets et des formes** de la poésie entre 1560 et 1590 environ.

◼ La Création : énigme et frémissements ▬

Bien qu'il ait été l'intime de Ronsard, **Rémy Belleau** (1527-1577) s'est lentement dégagé de son influence. Certes, sa *Bergerie* est une sorte de récit champêtre directement inspiré des *Odes.* Mais on y perçoit déjà un chaos, un amalgame : la nature est une splendeur luxuriante, qui frémit et diffuse mille influences. Le désordre et l'accumulation cherchent à dire ces radiations mystérieuses. Il ne s'agit plus seulement de chanter l'animation (cf. p. 269), mais par exemple de se concentrer sur le plus humble des minéraux. « Il lui suffit d'un petit éclat de cristal pour y capter, y capturer, y captiver, y apprivoiser tous les secrets mystiques et plastiques de la Création » (A.-M. Schmidt, cf. p. 203).

Pistes de recherche ▶

La pierre aqueuse et La pierre d'aimant

1. Pour rendre le mystère de la vie minérale, le poète a recours à un procédé d'humanisation. Faites le recensement des diverses images, comparaisons qui tendent à exprimer cette assimilation. Relevez aussi les verbes et les adjectifs qui personnalisent la pierre.

2. Cette méthode poétique est aussi rendue nécessaire par l'absence de véritable lexique scientifique : la science se confond encore avec la magie ou l'occultisme, voire l'alchimie. Citez quelques formules ou quelques vers où cet embarras et cette confusion des genres apparaissent.

3. L'émerveillement, la fascination, le désir de percer le secret : le poète semble ne cesser de s'étonner. À quoi le perçoit-on ? Comparez, en particulier, l'ardeur interrogative et l'accumulation du premier extrait, et la concentration, la « distillation » du second.

Les nombreux poèmes minéralogiques de Belleau montrent bien comment les idées viennent influer sur la poésie. Persuadé que la pierre précieuse est la concrétion de lumières stellaires ou célestes, le poète fait à la fois œuvre de science et de magie, en exprimant son émerveillement devant la beauté et le secret des choses.

La pierre aqueuse

[...] Pierre toujours larmoyante
A petits flots ondoyante,
Sœurs témoins de ses douleurs :
Comme le marbre en Sipyle[1]
Qui se fond et se distille
Goutte à goutte en chaudes pleurs.
      Ô chose trop admirable,
Chose vraiment non croyable,
Voir rouler dessus les bords
Une eau vive qui ruisselle
Et qui de course éternelle
Va baignant ce petit corps.
      Et pour le cours de cette onde
La pierre n'est moins féconde
Ni moins grosse, et vieillissant
Sa pesanteur ne s'altère,
Mais toujours demeure entière
Comme elle était en naissant.
      Mais est-ce que de nature
Pour sa rare contexture
Elle attire l'air voisin,
Ou dans soi qu'elle recelle[2]
Cette humeur[3] qu'elle amoncelle
Pour en faire un magasin ?
      Elle est de rondeur parfaite,
D'une couleur blanche et nette,
Agréable et belle à voir,
Pleine d'humeur qui ballotte
Au-dedans, ainsi que flotte
La glaire en l'œuf au mouvoir[4].
      Va pleureuse, et te souvienne
Du sang de la plaie mienne
Qui coule et coule sans fin,
Et des plaintes épandues
Que je pousse dans les nues
Pour adoucir mon destin.

Rémy Belleau, *Amours et Nouveaux Échanges des pierres précieuses*, 1576.

---

(1) personnage mythologique, transformé en rocher qui pleure
(2) ou est-ce dans soi que...
(3) humidité, suintement
(4) quand on le remue

La pierre d'aimant

Se voit-il sous le Ciel chose plus admirable,
Plus céleste, plus rare et plus inimitable
Aux hommes inventifs, que la pierre d'aimant[1] ?
Qui le fer et l'acier vivement animant
Prompte les tire à soi, et de gente allégresse
Ces métaux engourdis et rouillés de paresse
Élève haut en l'air, fait tourner et marcher,
Les presse, les poursuit, pour les mieux accrocher ?
      Tout cela que Nature en ses ondes enserre,
Sous les replis de l'air, sous les flancs de la terre,
N'est point si merveilleux. Et quoi ? n'était-ce assez
Aux rochers caverneux, aux antres emmoussés,
Aux pierres, aux cailloux avoir donné en somme
La parole et la voix, qui répond même à l'homme ?
Babillant, fredonnant, gazouillant, et parlant
Les accents dedans l'air qu'elle va redoublant ?
Sans les avoir armés et de mains et d'accroches,
De petits hameçons, de secrètes approches,
Des traits même d'Amour, pour attirer à soi
Le fer opiniâtre, et lui donner la loi ?
      Se voit-il rien çà-bas[2] plus dur et moins domptable
Que ce métal guerrier ? moins doux et moins traitable ?
Mais en cette amitié le dompteur est dompté,
Et le vainqueur de tout d'un rien est surmonté,
Courant deçà delà sans égard et sans guide
Après je ne sais quoi qui s'épand dans le vide. [...]
      De cette pierre donc se dérobe et s'enfuit
Un mouvement, un flot, une chaleur qui suit
Ce métal qu'elle anime, ayant de violence
Écarté l'air voisin, qui lui faisait nuisance.
Dans ce vide aussitôt les premiers éléments
De ce fer à l'aimant par doux accrochements
Embrassés et collés comme par amourettes
Se joignent serrément de liaisons secrètes :
Qui[3] fait que l'air enclos dedans ces corps pressés,
Piqués à menus trous, échauffés et percés
D'un mouvoir importun, accolle, frappe et pousse
La semence du fer d'une vive secousse :
Se rencontrant ainsi, se collent serrément
L'un à l'autre aussitôt d'un doux embrassement.
Tout ainsi que la vierge éperdument époint[4]
Des flèches de l'amour, de forte et ferme étreinte
Serre son favori, et de bras et de main
Lui pressant l'estomac contre son large sein,
Ou comme le lierre en tournoyant se plisse
Contre un chêne moussu, d'une allure tortisse[5] :
Ce métal tout ainsi, se sentant caressé
Tôt s'accroche à l'amant et le tient embrassé. [...]

Rémy Belleau, *Amours et Nouveaux Échanges des pierres précieuses*, 1576.

---

(1) la calamite
(2) ici-bas
(3) ce qui
(4) piquée par les flèches
(5) qui se tortille

L'attrait du mystère naturel transparaît aussi dans la thème du songe. La nuit, le sommeil, leurs sortilèges attestent l'équilibre énigmatique de notre être et nous font frôler un autre monde.

EXTRAIT

Père du doux repos, Sommeil, père du Songe,
Maintenant que la Nuit, d'une grande ombre obscure,
Fait à cet air serein humide couverture,
Viens, Sommeil désiré, et dans mes yeux te plonge.

Ton absence, Sommeil, languissamment[1] allonge
Et me fait plus sentir la peine que j'endure.
Viens, Sommeil, l'assoupir et la rendre moins dure,
Viens abuser mon mal de quelque doux mensonge.

Jà le muet silence un escadron conduit
De fantômes ballant[2] dessous l'aveugle nuit;
Tu me dédaignes seul qui te suis tout dévot.

Viens, Sommeil désiré, m'environner la tête,
Car, d'un vœu non menteur, un bouquet je t'apprête
De ta chère morelle[3] et de ton cher pavot[3].

(1) douloureusement
(2) qui dansent
(3) plantes aux effets hyp-
notiques

Pontus de Tyard (1521-1605), *Sonnets d'amour*, 1573.

Pistes de recherche

Le sonnet invoque directement le Sommeil, comme une personne. Quel effet est ainsi visé et obtenu? Cette personnification est d'ailleurs conforme à la vision et à la définition que le poète veut nous proposer du Sommeil : quels sont sa fonction, son pouvoir, son mystère?

Le thème du poète qui aspire à franchir les limites du monde visible ou raisonnable permet aussi, pour donner un dernier exemple, de réactiver les allégories• mythologiques de l'artiste rival des dieux, comme Prométhée qui leur vola le feu (cf. p. 267). Icare, fils de Dédale qui construisit le labyrinthe de Crète, selon la légende, est une de ces images de l'envol désiré et impossible vers l'au-delà.

EXTRAIT

Icare est chut ici, le jeune audacieux,
Qui pour voler au ciel, eut assez de courage :
Ici tomba son corps dégarni de plumage,
Laissant tous braves cœurs[1] de sa chute envieux.

Ô bienheureux travail d'un esprit glorieux,
Qui tire un si grand nom[2] d'un si petit dommage!
Ô bienheureux malheur plein de tant d'avantage,
Qu'il rende le vaincu des ans victorieux!

Un chemin si nouveau n'étonna[3] sa jeunesse,
Le pouvoir lui faillit[4], mais non la hardiesse;
Il eut pour le brûler des astres le plus beau;

Il mourut poursuivant une haute aventure;
Le ciel fut son désir, la mer sa sépulture :
Est-il plus beau dessein, ou plus riche tombeau?

(1) tous les braves cœurs
(2) renom
(3) n'effraya
(4) lui manqua

Philippe Desportes (1546-1606), *Les Amours d'Hippolyte,* 1573.

Pistes de recherche

1. Identifiez clairement le sens allégorique• de ce sonnet. Citez le vers où la clé nous en est donnée. Observez les symétries et les antithèses•.
2. Rapprochez le mythe• d'Icare du thème de l'Idéal platonicien chez du Bellay (cf. p. 252) et des légendes « orphiques » chères à Ronsard (cf. p. 267) et à la Pléiade (cf. p. 244). Quelle conception de la poésie est ainsi imaginée? Le document d'Apollinaire vous aidera à saisir pourquoi, malgré les apparences, une telle conception n'est pas démodée; elle explique peut-être même pourquoi nous voulons hanter l'espace cosmique. Le plus vieux rêve humain est ici ramassé.
3. Lisez Baudelaire, *Les Fleurs du Mal, Spleen et Idéal,* nº 12 des additions de la troisième édition : « Les plaintes d'un Icare »; et André Gide, *Thésée,* chap. 7.

Ceux qui ont imaginé la fable d'Icare en trouveront d'autres. Ils vous entraîneront tout vivants et éveillés dans le monde nocturne et fermé des songes. Dans les univers qui palpitent ineffablement au-dessus de nos têtes. Dans ces univers plus proches et plus lointains de nous qui gravitent au même point de l'infini que celui que nous portons en nous. Et plus de merveilles que celles qui sont nées depuis la naissance des plus anciens d'entre nous, feront pâlir et paraître puériles les inventions contemporaines dont nous sommes si fiers.

Guillaume Apollinaire, *L'Esprit nouveau*, conférence, novembre 1917.

Pieter Bruegel (1525?-1569), *La Chute d'Icare*, Bruxelles, musée des Beaux Arts. ▼

◄ Germain Pilon (1535-1590), *Les Trois Grâces*, monument funéraire du cœur d'Henri IV, 1559, Paris, Louvre, ph. H. Josse.

◄ Mathieu Jacquet (1545-1606), *Desportes* (1546-1606), Paris, Louvre, ph. H. Josse.

Carlo Saraceni (1585-► 1620), *La Chute d'Icare*, Naples, musée de Capodimonte, ph. Scala.

Amour cruel, amour charnel

Selon la tradition pétrarquiste, la beauté du corps — que l'on louait au gré de tant de métaphores• qui le rendent encore plus inaccessible — était un reflet de l'Idéal (cf. p. 252). L'amour ne pouvait être que chaste, patient et fervent, pour une créature de perfection. Là encore, les humeurs amoureuses évoluent. Le désir imite les sursauts de l'histoire. Il se fait impétueux, brusque, direct, sans pudeur. Exaspéré ou lascif, l'amour semble subitement moins céleste qu'infernal. Le tempétueux **Étienne Jodelle** (1532-1573, cf. p. 246) ou le dévergondé **Marc de Papillon** (1555-1599) sont experts en ce nouveau répertoire.

EXTRAITS

L'amant esclave.

Amour vomit sur moi sa fureur et sa rage,
Ayant un jour du front son bandeau délié,
Voyant que ne m'étais[1] sous lui humilié
Et que ne lui avais encore fait hommage ;

Il me saisit au corps, et en cet avantage
M'a les pieds et les mains garroté et lié :
De l'or de vos cheveux, plus qu'or fin délié,
Il s'est voulu servir pour faire son cordage.

Puis donc[2] que vos cheveux ont été mon lien,
Madame, faites-moi, je vous prie, tant de bien,
Si ne voulez souffrir que maintenant je meure,

Que j'aie pour faveur un bracelet de vous,
Qui puisse témoigner dorénavant à tous
Qu'à perpétuité votre esclave demeure.

(1) que je ne m'étais...
(2) donc, puisque...
(tmèse)

Étienne Jodelle, *Amours* (œuvre posthume), 9.

De l'antithèse• traditionnelle au vertige heurté, exaspérant, des contraires.

Je me trouve et me perds, je m'assure et m'effroie,
En ma mort je revis, je vois sans penser voir,
Car tu as d'éclairer et d'obscurcir pouvoir,
Mais tout orage noir de rouge éclair flamboie.

Mon front qui cache et montre avec tristesse joie,
Le silence parlant, l'ignorance au savoir,
Témoignent mon hautain et mon humble devoir,
Tel est tout cœur qu'espoir et désespoir guerroie.

Fier en ma honte et plein de frisson chaleureux,
Blâmant, louant, fuyant, cherchant l'art amoureux
Demi-brut, demi-dieu, je suis devant ta face,

Quand d'un œil favorable et rigoureux, je crois,
Au retour tu me vois, moi las ! qui ne suis moi :
Ô clairvoyant aveugle, ô amour, flamme et glace.

Étienne Jodelle, *Amours* (œuvre posthume), 42.

La triple Hécate (cf. p. 201), sombre déesse lunaire et chasseresse, se confond ici avec la femme aimée.

Des astres, des forêts et d'Achéron[1] l'honneur,
Diane, au monde haut, moyen et bas préside,
Et ses chevaux, ses chiens, ses Euménides[2] guide,
Pour éclairer chasser, donner mort et horreur.

Tel est le lustre grand, la chasse et la frayeur
Qu'on sent sous ta beauté claire, prompte, homicide,
Que le haut Jupiter, Phébus et Pluton[3] cuide[4]
Son foudre[5] moins pouvoir, son arc et sa terreur.

Ta beauté par ses rais, par ses rets[6], par la crainte
Rend l'âme éprise, prise, et au martyre étreinte :
Luis-moi, prends-moi, tiens-moi, mais hélas ne me perds.

Des flambants forts et griefs[7], feux, filets, et encombres,
Lune, Diane, Hécate, aux cieux, terre, et enfers
Ornant, guêtant, gênant, nos dieux, nous, et nos ombres.

(1) fleuve des Enfers
(2) divinités vengeresses qui harcèlent les morts.
(3) On retrouve les trois degrés : ciel, soleil, enfer.
(4) pensent (accord de voisinage)
(5) En latin le mot était neutre.
(6) ses filets ; Jodelle aimait la maréchale de Retz.
(7) pénibles

Étienne Jodelle, *Amours* (œuvre posthume), 2.

Jean Goujon (1510-1567), *Diane chasseresse*, Paris, Louvre, ph. H. Josse.

Pistes de recherche

Trois sonnets de Jodelle

1. Chacun à sa manière, ces trois sonnets peignent des teintes violentes et contrastées : relevez les expressions les plus frappantes, les mots inattendus dans la poésie amoureuse, les rythmes heurtés, les surprises de la versification (et même de la syntaxe), la chute finale, etc. L'ordre « ronsardien » se dérègle.

2. La femme aimée et les rapports amoureux chez Jodelle. Étudiez la figure énigmatique et terrible de Diane, ainsi que l'attirance-répulsion qu'elle exerce sur le poète, physiquement et moralement. Que pensez-vous de cette conception de l'amour ?

3. L'utilisation de la mythologie, dans le dernier sonnet, participe vraiment au sens et à l'effet. Vous pouvez chercher dans un dictionnaire de mythologie (il doit y en avoir un dans votre C. D. I.) qui est Diane-Hécate, la « triple déesse ».

DOCUMENT 1 _____

[Jodelle] retrouve, après Scève (cf. p. 203) et avant Agrippa d'Aubigné, la figure énigmatique de Diane, qui sous son triple visage terrestre, céleste et infernal, voue l'amant à une éternité de souffrance, mais une souffrance qui définit son existence même et déchaîne en lui toutes les puissances de l'imagination, le monde devenant l'immense répertoire, flamboyant, convulsé, des symboles de la passion [...]. À l'intérieur du sonnet, il s'abandonne aux impulsions paniques du verbe. Il n'est pas étonnant qu'au milieu des propos aigre-doux qui saluèrent la mort de Jodelle, une seule voix se soit élevée pour exalter sa mémoire, celle du plus grand poète des temps nouveaux, qui était pourtant son adversaire irréconciliable sur le plan religieux, Agrippa d'Aubigné.

Jean-Claude Payen et Jean-Pierre Chauveau, *La Poésie, des origines à 1715*, A. Colin, 1968.

DOCUMENT 2 _____

On trouve un climat inquiétant proche de celui de Jodelle chez un penseur comme Étienne de La Boétie (cf. pp. 298 et 349), poète par accident.

J'allais seul, remâchant mes angoisses passées,
Voici — Dieux, détournez ce triste mal-encontre[1] ! —
Sur chemin d'un grand loup l'effroyable rencontre,
Qui vainqueur des brebis de leur chien délaissées

Tirassait d'un mouton les cuisses dépecées,
Le grand deuil du berger. Il rechigne et me montre
Les dents rouges de sang, et puis me passe contre,
Menaçant mon amour, je crois, et mes pensées.

De m'effrayer depuis ce présage ne cesse,
Mais j'en consulterai sans plus à ma maîtresse :
Onc[2] par moi n'en sera pressé le Delphien[3].

Il le sait, je le crois, et m'en peut faire sage :
Elle le sait aussi, et sait bien davantage,
Et dire, et faire encore, et mon mal et mon bien.

Étienne de La Boétie (1530-1563), *Vers français*, publiés par Montaigne en 1572.

Anonyme, XVIe siècle, *Diane de Poitiers*, Chantilly, musée Condé, ph. Giraudon.

_____
(1) mauvaise rencontre et mauvais présage
(2) jamais
(3) Apollon, dont le temple est à Delphes, capable de révéler les vérités cachées.

Les sonnets de ce recueil grivois relèvent des publications « spé-cialisées », mais cet extrait, exceptionnelle-ment pudique, en donne une vague idée. Le redoublement des consonnes (frisot-tant, etc.) est voulu par l'auteur pour imiter les jeux amoureux du « parler enfançon ».

Jamais ne me verrai-je après tant de regrets
Nager à mon plaisir dedans l'amoureuse onde,
Pignottant[1], frisottant ta chevelure blonde,
Pressottant, suçottant ta bouchette d'œillets,
Mignottant, langottant, ammorcillant[2] l'accès,
Mordillant ce téton — petite pomme ronde —
Baisottant ce bel œil — digne soleil du monde —
Folâtrant dans ces draps délicatement nets ?
Ne sentirai-je point avec mille caresses
Le doux chatouillement des douces liesses ?
Ne serai-je amoureux mignonnement aimé,
Recevant le guerdon[3] de mes loyaux services,
Remuant, étreignant, mignardant les délices,
Haletant d'aise, épris, vaincu, perdu, pâmé ?

Marc de Papillon de Lasphrise, *L'Amour de Noémie*, 53, vers 1585.

(1) tirant des mèches
(2) léchant, mordillant
(3) récompense

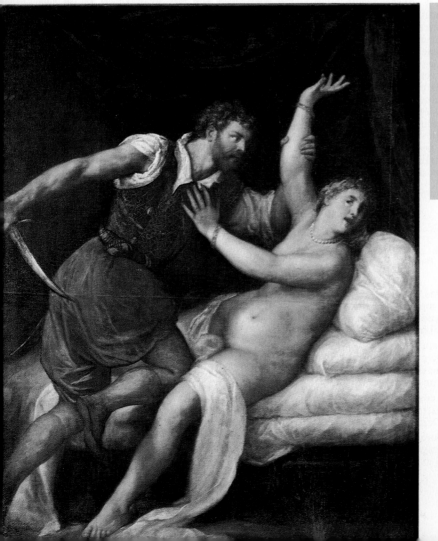

Pistes de recherche

1. L'amour est, ici, uniquement sensualité et contact physique : relevez tout ce qui a trait au corps et au plaisir.

2. Le « parler enfançon », les dimi-nutifs : citez-les et définissez l'inté-rêt de ce choix lexical pour illustrer le jeu amoureux.

3. Le désir charnel n'est pas seu-lement effréné et inassouvi, il exalte aussi un besoin de dépasse-ment, une extase. Ce genre de « mystique de la chair » est fort courant au XVIe siècle. À quoi le perçoit-on, ici ?

Titien (1490-1576), *Tarquin et Lucrèce*, Bor-deaux, musée des Beaux-Arts, ph. Giraudon. *Tarquin, fils de la famille royale de la Rome primitive, viole Lucrèce. Celle-ci, désespérée, se suicide, donnant ainsi le signal de la révolte contre les rois romains, d'où naîtra la République (509 av. J.-C.).*

Macabres tourments

Tandis que la nature et ses chairs se gonflent, la mort aussi se fait moins abstraite. La religion y contribue doublement : elle est le prétexte aux pires exactions guerrières et elle invite l'homme à réfléchir à son salut. Corps déchirés ici-bas, âmes promises aux tourments de l'Enfer : sur la terre comme au ciel, la foi est complice de l'agonie. Agrippa d'Aubigné (cf. p. 309) offre une terrible illustration de cette double et macabre influence. L'imaginaire poétique confond les abominations de la guerre civile et les affres des damnés.

À l'extrême fin du siècle, un homme comme **Jean de Sponde** (1557-1595) incarne une telle tension. Protestant, puis catholique, suspect aux deux partis, il pratique la poésie comme pour résorber l'angoisse qui le tenaille. « Je sens dedans mon âme une guerre civile » (*Amours*, 17).

EXTRAIT

Mais si faut-il mourir, et la vie orgueilleuse,
Qui brave de[1] la mort, sentira ses fureurs ;
Les soleils hâleront[2] ces journalières[3] fleurs,
Et le temps crèvera cette ampoule venteuse.

Ce beau flambeau qui lance une flamme fumeuse
Sur le vert de la cire éteindra ses ardeurs ;
L'huile de ce tableau ternira ses couleurs,
Et ces flots se rompront à la rive écumeuse.

J'ai vu ces clairs éclairs passer devant mes yeux,
Et le tonnerre encor qui gronde dans les Cieux,
Où, d'une ou d'autre part[4], éclatera l'orage.

J'ai vu fondre la neige, et ses torrents tarir :
Ces lions rugissants, je les ai vus sans rage,
Vivez, hommes, vivez, mais si faut-il mourir.

(1) nargue
(2) déssècheront
(3) éphémères
(4) d'un côté ou de l'autre

Jean de Sponde, *Sonnets sur la mort*, 2, 1588.

Pistes de recherche

1. Le thème, banal, est réanimé par divers procédés à identifier, par exemple : l'entrée en matière très directe, le développement de la méditation, le passage à la vision, le ton prophétique de la fin. Reprenez-les un à un.
2. La recherche expressive : étudiez les images (surtout dans le deuxième quatrain) et leur choix judicieux. Quelles sont les tournures les plus capables de sensibiliser ou de frapper l'imagination. L'antithèse• (comme toujours) joue son rôle mais elle semble ici, vu le sujet, moins abstraite. Pourquoi ?

Raphaël (1483-1520), *Saint Michel*, Paris, Louvre, ph. H. Josse.

Tout s'enfle contre moi, tout m'assaut, tout me tente,
Et le monde, et la chair, et l'ange révolté,
Dont l'onde, dont l'effort, dont le charme inventé
Et m'abîme, Seigneur, et m'ébranle, et m'enchante.

Quelle nef, quel appui, quelle oreille dormante,
Sans péril, sans tomber et sans être enchanté,
Me donras-tu[1]? Ton temple où vit ta Sainteté,
Ton invincible main, et ta voix si constante?

Et quoi? mon Dieu, je sens combattre maintes fois
Encor avec ton temple, et ta main, et ta voix,
Cet ange révolté, cette chair, et ce monde.

Mais ton temple pourtant, ta main, ta voix sera[2]
La nef, l'appui, l'oreille où ce charme perdra,
Où mourra cet effort, où se rompra cette onde.

(1) me donneras-tu
(2) Accord de voisinage.

Jean de Sponde, *Sonnets sur la mort*, 12, 1588.

Pistes de recherche

1. Le sonnet se développe autour de trois termes : reconstituez cette lecture verticale. Qu'observe-t-on au premier tercet? Pourquoi?
2. La versification, les enjambements et le choix rythmique mettent en valeur certains termes ou cherchent à faire effet. Recensez ces procédés et montrez qu'ils participent au sens général, qu'ils l'illustrent.
3. Soyez attentif aux sonorités, au jeu phonétique, qui créent le climat. Comment?
4. Que pensez-vous de l'analyse donnée en document? Trouvez-vous, par exemple, ce sonnet « ostentatoire »?

DOCUMENT

Le poème se présente sous la forme d'un sonnet régulier en «vers rapportés» [...]. Les mots qui évoquent les dangers de l'âme en proie aux tentations déferlent en vagues organisées, dans un assaut méthodique : ce ne sont pas les hordes anarchiques qui encombrent l'éloquence torrentielle des *Tragiques* (cf. p. 309); il y a là un ordre géométrique, volontairement voyant, à cent lieues de la discrétion classique [...] La régularité est un signe classique de discrétion; l'excès de régularité est un signe baroque d'ostentation.

Le sonnet peut ainsi se lire dans le sens vertical et dans le sens horizontal. Une lecture verticale donne l'impression de voir s'élever progressivement et parallèlement trois colonnes de mots cimentés par le sens : sont décalés vers la gauche les mots déplacés par un enjambement ou un rejet, et vers la droite les mots qui, par leur sens, n'appartiennent pas à la colonne dans laquelle ils se trouvent placés; ainsi peut être suggérée graphiquement l'idée de spirale :

1	Enfle	Assaut	Tente	
2	Monde	Chair	Ange	
3	Onde	Effort	Charme	
4	Abisme	Esbranle	Enchante	
5	Nef	Appuy	Oreille	
6	Péril	Tomber	Enchanté	
7-8	Temple	Main	Voix	
10	Temple	Main	Voix	
11	Ange	Chair		Monde
12	Temple	Main	Voix	
13 Nef	Appuy	Oreille		
13-14 Charme	Effort	Onde		
Charme			Onde	

Claude-Gilbert Dubois, *Le Baroque*, Larousse Université, 1973

Hans Holbein (1497-1543), *Le Christ mort*, Bâle, musée de la ville, ph. Hinz-Artephot.

Même lorsque le sujet n'est pas directement la mort, comme chez Sponde, son inquiétante lumière semble rôder et endeuiller la nature. Ainsi en est-il du douloureux *Printemps* (vers 1573) d'**Agrippa d'Aubigné** (1552-1630) sur lequel nous reviendrons plus loin (pp. 309 et *sq.*). L'obsession de la mort s'y exprime dans une atmosphère de corruption, d'épouvante et fièvre. Sous le prétexte de chanter son amour impossible et malheureux, le poète s'en va errant dans une nature qui offre le spectacle de la désolation. L'échec amoureux, la végétation sinistre, le monde instable et putréfié, la victoire inévitable de la mort : tous ces thèmes sont brassés en un poème-fresque qui semble un long et splendide cauchemar, visionnaire et proprement hallucinant.

EXTRAITS

La séparation et l'amour inassouvi dépriment l'amoureux qui cherche dans la nature l'écho ou le reflet de sa mélancolie furieuse...

[...] Tout cela qui sent l'homme à mourir me convie
En ce qui est hideux je cherche mon confort :
Fuyez de moi, plaisirs, heurs[(1)], espérance et vie,
Venez, maux et malheurs et désespoir et mort !
5   Je cherche les déserts, les roches égarées,
Les forêts sans chemin, les chênes périssants,
Mais je hais les forêts de leurs feuilles parées,
Les séjours fréquentés, les chemins blanchissants.
      Quel plaisir c'est de voir les vieilles haridelles[(2)]
10 De qui les os mourants percent les vieilles peaux :
Je meurs des oiseaux gais, volant à tire d'ailes,
Des courses de poulains et des sauts de chevreaux !
      Heureux quand je rencontre une tête séchée,
Un massacre[(3)] de cerf, quand j'ois les cris de faons ;
15 Mais mon âme se meurt de dépit asséchée,
Voyant la biche folle aux sauts de ses enfants.
      J'aime à voir de beautés la branche déchargée,
À fouler le feuillage étendu par l'effort
D'automne, sans espoir leur couleur orangée
20 Me donne pour plaisir l'image de la mort.
      Un éternel horreur[(4)], une nuit éternelle
M'empêchent de fuir et de sortir dehors :
Que de l'air courroucé d'une guerre cruelle,
Ainsi comme l'esprit[(5)], m'emprisonne le corps.
25   Jamais le clair soleil ne rayonne ma tête,
Que le ciel impiteux[(6)] me refuse son œil,
S'il pleut, qu'avec la pluie il crève de tempête,
Avare du beau temps et jaloux du soleil.
      Mon être soit hiver et les saisons troublées[(7)],
30 De mes afflictions se sente l'univers,
Et l'oubli ôte encore à mes peines doublées
L'usage de mon luth et celui de mes vers.
      Ainsi comme le temps frissonnera sans cesse
Un printemps de glaçons et tout l'an orageux,
35 Ainsi hors de saison une froide vieillesse
Dès l'été de mes ans neige sur mes cheveux.
      Si quelquefois poussé d'une âme impatiente
Je vais précipitant mes fureurs dans les bois ;
M'échauffant sur la mort d'une bête innocente,
40 Ou effrayant les eaux et les monts de ma voix,
      Mille oiseaux de nuit, mille chansons mortelles
M'environnent, volant par ordre sur mon front :
Que l'air en contrepoids[(8)] fâché de mes querelles
Soit noirci de hiboux et de corbeaux en rond.
45   Les herbes sècheront sous mes pas, à la vue
Des misérables yeux dont les tristes regards
Feront tomber les fleurs et cacher dans la nue
La lune et le soleil et les astres épars.
      Ma présence fera dessécher les fontaines
50 Et les oiseaux passants tomber morts à mes pieds,
Étouffés de l'odeur et du vent de mes peines :
Ma peine, étouffe-moi, comme ils sont étouffés !

(1) bonheurs
(2) mauvais chevaux maigres
(3) ramure d'un cerf avec le haut du crâne
(4) En latin les mots en -or (français -eur) sont masculins.
(5) ainsi que mon esprit
(6) impitoyable
(7) que mon être soit... et que les saisons soient...
(8) en revanche

Quand, vaincu de travail[9], je finirai par crainte,
Au repos étendu au pied des arbres verts,
55 La terre autour de moi crèvera, de sang teinte,
Et les arbres feuillus seront tôt[10] découverts.

Agrippa d'Aubigné, « Le Printemps », *Stances*, 1, v. 89-144, vers 1573.

Pistes de recherche

1. Analysez le développement des trois thèmes entremêlés : la nature, la douleur, la mort.
2. La succession des images : y percevez-vous un ordre logique d'apparition ? Comment le poète arrive-t-il à varier les tableaux de cette longue litanie ? Notez, par exemple, les changements de temps et de mode, le passage du général au « croquis » plus précis et particulier, le chaos savamment organisé, etc.
3. Montrez où et comment l'on passe de la contemplation à la vision, et de la vision à l'hallucination. En quoi peut-on parler de fantastique• ?

EXTRAIT

Diane, la femme éperdument aimée, a quitté ce monde. Dans le silence nocturne du cimetière, le poète l'invoque en vain...

Giovanni Bellini (1430-1516), *La Prudence ou La Vérité*, Venise, galerie de l'Accademia, ph. Scala.

Quiconque sur les os des tombeaux effroyables
Verra le triste amant, les restes misérables
D'un cœur séché d'amour et l'immobile corps
Qui par son âme morte est mis entre les morts,
5 Qu'il déplore le sort d'une âme à soi contraire,
Qui pour un autre corps à son corps adversaire
Me laisse exanimé[1] sans vie et sans mourir,
Me fait aux noirs tombeaux après elle courir.
Démons qui fréquentez des sépulcres la lame[2],
10 Aidez-moi, dites-moi nouvelles de mon âme,
Ou montrez-moi les os qu'elle suit adorant
De la morte amitié qui n'est morte en mourant.
Diane, où sont les traits de cette belle face ?
Pourquoi mon œil ne voit comme il voyait ta grâce,
15 Ou pourquoi l'œil de l'âme, et plus vif et plus fort,
Te voit et n'a voulu se mourir en ta mort ?
Elle n'est plus ici, ô mon âme aveuglée,
Le corps vola au ciel quand l'âme y est allée ;
Mon corps, mon sang, mes yeux verraient entre les morts,
20 Son corps, son sang, ses yeux, si c'était là son corps.
Si tu brûles à jamais d'une éternelle flamme
À jamais je serai un corps sans toi, mon âme,
Les tombeaux me verront effrayé de mes cris,
Compagnons amoureux des amoureux esprits.

Agrippa d'Aubigné, « Le Printemps », *Stances*, 19, vers 1573.

(1) inanimé (latinisme) (2) la pierre tombale

Pistes de recherche

1. Comment est suscitée l'atmosphère d'effroi, crépusculaire, tombale ? Recensez les principaux champs lexicaux, les sonorités suggestives, les insistances et les répétitions, la phrase qui s'allonge d'abord et se déchire ensuite, etc.
2. On perçoit nettement un mouvement, une montée de l'angoisse, de la vision jusqu'aux cris. Montrez les étapes de cette progression du cauchemar.
3. La « pointe » finale (« je serai un corps sans toi, mon âme ») est une reprise d'un thème galant fort rebattu. Définissez-le et montrez ensuite combien il devient ici totalement adapté : la formule creuse retrouve tout son sens, sa profondeur, sa tragique force.

Le retour du tragique

Aux confins du tragique

Agrippa d'Aubigné

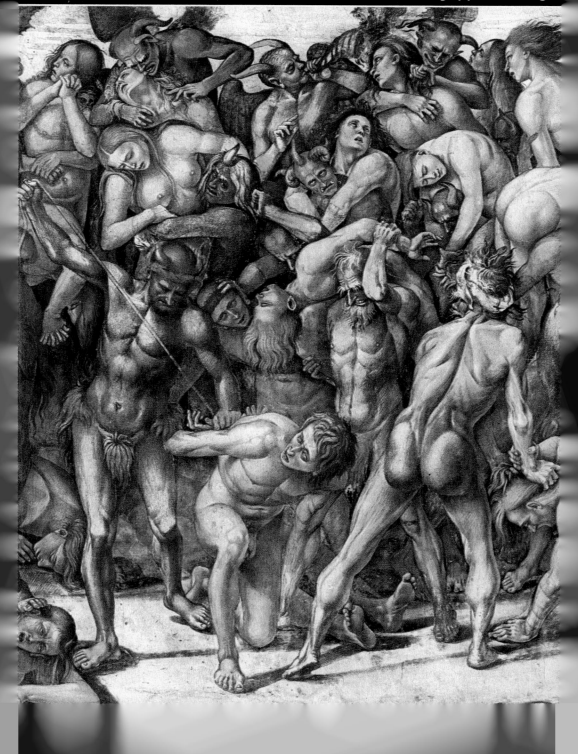

Aux confins du tragique

Vers le milieu du XVIᵉ siècle, on perçoit dans les mentalités une résurgence de la conscience tragique : le drame de la Saint-Barthélémy (1572) et les 8 guerres de religion qui l'encadrent (1562-1598) y ouvriront de plus en plus les esprits contemporains. **Le Moyen Âge avait pu s'effrayer devant la mort mais il disposait de l'antidote,** dispensé avec puissance et éclat par les Mystères, quand les cérémonies proprement cultuelles d'une Église en décadence n'apportaient plus une réponse suffisante. **Le monde d'ici-bas,** lieu de souffrance et de peur, **avait été vaincu par la Résurrection,** c'est ce que disaient les représentations théâtrales de la Passion, dans leur «cercle magique» et l'unité de la culture chrétienne apportait sa caution visible à la communion promise de l'homme avec son Dieu. **Avec la Renaissance,** première faille, **le sacré s'effrite** et le retour à l'Antiquité s'accompagne d'une inquiétude malaisément dominée, comme le prouve la poésie épicurienne de Ronsard (cf p. 264). **Le monde humain pressenti maintenant comme absolu est aussi livré à l'histoire,** puissance invisible de changement et même de rupture. **Les guerres n'ont plus le même sens :** de signe permanent de la déchéance humaine, **elles deviennent ouverture sur un inconnu,** sur une durée constamment rompue, chaotique. Et ce qu'**elles brisent,** c'est justement **l'unité en voie d'accomplissement que signifiait proprement la catholicité :** deux Églises chrétiennes en conflit font jour à la pensée scandaleuse d'une histoire sans aboutissement ni lecture. Le plus souvent, au XVIᵉ siècle, on n'ira pas jusque-là ; au contraire, les penseurs s'efforceront de surmonter cette forme extrême du sentiment tragique. Si la permanence du religieux pousse à dépasser le tragique, la religion lui apporte aussi sa contribution : **la Réforme puis la Contre-Réforme restituent la transcendance divine dans toute sa grandeur** et son incommensurable éloignement et les débats sur la prédestination et la liberté humaine, thème reconnu des grandes tragédies, n'en sont que la suite logique.

◼ Le roi au cœur du débat

Le débat politique est largement représenté dans les œuvres littéraires et se focalise sur **la question du roi.** Cette époque qui a connu deux régicides a été marquée par une mise en question du pouvoir royal, ce qui, en son principe même, est un scandale aux yeux des sujets les plus loyalistes. Pourtant les **pamphlets antiroyalistes,** parfois même démocratiques, se sont multipliés, **aussi bien du côté de protestants** déçus par une royauté qui, après avoir hésité, a finalement basculé vers l'orthodoxie catholique, **que du côté ultra-catholique,** celui des Ligueurs, hostiles à Henri III puis à Henri IV. Plus généralement, sans rejeter le principe et le nom de roi, **on a discuté de la monarchie,** de son essence, de ses droits et devoirs. On s'interroge notamment sur les rapports entre pouvoirs temporel et spirituel. C'est dire que le problème religieux se mêle au politique.

École française du XVIᵉ siècle, *Henri III* (1551-1589), Versailles, ph. H. Josse.

École française du XVIᵉ siècle, *Henri IV* (1610), Chantilly, musée Condé, ph. Bulloz.

Étienne de la Boétie (1530-1563), conseiller au Parlement de Bordeaux, nous a laissé un texte éloquent et ardent, le *Discours de la servitude volontaire* ou *Contr'un*, écrit vers 1550. Montaigne, malgré la vibrante amitié qui les liait, et quoiqu'il fût son exécuteur testamentaire, ne voulut pas le publier. Ce furent les protestants qui le firent connaître, en 1576, année des États Généraux de Blois. La Boétie considère que les hommes naissent libres et que le pouvoir des tyrans ne se fonde que sur le lâche renoncement des sujets. Il cherche donc à comprendre comment le peuple est amené à abdiquer sa liberté au profit de la minorité organisée qui entoure le tyran. Ce discours brillant constitue une **réfutation passionnée de Machiavel** qui dans *Le Prince* faisait, au contraire, de la dictature un postulat, pour s'intéresser, en technicien, à sa survie.

EXTRAIT

Ce plaidoyer pour la liberté politique a inspiré le Rousseau du Contrat social *et les tribuns de la Révolution de 1789.*

Je ne voudrais sinon entendre[1], s'il est possible, et comme il se peut faire, que tant d'hommes, tant de bourgs, tant de villes, tant de nations endurent quelquefois un tyran seul, qui n'a puissance que celle qu'on lui donne ; qui n'a pouvoir de leur nuire, sinon tant qu'ils ont vouloir de l'endurer ; qui ne
5 saurait leur faire mal aucun, sinon lorsqu'ils aiment mieux le souffrir que lui contredire. Grand[2] chose, certes, et toutefois si commune qu'il s'en faut de tant plus[3] douloir[4] et moins ébahir[5], voir[6] un million de millions d'hommes servir[7] misérablement, ayant le col sous le joug, non pas contraints par une plus grande force, mais aucunement[8] (ce semble) enchantés[9] et
10 charmés[9] par le nom seul d'UN[10], duquel ils ne doivent ni craindre la puissance, puisqu'il est seul, ni aimer les qualités, puisqu'il est, en leur endroit[11], inhumain et sauvage. La faiblesse d'entre nous hommes est telle qu'il faut souvent que nous obéissions à la force ; il est besoin de temporiser : on ne peut pas toujours être le plus fort. Donc, si une nation est con-
15 trainte par la force de la guerre de servir[7] à un, comme la cité d'Athènes aux trente tyrans[12], il ne se faut pas ébahir[5] qu'elle serve[7], mais se plaindre de l'accident[13], ou bien plutôt ne s'ébahir, ni ne s'en plaindre, mais porter[14] le mal patiemment, et se réserver à l'avenir à meilleure fortune[15].
20 Notre nature est ainsi, que les communs devoirs de l'amitié emportent une bonne partie du cours de notre vie ; il est raisonnable d'aimer la vertu, d'estimer les beaux faits, de connaître[16] le bien d'où l'on l'a reçu, et diminuer souvent de notre aise[17], pour augmenter l'honneur[18] et avantage de celui qu'on aime, et qui le mérite. Ainsi donc, si les habitants d'un pays ont
25 trouvé quelque grand personnage qui leur ait montré par épreuve[19] une grande prévoyance pour les garder, une grande hardiesse pour les défendre, un grand soin pour les gouverner, si, de là en avant[20], ils s'apprivoisent de[21] lui obéir, et s'en fier tant[22] que de lui donner quelques avantages, je ne sais si ce serait sagesse, tant[23] qu'on l'ôte de là où il faisait bien, pour
30 l'avancer en lieu[24] où il pourra mal faire : mais, certes, si ne pourrait-il faillir[25] d'y avoir de la bonté[26], de ne craindre point mal de celui duquel on n'a reçu que bien.
Mais, ô bon Dieu ! que peut être cela ? comment dirons-nous que cela s'appelle ? quel malheur est cettui-là ? ou quel vice ? ou plutôt quel malheu-
35 reux vice ? voir un nombre infini, non pas obéir, mais servir[7] : non pas être gouvernés, mais tyrannisés ; n'ayant ni biens, ni parents, ni enfants, ni leur vie même, qui soit à eux ! Souffrir les pilleries, les paillardises[27], les cruautés, non pas d'une armée, non pas d'un camp barbare contre lequel il faudrait dépendre[28] son sang et sa vie devant[29], mais d'un seul ! non pas d'un
40 Hercule, ni d'un Samson ; mais d'un seul hommeau[30], et le plus souvent du plus lâche et féminin[31] de la nation.

Étienne de la Boétie, *Contr'un*, 1550.

(1) je ne voudrais que comprendre
(2) grande
(3) d'autant plus
(4) s'affliger
(5) et d'autant moins s'étonner
(6) que de voir
(7) être esclaves
(8) en quelque façon
(9) ensorcelés
(10) le tyran
(11) à leur égard
(12) Gouvernement imposé par Sparte après la guerre du Péloponnèse
(13) circonstance fortuite
(14) supporter
(15) sort
(16) reconnaître
(17) confort
(18) gloire
(19) expérience
(20) à partir de ce moment-là
(21) ils s'habituent à
(22) à avoir tant de confiance en lui
(23) d'autant
(24) le mettre dans une situation
(25) toujours est-il qu'il ne pourrait manquer
(26) quelque juste raison
(27) débauches
(28) dépenser
(29) auparavant
(30) petit homme
(31) efféminé

Pistes de recherche

1. Essayez d'expliquer la composition du texte. Arrivez-vous à faire apparaître un enchaînement continu (tenez compte notamment du dernier paragraphe) ? Quel effet de signification peut naître de la rupture ou de l'apparence de rupture ?

2. Le rôle de la nature humaine : montrez qu'à la fois, elle est à l'origine de l'étonnement de La Boétie et elle fonde ses explications (résumez-les). À partir de là, rassemblez les traits qui, selon La Boétie, la caractérisent. Essayez un rapprochement avec Montaigne (cf. pp. 360-361).

3. L'émotion : la tyrannie apparaît comme un scandale logique et un scandale moral. Par quels moyens le discours cherche-t-il à imposer ces impressions ?

Aubigné dans *Les Tragiques* (ouvrage commencé en 1577 et publié, très tardivement, en 1616) **se défend d'être un républicain,** défini au XVIᵉ siècle «comme celui qui, par ses menées, cherche à amoindrir l'État royal en l'obligeant à aliéner le Domaine» (Jean Céard). Car les nécessités du combat avaient conduit les protestants à la création d'éphémères «Républiques», comme celle du Languedoc et Aubigné a de solides attaches avec la république de Genève où il finira par se réfugier (1620). **Mais il est violemment opposé à l'absolutisme monarchique** dont les juristes ont déjà établi la théorie et qu'il dénonce sous le nom de tyrannie, d'où sa formule, dans l'avis «Aux lecteurs» : «plusieurs choses contre la tyrannie, nulle contre la royauté». Obsédé par le souvenir de la Saint-Barthélemy où le roi-berger devenu loup a dévoré son troupeau, **il affirme le devoir de révolte** contre le prince qui trahit, mais en même temps, **il considère cette révolte comme un scandale,** puisqu'elle rompt l'harmonie de cette famille heureuse dont le roi est le père. (Aubigné est aussi l'auteur d'un traité *Du devoir mutuel des rois et des sujets*.) Cette contradiction tragique explique peut-être une pratique politique tumultueuse, notamment à l'égard d'Henri IV, soutenu fidèlement pendant toute une vie, mais violemment admonesté à partir de l'abjuration.

EXTRAIT

Incendie de la ville de Raba, tapisserie de Bruxelles du XVIᵉ siècle, Écouen, ph. H. Josse.

(1) ouvrir le corsage pour donner le sein
(2) du lait
(3) par laquelle
(4) qu'elles ont en abondance
(5) allusion à l'incendie de Rome
(6) Synérèse (deux syllabes).
(7) Allusion à une procédure médiévale : quand le cadavre se mettait à saigner, on considérait qu'il désignait son assassin.
(8) Henri de Navarre
(9) Henri de Navarre est héritier légitime de la couronne, à la mort de François d'Alençon (1584).

Jadis nos Rois anciens, vrais pères et vrais Rois,
Nourrissons de la France, en faisant quelquefois
Le tour de leur pays, en diverses contrées,
Faisaient par les cités de superbes entrées.
5   Chacun s'éjouissait, on savait bien pourquoi :
Les enfants de quatre ans criaient : *Vive le Roy!*
Les villes employaient mille et mille artifices
Pour faire comme font les meilleures nourrices,
De qui le sein fécond se prodigue à l'ouvrir⁽¹⁾,
10 Veut montrer qu'il en⁽²⁾ a pour perdre et pour nourrir.
Il semble que le pis, quand il est ému, voie :
Il se jette en la main, dont⁽³⁾ ces mères de joie
Font rejaillir, aux yeux de leurs mignons enfants,
Du lait qui leur regorge⁽⁴⁾ : à leurs Rois triomphants,
15 Triomphants par la paix, ces villes nourricières
Prodiguaient leur substance, et, en toutes manières,
Montraient au ciel serein leurs trésors enfermés,
Et leur lait et leur joie à leurs Rois bien-aimés.
    Nos tyrans aujourd'hui entrent d'une autre sorte ;
20 La ville qui les voit a visage de morte :
Quand son prince la foule il la voit de tels yeux
Que Néron voyait Rome en l'éclat de ses feux⁽⁵⁾.
Quand le tyran s'égaie en la ville où il entre,
La ville est un corps mort, il passe sur son ventre,
25 Et ce n'est plus du lait qu'elle prodigue en l'air,
C'est du sang, pour parler comme peuvent parler
Les corps qu'on trouve morts : portés à la justice,
On les met en la place, afin que ce corps puisse
Rencontrer son meurtrier⁽⁶⁾ ; le meurtrier⁽⁶⁾ inconnu
30 Contre qui le corps saigne est coupable tenu⁽⁷⁾.
Henri⁽⁸⁾, qui tous les jours vas prodiguant ta vie
Pour remettre le règne, ôter la tyrannie,
Ennemi des tyrans, ressource des vrais rois,
Quand le sceptre des lis joindra le Navarrois⁽⁹⁾,
35 Souviens-toi de quel œil, de quelle vigilance
Tu cours remédier aux malheurs de la France ;
Souviens-toi quelque jour combien sont ignorants
Ceux qui pour être Rois veulent être tyrans.

Agrippa d'Aubigné, «Misères», v. 563-600, 1616.

Pistes de recherche

1. Étudiez la composition rigoureuse du texte : double tableau antithétique• (sur quels éléments se fonde l'opposition ?), puis convergence. Recherchez quel en est l'effet de signification, en tenant compte notamment des derniers vers (remarquez l'ambiguïté du «pour», l. 38, et expliquez «ignorants», l. 37).
2. Quelle métaphore• sous-tend l'ensemble de la première partie ? Étudiez la façon dont elle est développée.
3. Quelle atmosphère est créée dans la deuxième partie : rôle des images, de la syntaxe, du rythme, etc. ?

La satire, revers du tragique

« C'est l'indignation qui fait le vers », écrivait le poète latin Juvénal. Les écrivains du XVIe siècle finissant, élevés à l'école de l'Antiquité, ont retenu la leçon. Face à une réalité cruelle, objet de scandale pour une conscience d'homme, ils réagissent par la **satire, genre dynamique et militant**. La terreur et la pitié, qui donnent à la tragédie son fondement affectif, ont quelque chose de paralysant. L'homme indigné est, au contraire, tourné vers l'action. Aussi la satire procède-t-elle volontiers par la **dénonciation directe** qui prend le mode du discours, adressé au lecteur ou même à l'adversaire responsable des malheurs présents, et par la **représentation dévalorisée des personnes et des actes** : descriptions et récits apportent au texte satirique ses couleurs violentes et ses formes à haut relief.

Ronsard n'a rien d'un doctrinaire. Il s'est pourtant engagé dans le débat politique : très nettement du côté royal et catholique, mais aussi fort brièvement, entre 1560 et 1563, dans les *Discours,* publiés sous forme de plaquettes faciles à diffuser. Puis il s'est pratiquement retiré de la mêlée pour revenir à sa chère poésie.

Le **Ronsard** des *Discours* s'en prend volontiers aux « prédicants » (les pasteurs réformés) et à cette foule qui les écoute et les suit. Reproches d'hypocrisie contre les meneurs, mépris aristocratique d'une masse considérée comme inculte, s'expriment dans des évocations pleines de mouvement et enrichies par des comparaisons développées à la manière d'Homère, mais détournées de leur fonction ; il ne s'agit plus ici de faire proliférer et chatoyer le réel, mais de dévoiler le vrai sous le travestissement.

EXTRAITS

A
Et vos beaux Predicants, qui fins et cauteleux
Vont abusant le peuple, ainsi que bateleurs,
Lesquels enfarinés au milieu d'une place
Vont jouant finement leurs tours de passe passe,
5 Et afin qu'on ne voye en plein jour leurs abus
Soufflent dedans les yeux leur poudre d'Oribus[1].
    Votre poudre est crier bien haut contre le Pape,
Déchifrant[2] maintenant[3] sa Tiare et sa chape,
Maintenant[3] ses pardons, ses bulles, et son bien,
10 Et plus vous criez haut, plus êtes gens de bien.

(1) remède de charlatan
(2) expliquer, révéler
(3) tantôt

Ronsard, *Continuation du Discours des Misères de ce temps,* v. 169-178.

B
    Je ne veux point répondre à ta Théologie,
Laquelle est toute rance et puante et moisie,
Toute rapetassée et prise de l'erreur[4]
Des premiers séducteurs insensés de fureur,
5 Comme un pauvre vieillard qui par la ville passe,
Se courbant d'un bâton[5], dans une poche amasse
Des vieux haillons qu'il trouve en cent mille morceaux :
L'un dessus un fumier, l'autre près des ruisseaux,
L'autre près d'un égout, et l'autre dans un antre
10 Où le peuple artisan va décharger son ventre :
Après, en choisissant tous ces morceaux épars,
D'un fil gros les ravaude et coud de toutes parts,
Puis en fait une robe, et pour neuve la porte :
Ta secte, Prédicant, est de semblable sorte.
15   Or bref, il me suffit de t'avoir irrité :
Comme un bon laboureur qui sur la fin d'Été,
Quand déjà la vendange à verdeler[6] commence,
De peur que l'escadron des frelons ne l'offense[7],
De tous côtés épie[8] un chêne mi-mangé

(4) possédée par l'erreur
(5) sur un bâton
(6) devenir verte
(7) attaque
(8) observe

₂₀Où le camp résonnant des frelons est logé :
Puis, en prenant de nuit un gros fagot de paille,
D'un feu noir et fumeux leur donne la bataille :
La flamme et la fumée, entrant par les naseaux
De ces soldats ailés, irrite leurs cerveaux,
₂₅Qui frémissent ainsi que trompettes de guerre,
(9) piquent   Et de colère en vain espoinçonnent⁽⁹⁾ la terre.

Ronsard, *Continuation du Discours des Misères de ce temps*, v. 1023-1048.

[C]   Il faut tant seulement⁽¹⁾ avecques⁽²⁾ hardiesse
Détester le Papat, parler contre la messe,
Être sobre en propos, barbe longue, et le front
De rides labouré, l'œil farouche et profond,
₅Les cheveux mal peignés, un sourci⁽³⁾ qui s'avalle⁽⁴⁾,
Le maintien renfrogné, le visage tout pâle,
Se montrer rarement, composer maint écrit
Parler de l'Éternel, du Seigneur, et de Christ,
Avoir d'un reistre⁽⁵⁾ long les épaules couvertes,
₁₀Bref être bon brigand et ne jurer que certes⁽⁶⁾.
    Il faut pour rendre aussi les peuples étonnés
Discourir de Jacob et des prédestinés,
Avoir S. Paul en bouche, et le prendre à la lettre,
Aux femmes, aux enfants l'Évangile permettre,
₁₅Les œuvres mépriser, et haut louer la foi,
Voilà tout le savoir de votre belle loi.

(1) tant seulement = seulement
(2) avec
(3) sourcil
(4) s'abaisse
(5) manteau de reître. Les reîtres, cavaliers allemands, participèrent aux guerres de religion.
(6) Soit commencer tout discours par «en vérité» (expression biblique), soit éviter d'invoquer Dieu, de peur de blasphémer, et substituer «certes» à «pardieu» ou autre juron.

Ronsard, *Remontrance au Peuple de France*, v. 191-206.

[D]   Rien ne me fâche tant que ce peuple battu,
Car bien qu'il soit toujours par armes combattu,
Froissé⁽⁷⁾, cassé, rompu, il caquette et grommelle
Et toujours va semant quelque fausse nouvelle :
₅Tantôt il a le cœur superbe⁽⁸⁾ et glorieux,
Et dit qu'un escadron des Archanges des cieux
Viendra pour son secours, tantôt la Germanie
Arme pour sa défense une grand compagnie⁽⁹⁾,
Et tantôt les Anglais le viennent secourir,
₁₀Et ne voit cependant⁽¹⁰⁾ comme⁽¹¹⁾ on le fait mourir,
Tué de tous côtés : telle fièvre maligne
Ne se pourrait guérir par nulle médecine.
Il veut tantôt la paix, tantôt ne la veut pas,
Il songe, il fantastique⁽¹²⁾, il n'a point de compas⁽¹³⁾,
₁₅Tantôt enflé de cœur, tantôt bas de courage,
Et sans prévoir le sien prédit notre dommage.

(7) meurtri
(8) orgueilleux
(9) grande armée
(10) pendant ce temps
(11) comment
(12) imagine
(13) règle, mesure

Ronsard, *Remontrance au Peuple de France*, v. 633-647.

Pistes de recherche

1. Extraits [A] **et** [C] : la satire des meneurs. Quel est le reproche principal, commun aux deux textes ? Montrez la variété de la présentation. Quelles caractéristiques précises de la Réforme sont ici épinglées ? Étudiez l'art du caricaturiste.

2. Extrait [B] : comment les deux comparaisons s'enchaînent-elles ? En reste-t-on à deux métaphores• ? Dégagez la valeur satirique des métaphores•. Quels défauts attribuent-elles aux adversaires de Ronsard ? Dans cette perspective, quel est l'avantage de la métaphore• par rapport à l'évocation directe ? Mais l'accumulation des deux comparaisons ramène à un autre monde, fait désirer la paix. Montrez-le.

3. Extrait [D] : — l'ambiguïté : le texte reprend et développe le mépris d'un Ronsard doublement aristocrate (socialement et intellectuellement), mais il souligne aussi une force dans le peuple réformé. Précisez cette esquisse. — Comment le texte suggère-t-il, jusqu'à l'imitation, les fluctuations d'une opinion collective ? Peut-être y a-t-il ici, chez l'auteur, le sentiment inconscient d'une parenté secrète (cf. p. 275).

Aubigné signale lui-même que le deuxième livre (« Princes ») et le troisième livre (« La Chambre dorée ») des *Tragiques* sont d'un style « satirique en quelque façon ». C'est qu'en effet, il y dénonce les responsables des « Misères » (Premier livre), rois et courtisans d'une part, juges d'autre part. Cette veine était même déjà perceptible dans la première section de son grand poème. Reprenant les **thèmes du déguisement et du monde renversé**, chers à son époque et déjà plus qu'esquissés chez les autres satiriques, il les porte à leur plus haut niveau d'expression et de stylisation. Par là, il se révèle comme la **première grande figure de la génération baroque**. Mais sa position, originale, rappelle qu'il est un précurseur plutôt qu'un représentant du baroque. Certes les motifs caractéristiques apparaissent très nettement chez lui et la complaisance du peintre montre bien qu'ils sont prétexte à délectation esthétique. Mais ils servent d'abord à présenter les êtres à condamner et ils sont l'instrument même de la dénonciation. **Cohabitation ambiguë du moraliste et de l'artiste** qu'on retrouvera chez les architectes et les peintres des églises baroques, mais chez Aubigné dans une manière plus tranchée, plus conflictuelle. N'est-il pas le maître de l'antithèse• ?

DOCUMENT

D'Aubigné nous fait pénétrer dans un monde enchanté, un peu fou et très inquiétant, où tout est illusion, tromperie, mensonge. C'est le triomphe du paraître. On pourrait très facilement le mettre en scène sous forme de comédie-ballet satirique : on y verrait des hommes-doubles, des superpositions de masques, dans un univers chaviré. Mais le choix esthétique se double d'un jugement moral : le masque est un substitut de la vérité, et une arme du mal. [...]

L'illusion perverse s'apparente au thème du monde à l'envers, qui trouve ici une place privilégiée : hommes qui se comportent en femmes, femmes qui n'ont plus rien de féminin, métaphores empruntées aux bas-fonds pour qualifier la haute société, sans compter toutes les mascarades du langage, mensonges, flatteries, calomnies, style apprêté des courtisans. La mascarade culmine dans l'antithèse, lorsque le masque sert, non à couvrir, mais à contrefaire la vérité. Le livre[1] tout entier est construit sur cette antithèse• fondamentale du visage et du fard.

Claude-Gilbert Dubois, *Les Tragiques*, Nizet, 1975.

_____

(1) *Princes*

EXTRAIT

Dans « Misères », présentation de Catherine de Médicis en sorcière effarée.

L'infidèle, croyant les fausses impostures
Des démons prédisant par songes, par augures
Et par voix de sorciers que son chef[1] périra
Foudroyé d'un plancher qui l'ensevelira,
5 Perd bien le jugement, n'ayant pas connaissance,
Que cette maison n'est que la maison de France,
La maison qu'elle sape ; et c'est aussi pourquoi
Elle fait trébucher son ouvrage sur soi.
Celui qui d'un canon foudroyant extermine
10 Le rempart ennemi sans brasser[2] sa ruine
Ruine ce qu'il hait, mais un même danger
Acravante[3] le chef[1] de l'aveugle étranger
Grattant par le dedans le vengeur édifice,
Qui fait de son meurtrier en mourant sacrifice.
15 Elle ne l'entend[4] pas, quand de mille poteaux
Elle fait appuyer ses logis, ses chasteaux :
Tu ne peux empêcher par arc-boutant ni fulcre[5]
Que Dieu de ta maison ne fasse ton sépulcre ;
L'architecte mondain n'a rien qui tienne lieu
20 Contre les coups du ciel et le doigt du grand Dieu.
Il fallait contre toi et contre ta machine
Appuyer et munir, ingrate Catherine,
Cette haute maison, la maison de Valois,
Qui s'en va dire[6] à Dieu au monde et aux François.
25 Mais, quand l'embrasement• de la mi-morte France
À souffler tous les coins requiert sa diligence,
La diligente au mal, paresseuse à tout bien,
Pour bien faire craint tout, pour nuire ne craint rien.
C'est la peste de l'air, l'Erynne[7] envenimée.
30 Elle infecte le ciel par la noire fumée
Qui sort de ses naseaux ; elle haleine les fleurs ;
Les fleurs perdent d'un coup la vie et les couleurs.

(1) tête
(2) préparer obscurément
(3) écrase
(4) comprend
(5) support
(6) va s'en plaindre
(7) Erynnie, déesse grecque de la vengeance furieuse

Son toucher est mortel ; la pestifère[8] tue
Les pays tout entiers de basilique[9] vue ;
35 Elle change en discord[10] l'accord des éléments.
En paisible minuit on oit[11] ses hurlements,
Ses sifflements, ses cris, alors que l'enragée
Tourne la terre en cendre, et en sang l'eau changée.
Elle s'ameute avec les sorciers enchanteurs ;
40 Compagne des démons compagnons imposteurs,
Murmurant l'exorcisme et les noires prières.
La nuit elle se vautre aux hideux cimetières.
Elle trouble le ciel, elle arrête les eaux,
Ayant sacrifié tourtres[12] et pigeonneaux,
45 Et dérobé le temps que la lune obscurcie
Souffre de son murmure ; elle attire et convie
Les serpents en un rond sur les fosses des morts
Déterre sans effroi les effroyables corps,
Puis, remplissant les os de la force des diables,
50 Les fait saillir en pied, terreux, épouvantables
Oit[11] leur voix enrouée, et des obscurs propos
Des démons imagine un travail sans repos[13] ;
Idolâtrant Satan et sa théologie,
Interroge en tremblant sur le fil de sa vie[14]
55 Ces organes hideux ; lors mêle de leurs tais[15]
La poudre avec le lait, pour les[16] conduire en paix.
Les enfants innocents ont prêté leurs moelles,
Leurs graisses et leur suc à fournir des chandelles,
Et, pour faire trotter les esprits aux tombeaux,
60 On offre à Belzébuth[17] leurs innocentes peaux.

(8) porteuse de peste
(9) le serpent basilic était réputé tuer un homme d'un simple regard
(10) discorde
(11) entend
(12) tourterelles
(13) comprendre (sans doute) : elle trame des crimes à partir des révélations démoniaques
(14) sa destinée
(15) crânes
(16) les morts
(17) prince des démons

Agrippa d'Aubigné, *Les Tragiques*, « Misères », v. 861-920.

Pistes de recherche

1. Dégagez les trois temps du texte et précisez les trois présentations du personnage qui y correspondent. Pourquoi cet ordre ? Vous paraît-il logique ?

2. Dans le premier mouvement, Catherine est un personnage tragique et ridicule à la fois. Pourquoi ? Quelle figure de rhétorique• le souligne ?

3. Comment la frénésie du personnage est-elle rendue dans les deux mouvements suivants ? À quels résultats aboutit Catherine ? Son projet est-il clair ?

4. Le fantastique dans le troisième mouvement : montrez qu'il se fonde sur l'incertitude, sur l'effacement des limites, la remise en cause des cadres de notre perception.

DOCUMENT

Portrait-charge d'Henri III, d'une manière très baroque.

L'autre[1] fut mieux instruit à juger des atours
Des putains de sa Cour, et plus propre aux amours,
Avoir ras le menton[2], garder la face pâle[3],
Le geste efféminé, l'œil d'un Sardanapale[4] :
Si bien qu'un jour des Rois ce douteux animal,
Sans cervelle, sans front, parut tel en son bal :
De cordons emperlés sa chevelure pleine,
Sous un bonnet sans bord fait à l'italienne,
Faisait deux arcs voûtés ; son menton pinceté[5],
Son visage de blanc et de rouge empâté,
Son chef[6] tout empoudré, nous montrèrent ridée
En la place d'un Roi une putain fardée.
Pensez quel beau spectacle, et comme il fit bon voir
Ce Prince avec un busc, un corps[7] de satin noir
Coupé à l'espagnole, où, des déchiquetures[8],

Sortaient des passements et des blanches tirures[9] ;
Et afin que l'habit s'entresuivît de rang[10],
Il montrait des manchons[11] gaufrés de satin blanc,
D'autres manches encor qui s'étendaient fendues,
Et puis jusques aux pieds d'autres manches perdues ;
Ainsi bien emmanché, il porta tout ce jour
Cet habit monstrueux, pareil à son amour :
Si qu'[12]au premier abord, chacun était en peine
S'il voyait un Roi femme ou bien un homme Reine.

Agrippa d'Aubigné, *Les Tragiques*, « Princes », v. 773-796.

(1) l'autre fils de Catherine (2) le port de la barbe était général à l'époque (3) à l'aide de fards (4) roi d'Asie, exemple de prince voluptueux (5) épilé (6) tête (7) bustier, corsage baleiné (8) taillades (9) passementeries en fils d'argent (10) s'harmonisât sans rupture (11) demi-manches (12) si bien que

Quand la tragédie élude le tragique : les certitudes de Robert Garnier (1545-1590)

La restauration de la tragédie figurait au programme de la Pléiade et Jodelle se chargea, avec sa *Cléopâtre captive* (1553), jouée à la cour puis au collège de Boncour, de passer à la pratique. L'événement prit immédiatement valeur de symbole• et suscita une première floraison de tragédies. Poètes ou érudits, ces premiers auteurs ne viennent au théâtre qu'occasionnellement et, écrivant aussi des comédies, comme Jodelle, ne se limitent pas au genre de la tragédie. **Il faut attendre Robert Garnier pour trouver une œuvre tragique développée et cohérente.** Ce magistrat occupe ses loisirs à écrire entre 1568 et 1583 une série de sept tragédies. Ami de Ronsard, Garnier suit l'orientation donnée par les premiers poètes dramatiques et fixe la structure particulière de la tragédie renaissante. Sûrement très lu, ce théâtre aristocratique et savant fut-il aussi joué ? On en a baucoup débattu. Il semble qu'il eut bien des difficultés à rencontrer, en dehors des collèges, le public cultivé auquel il se destinait : le pouvoir royal se méfiait du théâtre (en 1548, on interdit la représentation des Mystères aux Confrères de la Passion qui possédaient le seul théâtre permanent, l'Hôtel de Bourgogne, à Paris) et les goûts des contemporains distingués se portèrent plutôt vers le genre nouveau — plus facile — de la pastorale, venue d'Italie.

DOCUMENT

La tragédie française de la Renaissance était caractérisée par un sujet, toujours épouvantable, et une issue, toujours inévitable et annoncée par les ombres, songes et pressentiments, une leçon, toujours à peu près la même, de modération dans les désirs et d'acceptation des coups du sort, une structure enfin où se succédaient les tableaux pathétiques et où alternaient une rhétorique• destinée à convaincre l'esprit et un lyrisme• destiné à toucher la sensibilité.

Une tragédie de Garnier est faite de tableaux discontinus, séparés par des chants choraux destinés à reprendre sur le mode lyrique les trois types de développements tragiques : la plainte après un mal-heur irrémédiable, l'expression d'une philosophie du monde, l'exposé d'une philosophie de l'homme. Les monologues et les tirades y sont fréquents, qui tantôt développent un sentiment ou une pensée, et tantôt évoquent présages et prophéties ou font le récit d'une catastrophe. [...]

Le progression n'est pas celle d'une action, mais celle d'une leçon politique, morale ou religieuse, illustrée par des effets extérieurs destinés à bouleverser la sensibilité et à assurer à la leçon toute sa portée.

Jacques Morel, *Littérature française, La Renaissance*, III, Arthaud, 1973.

Une pièce cruelle mais optimiste : Les Juives (1583)

La tragédie, pour Garnier, doit provoquer **une violente émotion** et ses personnages, avant le spectateur, vivent dans le pathétique• : le chœur s'épanche en longues déplorations et les héroïnes suppliantes occupent une large place dans le drame. Mieux encore, cette émotion est rythmée par le **retournement d'une fausse joie** : on espère un moment que l'impitoyable Nabuchodonosor se laissera fléchir par les prières de son épouse et de la mère (de Sédécie). Tout cela est parfaitement justifié par **des situations atroces et des actions cruelles** où s'illustre un roi-bourreau aussi démesuré qu'est pitoyable sa victime le roi Sédécie. **Personnages hyperboliques•** certes, mais qui échappent à la caricature parce qu'ils restent grands ; Nabuchodonosor a de l'intelligence et Sédécie du courage. Surtout, **ils sont pris dans une philosophie de l'histoire** qui les élève au rôle **d'agents et d'exemples**. Garnier est un remarquable représentant du **providentialisme chrétien** (cf. Bossuet, *Le XVIIe Siècle*, pp. 216 et sq.) ; Dieu conduit l'histoire et les grands personnages sont ses instruments ; Nabuchodonosor vient punir un roi et un peuple infidèles à leur Dieu. Cette pensée est dégagée dans *Les Juives* avec une particulière netteté grâce au Prophète qui parle au premier et au cinquième acte ; au début comme à la fin, il fait prendre cette distance par rapport à l'événement qui permet de lire un sens dans une succession d'événements. Véritable porte-parole — Garnier ne lui a pas donné de nom — d'un Dieu qui ainsi ne reste pas caché (à l'opposé du Dieu racinien, selon Goldmann, cf. *Le XVIIe Siècle*, p. 278). Et ce qu'il fait voir et annonce est hautement réconfortant. Dieu ne veut pas la mort du pêcheur qui se repent comme Sédécie ; le roi juif cruellement frappé ne périt pas et au plan collectif, le peuple d'Israël reconstruira Jérusalem quand viendra un autre roi étranger, le persan Cyrus, qui le libérera. **Ainsi la tragédie enseigne la dure humilité du châtiment, mais prône aussi la vertu d'espérance.** Car les souffrances d'un présent obscur ne sont pas fait isolé dans l'histoire. D'autres hommes les ont connues et ils en sont sortis pour retrouver un jour plus lumineux que celui d'antan. Cette **première assurance, fondamentale, en la bonté — exigeante — de Dieu** et en son intervention vigilante **se double chez Garnier d'une certitude politique ;** les rois — si déchus ou criminels qu'ils puissent être — restent des élus exemplaires, choisis par Dieu pour mener les peuples, par des voies parfois tortueuses, vers un avenir rassurant. Dans ces conditions, le tragique ne peut qu'être une provisoire illusion d'optique explicable par l'humaine faiblesse et Garnier se charge de la dissiper dans cet édifiant poème par personnages que devient chez lui la tragédie.

Au VIe siècle av. J.-C., le puissant roi assyrien Nabuchodonosor a imposé sa domination sur la Palestine. À Jérusalem, il a mis sur le trône le roi de Juda, Sédécias. Mais après avoir été infidèle à son Dieu, celui-ci a trahi son suzerain en se révoltant et en s'alliant au pharaon. La vengeance est terrible : prise de Jérusalem et déportation massive. Sédécias qui a tenté de fuir avec ses femmes et ses enfants a été repris. C'est ici que commence la pièce de Garnier. Quel sera le sort de Sédécie ? Après avoir semblé incliner au pardon devant les appels à la clémence ou à la pitié, Nabuchodonosor fait comparaître le roi prisonnier (notre extrait). Au cinquième acte, le Prophète fera le récit d'un dénouement particulièrement sanglant : dans l'amphithéâtre réservé aux combats de lions et sous les yeux de Sédécie, Nabuchodonosor a fait égorger le Grand Pontife, les « Princes du peuple » et même les tout jeunes enfants du roi juif, puis il lui a fait crever les yeux.

(1) sévèrement
(2) à aucun homme
(3) écarter
(4) ne tenant compte ni d'eux...
(5) et c'est alors qu'il
(6) contre
(7) soldats
(8) comme ils l'ont fait
(9) s'il n'avait
(10) oui, je vous ai
(11) sur
(12) transpercez-moi de votre épée jusqu'au pommeau
(13) convient
(14) rigoureux
(15) sent
(16) de la mesure
(17) en manquant de parole
(18) vous commettriez une faute
(19) captive
(20) ou plutôt
(21) de roi
(22) décidée
(23) faire s'écrouler
(24) détourner
(25) décidée
(26) récompense

SÉDÉCIE. — Le Dieu que nous servons est le seul Dieu du monde,
Qui de rien a bâti le ciel, la terre et l'onde.
C'est lui seul qui commande à la guerre, aux assauts.
Il n'y a Dieu que lui, tous les autres sont faux.
5 Il déteste le vice et le punit sévère[1],
Quand il connaît surtout que l'on y persévère.
Il ne conseille aucun[2] de commettre un méfait,
Au contraire c'est lui qui la vengeance en fait.
Ses Prophètes il a, que parfois il envoie
10 Pour redresser son peuple alors qu'il se dévoie ;
Par eux de nos malheurs il nous fait avertir
Afin qu'en l'évoquant les puissions divertir[3].
Mais hélas ! bien souvent notre âme est endurcie,
Ne faisant compte d'eux[4] ni de leur prophétie :
15 Et c'est quand il[5] nous laisse et nous donne en butin
Au peuple assyrien, arabe ou philistin.
Autrement soyez sûr que toute force humaine,
Quand il nous est propice, encontre[6] nous est vaine,
Et qu'encor vos soudars[7], bien qu'ils soient indomptés,
20 Ne nous eussent jamais, comme ils ont[8], surmontés,
Sans qu'il a[9] retiré de nous sa bienveillance
Pour nous faire tomber dessous votre puissance.
Or vous ai-je[10] offensé, je confesse ce point.
Je vous ai offensé : mais qui n'offense point ?
25 Ma vie est en vos mains, vengez-vous dessur[11] elle ;
Passez-moi votre estoc jusques à la pommelle[12],
Et ce peuple sauvez, qui n'a fait autre mal
Sinon de se défendre et de m'être loyal.

NABUCHODONOSOR. — Tu as donc, malheureux, par ton ingratitude,
30 Mis le glaive en la gorge à cette multitude.
Quel supplice est sortable[13] à ta méchanceté ?

SÉDÉCIE. — Un supplice trop grief[14] ressent[15] sa cruauté.

NABUCHODONOSOR. — Peut-on être cruel envers un tel parjure ?

SÉDÉCIE. — Comme en une autre chose y faut garder mesure.

35 NABUCHODONOSOR. — Tu en[16] as bien gardé en me faussant la foi[17] !

SÉDÉCIE. — Faisant comme j'ai fait, vous faudriez[18] comme moi.

NABUCHODONOSOR. — Ton crime est excessif.

SÉDÉCIE. — Et gardez qu'excessive
La vengeance ne soit sur une âme chétive[19].

40 NABUCHODONOSOR. — Penses-tu qu'on te traite autrement qu'en rigueur ?

SÉDÉCIE. — Cela dépend de vous qui êtes le vainqueur.

NABUCHODONOSOR. — Voire[20] il dépend de moi qui suis ton adversaire.

SÉDÉCIE. — Le devoir vous défend de m'être trop sévère.

NABUCHODONOSOR. — Sévère ? et quel tourment n'as-tu point mérité ?

45 SÉDÉCIE. — Vous pesez mon mérite et non ma qualité...[21]
N'aurez-vous donc égard à ma condition ?

NABUCHODONOSOR. — Je ne veux de personne avoir acception. [...]
Tu as beau raisonner, ta peine est résolue[22].
Ce n'est de tes propos que parole perdue.
50 Je suis comme un rocher élevé sur la mer,
Que les flots ni les vents ne peuvent entamer.
On pourrait écrouler[23] plutôt la terre toute
Que de me démouvoir[24] d'une chose résoute[25].
Non, vous serez punis, et l'infidélité
55 De vos cœurs recevra le guerdon[26] mérité.

SÉDÉCIE. — Sus donc, cruel tyran, assouvis ton courage[27].
Enivre-toi de sang, remplis-toi de carnage.
Là, bourreau, ne te lasse, infecte l'air de corps ;
Égorge les enfants, tire le cœur des morts,
60 Et le mange affamé, développant ta rage

Pire que d'un lion[28] et d'un tigre sauvage.
Tu n'as le cœur royal, et aussi n'es-tu pas
Sorti de noble race, ains[29] d'un lignage bas,
De la fange d'un peuple, et d'une main brigande
65 As couru l'Assyrie, où ta fureur commande.
NABUCHODONOSOR. — Tu parles bravement[30], mais devant que bouger[31],
Peut-être on te verra de langage changer.
SÉDÉCIE. — Fais ce que tu voudras, monstre horrible ; dégorge
Tout le fielleux venin de ta vilaine[32]gorge.
70 Je ne te crains, bourreau, carnassier, massacreur ;
Je ne redoute plus ni toi ni ta fureur.
NABUCHODONOSOR. — Tu sembles un mâtin[33], qui aboie et qui grogne.
SÉDÉCIE. — C'est toi-même mâtin, qui te pais[34] de charogne.
NABUCHODONOSOR. — Empoignez-le, soudards[7], et le tirez d'ici ;
75 Je ne tarderai guère à le rendre adouci.

(27) cœur
(28) celle d'un lion
(29) mais
(30) fièrement
(31) avant de quitter ce lieu
(32) ignoble
(33) gros chien
(34) nourris

Robert Garnier, *Les Juives*, acte IV, 1583.

Pistes de recherche

1. **Le thème religieux** : résumez l'argumentation de Sédécie démontrant la providence dans la longue tirade initiale. Comment, par son insistance sur la trahison et la vengeance, Nabuchodonosor s'y associe-t-il, sans le vouloir ?

2. **La figure du roi** : comment Sédécie se rachète-t-il ici ? En quoi le débat sur le châtiment complète-t-il l'image du bon roi ? Montrez l'ambiguïté de Nabuchodonosor : grandeur et démesure, maîtrise et fureur. Quelle difficulté représente-t-il pour un auteur aussi royaliste que Garnier ? Comment Garnier essaie-t-il de la résoudre ?

3. **Une entrevue capitale** : faites apparaître la progression de l'intensité émotionnelle dans ce dialogue. Par quels moyens, très différents, est-elle obtenue ? Quelle appréciation portez-vous sur cette scène ? Donnez vos raisons.

Agostino Carrache (1557-1602), *Portrait d'une femme en Judith*, Londres, Matthiesen Fine Art Limited.

L'invention de la tragi-comédie : *Bradamante* (1582)

La meilleure preuve que Garnier n'est pas vraiment une conscience tragique, c'est son talent même qui l'apporte. Il s'épanouit mieux aux marges de la tragédie, comme le démontre sa *Bradamante*.

On y retrouve les idées qui lui sont chères et qui permettent d'échapper au désespoir suspendu au-dessus de l'univers tragique. Ici encore **les rois sont les garants d'un ordre sacré en voie de réalisation.** L'empereur Charlemagne appelle à l'unité de la chrétienté contre l'infidèle dont un des protagonistes du drame, le chevalier Roger fournit l'image positive (païen converti, un moment tenté par l'apostasie, il est définitivement installé dans le giron du vrai Dieu par son union avec l'héroïne Bradamante. Mieux encore, dans la dernière scène de la pièce, l'empereur officie comme un prêtre recueillant le consentement des époux pour marier, après bien des traverses, Roger et Bradamante. Le théâtre se greffe ainsi, à travers le roman de chevalerie, sur l'épopée chrétienne en lui empruntant son sujet : *Bradamante* imite un épisode du *Roland Furieux* de l'Arioste, lui-même inspiré de *Renaud de Montauban* (cf. pp. 45-47), dont Bradamante est la digne sœur, amoureuse en armure et amazone au cœur tendre.

Mais cette pensée optimiste, maintenant très apparente, trouve dans *Bradamante* l'atmosphère qui lui convient. **L'action aboutit à un dénouement heureux** (c'est un double mariage), **ses péripéties hautement romanesques** (par dévouement chevaleresque, Roger se substitue à l'empereur de Byzance, également amoureux de Bradamante, pour le combat singulier contre la prodigieuse héroïne, où se désignera l'époux futur, et sa victoire semble donc assurer le triomphe de son rival et son propre malheur) **donnent à ce théâtre un dynamisme exaltant, l'amour** (c'est la première fois qu'il prend une telle place dans le théâtre français), **absolu** bien sûr, s'épanouit en couplets lyriques et volontiers pastoraux ; **Garnier n'hésite pas enfin à mêler les registres,** jusqu'à venir au comique le plus franc quand Aymon, vrai père de comédie, choisit bourgeoisement le prétendant le plus reluisant ou trépigne de colère quand ses projets sont contrariés. Du même coup, se fixent les traits d'un nouveau genre qui jusqu'ici se cherchait : sujet et action romanesques, dénouement heureux, personnages et tons échappant souvent à l'uniforme noblesse, **voilà les caractéristiques de la tragi-comédie,** promise à un bel avenir dans les soixante ans qui viennent. Témoins, le succès de *Bradamante* auprès des lecteurs (et peut-être des spectateurs) au XVIIᵉ siècle et les premières œuvres de Corneille (cf. *Le XVIIᵉ Siècle*, pp. 132-133).

EXTRAIT

Bradamante est ponctuée de monologues où s'épanche l'âme sentimentale des deux protagonistes, Bradamante et Roger. Car ils ne se rencontrent jamais avant le dénouement, où, sans s'adresser directement la parole, ils se contentent d'exprimer leur acquiescement. Garnier paraît ainsi faire écho à l'« amour lointain » médiéval (cf. pp. 130-131) et se pose en précurseur des aveux marivaudiens si longtemps différés. En artiste, il sent bien que le désir n'est jamais si fort, que l'amour n'est jamais si beau qu'à distance.

Eh quoi, Roger, toujours languirai-je de peine ?
Sera toujours, Roger, mon espérance vaine ?
Où êtes-vous, mon cœur ? quelle terre vous tient,
Quelle mer, quel rivage a ce qui m'appartient ?
5 Entendez mes soupirs, Roger, oyez mes plaintes,
Voyez mes yeux lavés en tant de larmes saintes.
Ô Roger, mon Roger, vous me cachez le jour,
Quand votre œil, mon soleil, ne luit en cette cour.
  Comme un rosier privé de ses roses vermeilles,
10 Un pré de sa verdure, un taillis de ses fueilles(1),
Un ruisseau de son onde, un champ de ses épis,
Telle je suis sans vous, telle et encore pis.
Quelque nouvelle amour — ce que Dieu ne permette —
Vous échaufferait point(2) d'une flamme secrète ?
15 Quelque face angélique aurait point engravé(3)
Ses traits dans votre cœur de ses yeux esclavé(4) ?
Eh Dieu, que sais-je ? Hélas, si d'Aymon la rudesse
Vous a désespéré de m'avoir pour maîtresse,
Que pour vous arracher cet amour ennuyeux(5)
20 Vous soyez pour jamais éloigné de mes yeux ?
Vous ne l'avez pas fait, votre âme est trop constante,
Vous ne sauriez aimer autre que Bradamante.
Retournez donc, mon cœur, las, revenez à moi,
Je ne saurais durer si vos yeux je ne vois.
25   Je ressemble à celui qui, de son or avare,
Ne l'éloigne de peur qu'un larron s'en empare,
Toujours le voudrait voir, l'avoir à son côté
Craignant incessamment qu'il ne lui soit ôté.
Retournez donc, mon cœur, ôtez-moi cette crainte !
30 Las votre seule absence est cause de ma plainte !
  Comme, quand le Soleil cache au soir sa clarté,
Vient la pâle frayeur avec l'obscurité,

(1) feuilles
(2) ne vous échaufferait-elle pas ?
(3) gravé
(4) rendu esclave
(5) douloureux

Tintoret (1518-1594), *Le Paradis*, Paris, Louvre, ph. H. Josse.

Mais sitôt qu'apparaît sa rayonnante face
La nuit sombre nous laisse, et la crainte se passe ;
35 Ainsi sans mon Roger, je suis toujours en peur,
Mais quand il est présent, elle sort de mon cœur.
   Comme durant l'hiver, quand le soleil s'absente,
Que nos jours sont plus courts, sa torche moins ardente,
Viennent les aquilons dans le ciel tempêter[6],
40 On voit sur les rochers les neiges s'afester[7],
Les glaces et frimas rendre la terre dure,
Le bois rester sans fueille[1] et le pré sans verdure,
Ainsi, quand vous, Roger, vous absentez de moi,
Je suis en un hiver de tristesse et d'émoi.
45 Retournez donc, Roger, revenez, ma lumière,
Las ! et me ramenez la saison printanière.
Tout me déplaît sans vous, le jour m'est une nuit ;
Tout plaisir m'abandonne, et tout chagrin me suit ;
Je vis impatiente, et si guère demeure[8]
50 Votre œil à me revoir, il faudra que je meure,
Que je meure d'angoisse, et qu'au lieu du flambeau
De notre heureux hymen, vous trouviez mon tombeau.

Robert Garnier, *Bradamante*, acte III, scène 2, 1582.

(6) déchaîner la tempête
(7) s'amonceler
(8) tarde

Pistes de recherche

1. **La psychologie de l'amour** : permanence et alternance, hyperbole• et simplicité. Est-ce original ? Mais n'y a-t-il pas de la vérité dans la convention elle-même ? Comment les comparaisons participent-elles à cet effet ?
2. **La philosophie optimiste** : malgré la fin du passage, d'où vient la confiance du lecteur-spectateur ? (Rôle des pensées de l'héroïne, des comparaisons, et du monologue comme dialogue à distance ?) Quel passage se rapproche du comique et pourquoi ?
3. **Le poème lyrique** : étudiez sa construction, le jeu des reprises, des métaphores• et des antithèses•. Choisissez un passage qui vous paraît particulièrement heureux et étudiez sa musique (sonorités et rythmes).

Piste thématique

L'exploitation d'un sujet : rapprochez les textes pp. 45-47, 125-126, 218 et celui-ci qui reprennent l'histoire des quatre fils Aymon ou y font allusion.

Agrippa d'Aubigné

■ À travers le tragique, par un long poème ■

Chez Aubigné, l'homme d'action a longtemps dominé, sinon éclipsé, l'écrivain, parce qu'on a surtout retenu de ses écrits le témoignage sur son temps. Jusqu'ici, dans ce chapitre, nous avons accepté cette perspective qui, pour un auteur, marque les limites d'une reconnaissance. Son œuvre est pourtant aussi considérable que volumineuse et diverse. Aubigné s'y révèle tour à tour poète lyrique (cf. pp. 293-294), historien, autobiographe et pamphlétaire. De cet ensemble émerge un extraordinaire poème de plus de 9 000 vers : *Les Tragiques,* qui donne à son auteur la stature d'un Dante ou d'un Milton français. Nous pouvons maintenant mieux entendre cette puissante voix et en apprécier la beauté : **le baroque est enfin apparu comme une esthétique autonome** ; **la poésie moderne reconnaît dans la difficulté ou l'obscurité** non une tare ou un obstacle, mais **un levier et un passage ; les sensibilités contemporaines s'accordent volontiers à un imaginaire violent,** amoureux de matière (feu, sang, lait), de lumière et de couleurs (noir, rouge, blanc et tous leurs rayonnements), animé d'un dynamisme puissant (tensions, mouvements, métamorphoses) et nourri d'images aussi originales qu'obsédantes (pour n'en citer que deux : la mère déchirée par ses jumeaux en conflit et les déchirant, la mort multiforme et active parce qu'autonome).

Le titre peut surprendre : c'est qu'il a le mérite de souligner et de **situer l'originalité de ce texte.** Tragique, le poème l'est de bien des façons. **En un sens banal, mais fort,** parce qu'il rappelle les souffrances et les horreurs auxquelles, inexplicablement, les hommes se condamnent les uns les autres. **Dans une acception plus artistique et plus datée,** parce que cette œuvre veut atteindre son lecteur comme la tragédie son spectateur, par le choc affectif, émotion bien particulière faite de surprises et de contrastes : [la tragédie] « change, transforme, manie et tourne l'esprit des écoutants de çà de là... Ils voient maintenant une joie tournée tout soudain en tristesse, et maintenant au rebours, à l'exemple des choses humaines », écrit le dramaturge protestant Jean de la Taille dans son *Art de la tragédie* (1572). Et on n'aura nulle peine à **discerner chez Aubigné les structures tragiques :** ambiguïté, aporie•, renversement, contradiction et dans une définition plus strictement rhétorique les diverses variétés et combinaisons de l'antithèse• et de l'oxymore•. Bien entendu, **ces effets et formes ont un solide fondement dans la signification.** Soubassement théologique d'abord, à chercher dans **la pensée réformée** qui met entre l'homme et Dieu une incommensurable distance et fait dépendre félicité ou malheur éternels d'une sentence prononcée dès l'origine (du moins dans notre conception humaine du temps successif) sans que nos actions y puissent rien changer. **Mais Aubigné a su incarner cette théorie,** c'est-à-dire **la reconnaître dans l'histoire et lui donner les dimensions du drame ;** dans son poème, la vision, constamment se dédouble et s'inverse : vus de la terre, les triomphateurs sont les bourreaux, vus du ciel ce sont les victimes. En leur siècle, les protestants persécutés vivent donc la douloureuse contradiction d'une vérité qui se réduit à leur conviction, confrontée à une apparence parée des forces de la réalité. Et il arrive que, conformément au défi et à la ruse de Satan, **les signes se mêlent confusément ;** si les bûchers (« Les Feux ») désignent les martyrs-élus, les combats (« Les Fers ») sont lieux d'incertitude.

Dans les variations d'une vie, **la foi peut aussi chanceler** et l'évidence réconfortante du salut disparaître avec elle : Aubigné, nous le verrons, en a fait l'expérience. On comprend mieux alors **ce qui motive l'œuvre** ; elle rappelle au poète et aux lecteurs comment il faut voir le monde et orienter sa contradiction : de la nuit du travestissement à la lumière de la révélation, du malheur à la justice. **Ainsi *Les Tragiques* renversent et traversent le tragique** et Coligny horriblement massacré peut rire « de la foule / qui de son tronc roulé se jouait à la boule » (« Princes », v. 1432).

François Dubois (1529-1584), *Scène de la Saint-Barthélemy*, ph. Held-Artephot.

École suisse du XVIIᵉ siècle, *Agrippa d'Aubigné*, ph. Held-Artephot.

Je n'écris plus les feux d'un amour inconnu[1],
Mais, par l'affliction plus sage devenu,
J'entreprends bien plus haut, car j'apprends à ma plume
Un autre feu, auquel la France se consume.
5 Ces ruisselets d'argent, que les Grecs nous feignaient[2],
Où leurs poètes vains[3] buvaient et se baignaient,
Ne courent plus ici : mais les ondes si claires,
Qui eurent les saphirs et les perles contraires[4],
Sont rouges de nos morts ; le doux bruit de leurs flots,
10 Leur murmure plaisant heurte contre des os.
Telle[5] est en écrivant ma non-commune image :
Autre fureur qu'amour reluit en mon visage ;
Sous un inique Mars[6], parmi les durs labeurs,
Qui gâtent le papier et l'encre de sueurs,
15 Au lieu de Thessalie aux mignardes[7] vallées,
Nous avortons ces chants au milieu des armées,
En délassant nos bras de crasse tous rouillés,
Qui n'osent s'éloigner des brassards dépouillés.
Le luth que j'accordais avec[8] mes chansonnettes
20 Est ores[9] étouffé de l'éclat des trompettes ;
Ici le sang n'est feint, le meurtre n'y défaut[10],
La Mort joue elle-même en ce triste échafaud[11],
Le juge criminel tourne et emplit son urne[12].
D'ici la botte en jambe, et non pas le cothurne[13],
25 J'appelle Melpomène[14] en sa vive fureur,
Au lieu de l'Hypocrène[15] éveillant cette sœur
Des tombeaux[16] rafraîchis, dont il faut qu'elle sorte
Échevelée, affreuse, et bramant en la sorte
Que[17] fait la biche après le faon qu'elle a perdu.
30 Que la bouche lui saigne, et[18] son front éperdu
Fasse noircir du ciel les voûtes éloignées,
Qu'elle éparpille en l'air de son sang deux poignées
Quand, épuisant ses flancs de redoublés sanglots,
De sa voix enrouée elle bruira[19] ces mots :
35 « Ô France désolée ! ô terre sanguinaire,
Non pas terre, mais cendre ! ô mère, si c'est mère[20]
Que trahir[21] ses enfants aux[22] douceurs de son sein
Et, quand on les meurtrit, les serrer de sa main !
Tu leur donnes la vie, et dessous ta mamelle
40 S'émeut[23] des obstinés la sanglante querelle ;
Sur ton pis blanchissant ta race se débat,
Là le fruit de ton flanc fait le champ du combat[24]. »
Je veux peindre la France une mère[25] affligée,
Qui est entre ses bras de deux enfants chargée.
45 Le plus fort, orgueilleux, empoigne les deux bouts
Des tétins nourriciers ; puis, à force de coups
D'ongles, de poings, de pieds, il brise le partage[26]
Dont nature donnait à son besson[27] l'usage ;
Ce voleur acharné, cet Esaü[28] malheureux,
50 Fait dégât du doux lait qui doit nourrir les deux,
Si que[29], pour arracher à son frère la vie,
Il méprise la sienne et n'en a plus d'envie.
Mais son Jacob, pressé d'avoir jeûné meshui[30],
Ayant dompté longtemps en son cœur son ennui[31],
55 À la fin se défend, et sa juste colère
Rend à l'autre un combat dont le champ est la mère.
Ni les soupirs ardents, les pitoyables cris,
Ni les pleurs réchauffés ne calment leurs esprits ;
Mais leur rage les guide et leur poison les trouble,
60 Si bien que leur courroux par leurs coups se redouble.

[1] soit inouï, soit inconnu (parce qu'il n'a publié les poèmes du « Printemps »)
[2] représentaient
[3] inutiles, futiles
[4] qui rivalisèrent avec les saphirs et les perles
[5] annonce ce qui suit
[6] une guerre sans justice
[7] charmantes
[8] dont j'accompagnais
[9] maintenant
[10] n'y manque pas
[11] théâtre
[12] Vers très ambigu : criminel a soit le sens usuel, soit le sens juridique (qui juge les crimes) et l'urne emplie et agitée réfère soit à une pratique judiciaire normale, soit à une condamnation scandaleuse par tirage au sort.
[13] chaussure du tragédien
[14] muse de la tragédie
[15] source consacrée aux Muses
[16] faisant sortir cette muse (sœur) des tombeaux au lieu de la source Hypocrène
[17] comme
[18] et que
[19] dira
[20] être mère
[21] ambigu : arracher ou trahir ou entraîner
[22] soit vers les (douceurs), soit loin des (douceurs)
[23] s'élève
[24] Ambigu : on peut accorder « de ton flanc » soit à « fruit », soit à « fait » ou aux deux.
[25] sous l'aspect d'une mère
[26] la part
[27] jumeau
[28] Esaü était né le premier, mais Jacob était l'élu du Seigneur. Les deux frères jumeaux ne cessaient de s'opposer.
[29] si bien que
[30] jusqu'à présent
[31] sa souffrance

Leur conflit se rallume et fait[32] si furieux
Que d'un gauche[33] malheur ils se crèvent les yeux.
Cette femme éplorée, en sa douleur plus forte,
Succombe à la douleur, mi-vivante, mi-morte ;
65 Elle voit les mutins tous déchirés, sanglants,
Qui, ainsi que du cœur, des mains se vont cherchants ;
Quand, pressant à son sein d'une amour maternelle
Celui qui a le droit et la juste querelle[34],
Elle veut le sauver, l'autre qui n'est pas las
70 Viole en poursuivant l'asile de ses bras.
Adonc[35] se perd le lait, le suc de sa poitrine ;
Puis, aux derniers abois[36] de sa proche ruine,
Elle dit : « Vous avez, félons, ensanglanté
Le sein qui vous nourrit et qui vous a porté ;
75 Or[37], vivez de venin[38] sanglante géniture[39],
Je n'ai plus que du sang pour votre nourriture ! »

(32) devient (se fait)
(33) funeste
(34) raison de se plaindre
(35) alors et en conséquence
(36) dernière extrémité (terme de vénerie)
(37) maintenant
(38) poison
(39) progéniture

Agrippa d'Aubigné, *Les Tragiques*, « Misères », v. 55-130.

Pistes de recherche

1. La composition : comment les trois parties du texte (profession de foi poétique, prosopopée•, allégorie•) sont-elles distinguées et liées ? Étudiez la progression d'une partie à l'autre, à l'intérieur de chaque partie. Quel en est le moteur ?

2. L'opposition de deux poésies : montrez qu'elles s'opposent comme ancienne et nouvelle, artifice et vie, eau et sang. Elles sont pourtant liées. Comment ? Quel élément le manifeste ? Étudiez les diverses figures de l'antithèse•.

3. Le tragique : cherchez les références au théâtre et à la tragédie. Comment cette poésie peut-elle inspirer terreur et pitié ? Relevez et expliquez des énoncés ambigus.

4. La vision : comment le texte oppose-t-il métaphores•, choses vues et symboles• ? Montrez qu'il a pourtant le souci de la liaison et de la transition. Étudiez plus particulièrement le tableau de la « mère affligée » : thèmes obsédants, rencontre des contraires, ambiguïté et violence.

Antoine Caron (1521-1599), *Les Massacres du Triumvirat*, Paris, Louvre, ph. H. Josse. *Sous prétexte d'évoquer les proscriptions de la Rome antique, ce tableau montre les violences et les horreurs de la France déchirée par les guerres de religion.*

Des choses vues à l'art visionnaire

Écrire pour Aubigné, **c'est répondre à une exigence** et à une urgence : il lui faut témoigner des horreurs de la guerre civile. Et **ce témoignage se place sous le signe de la violence** : violence intimement éprouvée par le poète qui se sent contraint à prendre personnellement la parole parce qu'il est «vaincu de la mémoire / qui effraie [ses] sens d'une tragique histoire» («Misères», v. 369-370) ; violence originelle d'une réalité inhumaine qui viole la sensibilité, s'impose par effraction à la conscience. **Mais comment communiquer cette horreur**, l'inscrire de manière indélébile dans l'âme de cette collectivité infinie, les lecteurs ? Aubigné emprunte souvent **la voie directe**, celle qu'on dirait **réaliste**, parce que la réalité semble s'y dire elle-même : images brutes et crues accumulées jusqu'à l'insoutenable dans une description qui gomme la source de l'énoncé et le discours organisateur du narrateur. **Pourtant il ne peut s'en contenter** parce qu'il faut aussi faire appel au pouvoir d'attestation du «je» individuel, **mettre en évidence discours et affectivité** et même les multiplier, au besoin par emboîtement. C'est également parce qu'**Aubigné est très sensible à l'insuffisance des mots**, d'où une tendance à prolonger un récit toujours suspect de carence, un besoin de faire appel à toutes les ressources du langage, à son intensité maximale. Ainsi aboutit-on à **un art qui dépasse le réalisme** (notamment en recourant à l'hyperbole•, à l'allégorie•, à la prosopopée•, plus largement au théâtral et au surnaturel) **pour être vraiment fidèle à la réalité**, conçue comme une rencontre indissociable du sujet et de l'objet. C'est ce qu'on a appelé «l'expressionnisme» qui chez Aubigné, comme dans la peinture privilégie la vision : dans le spectacle, le «je» et le monde se confondent, l'image transfigure le réel sans rompre avec lui et pour mieux le transcrire. Enfin, dans l'optique religieuse qui est celle d'Aubigné, **l'art visionnaire donne au poète et au lecteur**, devenus voyants, **le regard de Dieu**. Il présidera donc aussi bien aux témoignages véridiques des premiers livres qu'aux «Tableaux célestes» des *Fers* qui traduisent l'histoire des guerres de religion en images fixées et intelligibles, composant ainsi «sous le regard ubiquiste de Dieu et de ses anges... le théâtre d'une mémoire universelle et instantanée» (F. Lestringant, *Les Tragiques*, PUF, 1986).

EXTRAIT 2

J'ai vu le reître noir[1] foudroyer à travers
Les masures de France, et comme une tempeste,
Emporter ce qu'il put, ravager tout le reste.
Cet amas affamé nous fit à Montmoreau[2]
5 Voir la nouvelle horreur d'un spectacle nouveau.
Nous vînmes sur leurs pas, une troupe lassée[3],
Que la terre portait, de nos pas harassée.
Là de mille maisons on ne trouva que feux,
Que charognes, que morts, ou visages affreux.
10 La faim va devant moi : force est que je la suive.
J'oi[4] d'un[5] gosier mourant une voix demi-vive ;
Le cri me sert de guide et fait voir à l'instant
D'un homme demi-mort le chef[6] se débattant,
Qui sur le seuil d'un huis[7] dissipait[8] sa cervelle.
15 Ce demi-vif la mort à son secours appelle
De sa mourante voix. Cet esprit demi-mort
Disait en son patois (langue de Périgord) :
«Si vous êtes Français, Français, je vous adjure,
Donnez secours de mort : c'est l'aide la plus sûre
20 Que j'espère de vous, le moyen de guérir ;
Faites-moi d'un bon coup et promptement mourir.
Les reîtres m'ont tué par faute de viande[9] :
Ne pouvant ni fournir ni savoir[10] leur demande,
D'un coup de coutelas l'un d'eux m'a emporté
25 Ce bras que vous voyez près du lit, à côté ;
J'ai au travers du corps deux balles de pistole[11].»
Il suivit[12], en coupant d'un grand vent[13] sa parole :
«C'est peu de cas encor, et, de pitié de nous[14] :
Ma femme en quelque lieu, grosse, est morte de coups.
30 Il y a quatre jours qu'ayant été en fuite
Chassés à la minuit, sans qu'il nous fût licite
De sauver nos enfants liés en leurs berceaux[15],
Leurs cris nous appelaient[16], et entre ces bourreaux,
Pensant les secourir, nous perdîmes la vie.
35 Hélas ! si vous avez encore quelque envie
De voir plus de malheur, vous verrez là-dedans
Le massacre piteux[17] de nos petits enfants.»

(1) cavalier allemand au long manteau noir
(2) petite ville de Charente
(3) Apposition à «nous».
(4) j'entends
(5) venant de
(6) tête
(7) porte
(8) répandait
(9) parce que je n'avais pas de nourriture (à leur donner)
(10) comprendre
(11) pistolet
(12) poursuivit
(13) soupir
(14) c'est peu de chose encore et il n'y a pas de quoi à avoir pitié de nous
(15) attachés pour qu'ils ne tombent du berceau
(16) rupture de construction
(17) pitoyable
(18) quand nous fûmes entrés
(19) desséchée
(20) rompus
(21) traînant son corps
(22) à ce moment
(23) deux syllabes
(24) recroquevillé
(25) cf. la «mère affligée» (extrait 1)
(26) airs
(27) se hérissent sur
(28) tête
(29) maudis

*Pierre Bontemps (1506-1570),
Charles de Maigny,* Paris, Louvre,
ph. Lauros-Giraudon.

J'entre, et n'en trouve qu'un, qui, lié dans sa couche,
Avait les yeux flétris, qui de sa pâle bouche
40 Poussait et retirait cet esprit languissant
Qui, à regret son corps par la faim délaissant,
Avait lassé sa voix bramant après sa vie.
Voici, après entrer[18] l'horrible anatomie
De la mère asséchée[19] : elle avait de dehors
45 Sur ses reins dissipés[20], traîné, roulé son corps,
Jambes et bras rompus, une amour maternelle
L'émouvant[21] pour autrui beaucoup plus que pour elle.
À tant[22] elle approcha sa tête du berceau,
La releva dessus. Il ne sortait plus d'eau
50 De ses yeux consumés ; de ses plaies[23] mortelles
Le sang mouillait l'enfant ; point de lait aux mamelles,
Mais des peaux sans humeur. Ce corps séché, retrait[24],
De la France qui meurt fut un autre[25] portrait.
Elle cherchait des yeux deux de ses fils encore,
55 Nos fronts[26] l'épouvantaient ; enfin la mort dévore
En même temps ces trois. J'eus peur que ces esprits
Protestassent mourants contre nous de leurs cris,
Mes cheveux étonnés hérissent en[27] ma teste[28] ;
J'appelle Dieu pour juge, et tout haut je déteste[29]
60 Les violeurs de paix, les perfides parfaits,
Qui d'une sale cause amènent tels effets.
Là je vis étonnés les cœurs impitoyables,
Je vis tomber l'effroi dessus les effroyables.
Quel œil sec eût pu voir les membres mi-mangés
65 De ceux qui par la faim étaient morts enragés ?

Agrippa d'Aubigné, *Les Tragiques*, « Misères », v. 372-436.

Pistes de recherche

1. Étudiez le crescendo de l'horreur. Montrez qu'une véritable attraction s'exerce sur le narrateur. Quelles associations de la vie et de la mort le texte propose-t-il ?
2. La violence brute : actions ; gestes ; primat du corporel et du sensoriel (étudiez notamment la fusion du voir et du toucher).
3. Réactions humaines : montrez que tous les personnages, sauf un (lequel et pourquoi ?), expriment des sentiments. D'où vient le pathétique de l'amour maternel ? Le poète-témoin est aussi porte-parole de l'humanité : que dit-il ?
4. L'expression de l'horreur : quels en sont les problèmes, selon vous ? Comment sont-ils résolus ici ?
5. Comparez avec la « France, mère affligée » (pp. 309-310), comme y invite le texte.

DOCUMENT

*Un autre rude combattant nous a laissé son témoignage sur ces cruels affrontements. Blaise de Monluc (vers 1500-1577), noble mais pauvre, **fit la guerre toute sa vie** : de simple soldat il devint maréchal de France. En Italie comme en Guyenne révoltée, il combattit toujours très fidèlement pour le roi. Payant de sa personne (plusieurs fois blessé, il termina sa vie, masqué de cuir pour dissimuler les traces d'une arquebusade), Monluc n'a rien d'un tendre. Dans ses Commentaires, où à la fin de sa vie il raconta ses campagnes, **il veut certes s'expliquer et se justifier mais il montre sans fard la violence de l'histoire**.*

Récit de la prise de Rabastens (une petite ville du Tarn) en juillet 1570. Monluc a été blessé au début de l'attaque. Son lieutenant vient lui parler.

« Monsieur, réjouissez-vous, prenez courage, nous sommes dedans. Voilà les soldats aux mains[1] qui tuent tout, et assurez-vous que nous vengerons votre blessure. » Alors je lui dis : « Je loue Dieu de ce que je vois la victoire nôtre avant mourir[2]. À présent je ne me soucie point de la mort. Je vous en prie vous en retourner, et montrez-moi toute l'amitié que vous m'avez portée, et gardez qu'il n'en échappe un seul qui ne soit tué. » Et quant et quant[3] s'en retourna, et tous mes serviteurs mêmes y allèrent, de sorte qu'il ne demeura auprès de moi que deux pages, l'avocat de Las et le chirurgien. L'on voulut sauver le ministre[4] et le capitaine de là-dedans, nommé Ladoue, pour les faire pendre devant mon logis ; mais les soldats les ôtèrent à ceux qui les tenaient, et les cuidèrent[5] tuer eux-mêmes, et les mirent en mille pièces. Les soldats en firent sauter cinquante ou soixante du haut de la grande tour, qui s'étaient retirés là-dedans.

dans le fossé, lesquels se noyèrent. Il ne se trouve que l'on en sauva[6] que deux, qui s'étaient cachés. Il y avait tel prisonnier qui voulait donner quatre mille écus; mais jamais homme ne voulut entendre à[7] aucune rançon; et la plupart des femmes furent tuées, lesquelles aussi faisaient de grands maux avec les pierres. Il s'y trouva un Espagnol marchand qu'ils tenaient prisonnier là-dedans, et un autre marchand catholique aussi, qui furent sauvés. Voilà tout ce qui demeura en vie des hommes qui se trouvèrent là-dedans, qui furent les deux que quelqu'un déroba[8], et ces deux marchands qui étaient catholiques. Ne pensez pas, vous qui lirez ce livre, que je fisse faire cette exécution tant pour venger ma blessure que pour donner épouvante à tout le pays, afin qu'on n'eût le cœur de faire tête à notre armée. Et me semble que tout homme de guerre, au commence-

ment d'une conquête, en doit faire ainsi contre celui qui oserait attendre son canon; il faut qu'il ferme l'oreille à toute composition et capitulation, s'il ne voit de grandes difficultés à son entreprise et si son ennemi ne l'a mis en peine de faire brèche. Et comme il faut de la rigueur (appelez-la cruauté, si vous voulez), aussi faut-il de l'autre côté de la douceur, si vous voyez qu'on se rende de bonne heure à votre merci.

Blaise de Monluc, *Commentaires.*

(1) sont en train de combattre
(2) avant de mourir
(3) là-dessus
(4) pasteur protestant
(5) voulurent
(6) il se trouve que l'on n'en sauva
(7) accepter
(8) cacha

Un poème bien composé

La critique récente a souligné justement les aspects baroques du poète Aubigné. Mais comme baroque fait souvent penser à foisonnement, sinon à désordre, il faut insister sur l'art de la composition dans *Les Tragiques*. L'ensemble est ordonné dans **une architecture très apparente et très cohérente**, celle des 7 livres (cf. document). De plus, **chaque livre obéit à une structure toujours ferme, même si elle est complexe** et si ses principes peuvent varier de livre en livre, selon la matière. L'organisation est **un des problèmes cruciaux du long poème** et en explique, pour une large part, la difficulté et la rareté. Bornons-nous à **un exemple, celui de «Misères».** Aubigné n'y a pas totalement négligé la **structure narrative**, qui est de règle dans l'épopée, mais il ne lui accorde qu'un rôle secondaire et sur ce point, l'extrait précédent ne doit point tromper. Le plus souvent, cherchant à dépasser l'anecdotique pour atteindre le «tableau général» (v. 367-368), **il tend à l'itératif•** et donc au descriptif. Pourtant si **description** il y a, elle n'est jamais continue, mais au contraire rompue en tableaux divers, dont l'échelle varie (du gros plan à la vision panoramique) comme le niveau de réalité (de l'allégorie• abstraite au reportage). Un principe rhétorique est également à l'œuvre : le poème se présente comme **discours adressé et démonstration** (il va des effets aux causes). Mais la multiplication des destinataires (Dieu, lecteur, victimes, bourreaux) et l'intervention du narratif ou du descriptif font que l'ordre du discours est brouillé, que peut-être englobant, il n'est sûrement pas dominant. **Ces structures partielles et antagonistes trouvent leur unité dans la vision** ; c'est elle qui, par les rappels d'images, les reprises en similitude ou en opposition, le tressage des métaphores (par exemple celles du corps mutilé, malade, dévoré, etc., qu'est la France en guerre) assure une cohérence qui est tout le contraire de l'uniforme. **Enfin au niveau des séquences**, le mot **tableau** que nous avons employé s'impose souvent de lui-même. L'extrait suivant, qu'on pourrait appeler «le triptyque du duel», n'est pas sans rapport, nous semble-t-il, avec de grandes œuvres picturales du siècle, celles de Bosch notamment (cf. p. 112).

DOCUMENT _____

Les sept livres composant *Les Tragiques* se distribuent en deux volets antithétiques qui animent le drame logique auquel se ramène en définitive le plan du Rédempteur : désordre et ordre; «monde renversé» de la perversion actuelle où les «mères non-mères» mangent leurs propres enfants, où le roi saigne ses sujets [...] et, par contraste, règne de la justice de Dieu, qu'appelle l'apocalypse imminente. C'est tout d'abord la fresque des misères présentes brossée dans les trois premiers livres du poème : «Misères», évoquant [...] les malheurs de la guerre civile; «Princes», où la corruption de la Cour et des grands est stigmatisée; «La Chambre dorée», qui dénonce la justice cannibale des juges royaux [...]. À cet univers dénaturé s'oppose le dessein du Créateur, dont l'exposé fait la matière des deux derniers livres : «Vengeances» énumère les châtiments exercés par Dieu contre les persécuteurs de l'Église depuis Caïn; «Jugement» [...] donne à voir, en une vision exta-

siée, la résurrection de la chair et le partage de l'humanité entre élus et réprouvés à l'heure dernière. Le désordre contemporain sert donc de contre-épreuve et d'annonce à l'ordre final que le poète prophétise. Dans l'intervalle, «Feux» et «Fers», de trame plus narrative, relatent l'un l'époque des bûchers, l'autre les grandes persécutions culminant à la Saint-Barthélemy [...]. Ce martyrologe [...] assure la transition entre l'ici-bas et l'au-delà, entre la déploration du temps présent et le chant de la vie future. Vivantes hosties dans lesquelles le peuple élu découvre la preuve de sa Rédemption à venir, les martyrs huguenots accusent la férocité de leurs tortionnaires et, simultanément, préfigurent l'ultime «conversion» par quoi le royaume de Dieu appartient, selon la parole de l'Évangile, aux faibles et aux persécutés de ce monde.

F. Lestringant, article «Aubigné», *Dictionnaire des littératures de langue française*, Bordas, 1984.

EXTRAIT 3

François Clouet (1522-1572), *Le Cardinal Odet de Coligny*, Chantilly, musée Condé, ph. H. Josse.

(1) le premier
(2) contre tout espoir
(3) escadron
(4) maintenant
(5) dresse
(6) imagine
(7) déesse des morts
(8) défi
(9) pour les
(10) quand les enragés font vertu... les diables sont par eux soulagés de leurs exploits, c'est-à-dire n'ont rien à entreprendre contre eux
(11) bouclier
(12) place
(13) reconnaissances d'un engagement
(14) s'enticher
(15) quitte. « Du barreau » est à la fois comp. de « débauché » et de « se dérobe ».
(16) bourrelet circulaire à pendants d'étoffe porté par les gens de robe
(17) bande de soie portée autour du cou par les docteurs en droit
(18) bonheur
(19) se suicider. Vers difficile qu'on peut comprendre ainsi : « enlèvent au faux honneur (d'une rivalité amoureuse) l'honneur qui peut résider dans le suicide, ou enlèvent au faux honneur (du duel) l'honneur de la mort acceptée (elles ne se tuent pas) ».
(20) jupons

On appelle aujourd'hui n'avoir rien fait qui vaille
D'avoir percé premier[1] l'épais d'une bataille,
D'avoir premier[1] porté une enseigne au plus haut,
Et franchi devant tous la brèche par assaut.
5 Se jeter contre espoir[2] dans la ville assiégée,
La sauver demi-prise et rendre encouragée,
Fortifier, camper ou se loger parmi
Les gardes, les efforts d'un puissant ennemi,
Employer, sans manquer de cœur ni de cervelle,
10 L'épée d'une main, de l'autre la truelle,
Bien faire une retraite, ou d'un scadron[3] battu
Rallier les défaits, cela n'est plus vertu.
La voici pour ce temps : bien prendre une querelle
Pour un oiseau ou chien, pour garce ou maquerelle,
15 Au plaisir d'un valet, d'un bouffon-gazouïllant
Qui veut, dit-il, savoir si son maître est vaillant.
Si un prince vous hait, s'il lui prend quelque envie
D'employer votre vie à perdre une autre vie
Pour payer tous les deux, à cela nos mignons
20 Vont riants et transis, deviennent compagnons
Des valets, des laquais. Quiconque porte épée
L'espère voir au sang d'un grand prince trempée.
De cette loi sacrée ores[4] ne sont exclus
Le malade, l'enfant, le vieillard, le perclus :
25 On les monte[5], on les arme. On invente, on devine[6]
Quelques nouveaux outils à remplir Libitine[7],
On y fend sa chemise, on y montre sa peau :
Dépouillé en coquin, on y meurt en bourreau.
Car les perfections du duel sont de faire
30 Un appel[8] sans raison, un meurtre sans colère,
Au jugement d'autrui, au rapport d'un menteur ;
Somme, sans être juge, on est l'exécuteur.
Ainsi faisant vertu d'un exécrable vice,
Ainsi faisant métier de ce qui fut supplice
35 Aux[9] ennemis vaincus, sont par les enragés
De leurs exploits sur eux les diables soulagés[10].
Folle race de ceux qui pour quelque vaisselle
Vautrés l'échine en bas, fermes sur leur rondelle[11],
Sans regret, sans crier, sans tressauts apparents,
40 Se faisaient égorger au profit des parents !
Tout péril veut avoir la gloire pour salaire,
Tels périls amenaient l'infamie au contraire ;
Entre les valeureux ces cœurs n'ont point de lieu[12] ;
Les anciens leur donnaient pour tutélaire Dieu
45 Non Mars chef des vaillants : le chef de cette peste
Fut Saturne le triste, infernal, et funeste.
Le Français aveuglé en ce siècle dernier
Est tout gladiateur et n'a rien du guerrier.
On débat dans le pré les contrats, les cédules[13] ;
50 Nos jeunes conseillers y descendent des mules ;
J'ai vu les trésoriers du duel se coiffer[14],
Quitter l'argent et l'or pour manier le fer ;
L'avocat débauché du barreau se dérobe[15],
Souille à bas le bourlet[16], la cornette[17] et la robe :
55 Quel heur[18] d'un grand mal-heur, si ce brutal excès
Parvenait à juger un jour tous nos procès !
Enfin rien n'est exempt : les femmes en colère
Ôtent au faux honneur l'honneur de se défaire[19] ;
Ces hommasses, plustôt ces démons déguisés,
60 Ont mis l'épée au poing, les cotillons[20] posés,

Trépigné dans le pré avec bouche embavée,
Bras courbé, les yeux clos, et la jambe levée ;
L'une dessus la peur de l'autre s'avançant
Menace de frayeur et crie en offensant[21].
65 Ne contez[22] pas ces traits pour feinte[23] ni pour songe,
L'histoire est du Poitou et de notre Saintonge :
La Boutonne[24] a lavé le sang noble perdu
Que ce sexe ignorant au[25] fer a répandu.
Des triomphants martyrs la façon n'est pas telle :
70 Le premier champion de la haute querelle
Priait pour ses meurtriers et voyait en priant
Sa place au ciel ouvert, son Christ l'y conviant.
Celui qui meurt pour soi, et en mourant machine
De tuer son tueur, voit sa double ruine :
75 Il voit sa place prête aux abîmes ouverts,
Satan grinçant les dents le convie aux enfers.

Agrippa d'Aubigné, *Les Tragiques*, « Misères », v. 1121-1196.

(21) faisant une blessure
(22) tenez
(23) imagination
(24) affluent de la Charente
(25) du ou par le

Pistes de recherche

1. Une composition savante : distinguez les trois tableaux. Montrez qu'ils sont articulés par une double antithèse•. On peut aussi voir à l'œuvre un principe de progression (mais à l'intérieur du deuxième tableau, il s'agirait d'une progression inverse). Précisez.
2. Trois tableaux, trois manières : faites apparaître dans le premier tableau l'ordre d'une description rigoureuse et tous les caractères positifs du combat ; dans le deuxième tableau, le désordre et le disparate (thèmes et moyens d'expression), le thème de la mort multiforme et autonome, la dévalorisation satirique ; dans le troisième tableau, l'art du condensé antithétique• : tout oppose la mort du martyr et celle du duelliste (au niveau des images, des figures de rhétorique•, des sonorités).
3. Pourquoi Aubigné fait-il intervenir, dans « Misères », cette dénonciation du duel ? Que symbolise-t-il pour lui ?

Paolo Uccello (1397-1475),
La Bataille de San Romano, Paris, Louvre,
ph. H. Josse.

Histoires signifiantes

Aubigné fut **un partisan** : doctrinaire intransigeant et combattant intraitable, il se mêla sans trêve aux débats et aux combats de son temps. Son poème, qu'il fit circuler en copies manuscrites, avant de l'imprimer tardivement (1616), fut aussi conçu comme une participation à son activité militante. Il ne s'ensuit pas pourtant que *Les Tragiques* soient une œuvre polémique• et de circonstance. Son auteur a voulu lui donner **la profondeur de l'histoire** et dans son esprit ces milliers de vers font pendant à son *Histoire universelle* avec laquelle ils partagent **une conception cyclique de l'histoire**. Histoire à chaud et histoire transfigurée par l'art, **le poème n'a ni l'exactitude ni l'exhaustivité** qui caractérisera, à ses yeux, les livres de prose. Mais alors que l'*Histoire universelle* montre le retour décevant des combats après les trêves, la lutte sans cesse à reprendre contre Satan, *Les Tragiques* accèdent à une interprétation plus haute et plus chargée d'espérance. Dans l'histoire des hommes le poète se sent apte à lire l'histoire sacrée, **à travers les événements d'ici-bas, il** discerne les desseins et les interventions de Dieu, les voies et les moyens de la victoire du bien sur le mal. Pour cela, il faut — nous l'avons vu — **procéder au renversement** : dévoiler le visage sous le masque, imposer l'idée que l'apparente justice est foncièrement injuste, opposer à la victoire terrestre des puissants (« Misères ») le triomphe céleste des fidèles (« Jugement »). Renverser, c'est affirmer. **Aubigné veut aussi démontrer, c'est pourquoi il superpose** les histoires. Trois époques se reflètent les unes dans les autres : **les combats d'Israël** que raconte l'Ancien Testament, **les souffrances des premiers chrétiens** et enfin **le martyrologe de cette nouvelle Église** que les Réformés du XVIe siècle ont la conviction de faire renaître. Grâce à ces correspondances que le poème multiplie, l'histoire, en quelque lieu du temps qu'on se situe, devient intégralement lisible et au moment même du martyre, la promesse se fait lumineuse certitude.

EXTRAIT 4

Pour comprendre une des significations de ce texte, il faut savoir qu'Aubigné distingue très nettement les condamnés, seuls indiscutables martyrs, des victimes des guerres civiles où tout est impur et incertain. Les premiers représentent la belle saison de l'Église, chantée dans « Les Feux », les seconds l'hiver de l'Église que relatent « Les Fers ».

Le printemps de l'Église et l'été sont passés,
Si[1] serez-vous par moi, verts boutons, amassés ;
Encor éclorrez-vous, fleurs si franches, si vives,
Bien que vous paraissiez dernières et tardives :
5 On ne vous lairra pas[2], simples[3], de si grand prix,
Sans vous voir et flairer[4] au céleste pourpris[5] ;
Une rose d'automne est plus qu'une autre exquise.
Vous avez éjoui l'automne de l'Église :
Les grands feux de la chienne[6] oubliaient à[7] brûler,
10 Le froid du scorpion[8] rendait plus calme l'air,
Cet air doux qui tout autre en malices excède
Ne fit tièdes vos cœurs en une saison tiède. [...]

Aubigné évoque alors des martyrs, exemples de ces «fleurs d'automne» : Bernard Palissy détenu à la Bastille, où il mourut, et deux femmes qui partagèrent sa prison, avant de mourir sur le bûcher (1588-1589).

Nature s'employant sur cette extrémité,
En ce jour vous para d'angélique beauté :
15 Et pource qu'[9]elle avait en son sein préparées[10]
Des grâces pour vous rendre en vos jours honorées,
Prodigue, elle versa en un[11] pour ses enfants
Ce qu'elle réservait pour le cours de vos ans.
Ainsi le beau soleil montre un plus beau visage,
20 Faisant un soutre[12] clair sous l'épais du nuage,
Et se fait par regrets et par désirs aimer,
Quand ses rayons du soir se plongent en la mer.
On dit du pèlerin quand de son lit il bouge
Qu'il veut le matin blanc, et avoir le soir rouge[13].
25 Votre naissance, enfance, ont eu[14] le matin blanc :
Votre coucher heureux rougit en votre sang
Beautés, vous avanciez d'où retournait Moïse[15]
Quand sa face parut si claire et si exquise
D'entre les couronnés le premier couronné
30 De tels rayons se vit le front environné.
Tel, en voyant le ciel, fut vu ce grand Étienne[16],
Quand la face de Dieu brilla dedans la sienne
Ô astres bienheureux qui rendez à notre œil
Ses miroirs et rayons, lunes du grand soleil !

Agrippa d'Aubigné, *Les Tragiques*, « Les Feux », v. 1227-1238 et 1263-1284.

(1) pourtant
(2) laissera
(3) attribut de «on» ou de «vous»
(4) sentir
(5) enclos ; «au» est ambigu : on peut le rattacher à «lairra» ou comprendre «dans le».
(6) la canicule
(7) de
(8) période qui va du 20 octobre au 20 novembre
(9) parce qu'
(10) préparé
(11) en une seule fois
(12) partie inférieure d'un objet
(13) Cf. le proverbe : « Rouge au soir, blanc au matin, c'est la journée du pèlerin » qui rassemble les présages d'une belle journée.
(14) accord avec les deux sujets
(15) D'après *L'Exode*, le visage de Moïse étincelait quand il redescendit du Sinaï.
(16) Diacre de la communauté chrétienne de Jérusalem, lapidé par les juifs et considéré comme le premier martyr.

Pistes de recherche

1. **Les deux tableaux** : poésie naturaliste et poésie cosmique. Leur opposition (échelle et cadrage, couleurs, ampleur et ton). Comment pourtant sont-ils liés ? Étudiez notamment la structure métaphorique• et l'évolution des deux évocations.

2. **La «rose d'automne»** : étudiez le jeu des antithèses• et le travail autour de l'oxymore• ; la musique des vers : mélodie et rythme.

3. **La progression dans le deuxième tableau** : montrez que les images de la marche reviennent plusieurs fois parmi les thèmes, que les personnages interviennent selon un ordre hiérarchique, que la lumière elle-même évolue. Comment la progression se fait-elle ascension (étudiez la succession et la liaison des métaphores•) et comment naturel et spirituel tendent-ils à se fondre ?

4. **Les trois derniers vers** : essayez d'analyser cet ensemble extraordinaire de figures.

Autobiographie et élection prophétique

Comment justifier ce regard omniscient porté sur l'histoire ? Pour Aubigné comme pour Luther et Calvin, l'assurance d'énoncer la vérité a sa source dans l'**expérience de la foi**. Aussi trouve-t-on dans *Les Tragiques* des confidences qui ne doivent rien à une complaisance égotiste•, mais **visent à fonder l'autorité de la parole poétique**. Aubigné y interprète sa vie à la lumière de deux épisodes majeurs qui sont **deux « agonies »** ; deux fois Aubigné a rencontré et miraculeusement traversé la mort : d'abord à l'automne 1572 quand, grièvement blessé dans un attentat en Beauce, il court à Talcy pour mourir auprès de celle dont il est follement épris, Diane Salviati, ensuite en 1577, à la bataille de Casteljaloux. **C'est alors que pour lui, surnaturellement, est né le poème**, la première fois sous la forme d'une vision du ciel, la seconde fois en des vers jaillis d'une autre conscience et dictés par le mourant comme une parole testamentaire. On retrouve ici cette obsession de la mort qui est si caractéristique de sa poésie dès « Le Printemps » (cf. pp. 293-294), mais elle va s'éclairer et s'approfondir dans **le thème de la double mort** : mort-repos face à la mort-torture, mort-participation à l'être face à la mort-négation, mort au siècle qui est accession à la vie éternelle, face à la mort à l'esprit qu'est la vie des vanités terrestres. Au lieu d'être simple métaphore pour dire la torture et le désespoir du passionné, la mort apparaît maintenant comme une réalité fondamentale dont la passion était au pire le travestissement, au mieux l'obscure préfiguration. **Cette expérience ne se comprend toutefois que dans une conscience de la faute** ; car deux fois Aubigné pense avoir trahi : en 1572, parce qu'il était absent de Paris, pour la Saint-Barthélemy, entre 1573 et 1576, quand compagnon d'Henri de Navarre retenu à la cour, il partageait une vie de compromis et de plaisirs. Les deux « agonies » prennent ainsi valeur de châtiment et de rachat, elles sont le signe par lequel Dieu, réitérant sa miséricorde, prouve à son serviteur rétif qu'il fait partie des élus. **Élu comme porte-parole** contre sa volonté, c'est-à-dire **prophète** ; élu comme martyr qui rejoint la fidèle cohorte des brûlés et des massacrés et qui, en un instant vertigineux éprouve à la fois sa mort et sa résurrection en Dieu. De plus, pour Aubigné, le don de prophétie s'appuie sur l'extase du martyre : comme témoin (c'est le sens propre du mot martyr) il a mesuré, de ses yeux, la tragique distance qui sépare la terre du ciel et par là, il peut aider ses frères humains à renverser et à métamorphoser leur vision. Et pour cela, il n'est pas trop d'un long poème. Il faut ajouter enfin qu'**Aubigné appuie ce mythe personnel sur la lecture de la Bible**, la révélation étant, avec la foi, le deuxième pilier du calvinisme. Sa vie lui semble correspondre point par point à celle de Jonas qui lui-même est préfiguration du Christ : Jonas qui fuyait les commandements de Dieu a traversé l'abîme de la mort dans le ventre du poisson et a finalement converti l'immense Ninive. Par ce travail sur sa biographie, Aubigné justifie et porte au niveau du sacré ce pouvoir des mots qui est l'apanage du poète.

EXTRAIT 5

(1) Diérèse.
(2) Jeu sur le double sens de mort : mort au monde et mort de l'âme.
(3) Allusion à une parabole• : le mauvais serviteur enterre la monnaie (talent) au lieu de la faire fructifier.
(4) vers le
(5) par les
(6) David n'eut pas le droit de bâtir le temple parce qu'il aimait trop la guerre.
(7) peines, souffrances
(8) cabinets de verdure
(9) Allusion à ses amours malheureuses.
(10) Arbrisseau que Dieu fit pousser pour protéger Jonas des ardeurs du soleil, et qu'un ver fit bientôt dépérir.

Pistes de recherche

1. Relevez tous les éléments autobiographiques. Sont-ils placés en ordre chronologique ? Pourquoi ? À quoi tient l'impression de sincérité ?

2. Les métaphores• : dressez-en la liste. Montrez leur diversité et analysez l'effet produit. Pourquoi Aubigné fait-il dominer les métaphores• maritimes ? Le mythe de Jonas établit le lien entre les métaphores•, mais Aubigné évite soigneusement le parallèle entre sa vie et celle du prophète. Pourquoi ?

3. **Le lyrisme** : comment le poète traduit-il la divergence entre son existence individuelle et la volonté divine ? (Étudiez notamment les figures et les rythmes.) Peut-on parler de lyrisme personnel ? Expliquez.

J'ai fui[1] tant de fois, j'ai dérobé ma vie
Tant de fois, j'ai suivi la mort que j'ai fuie[2],
J'ai fait un trou en terre et caché le talent[3],
J'ai senti l'aiguillon, le remords violent
5 De mon âme blessée, et ouï la sentence
Que dans moi, contre moi, chantait ma conscience.
Mon cœur voulait veiller, je l'avais endormi ;
Mon esprit était bien de ce siècle ennemi,
Mais, au lieu d'aller faire au combat son office,
10 Satan le détournait au[4] grand chemin du vice :
Je m'enfuyais de Dieu, mais il enfla la mer,
M'abîma plusieurs fois sans du tout m'abîmer.
J'ai vu des creux enfers la caverne profonde ;
J'ai été balancé des[5] orages du monde ;
15 Aux tourbillons venteux des guerres et des cours,
Insolent, j'ai usé ma jeunesse et mes jours :
Je me suis plu au fer ; David m'est un exemple
Que qui verse le sang ne bâtit pas le temple[6] ;
J'ai adoré les rois, servi la vanité,
20 Étouffé dans mon sein le feu de vérité ;
J'ai été par les miens précipité dans l'onde,
Le danger m'a sauvé en sa panse profonde,
Un monstre de labeurs[7] à ce coup m'a craché
Aux rives de la mer, tout souillé de péché.
25 J'ai fait des cabinets[8] sous espérances vertes,
Qui ont été bien tôt mortes et découvertes[9],
Quand le ver de l'envie a percé de douleurs
Le quicajon[10] séché pour m'envoyer ailleurs. [...]

Agrippa d'Aubigné, *Les Tragiques*, « Vengeances », v. 105-132.

Poésie d'apocalypse

Si Aubigné est fermement convaincu d'être un nouveau Jonas, son poème relève-t-il pour autant de la littérature prophétique ? Certainement, dans le sens où le poète, habité de l'Esprit, se considère comme la bouche de Dieu, le dépositaire d'une parole qui le dépasse. Mais les **prophètes de la Bible se présentent souvent comme des prédicateurs intervenant oralement** auprès des peuples et de leurs chefs et **insistent sur les effets heureux de la possible repentance ;** l'accomplissement de ses prédictions catastrophiques n'est-il pas presque comiquement enlevé à Jonas par le rapide repentir des gens de Ninive ? Au contraire, **les textes apocalyptiques apparaissent comme des révélations écrites dévoilant la fin des temps** et le sort ultime des hommes (ce qu'on nomme eschatologie). Ils ont ainsi une conception fixiste de l'avenir bien différente de l'ouverture prophétique. Indiscutablement **la pensée apocalyptique convient mieux au calvinisme rigoureux** et à son dogme• de la prédestination. De toute éternité, les coupables se sont désignés et la vengeance de Dieu est écrite. Fidèle à cette inspiration, le poème d'Aubigné en reçoit souvent une grandiose dureté : le souffle évangélique n'est guère perceptible que dans « Les Feux » (et dans certains passages de « Jugement »), et le poème se clôt sur le double tableau d'un paradis et d'un enfer aussi réels l'un que l'autre, ultime retour du tragique. Prédestination et apocalypse offrent, en outre, l'avantage d'autoriser l'évocation poétique de la résurrection et du jugement : ici encore le poète se borne à voir et à donner à voir ce qui est. **Pourtant l'artiste prend, chez Aubigné, quelque liberté avec sa théologie.** Revenant sur une question toujours pendante dans les religions monothéistes (cf. l'islam et la querelle des images qui déchira aux VIIIᵉ-IXᵉ siècles le monde byzantin), **le calvinisme se montrait très réservé à l'égard des représentations sensibles du divin,** toujours suspectes d'attenter à la majesté transcendante, de concurrencer son pouvoir de création, de prêter à l'idolâtrie. Aubigné, ici et là, manifeste quelques scrupules, mais fondamentalement poète, il n'hésite guère devant sa haute ambition : il veut que pour nous, ses lecteurs, **le verbe parle dans le langage de nos sens,** que **grâce à ses vers, nous vivions le temps de Dieu.** Aussi a-t-il l'audace de revisiter les mythes de la Bible pour les éclairer et de transformer le discours de la promesse en spectacles montrés dans leur accomplissement. Chez lui l'apocalypse, ailleurs volontiers obscure, s'éclaire d'une irrésistible lumière.

EXTRAIT 6

Antonio del Pollaiolo (1443-1496), *Hercule et Antée,* Florence, musée du Bargello, ph. Giraudon.

(1) avec une conscience pure
(2) Adjectif : fraternel.
(3) puise, fait couler
(4) par rapport à
(5) souffrance, torture
(6) se couvrait
(7) Jeu sur un double sens du mot « mort ».
(8) pour
(9) vivant
(10) bouleversé
(11) les lieux les plus sûrs
(12) présentaient des dangers
(13) les plus larges
(14) perfides

Ainsi Abel offrait, en pure conscience⁽¹⁾
Sacrifices à Dieu ; Caïn offrait aussi :
L'un offrait un cœur doux, l'autre un cœur endurci ;
L'un fut au gré de Dieu, l'autre non agréable :
5 Caïn grinça les dents, pâlit, épouvantable,
Il massacra son frère, et de cet agneau doux
Il fit un sacrifice à son amer courroux.
Le sang fuit de son front et honteux se retire,
Sentant son frère⁽²⁾ sang que l'aveugle main tire⁽³⁾ ;
10 Mais quand le coup fut fait, sa première pâleur
Au prix de⁽⁴⁾ la seconde était vive couleur :
Ses cheveux vers le Ciel hérissés en furie,
Le grincement de dents en sa bouche flétrie,
L'œil sourcillant de peur découvrait son ennui⁽⁵⁾.
15 Il avait peur de tout, tout avait peur de lui :
Car le Ciel s'affublait⁽⁶⁾ du manteau d'une nue
Sitôt que le transi au Ciel tournait sa vue ;
S'il fuyait au désert, les rochers et les bois
Effrayés aboyaient au son de ses abois.
20 Sa mort ne put avoir de mort pour récompense⁽⁷⁾ :
L'Enfer n'eut point de morts à⁽⁸⁾ punir cette offense,
Mais autant que de jours il sentit son trépas :
Vif⁽⁹⁾, il ne vécut point ; mort, il ne mourut pas.
Il fuit, d'effroi transi, troublé⁽¹⁰⁾, tremblant et blême,
25 Il fuit de tout le monde, il s'enfuit de soi-même.
Les lieux plus assurés⁽¹¹⁾ lui étaient des hasards⁽¹²⁾,
Les feuilles, les rameaux, et les fleurs des poignards,
Les plumes de son lit des aiguilles piquantes,
Ses habits plus aisés⁽¹³⁾ des tenailles serrantes,
30 Son eau jus de ciguë, et son pain des poisons ;
Ses mains le menaçaient de fines⁽¹⁴⁾ trahisons ;
Tout image de mort, et le pis de sa rage
C'est qu'il cherche la mort et n'en voit que l'image.
De quelque autre Caïn il craignait la fureur,
35 Il fut sans compagnon, et non pas sans frayeur ;

Il possédait le monde, et non une assurance[15] ;
Il était partout seul, hormis sa conscience,
Et fut marqué au front, afin qu'en s'enfuyant
Aucun n'osât tuer ses maux en le tuant.

(15) un refuge sûr.

Agrippa d'Aubigné, *Les Tragiques*, « Vengeances », v. 178-216.

Pistes de recherche

1. **La composition** : faites apparaître une organisation narrative (chronologique et dramatique) ; une organisation « figurale » (les antithèses•) ; une organisation thématique (reprise de thèmes, développement, condensation). Sur le plan de la temporalité, quelle est l'impression produite ? En quoi est-elle importante pour la signification ?

2. **La présentation du criminel** : aspect physique (étudiez l'expressionnisme ici) ; rapports avec les hommes et les choses (peut-on parler de prodiges et de quelle sorte ?) ; sa psychologie (la conscience et le remords).

3. Étudiez les contrastes, les antithèses•, et les alliances de mots (variété d'oxymore•). Comment ces figures concourent-elles à la signification ?

4. **La préfiguration de l'enfer** : comparez avec l'extrait 9.

Confrontations : on comparera ce passage au texte de *La Genèse*, dans la Bible qui, pour Aubigné, représente tout à la fois une source d'inspiration, un guide d'interprétation et un modèle de poésie. On confrontera aussi ce texte au poème de V. Hugo, « La Conscience » dans *La Légende des siècles*. (On notera que le poème avait d'abord été écrit pour *Les Châtiments*.)

EXTRAIT 7

Résurrection

Mais quoi ! c'est trop chanté, il faut tourner les yeux,
Éblouis de rayons, dans le chemin des cieux.
C'est fait, Dieu vient régner[1], de toute prophétie
Se voit la période[2] à ce point accomplie.
5 La terre ouvre son sein ; du ventre des tombeaux
Naissent des enterrés les visages nouveaux ;
Du pré, du bois, du champ, presque de toutes places
Sortent les corps nouveaux et les nouvelles faces.
Ici les fondements des châteaux rehaussés[3]
10 Par les ressuscitants promptement sont percés.
Ici un arbre sent des bras de sa racine
Grouiller un chef[4] vivant, sortir une poitrine.
Là l'eau trouble bouillonne, et puis, s'éparpillant,
Sent en soi des cheveux et un chef s'éveillant.
15 Comme un nageur venant du profond de son plonge[5],
Tous sortent de la mort comme l'on sort d'un songe.
Les corps par les tyrans autrefois déchirés
Se sont en un moment en leurs corps asserrés[6],
Bien qu'un bras ait vogué par la mer écumeuse
20 De l'Afrique brûlée en Tylé[7] froiduleuse[8].
Les cendres des brûlés volent de toutes parts ;
Les brins, plus tôt unis qu'ils ne furent épars,
Viennent à leur poteau[9], en cette heureuse place,
Riant au ciel riant, d'[10]une agréable audace.

(1) Le Christ remet le monde à son père.
(2) le cycle
(3) surélevés par la « motte » ou bien : « rehaussés par les ressuscitants »
(4) tête
(5) des profondeurs où il a plongé
(6) rassemblés, réunis
(7) Thulé, île légendaire au nord du monde connu
(8) au froid rigoureux
(9) poteau où on attachait le supplicié sur le bûcher
(10) avec

Agrippa d'Aubigné, *Les Tragiques*, « Jugement », v. 661-684.

Pistes de recherche

1. **Étudiez la composition** : ordre chronologique, présentation topographique, rassemblement par éléments naturels. Quelles impressions en résultent ?

2. **Vie et métamorphose** : par quels moyens linguistiques et poétiques ces deux thèmes s'imposent-ils ici ?

3. **L'art visionnaire** : montrez qu'il se fonde sur la vraisemblance de phénomènes naturels (lesquels ?), mais qu'il la dépasse par le merveilleux. La vision de détail alterne avec des synthèses plus abstraites. Donnez-en des exemples. Quels sont les avantages d'une telle association ?

« Dieu vient régner »

Parousie

L'autre ciel, l'autre terre ont cependant fui,
Tout ce qui fut mortel se perd évanoui.
Les fleuves sont séchés, la grand mer se dérobe :
Il fallait que la terre allât changer de robe.
5 Montagnes, vous sentez douleurs d'enfantements,
Vous fuyez comme agneaux, ô simples éléments !
Cachez-vous, changez-vous ! Rien mortel[1] ne supporte
Le front de l'Éternel ni sa voix rude et forte.
Dieu paraît : le nuage entre lui et nos yeux
10 S'est tiré à l'écart, il s'est armé de feux ;
Le ciel neuf retentit du son de ses louanges ;
L'air n'est plus que rayons tant il est semé d'Anges ;
Tout l'air n'est qu'un soleil ; le soleil radieux
N'est qu'une noire nuit au regard de[2] ses yeux ;
15 Car il brûle le feu, au soleil il éclaire,
Le centre n'a plus d'ombre et ne fuit sa lumière[3].
    Un grand Ange s'écrie à toutes nations :
« Venez répondre ici de toutes actions ! »
L'Éternel veut juger. » Toutes âmes venues
20 Font leurs sièges en rond en la voûte des nues,
Et là les Chérubins ont au milieu planté
Un trône rayonnant de sainte majesté.
Il n'en sort que merveille et qu'ardente lumière,
Le soleil n'est pas fait d'une étoffe[4] si claire ;
25 L'amas de tous vivants en attend justement[5]
La désolation ou le contentement.
Les bons du Saint-Esprit[6] sentent le témoignage,
L'aise leur saute au cœur et s'épand au[7] visage :
Car, s'ils doivent beaucoup, Dieu leur en a fait don[8] :
30 Ils sont vêtus de blanc et lavés de[9] pardon.

Agrippa d'Aubigné, *Les Tragiques*, « Jugement », v. 709-738.

(1) rien de mortel
(2) par comparaison avec
(3) Dieu éclaire toute chose jusqu'au cœur et la nuit
n'existe plus.
(4) matière
(5) conformément à la justice
(6) Complément de « témoignage ».
(7) sur le
(8) Dieu leur a remis la dette constituée par leurs
péchés.
(9) par le

Jean Cousin (1522-1594), *Le Jugement dernier*. Paris, Louvre, ph. Giraudon.

Pistes de recherche

**1. La sélection et la mise en
scène** : distinguez les éléments
ou événements que le poète choisit de simplement indiquer et ceux
qu'il veut montrer. En quoi le passage fait-il penser au théâtre ? Tout
est-il traité dans le même ton ?

2. La métamorphose du monde :
changements, apparitions, fusion
dans la lumière. Étudiez plus particulièrement le thème de la lumière.
Montrez comment il associe le
concret et le moral. Pourquoi ?

3. L'expression du prodigieux :
étudiez plus particulièrement l'utilisation qui est faite de la méta-
phore• du feu. Comment le grandiose arrive-t-il ici à s'associer la
sérénité ?

Enfer

Ô enfants de ce siècle, ô abusés moqueurs,
Imployables esprits, incorrigibles cœurs,
Vos esprits trouveront en la fosse profonde
Vrai ce qu'ils ont pensé une fable en ce monde.
5 Ils languiront en vain de regret sans merci.
Votre âme à sa mesure[1] enflera de souci.
Qui vous consolera ? L'ami qui se désole
Vous grincera les dents au lieu de la parole[2].
Les Saints vous aimaient-ils ? Un abîme est entre eux[3] ;
10 Leur chair ne s'émeut plus, vous êtes odieux.
Mais n'espérez-vous point fin à votre souffrance ?
Point n'éclaire aux enfers l'aube de l'espérance.
Dieu aurait-il sans fin éloigné sa merci[4] ?
Qui a péché sans fin souffre sans fin aussi.
15 La clémence de Dieu fait au ciel son office ;
Il déploie aux enfers son ire[5] et sa justice.
Mais le feu ensoufré, si grand, si violent,
Ne détruira-t-il pas les corps en les brûlant ?
Non, Dieu les gardera entiers à la vengeance,
20 Conservant à cela[6] et l'étoffe[7] et l'essence,
Et le feu qui sera si puissant d'opérer[8]
N'aura de faculté[9] d'éteindre[10], et d'altérer,
Et servira par loi à l'éternelle peine.

(1) à la mesure de ses péchés
(2) au lieu de vous parler
(3) vous en sépare
(4) pitié
(5) colère
(6) pour cela
(7) la matière
(8) pour agir
(9) n'aura le pouvoir
(10) jeu sur éteindre qui peut signifier détruire
(11) son mouvement
(12) ses révolutions
(13) par suite sans changements
(14) car si
(15) vous vous représentiez les feux de l'Enfer
(16) qu'au moment où vous avez senti le châtiment
(17) s'embrasent
(18) sur vos flancs

L'air corrupteur n'a plus sa corrompante haleine,
25 Et ne fait aux enfers office d'élément ;
Celui qui le mouvait, qui est le firmament,
Ayant quitté son branle[11] et motives cadences[12]
Sera sans mouvement, et de là sans muances[13].
Transis, désespérés, il n'y a plus de mort
30 Qui soit pour votre mer des orages le port.
Que si[14] vos yeux de feu jettent l'ardente vue
À l'espoir du poignard, le poignard plus ne tue.
Que la mort, direz-vous, était un doux plaisir !
La mort morte ne peut vous tuer, vous saisir.
35 Voulez-vous du poison ? en vain cet artifice.
Vous vous précipitez ? en vain le précipice.
Courez au feu brûler, le feu vous gèlera ;
Noyez-vous, l'eau est feu, l'eau vous embrasera ;
La peste n'aura plus de vous miséricorde ;
40 Étranglez-vous, en vain vous tordez une corde ;
Criez après l'enfer, de l'enfer il ne sort
Que l'éternelle soif de l'impossible mort.
Vous vous peigniez des feux[15] : combien de fois
[votre âme
Désirera n'avoir affaire qu'à la flamme !
45 Dieu s'irrite en vos cris et au faux repentir,
Qui n'a pu commencer que dedans le sentir[16].
Vos yeux sont des charbons qui embrasent[17]
[et fument,
Vos dents sont des cailloux qui en grinçant
[s'allument.
Ce feu, par vos côtés[18] ravageant et courant,
50 Fera revivre encor ce qu'il va dévorant.

Agrippa d'Aubigné, *Les Tragiques*, « Jugement », v. 981-1030.

Peter Paul Rubens (1577-1640), *Les Damnés*, Munich, Alte Pinakothek, ph. Giraudon.

Giuseppe Arcimboldo (1527-1593), *Le Bibliothécaire*, Stockholm, Skoklosters Slott, Styrelsen.

Pistes de recherche

1. **Au lieu d'une description, un discours** : pourquoi ce choix ? Comment interprétez-vous cette parole directement adressée ? Réquisitoire ? Participation à un désespoir en progression ?

2. **L'orchestration de la négation** : relevez-en les diverses formes.

3. **La réalité de l'enfer** : rôle des sentiments et des actions. Insistance sur les éléments naturels. Comment et pourquoi le thème du feu est-il privilégié par le poète ?

4. **L'impensable** : Analysez les expressions les plus extraordinaires (figures de rhétorique•, sonorités, rythmes).

Biographie de d'Aubigné

VIE

1552 — Sa naissance provoque la mort de sa mère (d'où son prénom Agrippa).

Éducation humaniste, très riche et très soignée.

Son père, juge à Pons, est devenu réformé.

1560 — Participe avec son père à la défense d'Orléans.

Son père meurt des suites de ses blessures.

Aubigné, chassé par sa belle-mère de la maison paternelle, poursuit des études très diverses à Paris, Genève, Lyon.

Son père lui fait promettre, en les lui montrant, de venger les décapités d'Amboise.

1563

1568 — S'échappe, « en chemise », de la maison de son tuteur pour rejoindre les armées des Réformés.

1571-1573 — Brouille avec Henri de Navarre.

Blessé au combat de Casteljaloux.

Devient écuyer d'Henri de Navarre dont il partage la vie à la Cour des Valois avant de combattre à ses côtés dans les sixième et septième guerres de religion.

1572 Éloigné de Paris par les suites d'une rixe, échappe à la Saint-Barthélemy.

Automne 1572 : blessé dans un attentat. Chevauche vers Talcy pour mourir auprès de Diane.

Passion tumultueuse et finalement malheureuse pour Diane Salviati.

1577-1579 — Premier mariage.

1583 — Participe avec Henri IV au siège de Paris.

1590

1593 — Quitte le roi après l'abjuration à laquelle il était violemment hostile.

Se retire à Maillezais dont il s'est institué gouverneur.

1607 — Chef des protestants intransigeants, fait échouer le projet d'union des Églises.

1614-1615 — Participe aux révoltes des Princes.

1620 — S'exile à Genève.

1623 Second mariage.

1624 — Nouvelles guerres.

1630 — Meurt dans son château près de Genève, après avoir vu la défaite de son parti (capitulation de la Rochelle 1628) et s'être désolé de l'abjuration de son fils Constant (père de la future Mme de Maintenon).

ŒUVRES

1571 — Écrit les poèmes du *Printemps* (publiés seulement au 19e siècle).

1572 — Laissé pour mort, il a la première vision des *Tragiques*.

Dicte les premiers vers des *Tragiques*, au cours de ce qu'il croit être son agonie.

1577 **1577** **1579** — S'enferme dans sa propriété des Landes-Guinemer (près de Blois) pour écrire une grande partie des *Tragiques*.

Écrit un pamphlet qui ne sera publié que plus tard : *La Confession catholique du sieur de Saucy*.

1598 — Travaille aux *Tragiques*.

Entreprend *L'Histoire universelle*.

1600

1616 **1617** — Première édition (sous pseudonyme) des *Tragiques*.

Deux premiers livres d'un ouvrage satirique : *Les Aventures du baron de Faeneste*.

1618 Premier livre de *L'Histoire universelle*.

1623 — Deuxième édition des *Tragiques* (sous son nom).

Trois livres de *L'Histoire universelle*.

1626

1630 — Publication de la fin du *Baron de Faeneste* et des *Petites Œuvres mêlées*.

Une partie importante de ses écrits n'est pas publiée.

Montaigne

ESSAIS DE M. DE MONT.

autre fin proposee: elle n'aduoue rien, que ce qui se faict en sa consideration, & pour elle seule. Qui plus est, nos iugemens sont encores malades, & suyuent la corruption de nos mœurs: ie voy la pluspart des esprits de mon temps faire les ingenieux à obscurcir la gloire des belles & genereuses actions anciénes, leur donnant quelque interpretation vile, & leur côtrouuant des occasions & des causes vaines. grande subtilité! qu'on me donne l'action la plus excellente & pure, ie m'en vois y fournir vraysemblablement cinquante vitieuses intentions. Dieu sçait, à qui les veut estédre, qu'elle diuersité d'images ne souffre nostre interne volonté: ils font font par malice, ou par ce vice de ramener leur creace à leur portée, dequoy ie viés de parler: soit, cóme ie pése plustost, pour n'auoir pas la veuë assez forte & assez nette, pour imaginer & conceuoir la splendeur de la vertu en sa pureté naifue, comme Plutarque dict, que de son temps, il y en auoit qui attribuoient la cause de la mort du ieune Caton, à la crainte qu'il auoit eu de Cæsar: dequoy il se picque auecques raison: & peut on iuger par là, cóbien il se fut encore plus offencé de ceux qui l'ont attribuée à l'ambition. Ce personnage là, fut veritablement vn patron, que nature choisit, pour monstrer iusques ou l'humaine, fermeté, & constance pouuoit atteindre: mais ie ne suis pas icy à mesmes pour traicter ce riche argument: ie veux seulement faire luiter ensemble, les traits de cinq poëtes Latins, sur la louange de Caton.

   Sit Cato dum viuit sane vel Cæsare maior,

dict l'vn,

   & inuictum deuicta morte Catonem

dict l'autre: & l'autre parlant des guerres ciuiles d'entre Cæsar & Pompeius,

   Victrix causa diis placuit, sed victa Catoni.

Et le quatriesme, sur les louanges de Cæsar,

Et

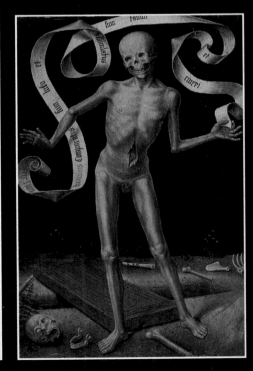

Michel Eyquem, seigneur de Montaigne

1533
1592

■ L'autoportrait et l'aparté

EXTRAIT

Qui suis-je ?

(A) Or je suis d'une taille un peu au-dessous de la moyenne. Ce défaut n'a pas seulement de la laideur, mais encore de l'incommodité, à ceux mêmement[1] qui ont des commandements et des charges : car l'autorité que donne une belle présence et majesté corporelle en est à dire[2]. [...]

5 C'est un grand dépit qu'on s'adresse à vous parmi vos gens, pour vous demander : «Où est monsieur ?» et que vous n'ayez que le reste de la bonnetade[3] qu'on fait à votre barbier ou à votre secrétaire. [...]

J'ai au demeurant la taille forte et ramassée ; le visage, non pas gras, mais plein ; la complexion, (B) entre le jovial et le mélancolique, moyennement 10 (A) sanguine et chaude, *aussi ai-je jambes et poitrine couvertes de poils*[4], la santé forte et allègre, jusque bien avant en mon âge (B) rarement troublée par les maladies. (A) J'étais tel, car je ne me considère pas à cette heure, que je suis engagé dans les avenues de la vieillesse, ayant (B) piéça[5] (A) franchi les quarante ans : *peu à peu forces et vigueur adulte sont brisées et l'âge* 15 *glisse vers le déclin*[6]. (A) Ce que je serai dorénavant, ce ne sera plus qu'un demi-être, ce ne sera plus moi. Je m'échappe tous les jours, et me dérobe à moi ; *les années qui passent nous dérobent nos biens un à un*[7].

D'adresse et de disposition[8], je n'en ai point eu ; et si[9] suis fils d'un père très dispos et d'une allégresse, qui lui dura jusques à son extrême vieillesse. 20 Il ne trouva guère homme de sa condition qui s'égalât à lui en tout exercice de corps : comme je n'en ai trouvé guère aucun qui ne me surmontât, sauf au courir (en quoi j'étais des médiocres). De la musique, ni pour la voix que j'y ai très inepte, ni pour les instruments, on ne m'y a jamais su rien apprendre. À la danse, à la paume, à la lutte, je n'y ai pu acquérir qu'une 25 bien fort légère et vulgaire suffisance[10], à nager, à escrimer, à voltiger[11] et à sauter, nulle du tout[12]. Les mains, je les ai si gourdes que je ne sais pas écrire seulement pour moi ; de façon que, ce que j'ai barbouillé, j'aime mieux le refaire que de me donner la peine de le démêler ; (C) et ne lis guère mieux. Je me sens peser aux écoutants. Autrement bon clerc[13]. (A) Je 30 ne sais pas clore à droit[14] une lettre, ni ne sus jamais tailler plume (B) ni trancher[15] à table, qui vaille, (C) ni équiper un cheval de son harnais, ni porter à poing[16] un oiseau et le lâcher, ni parler aux chiens, aux oiseaux, aux chevaux.

(A) Mes conditions corporelles sont en somme très bien accordantes à 35 celles de l'âme. Il n'y a rien d'allègre : il y a seulement une vigueur pleine et ferme. Je dure bien à la peine ; mais j'y dure, si je m'y porte moi-même, et autant que mon désir m'y conduit, *car le désir trompe en douceur l'austérité du labeur*[17]. Autrement, si je n'y suis alléché par quelque plaisir, et si j'ai autre guide que ma pure et libre volonté, je n'y vaux rien. Car j'en suis là 40 que, sauf la santé et la vie, il n'est chose (C) pourquoi je veuille ronger mes ongles et (A) que je veuille acheter au prix du tourment d'esprit et de la contrainte.

(B) *À ce prix je ne voudrais pas tout le sable du Tage boueux ni tout l'or qu'il roule vers la mer*[18] (C) extrêmement oisif, extrêmement libre, et par 45 nature et par art[19]. Je prêterais aussi volontiers mon sang que mon soin[20].

(A) J'ai une âme toute sienne, accoutumée à se conduire à sa mode. N'ayant eu jusques à cette heure ni commandant ni maître forcé, j'ai marché aussi avant et le pas qu'il m'a plu. Cela m'a amolli et rendu inutile au service d'autrui, et ne m'a fait bon qu'à moi. Et pour moi, il n'a été besoin

(1) surtout
(2) y manque
(3) salut
(4) *Unde rigent setis mihi crura et pectora villis.* Martial, *Épigrammes*, II, 36, v. 5.
(5) depuis longtemps
(6) ... *minutatim vires et robur adultum/Frangit et in partem pejorem liquitur aetas.* Lucrèce, II, v. 1131-1132.
(7) *Singula de nobis anni praedantur euntes.* Horace, *Épîtres*, II, 2, v. 55.
(8) agilité
(9) pourtant
(10) compétence très ordinaire
(11) faire du cheval
(12) tout à fait nulle
(13) homme de lettres
(14) cacheter adroitement
(15) trancher la viande
(16) à mon poing
(17) *Molliter austerum studio fallente laborem.* Horace, *Satires*, II, 2, v. 2.
(18) *tanti mihi non sit opaci/Omnis arena Tagi, quodque in mare volvitur aurum.* Juvénal, *Satires*, III, v. 54.
(19) par volonté
(20) souci, attention

⁵⁰ de forcer ce naturel pesant, paresseux et fainéant. Car, m'étant trouvé en tel degré de fortune dès ma naissance, que j'ai eu occasion de m'y arrêter. [...]

Je n'ai eu besoin que de la suffisance[21] de me contenter, (C) qui est pourtant un règlement d'âme, à le bien prendre, également difficile en toute sorte de condition, et que par usage[22] nous voyons se trouver plus facile-
⁵⁵ ment encore en la nécessité[23] qu'en l'abondance. [...] Et n'ai eu besoin (A) que de jouir doucement des biens que Dieu par sa libéralité m'avait mis entre mains. Je n'ai goûté aucune sorte de travail ennuyeux. Je n'ai eu guère en maniement que mes affaires ; (C) ou, si j'en ai eu, ç'a été en condition de les manier à mon heure et à ma façon, commis par gens qui
⁶⁰ s'en fiaient à moi et qui ne me pressaient pas et me connaissaient. Car encore tirent les experts quelque service d'un cheval rétif et poussif.

(A) Mon enfance même a été conduite d'une façon molle et libre, et exempte de sujétion rigoureuse. Tout cela m'a formé une complexion délicate et incapable de sollicitude[24]. [...]
⁶⁵ À faute d'avoir assez de fermeté pour souffrir l'importunité des accidents contraires auxquels nous sommes sujets, et pour ne me pouvoir tenir tendu à régler et ordonner les affaires, je nourris autant que je puis en moi cette opinion, m'abandonnant du tout à la fortune, de prendre toutes choses au pis ; et, ce pis-là, me résoudre à le porter[25] doucement et patiemment. C'est
⁷⁰ à cela seul que je travaille, et le but auquel j'achemine tous mes discours[26].

(21) l'aptitude à
(22) par expérience
(23) l'indigence
(24) effort
(25) supporter
(26) réflexions

Montaigne, *Essais*, II, 17.

Pistes de recherche

1. Faites le bilan de cette présentation : l'homme physique, l'homme moral.

2. Rousseau (cf. document p. 327) ne croit pas à la sincérité de cet autoportrait : décelez-vous vous-même des détails où Montaigne se dissimule ? Soyez surtout attentif aux passages où il cherche à se diminuer, à faire le modeste. Notez aussi les apports des éditions successives : on y perçoit mieux des insistances significatives. L'insertion des citations latines joue aussi ce rôle de rectificatif.

3. En se voulant sincère, Montaigne cherche surtout à se singulariser : en quoi est-il, à ses yeux et aux vôtres, un être à part ? Comment arrive-t-il à concilier cette recherche de l'originalité avec sa manière un peu désabusée de se présenter comme moyen en tout, banal.

4. Pourquoi insiste-t-il sur sa formation et son enfance ?

Travail de recherche (I)

Quelles informations Montaigne nous donne-t-il sur lui-même dans les *Essais* ?

Physiquement : il n'est pas grand (II, 17) et sa santé lui donne des soucis (I, 20 ; II, 6 ; II, 37 ; II, 4 ; III, 13) ; peu sportif, mais bon cavalier (I, 48 ; III, 6 et 9).

Son caractère : indolent (II, 17), ennemi des passions (I, 2 ; III, 2 ; III, 4 ; III, 10) et de l'engagement (II, 17 ; III, 1 et 3) ou des contraintes (III, 9 et 13).

Ses goûts : le plaisir (III, 5 et 13) ; la discussion (III, 8) ; le voyage (I, 17 ; III, 6 et 9) ; la table (I, 26 ; III, 2 et 13) ; la tranquillité (III, 3 et 9) ; fuir les soucis domestiques (I, 39 ; II, 17 ; III, 9) ; les livres (I, 9 ; II, 10 et 17 ; III, 9) ; l'intelligence et l'esprit (III, 3 et 8).

Quelques aspects de sa vie : son enfance, son éducation, son père (I, 26 et 35 ; II, 8 ; III,9) ; l'amitié unique (I, 28 ; III, 3) ; l'amour et le mariage (I, 30 ; II, 8 ; III, 5) ; la guerre et la peste (III, 2, 9 et 12) ; la mairie (III, 10) ; sa vieillesse (I, 57 ; III, 2) ; ses oublis et sa perte de mémoire (I, 9 ; II, 10 et 17 ; III, 2 et 9).

École française du XVIᵉ siècle, *Montaigne*, ph. H. Josse.

Faut-il croire Montaigne quand il se présente, avec une modestie trop appuyée, comme un nonchalant, inapte à tout ce qui est pratique ? Sa vie d'homme public et de diplomate, discret mais efficace, nous révèle aussi un homme expert en missions délicates et suscitant la confiance. En réalité, la préoccupation de Montaigne est toute autre : il a la hantise de perdre sa liberté et sa clarté de jugement en assumant des tâches politiques ou mondaines. **Le danger du «paraître» qui aliène l'«être» est au cœur de toute sa réflexion.**

EXTRAIT

Être et paraître.

(1) occupation
(2) *Mundus universus exercet histrioniam.* Pétrone.
(3) les sentiments, le cœur
(4) jouent les prélats
(5) métier
(6) leur intimité
(7) saluts
(8) *Tantum se fortunae permittunt, etiam ut naturam dediscant.* Quinte-Curce, III, 2, 18.
(9) tromperie
(10) pour autant
(11) circonstance due au hasard
(12) se montrer en société
(13) n'importe qui

(B) La plupart de nos vacations[1] sont farcesques. *Le monde entier joue la comédie*[2]. Il faut jouer dûment notre rôle, mais comme rôle d'un personnage emprunté. Du masque et de l'apparence il n'en faut pas faire une essence réelle, ni de l'étranger le propre. Nous ne savons pas distinguer la peau de la chemise. (C) C'est assez de s'enfariner le visage, sans s'enfariner la poitrine[3]. (B) J'en vois qui se transforment et se transsubstantient en autant de nouvelles figures et de nouveaux êtres qu'ils entreprennent de charges, et qui se prélatent[4] jusques au foie et aux intestins, et entraînent leur office[5] jusques en leur garde-robe[6]. Je ne puis leur apprendre à distinguer les bonnetades[7] qui les regardent de celles qui regardent leur commission ou leur suite, ou leur mule. *Ils s'abandonnent à leur fortune au point d'oublier les leçons de la nature*[8]. Ils enflent et grossissent leur âme et leur discours naturel à la hauteur de leur siège magistral. Le maire et Montaigne ont toujours été deux, d'une séparation bien claire. Pour être avocat ou financier, il n'en faut pas méconnaître la fourbe[9] qu'il y a en telles vacations. Un honnête homme n'est pas comptable du vice ou sottise de son métier, et ne doit pourtant[10] en refuser l'exercice : c'est l'usage de son pays, et il y a du profit. Il faut vivre du monde et s'en prévaloir tel qu'on le trouve. Mais le jugement d'un empereur doit être au-dessus de son empire, et le voir et considérer comme accident[11] étranger ; et lui, doit savoir jouir de soi à part et se communiquer[12] comme Jacques et Pierre[13], au moins à soi-même.

Montaigne, *Essais*, III, 10.

Pistes de recherche

1. Quelle est la cible exacte d'un tel texte ? Comédie humaine, aliénation professionnelle, danger des certitudes, absurdité de nos conduites, besoin propre à l'homme de se duper lui-même (la «diversion» que Pascal appellera «divertissement»)... ?
2. Finalement comment Montaigne conçoit-il les rapports de l'individu et de la société ?
3. Le thème du monde-théâtre est à rapprocher des vues «baroques» (cf. p. 284, et *Le XVIIe siècle*, pp. 18 à 64).

EXTRAIT

Alors qu'il voyage en Italie, Montaigne est élu maire de Bordeaux (1581). Il faudra un ordre d'Henri III pour qu'il se décide à accepter cette tâche qu'il assumera pendant quatre ans. Là encore, cet engagement ne lui fait pas perdre la tête : «le Maire et Montaigne ont toujours été deux».

(1) Les membres du Conseil, les jurats.
(2) pensée
(3) je refusai
(4) intervenant
(5) Un ambassadeur du temps de Charles IX.

Messieurs de Bordeaux[1] m'élurent maire de leur ville, étant éloigné de France, et encore plus éloigné d'un tel pensement[2]. Je m'en excusai[3], mais on m'apprit que j'avais tort, le commandement du Roi aussi s'y interposant[4]. C'est une charge qui en doit sembler d'autant plus belle, qu'elle n'a ni loyer ni gain autre que l'honneur de son exécution. Elle dure deux ans ; mais elle peut être continuée par seconde élection, ce qui advient très rarement. Elle le fut à moi ; et ne l'avait été que deux fois auparavant : quelques années y avait, à Monsieur de Lansac[5] ; et fraîchement à Monsieur de Biron[6], Maréchal de France, en la place duquel je succédai ; et laissai la mienne à Monsieur de Matignon[7] aussi Maréchal de France. Brave de si noble assistance[8], *tous deux remplissant bien leur tâche à la paix comme à la guerre*[9]. La fortune voulut part à ma promotion, par cette particulière circonstance qu'elle y mit du sien. Non vaine du tout ; car Alexandre dédaigna les ambassadeurs corinthiens qui lui offraient la bourgeoisie[10] de leur ville ; mais quand ils vinrent à lui déduire comment Bacchus et Hercule étaient aussi en ce registre, il les en remercia gracieusement.
À mon arrivée, je me déchiffrai fidèlement et consciencieusement, tout tel que je me sens être : sans mémoire, sans vigilance, sans expérience et sans vigueur ; sans haine aussi, sans ambition, sans avarice et sans violence, à ce

(6) Grand seigneur du Périgord, mort en 1592, au siège d'Épernay.
(7) Gouverneur de la Guyenne.
(8) fier d'une telle compagnie
(9) *uterque bonus pacis belliique minister.* Virgile, *Énéide*, XI, v. 658.
(10) le droit de cité
(11) pour qu'ils fussent
(12) eût autant d'influence
(13) pensa
(14) cette disposition lui venait
(15) amie du peuple

20 qu'ils[11] fussent informés et instruits de ce qu'ils avaient à attendre de mon service. Et parce que la connaissance de feu mon père les avait seule incités à cela, et l'honneur de sa mémoire, je leur ajoutai bien clairement que je serais très marri que chose quelconque fît autant d'impression[12] en ma volonté comme avaient fait autrefois en la sienne leurs affaires et leur ville, 25 pendant qu'il l'avait en gouvernement, en ce même lieu auquel ils m'avaient appelé. Il me souvenait de l'avoir vu vieil en mon enfance, l'âme cruellement agitée de cette tracasserie publique, oubliant le doux air de sa maison, où la faiblesse des ans l'avait attaché longtemps avant, et son ménage et sa santé, et, en méprisant certes sa vie qu'il y cuida[13] perdre, engagé pour eux 30 à des longs et pénibles voyages. Il était tel ; et lui partait cette humeur[14] d'une grande bonté de nature : il ne fut jamais âme plus charitable et populaire[15]. Ce train, que je loue en autrui, je n'aime point à le suivre.

Montaigne, *Essais*, III, 10.

Pistes de recherche

1. Ce texte doit être lu avec l'éclairage du précédent : montrez qu'il en illustre pratiquement la théorie. Comment Montaigne définit-il son devoir social ?

2. Autre exemple de cohérence, chez Montaigne : l'autoportrait (cf. p. 324) justifiait les attitudes prônées ici par l'auteur. Faites le rapprochement.

3. Deux insistances : les circonstances glorieuses de son élection ; l'examen de conscience au moment d'exercer sa charge. Que pensez-vous de ce contraste, entre l'opinion des autres sur Montaigne et la sienne sur lui-même ?

DOCUMENTS 1

Le thème du moi variable corrobore celui de l'instabilité générale (cf. page suivante).

Ainsi, à la place du moi apparaît une «infinie diversité de visages» qui deviennent tour à tour le moi. Le moi est chaque fois un autre : «Moi à cette heure et moi tantôt sommes bien deux.» Dédoublement infiniment multiplié du moi en une série d'apparitions et de disparitions isolées; comme si une procession interminable d'inconnus traversait le même corridor [...] en ne laissant d'eux qu'une mémoire confuse : «Je ne retrouve pas toujours l'air de ma première imagination. Je ne sais ce que j'ai voulu dire».

Georges Poulet, *Études sur le temps humain*, «10/18», Plon, 1972.

Il n'y a pas pour Montaigne de sujet extérieur, ou plutôt il n'y a qu'un sujet, qui est lui-même, et qui s'épanouit sur n'importe quoi. Il n'a jamais écrit pour exposer ou inventer, mais pour s'exposer et se trouver, et se connaître.

A. Thibaudet, *Montaigne*, Gallimard, 1963.

Hans Holbein (1497-1543), *George Gisze*, ph. J.-P. Anders - Gemäldegalerie Staatliche Museen Preußischer Kulturbesitz, Berlin.

«Si mon âme pouvait prendre pied et forme, je ne m'essaierais pas, je me résoudrais. Elle est toujours en apprentissage et en épreuve». Montaigne, *Essais*, III, 2.

DOCUMENT 2

Je mets Montaigne à la tête de ces faux sincères qui veulent tromper en disant vrai. Il se montre avec des défauts, mais il ne s'en donne que d'aimables ; il n'y a point d'homme qui n'en ait d'odieux. Montaigne se peint ressemblant mais de profil.

Jean-Jacques Rousseau, prologue des *Confessions* (cf. *Le XVIIIe siècle*, pp. 232-233 et 260-277).

Livre I : 57 chapitres   **Livre II** : 37 chapitres   **Livre III** : 13 chapitres

Les titres ne recouvrent que rarement le contenu exact du chapitre ; et il est difficile de définir une progression très nette et régulière. L'observation des différentes couches du texte [(A), (B), (C), cf. p. 337] permet seule de saisir l'évolution ou l'insistance de la pensée de Montaigne.

Livre I : la philosophie morale y est prédominante. Après avoir déclaré qu'il est lui-même le sujet de son livre, Montaigne parle de la nécessaire discipline qu'il veut imposer à sa nature indolente ou oisive, avant de se concentrer sur la mort (chapitre 18 à 20), d'exalter le mépris du trépas, de réfléchir au temps et à la vieillesse. Cet appel au détachement prépare les chapitres « politiques », où est justifié un certain conservatisme (23). Viennent ensuite les propositions pédagogiques (25-26). Au cœur de ce livre I, Montaigne place son essai *De l'amitié* auquel il attache la plus grande importance. Ensuite, la pensée s'élargit : Montaigne s'interroge sur ce qu'est la prétendue « barbarie » des sauvages et sur l'état de civilisation qui est le nôtre. La fin du livre est plus décousue, en revient à des thèmes plus intimes, tel ce jugement sur le style des *Essais* (40) et ces propos vagabonds sur les noms (46) ou les prières (56).

Livre II : les chapitres sont plus longs. Outre une reprise de divers thèmes déjà abordés, tel le suicide (3), deux essais prédominent : *Des livres* (10) et, surtout, l'immense *Apologie de Raymond Sebond* (12), dont l'idée générale apparaît p. 339. Après cet énorme développement, Montaigne, comme au premier livre, en revient à soi : il se dépeint (17) et montre comment son livre et lui-même sont devenus « consubstantiels » (18). Toute la fin du livre est une revue d'observations, souvent prises sur le vif, qui donnent à penser : *Des postes* (22), *De ne contrefaire le malade* (25), *Des pouces* (26), *D'un enfant monstrueux* (30), *De trois bonnes femmes* (35), *De la ressemblance des enfants aux pères* (37), par exemple.

Livre III : ces pages, écrites après 1580, permettent à Montaigne de faire le bilan et de formuler plus carrément son sujet. Il explique le but et l'originalité des *Essais* (2), il définit ce dont il aime le « commerce » — hommes, femmes ou livres — (3), parle des chagrins (4), du mariage ou de l'amour (5). L'essai *Des coches* (6) revient sur le thème du luxe et sur le comportement des conquérants du Nouveau Monde. Après une défense et illustration de la conversation (8), vient le long et riche chapitre *De la vanité* (cf. pp. 362-365). L'art de vivre selon Montaigne achève le livre III : ne pas se laisser aliéner, prendre exemple chez les gens simples et humbles, se méfier des théories et cultiver une expérience tranquille de la nature, de la vie et de leurs plaisirs.

Pieter Bruegel l'Ancien (1525 ?-1569), *La Parabole des aveugles,* Naples, musée de Capodimonte, ph. Giraudon.

La perpétuelle balançoire : « la branloire pérenne »

Vers 1570, Montaigne, magistrat au parlement de Bordeaux, s'éloigne de la vie publique et se retire dans sa « librairie » pour commencer à prendre des notes sur ses lectures et pour « mettre en rôle » (= transcrire et classer) ses pensées. Son père vient de mourir (1568), lui laissant un nom seigneurial tout neuf, un château, des terres et une honnête fortune. Né en 1533, Montaigne aura bientôt quarante ans. Les guerres de religion ont suscité partout un climat d'insécurité et de violence absurde. On a l'impression que l'espérance et la ferveur de la Renaissance sont retombées : les soubresauts du siècle inspirent une sorte de déception, un sentiment où le doute se mêle à l'obsession de la mort. La poésie du dernier tiers du XVIe siècle s'en fait clairement l'écho (cf. pp. 291 et *sq.*).

Les *Essais* naissent donc dans **un moment de mutation** et de confluences : ils sont nourris de confiance humaniste, de goût du corps et des plaisirs, de croyance au progrès, de passion du savoir. Mais dans le même temps, ils font le bilan de tant de promesses déçues, perçoivent partout instabilité et insécurité : **l'ère du soupçon** a commencé. Montaigne assume très lucidement ces contradictions : il avoue prendre ses exemples et ses idées aux sources les plus variées. Car il n'entre pas dans ses intentions de rédiger un système philosophique cohérent et unique. Plus modeste — en apparence — et plus originale, l'analyse de l'homme, mobile et multiple, part, chez Montaigne, de l'expérimentation, de l'**essai**. Empirique, pragmatique, l'étude se fonde sur l'exemple d'un homme singulier qui examine et recense au jour le jour ses idées, ses sentiments, ses sautes d'humeur, ses enthousiasmes, ses hantises, ses inclinations plus ou moins raisonnables. Les *Essais* font une sorte de conclusion à la Renaissance, puisqu'ils prolongent sa principale préoccupation (l'analyse de la nature humaine) et qu'ils s'appuient sur une très solide culture antique. Mais ils dépassent cet héritage par un esprit d'examen, de contestation qui n'épargne aucune doctrine, aucune théorie métaphysique, aucune tradition, et se défie de tout ce qui n'est pas vraiment **vécu**. « Honteux, insolent ; chaste, luxurieux ; bavard, taciturne ; laborieux, délicat ; ingénieux, hébété ; chagrin, débonnaire ; menteur, véritable ; savant, ignorant ; et libéral et avare et prodigue, tout cela je le vois en moi aucunement (= en quelque façon) selon que je me vire » (II, 1).

Par le sujet comme par la forme, les *Essais* reflètent un monde et une nature humaine soumis à l'inconstance et à la fugacité. C'est autour de ce motif central, éminemment **baroque**, que s'ordonnent les thèmes chers à Montaigne qui tente, par l'écriture, de fixer la fluidité et l'instabilité. L'écrivain est à la recherche de son identité, qui lui échappe en mille instantanés. Sa propre difficulté à se cerner nettement lui-même illustre, *a fortiori*, l'utopie d'un livre qui voudrait formuler **la vérité du monde**. Les moralistes enseignent. Montaigne se contente de raconter la vaste et curieuse agitation universelle.

EXTRAIT

Au sein de l'inconstance généralisée, l'observation d'un homme « ordinaire » permettra peut-être de comprendre « l'humaine condition ».

(B) Les autres forment[1] l'homme ; je le récite[2] et en représente un particulier bien mal formé, et lequel, si j'avais à façonner de nouveau, je ferais vraiment bien autre qu'il n'est. Meshui[3], c'est fait. Or les traits de ma peinture ne fourvoient point, quoiqu'ils se changent et diversifient. Le monde
5 n'est qu'une branloire pérenne. Toutes choses y branlent sans cesse : la terre, les rochers du Caucase, les pyramides d'Égypte, et du branle public et du leur. La constance même n'est autre chose qu'un branle plus languissant. Je ne puis assurer[4] mon objet. Il va trouble et chancelant, d'une ivresse naturelle. Je le prends en ce point, comme il est, en l'instant que je
10 m'amuse[5] à lui. Je ne peins pas l'être. Je peins le passage : non un passage d'âge en autre [...], mais de jour en jour, de minute en minute. Il faut accommoder mon histoire à l'heure. Je pourrai tantôt[6] changer, non de fortune seulement, mais aussi d'intention. C'est un contrerôle[7] de divers et muables accidents et d'imaginations irrésolues, et, quand il y échoit[8], contrai-
15 res ; soit que je sois autre moi-même, soit que je saisisse les sujets par autres circonstances et considérations. Tant y a[9] que je me contredis bien à l'aventure[10], mais la vérité, comme disait Démade[11], je ne la contredis point. Si mon âme pouvait prendre pied[12], je ne m'essaierais pas, je me résoudrais ; elle est toujours en apprentissage et en épreuve.
20 Je propose une vie basse et sans lustre, c'est tout un[13]. On attache aussi bien toute la philosophie morale à une vie populaire[14] et privée qu'à une vie de plus riche étoffe ; chaque homme porte la forme entière de l'humaine condition.
(C) Les auteurs se communiquent au peuple par quelque marque particu-

(1) instruisent
(2) décris
(3) désormais
(4) fixer
(5) je m'en occupe
(6) bientôt
(7) registre
(8) le cas échéant
(9) toujours est-il
(10) peut-être
(11) Un orateur athénien, cité par Plutarque.
(12) s'immobiliser
(13) peu importe
(14) ordinaire

lière et étrangère ; moi, le premier, par mon être universel, comme Michel
de Montaigne, non comme grammairien, ou poète, ou jurisconsulte. Si le
monde se plaint de quoi je parle trop de moi, je me plains de quoi il ne
pense seulement pas à soi.

(B) Mais est-ce raison que [...] je produise au monde, où la façon et l'art
ont tant de crédit et de commandement[15], des effets de nature crus et simples, et d'une nature encore bien faiblette ? Est-ce pas faire une muraille sans
pierre, ou chose semblable, que de bâtir des livres sans science et sans art ?
Les fantaisies de la musique sont conduites par art, les miennes par sort[16].
Au moins j'ai ceci selon la discipline[17], que jamais homme ne traita sujet
qu'il entendît ni connût mieux que je fais celui que j'ai entrepris, et qu'en
celui-là je suis le plus savant homme qui vive ; secondement, que jamais
aucun (C) ne pénétra en sa matière plus avant, ni en éplucha plus particulièrement les membres et suites[18], et (B) n'arriva plus exactement et pleinement à la fin qu'il s'était proposée à sa besogne. Pour la parfaire, je n'ai
besoin d'y apporter que la fidélité ; celle-là y est, la plus sincère et pure qui
se trouve. Je dis vrai, non pas tout mon saoul, mais autant que je l'ose dire ;
et l'ose un peu plus en vieillissant, car il semble que la coutume concède
à cet âge plus de liberté de bavasser et d'indiscrétion à parler de soi. Il ne
peut advenir ici ce que je vois advenir souvent, que l'artisan et sa besogne
se contrarient : un homme de si honnête conversation[19] a-t-il fait un si sot
écrit ? ou, des écrits si savants sont-ils partis d'un homme de si faible
conversation, (C) qui a un entretien commun et ses écrits rares, c'est-à-dire
que sa capacité est en lieu d'où il l'emprunte, et non en lui. Un personnage
savant n'est pas savant partout ; mais le suffisant est partout suffisant, et à
ignorer même[20].

(B) Ici, nous allons conformément et tout d'un train, mon livre et moi.
Ailleurs, on peut recommander et accuser[21] l'ouvrage à part de l'ouvrier ;
ici, non : qui touche l'un, touche l'autre. Celui qui en jugera sans le connaître, se fera plus de tort qu'à moi ; celui qui l'aura connu, m'a du tout[22]
satisfait. Heureux outre mon mérite, si j'ai seulement cette part à l'approbation publique, que je fasse sentir aux gens d'entendement que j'étais capable
de faire mon profit de la science, si j'en eusse
eu, et que je méritais que la mémoire me secou-
rût mieux.

Montaigne, *Essais*, III, 2.

(15) d'autorité
(16) par hasard
(17) selon les règles de l'art
(18) parties principales et
secondaires
(19) fréquentation
(20) même dans ses igno-
rances
(21) blâmer
(22) totalement

Pistes de recherche

1. Un savant désordre : établissez le plan de la
démonstration et relevez les formules essentielles (le
« branle » universel ; la méthode des autres auteurs ;
le projet « singulier » de Montaigne ; les relations de
l'homme et de l'œuvre).

2. Pourquoi Montaigne veut-il simplement décrire,
au jour le jour ? Quel profit peut en espérer le lecteur ? Quels sont les rapports de l'écrivain et de
son travail ?

3. Peut-on peindre le « passage » sans peindre
l'« être » ? Car Montaigne veut bien nous dévoiler son
« être universel » et il sait que « chaque homme porte
en lui la forme entière de l'humaine condition ».
Montaigne hésite entre une vue « classique » (mettre
l'humanité à nu par l'étude de l'individu) et une vue
« baroque » (confondre l'apparence et la vérité). À
vos yeux, Montaigne nous dit-il ce qu'est l'être ou
nous prouve-t-il que l'être est inaccessible, impossible à connaître ?

4. « Je propose une vie basse et sans lustre. »
Qu'en pensez-vous ?

Montaigne, en dénonçant le maléfice du paraître, est en accord avec l'esprit de l'époque : il exploite, selon le goût dominant, un grand lieu commun, qu'il amplifie et varie, qu'il ornemente de citations et de pointes ; mais, à travers ce lieu commun, il vise un aspect de la réalité contemporaine à laquelle l'antithèse traditionnelle de l'être et du paraître s'applique plus qu'à nul autre moment de l'histoire. Les luttes des princes pour l'accroissement de leur pouvoir (avec, à l'horizon, la création des grands États européens) ; les querelles religieuses, qui mettent en cause le principe même de l'autorité (avec, à l'horizon, l'élévation du « for intérieur » au rang d'autorité suprême) ; la violence partout répandue, le danger couru à tout instant : ce sont là autant d'incitations pressantes à la feinte et à la dissimulation, et qui font de celles-ci tout ensemble des principes de conduite généralement observés, et des thèmes littéraires traités en toute occasion. En cet âge d'excès, l'on fait briller hyperboliquement les leçons de la tradition religieuse et morale du *contemptus mundi*[1] : les séductions du monde sont des pièges, les vrais biens sont ailleurs. Le théâtre baroque fera bientôt de la désillusion — *desengaño* — l'instant d'une Grâce amère qui rend brusquement la vue à des personnages trop longtemps aveuglés.

Le monde qu'accuse Montaigne est un labyrinthe où les faux-semblants ont, pour ainsi dire, cours légal.

Jean Starobinski, *Montaigne en mouvement*, N. R. F.-Gallimard, 1982.

(1) du mépris du monde

École hollandaise du XVIIe siècle, *Le Philosophe rêveur*, Vienne, Musée des Beaux Arts, ph. Lauros-Giraudon.

Sandro Botticelli (1445-1510), *Saint Augustin*, Florence, couvent des Ognissanti, ph. Scala.

Lorenzo Costa (1460-1535), *Triomphe de la paix*, Paris, Louvre, ph. H. Josse.

■ L'univers livresque : attirance et répulsion ■

Face aux maléfices d'un monde menteur et instable, la réaction fondamentale de Montaigne, qui semble expliquer tous ses comportements et justifier l'écriture des *Essais,* est la **sécession** : conscient qu'il est illusoire de chercher la vérité dans une vie sociale qui n'est que « piperie », « batelage », « mime », « fard », « masque » ou « montre », l'auteur commence par se placer à l'écart. Car il ne suffit pas de dénoncer les déguisements et les feintes. Les moralistes, les politiques, les prêcheurs protestent partout, eux aussi, de leur bonne foi et accusent le mensonge universel. Personne, mieux que les hypocrites et les intéressés, ne sait discourir contre la fausseté ou l'ambition. Montaigne sait bien que « notre vérité de maintenant, ce n'est pas ce qui est, mais ce qui se persuade à autrui » (II, 18). Pour éviter d'ajouter aux livres qui se font doctrinaires et dominateurs sous prétexte de dissiper les vaines certitudes et les illusions, Montaigne fait le modeste : il n'a pas d'enseignement à offrir à l'univers ou à la postérité. Il veut simplement, à titre privé, **tenir le registre des « postures du moi ».** Car le moi, comme le monde extérieur, est bigarré, mobile, insaisissable, presque incontrôlé. Quelle vérité poursuivre, sinon cette fragmentation elle-même ? Et comment en rendre compte, sinon en faisant retraite, en s'écoutant soi-même et en enregistrant, dans leur désordre et leur discontinuité, les apprentissages d'une vie. « Toute cette fricassée [...] n'est qu'un registre des essais de ma vie » (III, 13).

Le choix de Montaigne est donc **littéraire** : non seulement l'écriture va se confondre avec la personne mais elle va s'accomplir dans un dialogue perpétuel avec les livres, au sein d'une bibliothèque. L'auteur lui-même ne sait plus très bien distinguer le jeu des influences réciproques : vie, écriture, lectures se mêlent.

EXTRAITS

La « librairie ». Montaigne aime le commerce des autres et le dialogue. Mais il a le sentiment de ne se retrouver vraiment que dans le refuge de sa bibliothèque, située dans une tour isolée de son château.

(B) Chez moi, je me détourne un peu plus souvent à ma librairie, d'où tout d'une main je commande à mon ménage. Je suis sur l'entrée et vois sous moi mon jardin, ma basse-cour, ma cour, et dans la plupart des membres[1] de ma maison. Là, je feuillette à cette heure un livre, à cette heure un
5 autre, sans ordre et sans dessein, à pièces décousues ; tantôt je rêve, tantôt j'enregistre et dicte, en me promenant, mes songes que voici.

(C) Elle est au troisième étage d'une tour. Le premier, c'est ma chapelle, le second une chambre et sa suite, où je me couche souvent, pour être seul. Au-dessus, elle a une grande garde-robe. C'était au temps passé le lieu plus
10 inutile de ma maison. Je passe là et la plupart des jours de ma vie, et la plupart des heures du jour. Je n'y suis jamais la nuit. À sa suite est un cabinet assez poli[2], capable à recevoir du feu pour l'hiver, très plaisamment percé[3]. Et, si je ne craignais non plus le soin[4] que la dépense, le soin qui me chasse de toute besogne, je pourrais facilement coudre à chaque côté
15 une galerie de cent pas de long et douze de large, à plain-pied, ayant trouvé tous les murs montés, pour autre usage, à la hauteur qu'il me faut. Tout lieu retiré requiert un promenoir. Mes pensées dorment si je les assieds. Mon esprit ne va, si les jambes ne l'agitent. Ceux qui étudient sans livre, en sont tous là.
20 La figure en est ronde et n'a de plat que ce qu'il faut à ma table et à mon siège, et vient m'offrant en se courbant, d'une vue, tous les livres, rangés à cinq degrés[5] tout à l'environ. Elle a trois vues[6] de riche et libre prospect[7], et seize pas de vide en diamètre. En hiver, j'y suis moins continuellement ; car ma maison est juchée sur un tertre, comme dit son nom, et n'a point
25 de pièce plus éventée que celle-ci ; qui me plaît d'être un peu pénible et à l'écart, tant pour le fruit de l'exercice que pour reculer de moi la presse[8]. C'est là mon siège. J'essaie à m'en rendre la domination pure, et à soustraire ce seul coin à la communauté et conjugale, et filiale, et civile. Partout ailleurs je n'ai qu'une autorité verbale : en essence, confuse. Misérable, à mon
30 gré, qui n'a chez soi où être à soi, où se faire particulièrement la cour, où se cacher ! L'ambition paye bien ses gens de les tenir toujours en montre, comme la statue d'un marché : *grande servitude qu'une grande fortune*[9]. Ils n'ont pas seulement leur retrait[10] pour retraite ! Je n'ai rien jugé de si rude en l'austérité de vie que nos religieux affectent, que ce que je vois en quel-
35 qu'une de leurs compagnies, avoir pour règle une perpétuelle société de lieu et assistance nombreuse entre eux, en quelque action que ce soit. Et trouve aucunement[11] plus supportable d'être toujours seul, que ne le pouvoir jamais être.

(1) parties
(2) élégant
(3) ouvert par des fenêtres
(4) le souci
(5) sur cinq rayons
(6) ouvertures
(7) perspectives
(8) la foule
(9) *Magna servitus est magna fortuna.* Sénèque, *Consolation à Polybe,* 26.
(10) leurs toilettes
(11) sensiblement

(12) peu s'en faut que
(13) pour parler poliment

(B) Si quelqu'un me dit que c'est avilir les Muses de s'en servir seule-
40 ment de jouet et de passe-temps, il ne sait pas, comme moi, combien vaut le
plaisir, (C) le jeu et le passe-temps. (B) À peine que[12] je ne dise toute autre
fin être ridicule. Je vis du jour à la journée ; et, parlant en révérence[13], ne
vis que pour moi : mes desseins se terminent là.

Montaigne, *Essais*, III, 3.

Pistes de recherche

1. Ce lieu privilégié n'est pas seulement une bibliothèque : ce passage nous aide à cerner le caractère et
le goût de Montaigne. Définissez-les. Vous sont-ils sympathiques ? Concevez-vous l'indépendance et l'isolement comme lui ?
2. Un modèle de l'écriture de Montaigne : analysez les juxtapositions d'idées en apparence différentes, les
images, le sens de la formule ou du jeu de mot (par exemple la paronomase• « retrait/retraite »).

Giorgione (1477-1510), *Les Trois Philosophes*, Vienne, Kunst Historische Museum, ph. E. Lessing-Magnum.

Grand amateur de
livres, Montaigne per-
çoit le danger de leur
influence. La culture
est à la fois moyen et
obstacle de la saisie du
moi.

(B) Pour ce mien dessein, il me vient aussi à propos[1] d'écrire chez moi, en pays sauvage, où personne ne m'aide ni me relève[2], où je ne hante[3] communément homme qui entende le latin de son patenôtre[4], et de français un peu moins. Je l'eusse fait meilleur ailleurs, mais l'ouvrage eût été moins mien ; et sa fin principale et perfection, c'est d'être exactement mien. Je corrigerais bien une erreur accidentelle, de quoi je suis plein [...], mais les imperfections qui sont en moi ordinaires et constantes, ce serait trahison de les ôter. Quand on m'a dit ou que moi-même me suis dit : « Tu es trop épais en figures[5]. Voilà un mot du cru de Gascogne. Voilà une phrase dangereuse (je n'en refuis[6] aucune de celles qui s'usent dans les rues françaises ; ceux qui veulent combattre l'usage par la grammaire se moquent). Voilà un discours ignorant. Voilà un discours paradoxe. En voilà un trop fol. (C) Tu te joues souvent ; on estimera que tu dis à droit[7] ce que tu dis à feinte[8]. » (B) — « Oui, fais-je ; mais je corrige les fautes d'inadvertance, non celles de coutume. Est-ce pas ainsi que je parle partout ? me représenté-je pas vivement[9] ? » Suffit ! J'ai fait ce que j'ai voulu : tout le monde me reconnaît en mon livre, et mon livre en moi.

Or j'ai une condition singeresse et imitatrice : quand je me mêlais de faire des vers (et n'en fis jamais que des latins), ils accusaient évidemment[10] le poète que je venais dernièrement de lire ; et, de mes premiers essais, aucuns puent un peu à l'étranger. (C) À Paris, je parle un langage aucunement[11] autre qu'à Montaigne. (B) Qui que je regarde avec attention m'imprime facilement quelque chose du sien. Ce que je considère, je l'usurpe : une sotte contenance, une déplaisante grimace, une forme de parler ridicule. Les vices, plus ; d'autant qu'ils me poignent[12], ils s'accrochent à moi et ne s'en vont pas sans secouer. On m'a vu plus souvent jurer par similitude que par complexion[13].

Montaigne, *Essais*, III, 5.

(1) il me convient
(2) corrige
(3) fréquente
(4) de son *Notre Père* (prière latine)
(5) images
(6) je n'évite
(7) sérieusement
(8) pour duper ou plaisanter
(9) au vif, naturellement
(10) ils reflétaient d'évidence
(11) sensiblement
(12) attirent mon attention
(13) disposition naturelle

Pistes de recherche

1. Ce texte complète la réflexion de Montaigne sur les rapports de la sincérité et de la littérature (cf. l'extrait de la p. 332). Tracez les principaux aspects de la question, en suivant le fil du passage.

2. Mais Montaigne juge aussi son livre : qu'en dit-il ? Notez que ces remarques renvoient, en réalité, au caractère de l'auteur, dont les *Essais* ne sont qu'un fidèle et original reflet. La critique est, dès lors, une louange dissimulée.

3. Que pensez-vous d'une telle théorie, dans la bouche d'un homme si cultivé ? Gide (cf. p. 361) dira, lui aussi, que sa « désinstruction fut lente et difficile ». Pour saisir l'insolite position de Montaigne, aidez-vous du document de J.-F. Revel.

DOCUMENT

Les livres de philosophie sont-ils un obstacle à l'appréhension de la vérité ?

Mais Montaigne, lui, sort du jeu complètement. Sa critique de la philosophie est une critique de rupture et non pas une critique de connivence. Il étale même partout, avec une impassibilité d'autant plus cruelle qu'elle est vaguement miséricordieuse, cette conviction que la formation philosophique constitue, chez celui qui la possède, un obstacle à peu près infranchissable et définitif à la perception de la réalité et à toute pensée présentant quelque intérêt : « La philosophie est une poésie sophistiquée », écrit-il. En langage moderne cela pourrait se traduire : un produit de l'imagination élaboré à l'aide de raisonnements faux.

Jean-François Revel, *Histoire de la philosophie occidentale*, « Le Livre de Poche », L. G. F., 1975.

Travail de recherche (II)

Les réflexions de Montaigne sur les livres, dans les *Essais*.
Que lire ? I, 17, 25, 26, 37, 39 ; II, 10 et 31 ; III, 3.
Où ? II, 17 ; III, 3.
Pourquoi ? II, 10 ; I, 26 (rôle éducatif) ; III, 3 (pour fréquenter fictivement d'autres hommes).
Inconvénients : I, 39 ; III, 3 (ils nuisent à la santé) ; ils peuvent nous tromper et n'aident pas à devenir meilleur dans la vie (III, 12 et 13).

La méthode des *Essais* : une nouvelle écriture

Malgré la conscience qu'il a de la difficulté de son entreprise, Montaigne ne doute guère — en dépit de ses dénégations polies — de l'originalité des *Essais*. Il a beau affirmer qu'il rédige nonchalamment, au fil de la plume et des idées, cette prétendue négligence est contredite par la **réécriture** constante de l'œuvre qui est toute sa vie. Ajouts, suppressions, repentirs, « farcissures » : l'intervention continuelle de Montaigne dans les éditions successives, le révèle attentif à se corriger et, finalement, assez sûr de son plan et logique dans ses projets. « C'est l'indiligent lecteur qui perd son sujet, non pas moi », nous prévient-il.

L'apparent désordre des *Essais* reflète la naissance d'un genre nouveau et particulier. À la manière des Anciens qui pratiquaient le dialogue (Platon) ou la lettre (Sénèque), Montaigne cherche un style qui rende vraiment compte des sinuosités de la pensée, sans cesse brusquée ou déviée par telle émotion, telle lecture, telle rencontre, tel désir, tel hasard. Globalement, notre être est un, mais, au quotidien, il flotte et passe « du coq à l'âne » au gré des incidents. Puisque les aspects les plus divers de notre moi se succèdent dans le temps ou coexistent dans l'instant, il serait illusoire de rédiger une « confession » ou des « mémoires » reconstruits arbitrairement. « C'est une épineuse entreprise, et plus qu'il ne semble, de suivre une allure si vagabonde que celle de notre esprit » (II, 6). Montaigne ne se livre pas non plus à des révélations très confidentielles ; il n'évoque aussi l'actualité que par accident, lorsque c'est utile à sa rêverie ou à son raisonnement. Le cadre historique est négligé au profit de conversations à bâtons rompus, où l'esprit « joue le cheval échappé ».

Montaigne n'a donc pas tort de voir dans les *Essais* « le seul livre de son espèce, d'un dessein farouche et extravagant » (II, 8) : pour une fois, l'œuvre se condamne, dès son principe, à l'**inachèvement** et au **rebondissement perpétuel**, seules marques réalistes et authentiques de la vérité d'une vie.

(C) Et quand personne ne me lira, ai-je perdu mon temps de m'être entretenu tant d'heures oisives à pensements[1] si utiles et agréables ? Moulant sur moi cette figure[2], il m'a fallu si souvent dresser et composer pour m'extraire, que le patron s'en est affermi et aucunement[3] formé soi-même.
5 Me peignant pour autrui, je me suis peint en moi de couleurs plus nettes que n'étaient les miennes premières. Je n'ai pas plus fait mon livre que mon livre m'a fait, livre consubstantiel à son auteur, d'une occupation propre, membre de ma vie ; non d'une occupation et fin tierce et étrangère comme tous autres livres. [...]
10 Je n'ai aucunement étudié pour faire un livre ; mais j'ai aucunement étudié pour ce que je l'avais fait, si c'est aucunement étudier qu'effleurer et pincer par la tête ou par les pieds tantôt un auteur, tantôt un autre ; nullement pour former mes opinions ; oui[4] pour les assister piéça[5] formées, seconder et servir.

Montaigne, *Essais*, II, 18.

(1) à des pensées
(2) ce portrait
(3) quelque peu
(4) mais bien pour
(5) depuis longtemps

Pistes de recherche

1. Définissez l'influence réciproque de l'homme sur l'œuvre et de l'œuvre sur l'homme. Ces lignes complètent l'extrait précédent.

2. « Je ne dresse pas ici une statue à planter au carrefour d'une ville, ou dans une église, ou place publique. C'est pour le coin d'une librairie, et pour en amuser un voisin, un parent, un ami, qui aura plaisir à me raccointer [= refréquenter] et repratiquer en cette image » (II, 18). En quoi consiste le désir d'avoir un lecteur, chez Montaigne ? Pourquoi publie-t-il ?

Frontispice de l'édition de 1588 des Essais, Bordeaux, Bibl. municipale, ph. B. Biraben.

Cette farcissure est un peu hors de mon thème. Je m'égare, mais plutôt par licence que par mégarde. Mes fantaisies se suivent, mais parfois c'est de loin, et se regardent, mais d'une vue oblique. [...] Les noms de mes chapitres n'en embrassent pas toujours la matière : souvent ils la dénotent seulement par quelque marque. [...] J'aime l'allure poétique, à sauts et à gambades. (C) C'est une art comme dit Platon[2], légère, volage[3], démoniaque[4]. Il est des ouvrages en Plutarque où il oublie son thème, où le propos de son argument ne se trouve que par incident, tout étouffé en matière étrangère : voyez ses allures au *Démon de Socrate*[5]. Ô Dieu, que ces gaillardes escapades, que cette variation a de beauté, et plus lorsque plus elle retire[6] au nonchalant et fortuit ! C'est l'indiligent lecteur qui perd mon sujet, non pas moi ; il s'en trouvera toujours en un coin quelque mot qui ne laisse pas d'être bastant[7] quoiqu'il soit serré[8]. (B) Je vais au change[9] indiscrètement et tumultuairement. (C) Mon style et mon esprit vont vagabondant de même. (B) Il faut avoir un peu de folie, qui[10] ne veut avoir plus de sottise, (C) disent et les préceptes de nos maîtres et encore plus leurs exemples.

(B) Mille poètes traînent et languissent à la prosaïque ; mais la meilleure prose ancienne (C) (et je la sème céans[11] indifféremment pour vers) (B) reluit partout de la vigueur et hardiesse poétique, et représente l'air de sa fureur[12]. Il lui faut certes quitter la maîtrise et prééminence en la parlerie. (C) Le poète, dit Platon, assis sur le trépied des Muses, verse de furie tout ce qui lui vient en la bouche, comme la gargouille d'une fontaine, sans le ruminer et peser, et lui échappe des choses de diverse couleur, de contraire substance et d'un cours rompu. Lui-même est tout poétique, et la vieille théologie est poésie, disent les savants, et la première philosophie. C'est l'originel langage des dieux.

(B) J'entends que la matière se distingue soi-même. Elle montre assez où elle se change, où elle conclut, où elle commence, où elle se reprend, sans l'entrelacer de paroles de liaison et de couture introduites pour le service des oreilles faibles ou nonchalantes, et sans me gloser[13] moi-même. Qui est celui qui n'aime mieux n'être pas lu que de l'être en dormant ou fuyant ? [...]

Si prendre des livres était les apprendre, et si les voir était les regarder, et les parcourir les saisir, j'aurais tort de me faire du tout[14] si ignorant que je dis.

(B) Puisque je ne puis arrêter l'attention du lecteur par le poids, *manco male*[15] s'il advient que je l'arrête par mon embrouillure. — Voire[16], mais il se repentira après s'y être amusé. — C'est mon[17], mais il s'y sera toujours amusé. Et puis il est des humeurs comme cela, à qui l'intelligence porte dédain[18] qui m'en estimeront mieux de ce qu'ils ne sauront ce que je dis : ils concluront la profondeur de mon sens par l'obscurité, laquelle, à parler en bon escient[19], je hais (C) bien fort, (B) et l'éviterais si je me savais éviter.

Montaigne, *Essais*, III, 9.

(1) volontairement
(2) Dans son dialogue *Ion*.
(3) aérienne
(4) divine
(5) Titre d'un traité de Plutarque.
(6) et surtout lorsqu'elle ressemble
(7) suffisant
(8) concis
(9) change de sujet
(10) si l'on
(11) ici, dans mon livre
(12) les apparences de transport poétique
(13) commenter
(14) tout à fait
(15) «tant pis» (italien)
(16) et même
(17) c'est vrai
(18) qui méprisent ce qu'ils comprennent
(19) sincèrement

Pistes de recherche

1. Les arguments de Montaigne en faveur de sa manière : faites le recensement. Notez qu'il ne choisit pas à la légère les modèles qu'il revendique.

2. L'«allure poétique» correspond au tempérament profond de Montaigne, mais elle a surtout deux fonctions : elle illustre plastiquement la vérité de l'auteur et elle oblige les destinataires à une vraie lecture. Analysez ces deux aspects et justifiez le ton badin — ironique•, même, à la fin — qu'utilise Montaigne pour les développer.

3. Boileau dira que «ce qui se conçoit bien s'énonce clairement» (cf. *Le XVIIe siècle*, p. 214). Essayez de vous situer dans le débat sur l'obscurité et sur ses rapports avec la volonté de formuler la pure vérité des choses. Distinguez bien «clarté» et «réalité».

Travail de recherche (III)

Montaigne autocritique
Son opinion sur les *Essais* (outre l'avis au lecteur) : I, 8 et 40 ; II, 18 ; III, 1, 2, 5, 9 et 12.
Sa théorie sur son écriture : I, 26 et 54 ; II, 17 ; III, 4 et 9.

Les trois « couches » d'écriture dans les **Essais**.

(A) édition en deux livres, de 1580 : pendant neuf années environ, Montaigne lit et prend des notes, sans intention précise autre que de tenir un journal à orientation morale. Il se rend compte que sa réflexion philosophique tourne à l'analyse de soi et commence à définir ce qu'est un « essai ». La publication est un succès : rééditions en 1582, 1587 et 1588.

(B) après son voyage en Italie (cf. p. 350) et ses fonctions de maire de Bordeaux (cf. p. 326), Montaigne reprend ses *Essais*. Les deux premiers livres reçoivent six cents additions, et sont suivis d'un troisième livre. Le propos est plus nettement concentré sur la vie privée de l'auteur et les aléas de sa carrière personnelle.

(C) Montaigne continue à compléter et corriger jusqu'à sa mort (1592). En 1595, Mlle de Gournay (cf. p. 365) réalise une édition posthume. À l'aide de cette édition et, surtout, de l'exemplaire des *Essais* annoté de la main de Montaigne (« exemplaire de Bordeaux »), une édition définitive est établie en 1906.

Montaigne est le premier auteur qui appelle son livre *Essais*. Contrairement à ceux qui reprendront ce titre par la suite, il n'y associe pas une catégorie littéraire, mais une notion de méthode. Le moment où il s'est décidé pour lui est incertain. Il y a d'ailleurs dans son livre très peu de passages où il le désigne de ce nom. Ils sont tous tardifs, ne figurant que dans la quatrième édition, puis dans les additions manuscrites. En revanche, il réserve volontiers « essai » (et « essayer ») pour désigner sa méthode intellectuelle, son style de vie, son expérience de soi.

[...] Montaigne voulait que son titre fût compris par référence à l'idée de méthode signifiée par *essai*. Il n'était pas pour lui une étiquette littéraire, comme un poète mettrait sur son livre « Les poésies de... ». Il faudrait compléter soi-même ce titre : « Les Essais de ma vie, les Essais de mon jugement, les Essais de mes facultés naturelles... » [...] L'essai ne figure pas un résultat enregistré, mais un processus qui s'écrit, exactement comme la pensée qui parvient ici à l'épanouissement spontané en s'écrivant.

Hugo Friedrich, *Montaigne*, Gallimard, 1968.

La méthode de Montaigne n'est pas un choix arbitraire mais l'obligation qui découle de son sujet.

Montaigne est sérieux et veut qu'on le croie lorsqu'il déclare que *les traits de* [sa] *peinture se changent et diversifient*, mais qu'ils *ne fourvoyent point*, et qu'il [se] *contredit bien à l'aventure* mais que *la vérité* [il] *ne la contredit point*. Ces mots reflètent une conception très réaliste de l'homme, qui découle de l'expérience et notamment de la connaissance que Montaigne a de lui-même. Cette conception voit en l'homme un être inconstant, soumis aux changements de son milieu, de son destin, de ses passions ; de sorte que la manière de Montaigne, apparemment si capricieuse, que ne guide aucun plan, et qui suit élastiquement les changements de son être, est au fond une méthode rigoureusement expérimentale, la seule qui corresponde à son objet. Celui qui veut

décrire avec exactitude et objectivité un objet qui se modifie sans cesse, doit se conformer lui-même exactement et objectivement aux changements de cet objet ; il doit décrire l'objet tel qu'il l'a trouvé au cours d'un nombre d'expériences aussi élevé que possible ; ainsi il aura quelque chance de déterminer le champ des modifications possibles et d'arriver en fin de compte à une description exhaustive. C'est là une méthode rigoureuse, voire scientifique au sens moderne du mot, et Montaigne s'efforce de lui rester fidèle. Peut-être se serait-il élevé contre le terme de « méthode » parce que trop scientifique, mais c'est une méthode.

E. Auerbach, *Mimésis*, Gallimard, 1968.

Annibale Carrache (1560-1609), *La Pêche*, Paris, Louvre, ph. H. Josse.

■ «Je ne vois le tout de rien» (I, 50) : les certitudes en miettes

La parution des *Essais* constitue avant tout un **événement** d'ordre **littéraire** : elle marque un moment essentiel dans l'histoire de notre langue. Montaigne est le premier à exprimer exclusivement en langue vulgaire, dans un style «charnel» et jubilant, une pensée complète, originale et supérieure. En renonçant au latin ou à la langue hostile et raide des rhéteurs•, l'écrivain rompt avec une science ou une philosophie trop spécialisées, loin des hommes et des lecteurs. Le dessein de Montaigne est d'arracher aux intellectuels-professionnels la philosophie, pour en éclairer l'expérience d'une vie, libre, naïve, profane. D'où cette écriture qui suit moins le fil du raisonnement que les zigzags des désirs et des rencontres. On sent chez Montaigne un évident plaisir à laisser aller la plume au gré des jeux de la vie et des réflexions. Voilà pourquoi **il n'est guère «traduisible»**, pas plus qu'il ne le serait un poème. La pensée est inséparable des moyens de son expression. Les *Essais* ne cessent, d'ailleurs, de mettre en garde contre les purs esprits, qui méprisent le corps et tout ce qui est «terre à terre», qui élaborent des systèmes abstraits pour définir une vie à laquelle ils participent à peine.

EXTRAIT

Contre les penseurs abstraits : l'amour des choses de la vie.

(1) qui ai des préoccupations terre à terre
(2) sagesse
(3) vanité
(4) *Sincerum est nisi vas, quodcumque infundis, acescit.* Horace.
(5) de ses seules fonctions
(6) Philosophe qui supposait que l'on mettait dans une balance les biens matériels sur un plateau, les biens spirituels sur l'autre : les derniers l'emportaient, selon lui, largement sur les premiers.
(7) à sa guise
(8) si pleinement
(9) Philosophes qui font de l'individu le seul juge de ce qui lui plaît ou déplaît ; le plaisir est le but de l'homme.

Moi, qui ne manie que terre à terre[1], hais cette inhumaine sapience[2] qui nous veut rendre dédaigneux et ennemis de la culture du corps. J'estime pareille injustice prendre à contrecœur les voluptés naturelles que de les prendre trop à cœur. [...]

5 Il ne les faut ni suivre, ni fuir, il les faut recevoir. Je les reçois un peu plus grassement et gracieusement, et me laisse plus volontiers aller vers la pente naturelle. Nous n'avons que faire d'exagérer leur inanité[3], elle se fait assez sentir et se produit assez. Merci à notre esprit maladif, rabat-joie, qui nous dégoûte d'elles comme de soi-même : il traite et soi et ce qu'il reçoit
10 tantôt avant, tantôt arrière, selon son être insatiable, vagabond et versatile. *Si le vase n'est pas pur, tout ce qu'on y verse s'aigrit*[4].

Moi qui me vante d'embrasser si curieusement les commodités de la vie, et si particulièrement, n'y trouve, quand j'y regarde ainsi finement, à peu près que du vent. Mais quoi! nous sommes partout vent! Et le vent encore,
15 plus sagement que nous, s'aime à bruire, à s'agiter, et se contente en ses propres offices[5], sans désirer la stabilité, la solidité, qualités non siennes.

Les plaisirs purs de l'imagination, ainsi que les déplaisirs, disent aucuns, sont les plus grands, comme l'exprimait la balance de Critolaüs[6]. Ce n'est pas merveille : elle les compose à sa poste[7], et se les taille en plein drap.
20 J'en vois tous les jours des exemples insignes, et à l'aventure désirables. Mais moi, d'une condition mixte, grossier, ne puis mordre si à fait[8] à ce seul objet si simple, que je ne me laisse tout lourdement aller aux plaisirs présents, de la loi humaine et générale, intellectuellement sensibles, sensiblement intellectuels. Les Philosophes Cyré-
25 naïques[9] tiennent, comme les douleurs, aussi les plaisirs corporels plus puissants, et comme doubles et comme plus justes.

Montaigne, *Essais*, III, 13.

Maître franco-flamand, *L'Homme à la cage*, Strasbourg, musée de l'œuvre-Notre-Dame.

Pistes de recherche

1. La toile de fond est toujours la même (cf. p. 329) : «Mais quoi! nous sommes partout vent!» Mais la leçon est différente : montrez ce qu'entend Montaigne par «plaisirs intellectuellement sensibles, sensiblement intellectuels».

2. Cette défense du corps et cette attaque contre les «inhumaines sapiences» (qui sont-elles?) sont à rapprocher du «naturalisme» de Montaigne : comparez avec les pages 357-361.

En évitant le style régulier ou affecté, Montaigne colle à la réalité d'un monde qui n'est qu'inconstance, antinomies•, complexités, nous l'avons vu (cf. p. 329), tout comme il se dégage de l'enlisement livresque (cf. p. 332). Lire les *Essais*, c'est entrer directement en contact avec un système de pensée qui traite **par le menu**, par l'émiettement, d'une condition humaine qui n'est jamais réductible à une théorie globale ou grossière, qui résiste même à toute explication. Le livre déploie les inépuisables singularités de l'homme, impuissant, incertain, indécis, imprévisible. Il n'est plus question de cerner la dignité ou la grandeur de l'homme, pour la codifier en principes moraux ou éducatifs, mais de constater, à force de simples observations, le désarroi des créatures. Les *Essais* forment une sorte de puzzle de la condition humaine, dont l'agencement est sans cesse entrevu, mais toujours impossible. L'homme s'y révèle comme un **« profond labyrinthe »** (II, 17) : une telle perspective nous semble donc, *a priori*, très critique, négative, attachée à humilier l'homme. Montaigne retrouve là les thèmes habituels du discours moralisateur : sa vaste culture gréco-latine lui en fournit maints exemples. Les *Essais* sont émaillés de formules de ce genre : « l'imbécillité humaine » (I, 2) ; « est-ce pas un misérable animal que l'homme ? » (I, 30) ; « la misère de notre condition » (II, 12) ; « la faiblesse de notre condition » (II, 23). De toutes les doctrines, Montaigne affirme préférer celles « qui nous méprisent, avilissent et anéantissent le plus » (II, 17).

Telle est la première étape de Montaigne : remettre l'homme à sa place. Nous trouvons les meilleurs exemples de ces vues négatives dans l'*Apologie•* de Raymond Sebond (II, 12).

EXTRAIT

À la demande de son père, Montaigne s'était appliqué à traduire, en 1569, un ouvrage espagnol du XVᵉ siècle rédigé en latin : La théologie naturelle *de Raymond Sebond. Les* Essais *reviennent sur ce traité qui voulait concilier l'accès à la foi et le bon usage de la raison humaine. Curieusement, Montaigne prétend ici faire l'apologie• de Raymond Sebond, mais il en prend le contrepied : aux vues plutôt optimistes du théologien, Montaigne oppose la « présomption » et la « débilité » de la créature. Jamais le septicisme• des* Essais *ne parle plus fort qu'ici.*

(1) impératrice
(2) capacité
(3) octroyé officiellement

(A) Que nous prêche la vérité, quand elle nous prêche de fuir la mondaine philosophie, quand elle nous inculque si souvent que notre sagesse n'est que folie devant Dieu ; que, de toutes les vanités, la plus vaine c'est l'homme ; que l'homme qui présume de son savoir, ne sait pas encore ce
5 que c'est que savoir, et que l'homme, qui n'est rien, s'il pense être quelque chose, se séduit soi-même et se trompe ? [...]
Considérons donc pour cette heure l'homme seul, sans secours étranger, armé seulement de ses armes, et dépourvu de la grâce et connaissance divine, qui est tout son honneur, sa force et le fondement de son être.
10 Voyons combien il a de tenue en ce bel équipage. Qu'il me fasse entendre par l'effort de son discours, sur quels fondements il a bâti ces grands avantages qu'il pense avoir sur les autres créatures. Qui lui a persuadé que ce branle admirable de la voûte céleste, la lumière éternelle de ces flambeaux roulant si fièrement sur sa tête, les mouvements épouvantables de cette mer•
15 infinie, soient établis et se continuent tant de siècles pour sa commodité et pour son service ? Est-il possible de rien imaginer si ridicule que cette misérable et chétive créature, qui n'est pas seulement maîtresse de soi, exposée aux offenses de toutes choses, se dise maîtresse et emperière(1) de l'univers, duquel il n'est pas en sa puissance de connaître la moindre partie, tant s'en
20 faut de la commander ? Et ce privilège qu'il s'attribue d'être seul en ce grand bâtiment qui ait la suffisance(2) d'en reconnaître la beauté et les pièces, seul qui en puisse rendre grâces à l'architecte qui lui a scellé(3) ce privilège ? Qu'il nous montre lettres de cette belle et grande charge. [...]

Vittore Carpaccio (1450-1522 ?), *Saint Augustin étudiant*, Venise, église San Giorgio degli Schiavoni, ph. Scala.

La présomption est notre maladie naturelle et originelle. La plus calami-
25 teuse et frêle de toutes les créatures, c'est l'homme, et quant et quant[4] la
plus orgueilleuse. Elle se sent et se voit logée ici, parmi la bourbe et le
fient[5] du monde, attachée et clouée à la pire, plus[6] morte et croupie partie
de l'univers, au dernier étage du logis et le plus éloigné de la voûte céleste,
avec les animaux de la pire condition des trois[7] ; et se va plantant par ima-
30 gination au-dessus du cercle de la lune et ramenant le ciel sous ses pieds.
C'est par la vanité de cette même imagination qu'il s'égale à Dieu, qu'il
s'attribue les conditions divines, qu'il se trie soi-même et sépare de la
presse[8] des autres créatures, taille les parts aux animaux ses confrères et
compagnons, et leur distribue telle portion de facultés et de forces que bon
35 lui semble. Comment connaît-il, par l'effort de son intelligence, les branles
internes et secrets des animaux ? par quelle comparaison d'eux à nous
conclut-il la bêtise qu'il leur attribue ?

(C) Quand je me joue à[9] ma chatte, qui sait si elle passe son temps de
moi plus que je ne fais d'elle ?

Montaigne, *Essais*, II, 12.

(4) en même temps
(5) le fiente
(6) la plus
(7) aériens, aquatiques, terrestres
(8) foule
(9) avec

Pistes de recherche

1. L'homme absurde et sans pouvoir : on sent ici l'influence des changements de perspectives apportés par les sciences (l'homme n'est plus le centre de l'univers) et par les découvertes géographiques (« ce privilège qu'il s'attribue d'être seul en ce grand bâtiment »). Récapitulez et illustrez les critiques de Montaigne.

2. La « présomption » : Montaigne dénonce la vanité des savoirs et de la raison. Quelle est votre impression : s'agit-il d'humilier l'homme pour le conduire à Dieu (comme le voulait Raymond Sebond) ou d'anéantir toute prétention autre que de profiter de la vie (cf. p. 360) ? Faut-il monter vers Dieu ou s'en tenir à la « nature » ?

3. La dernière phrase (ajoutée en 1592, l'année de la mort de Montaigne) dit peut-être la plus profonde des convictions de l'auteur, au soir de sa vie. Inversion baroque, abandon des grandes tirades morales, sympathie pour les créatures, vérité saisie dans la banalité du quotidien : rétrospectivement, tout le texte qui précède semble moins pompeux et abstrait qu'il n'y paraissait.

4. Comparez évidemment avec Pascal, ce qui alimentera le débat de la question 2. Cf. *Le XVIIe siècle* pp. 181 et 193-194.

(A) Qu'on loge un philosophe dans une cage de menus filets de fer clair-
semés, qui soit suspendue au haut des tours Notre-Dame de Paris, il verra
par raison évidente qu'il est impossible qu'il en tombe, et si[1], ne se saurait
garder (s'il n'a accoutumé le métier des recouvreurs) que la vue de cette hau-
5 teur extrême ne l'épouvante et ne le transisse. Car nous avons assez affaire
de[2] nous assurer[3] aux galeries qui sont en nos clochers, si elles sont façon-
nées à jour, encore qu'elles soient de pierre. Il y en a qui n'en peuvent pas
seulement porter[4] la pensée. Qu'on jette une poutre entre ces deux tours,
d'une grosseur telle qu'il nous la faut à nous promener dessus : il n'y a
10 sagesse philosophique de si grande fermeté qui puisse nous donner courage
d'y marcher comme nous le ferions, si elle était à terre. J'ai souvent essayé
cela en nos montagnes de deçà[5] (et si[6] suis de ceux qui ne s'effraient que
médiocrement de telles choses) que je ne pouvais souffrir[7] la vue de cette
profondeur infinie sans horreur et tremblement de jarrets et de cuisses,
15 encore qu'il s'en fallût bien ma longueur que je ne fusse du tout[8] au bord,
et n'eusse su choir si je ne me fusse porté à escient[9] au danger. J'y remar-
quai aussi, quelque hauteur qu'il y eût, pourvu qu'en cette pente il s'y pré-
sentât un arbre ou bosse de rocher pour soutenir un peu la vue et la diviser,
que cela nous allège et donne assurance, comme si c'était chose de quoi à
20 la chute nous pussions recevoir secours ; mais que les précipices coupés[10]
et unis, nous ne les pouvons pas seulement regarder sans tournoiement de
tête : ce qui est une évidente imposture de la vue. Ce beau philosophe[11] se
creva les yeux pour décharger l'âme de la débauche[12] qu'elle en recevait, et
pouvoir philosopher plus en liberté.

25 Mais, à ce compte, il se devait aussi faire étouper[13] les oreilles [...] et se
devait priver enfin de tous les autres sens, c'est-à-dire de son être et de sa
vie. Car ils ont tous cette puissance de commander notre discours et
notre âme. [...]

(B) Ceux qui ont apparié[14] notre vie à un songe, ont eu de la raison, à

(1) et pourtant
(2) assez de peine à
(3) nous sentir en sécurité
(4) supporter
(5) de cette région
(6) et pourtant
(7) supporter
(8) tout à fait
(9) à moins de m'exposer volontairement
(10) abrupts
(11) Démocrite.
(12) du trouble, de la confusion
(13) boucher
(14) comparé

l'aventure[15] plus qu'ils ne pensaient. Quand nous songeons, notre âme vit,
agit, exerce toutes ses facultés, ni plus ni moins que quand elle veille ; mais
plus mollement et obscurément, non certes que la différence y soit comme
de la nuit à une clarté vive ; oui[16] comme de la nuit à l'ombre : là elle dort,
ici elle sommeille, plus et moins. Ce sont toujours ténèbres.

35 (C) Nous veillons dormant, et veillant dormons. Je ne vois pas si clair
dans le sommeil ; mais, quant au veiller, je ne le trouve jamais assez pur et
sans nuage. Encore le sommeil en sa profondeur endort parfois les songes.
Mais notre veiller n'est jamais si éveillé qu'il purge et dissipe bien à point
les rêveries[17], qui sont les songes des veillants, et pires que songes.

40 Notre raison et notre âme, recevant les fantaisies et opinions qui lui
naissent en dormant, et autorisant[18] les actions de nos songes de pareille
approbation qu'elle fait celles du jour, pourquoi ne mettons-nous en doute si
notre penser, notre agir, n'est pas un autre songer et notre veiller quelque
espèce de dormir ?

Montaigne, *Essais*, II, 12.

(15) peut-être
(16) mais
(17) divagations
(18) approuvant

Pistes de recherche

1. L'exemple du vertige : justifiez l'excellence de ce choix, en suivant les analyses détaillées présentées par Montaigne. On sent qu'il y a réfléchi en s'y expérimentant : voici un exemple parfait de ce qu'est un « essai ».
2. La critique des sens s'élargit ensuite (« Mais, à ce compte... ») pour en arriver à vider le monde de toute signification et de toute cohérence. Montrez les étapes de cette dilution jusqu'à l'inversion finale.
3. Là encore, la fin est à saisir dans le contexte des visions baroques. Il s'agit moins de critiquer l'illusion ou l'imagination pour s'en corriger que de tout confondre dans une irrémédiable inconsistance. Cf. p. 329.
4. Poursuivez le rapprochement avec Pascal : cf. *Le XVIIᵉ siècle*, p. 183.

Travail de recherche (IV)

Images de la vie humaine dans les *Essais*.

L'homme humilié : II, 12 ; III, 2.
Trois réactions possibles : se raidir comme les stoïciens• (I, 20) ; douter de tout comme les pyrrhoniens• (II, 12) ; en revenir aux simples plaisirs de la vie, comme les épicuriens• (III, 13).
Apprendre à vivre : l'éducation (I, 25 et 26) ; celle des femmes (III, 3 et 5) ; l'art de suivre la nature (III, 2 et 13) ; séparer vie publique (III, 10) et vie privée (III, 3 et 8).

DOCUMENT

L'*Apologie* est une entreprise de démolition, sur un terrain passablement miné à l'avance. Des ruines, il ne reste debout que la notion de connaissance subjective, donc relative, d'où sort pleinement consciente l'idée de jeu. Montaigne découvre le caractère gratuit de l'idée, et de là il passe à la gratuité de l'action.

A. Micha, *Le Singulier Montaigne*, Nizet, 1964.

Nicolas Fleury (à Paris ≃ 1586), *L'Adjuration de Galilée devant le Saint-Office*, Paris, Louvre, ph. H. Josse.

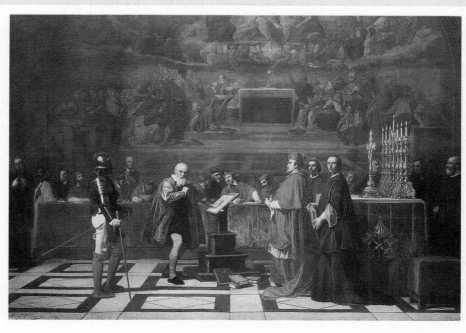

■ Deux conséquences du doute : le conservatisme et la tolérance

Les analyses sceptiques• et pessimistes de l'*Apologie de Raymond Sebond,* jointes à l'extrême conscience qu'a Montaigne de l'instabilité du monde, ont pour conséquence une grande méfiance face à tous ceux qui prétendent formuler des lois immuables. Les progrès scientifiques de son siècle, les grandes découvertes et les débats religieux prouvent d'abord, aux yeux de Montaigne, que **les vérités sont éphémères.** Bien loin de s'acheminer vers la certitude, le monde change simplement d'opinions. « Quand il se présente à nous quelque doctrine nouvelle, nous avons grande occasion de nous en défier, et de considérer qu'avant qu'elle fût produite sa contraire était en vogue ; et comme elle a été renversée par celle-ci, il pourra naître à l'avenir une tierce invention qui choquera [= bousculera] de même la seconde » (II, 12). Ce relativisme sépare, encore une fois (cf. p. 338), Montaigne des penseurs théoriciens qui croient à des absolus et édifient des systèmes — religieux ou politiques, par exemple — pour améliorer l'humanité ou la société. Montaigne préfère aux grandes idées, qui deviennent vite totalitaires, une sorte d'**indifférence** respectueuse face à la loi. Le cadre importe peu, pourvu que l'individu y garde une raisonnable indépendance. S'il ne saurait exister de solution politique idéale, pourquoi ne pas se contenter de celle que l'on trouve déjà établie ?

EXTRAITS

« Rien ne presse un état que l'innovation ; le changement donne seul forme à l'injustice et à la tyrannie » (III, 9).

(1) Socrate se disait habité par un démon.
(2) le droit
(3) consistance
(4) qui entraînait la peine capitale
(5) pour légitimer
(6) Apollon.
(7) celui de la prêtresse-Pythie, à Delphes

[1] (A) Au demeurant, si c'est de nous que nous tirons le règlement de nos mœurs, à quelle confusion nous rejetons-nous ! Car ce que notre raison nous y conseille de plus vraisemblable, c'est généralement à chacun d'obéir aux lois de son pays, comme est l'avis de Socrate inspiré, dit-il, d'un conseil
5 divin[1]. Et par là que veut-elle dire, sinon que notre devoir n'a autre règle que fortuite ? La vérité doit avoir un visage pareil et universel. La droiture[2] et la justice, si l'homme en connaissait qui eût corps[3] et véritable essence, il ne l'attacherait pas à la condition des coutumes de cette contrée ou de celle-là ; ce ne serait pas de la fantaisie des Perses ou des Indes que la vertu pren-
10 drait sa forme. Il n'est rien sujet à plus continuelle agitation que les lois. Depuis que je suis né, j'ai vu trois et quatre fois rechanger celles des Anglais, nos voisins, non seulement en sujet politique, qui est celui qu'on veut dispenser de constance, mais au plus important sujet qui puisse être, à savoir de la religion. [...]
15 (B) Et chez nous ici, j'ai vu telle chose qui nous était capitale[4] devenir légitime ; et nous, qui en tenons d'autres[5] sommes à même, selon l'incertitude de la fortune guerrière, d'être un jour criminels de lèse-majesté humaine et divine, notre justice tombant à la merci de l'injustice, et, en l'espace de peu d'années de possession, prenant une essence contraire.
20 (A) Comment pouvait ce dieu ancien[6] plus clairement accuser en l'humaine connaissance l'ignorance de l'être divin, et apprendre aux hommes que la religion n'était qu'une pièce de leur invention, propre à lier leur société, qu'en déclarant, comme il fit, à ceux qui en recherchaient l'instruction de son trépied[7] que le vrai culte à chacun était celui qu'il trouvait
25 observé par l'usage du lieu où il était ? [...]
Que nous dira donc en cette nécessité la philosophie ? Que nous suivons les lois de notre pays ? c'est-à-dire cette mer flottante des opinions d'un peuple ou d'un prince, qui me peindront la justice d'autant de couleurs et la reformeront en autant de visages qu'il y aura en eux de changements de
30 passion ? Je ne puis pas avoir le jugement si flexible. Quelle bonté est-ce que je voyais hier en crédit, et demain plus, (B) et que le trait d'une rivière fait crime ?
Quelle vérité que ces montagnes bornent, qui est mensonge au monde qui se tient au-delà ?

Montaigne, *Essais,* II, 12.

[2] (A) Tout cela, c'est un signe très évident que nous ne recevons notre religion qu'à notre façon et par nos mains, et non autrement que comme les autres religions se reçoivent. Nous nous sommes rencontrés au pays où elle était en usage ; où nous regardons son ancienneté ou l'autorité des hom-

mes qui l'ont maintenue ; ou craignons les menaces qu'elle attache aux
mécréants ; ou suivons ses promesses. Ces considérations-là doivent être
employées à notre créance, mais comme subsidiaires : ce sont liaisons
humaines. Une autre région, d'autres témoins, pareilles promesses et menaces nous pourraient imprimer par même voie une croyance contraire.

Nous sommes chrétiens à même titre que nous sommes ou Périgourdins
ou Allemands.

Montaigne, *Essais*, II, 12.

3 Il y a grand doute, s'il se peut trouver si évident profit au changement d'une loi reçue, quelle qu'elle soit, qu'il y a de mal à la remuer,
d'autant qu'une police[1] c'est comme un bâtiment de diverses pièces jointes ensemble, d'une telle liaison, qu'il est impossible d'en ébranler une que
tout le corps ne s'en sente. Le législateur des Thuriens[2] ordonna que quiconque voudrait ou abolir une des vieilles lois, ou en établir une nouvelle,
se présenterait au peuple la corde au cou ; afin que si la nouvelleté[3] n'était
approuvée d'un chacun il fût incontinent étranglé. [...]

Je suis dégoûté de la nouvelleté, quelque visage qu'elle porte, et ai raison,
car j'en ai vu des effets très dommageables. Celle qui nous presse depuis
tant d'ans[4], elle n'a pas tout exploité, mais on peut dire avec apparence,
que par accident elle a tout produit et engendré : voire et les maux et ruines, qui se font depuis sans elle, et contre elle : c'est à elle à s'en prendre au
nez [...]. Ceux qui donnent le branle à un État sont volontiers les premiers
absorbés en sa ruine. Le fruit du trouble ne demeure guère à celui qui l'a
ému, il bat et brouille l'eau pour d'autres pêcheurs.

(1) organisation politique
(2) Charondas, législateur
de Catane, en Sicile.
(3) changement, renou-
veau, révolution
(4) Les guerres de Reli-
gion, la «Réforme».

Montaigne, *Essais*, I, 23.

Pistes de recherche

«Rien ne presse un état que l'innovation...»

1 1. Reprenez les étapes logiques du raisonnement, en soulignant les formules essentielles (impossibilité de
l'anarchie ; nécessité de la loi ; multiplicité des lois différentes ; leurs brusques variations ; d'où relativité de
toute vérité) : quelle est la thèse principale de toute la démonstration ?

2. L'instabilité de son siècle aide Montaigne à verser dans un tel scepticisme•. Sa réflexion vous paraît-elle
avoir perdu de son actualité ?

3. Pourquoi toutes les dernières lignes ne sont-elles qu'une série de questions ?

2 Avez-vous un argument à opposer à la conclusion de ces quelques lignes ?

3 1. L'influence des horreurs dues aux troubles civils se fait sentir sur Montaigne. Il ne faut pas l'oublier pour
saisir son point de vue («et ai raison car...»). À quelles expressions voit-on que son attitude est une réaction à l'expérience ?

2. Les raisons avancées par Montaigne en faveur du conservatisme : définissez-les et dites si elles
vous convainquent.

3. Comment Montaigne rend-il attrayantes de telles abstractions ?

Tintoret (1560-1635),
Judith et Holopherne,
Madrid, musée du Prado,
ph. Lauros-Giraudon.

Mais en constatant la diversité des lois et la vanité de toute adhésion à un principe de vérité universelle, Montaigne modifie toutes les perspectives, toutes les échelles, toutes les hiérarchies. Si c'est la coutume qui fait la loi, si c'est l'usage — et non la raison — qui fonde la légitimité, comment établir des comparaisons, **comment définir des supériorités ?** La différence et la diversité interdisent de reconnaître une suprématie à tel mode de vie sur tel autre. **« Chacun appelle barbarie ce qui n'est pas son usage. »** Telle est la principale leçon que Montaigne tire de la découverte du Nouveau Monde : la rencontre du civilisé et du primitif est une occasion idéale pour récuser tout modèle qui veut s'imposer seul à tous.

EXTRAITS

Montaigne a rencontré, à Rouen en 1562, des « cannibales », c'est-à-dire de paisibles indigènes ramenés du Brésil

1 **(A)** Trois d'entre eux, ignorant combien coûtera un jour à leur repos et à leur bonheur la connaissance des corruptions de deçà, et que de ce commerce[1] naîtra leur ruine, comme je présuppose qu'elle soit[2] déjà avancée, bien misérables de s'être laissés piper[3] au désir de la nouvelleté, et avoir
5 quitté la douceur de leur ciel pour venir voir le nôtre, furent à Rouen, du temps que le feu roi Charles neuvième y était[4]. Le roi parla à eux longtemps ; on leur fit voir notre façon[5], notre pompe, la forme d'une belle ville. Après cela, quelqu'un en demanda leurs avis, et voulut savoir d'eux ce qu'ils y avaient trouvé de plus admirable ; ils répondirent qu'ils trouvaient
10 en premier lieu fort étrange que tant de grands hommes, portant barbe, forts et armés, qui étaient autour du roi (il est vraisemblable qu'ils parlaient des Suisses de sa garde), se soumissent à obéir à un enfant[4], et qu'on ne choisisse plutôt quelqu'un d'entre eux pour commander ; secondement (ils ont une façon de leur langage telle, qu'ils nomment les hommes moitiés les uns
15 des autres) qu'ils avaient aperçu qu'il y avait parmi nous des hommes pleins et gorgés[6] de toutes sortes de commodités, et que leurs moitiés étaient mendiants à leurs portes, décharnés de faim et de pauvreté ; et trouvaient étrange comme ces moitiés-ci nécessiteuses pouvaient souffrir une telle injustice, qu'ils[7] ne prissent les autres à la gorge, ou missent le feu à leurs maisons.

(1) fréquentation
(2) est sans doute
(3) duper
(4) En 1562, Charles IX a douze ans ; Montaigne fait partie de sa cour.
(5) nos usages
(6) comblés
(7) supporter... sans qu'ils

Montaigne, *Essais*, I, 31.

Contre le colonialisme et la destruction des civilisations d'Amérique

2 **(B)** Notre monde vient d'en trouver un autre (et qui nous répond si c'est le dernier de ses frères, puisque les Démons, les Sibylles[1] et nous, avons ignoré celui-ci jusqu'à cette heure ?) non moins grand, plein[2] et membru que lui, toutefois si nouveau et si enfant qu'on lui apprend encore son a, b,
5 c ; il n'y a pas cinquante ans qu'il ne savait ni lettres, ni poids, ni mesure, ni vêtements, ni blés, ni vignes. Il était encore tout nu au giron[3] et ne vivait que des moyens de sa mère nourrice[4]. Si nous concluons bien de notre fin[5], [...] cet autre monde ne fera qu'entrer en lumière quand le nôtre en sortira. L'univers tombera en paralysie ; l'un membre sera perclus, l'autre
10 en vigueur.
Bien crains-je que nous aurons bien fort hâté sa déclinaison[6] et sa ruine par notre contagion, et que nous lui aurons bien cher vendu nos opinions et nos arts. C'était un monde enfant ; aussi ne l'avons-nous pas fouetté et soumis à notre discipline par l'avantage de notre valeur et forces naturelles,
15 ni ne l'avons pratiqué[7] par notre justice et bonté, ni subjugué par notre magnanimité. La plupart de leurs réponses et des négociations faites avec eux témoignent qu'ils ne nous devaient rien[8] en clarté d'esprit naturelle et en pertinence. L'épouvantable[9] magnificence des villes de Cusco et de Mexico, et, entre plusieurs choses pareilles, le jardin de ce roi, où tous les
20 arbres, les fruits et toutes les herbes, selon l'ordre et grandeur qu'ils ont en un jardin, étaient excellemment formés en or ; comme, en son cabinet, tous les animaux qui naissaient en son État et en ses mers ; et la beauté de leurs ouvrages en pierrerie, en plume, en coton, en la peinture, montre qu'ils ne nous cédaient non plus en l'industrie[10]. Mais, quant à la dévotion, obser-
25 vance des lois, bonté, libéralité, loyauté, franchise, il nous a bien servi de n'en avoir pas tant qu'eux ; ils se sont perdus par cet avantage, et vendus et trahis eux-mêmes.

(1) êtres doués de clairvoyance prophétique chez les latins
(2) riche
(3) au sein de sa mère
(4) la nature
(5) fin de notre monde
(6) son déclin
(7) gagné, conquis
(8) qu'ils n'étaient pas inférieurs
(9) extraordinaire
(10) habileté

Quant à la hardiesse et courage, quant à la fermeté, constance, résolution contre les douleurs et la faim et la mort, je ne craindrais par d'opposer les
30 exemples que je trouverais parmi eux aux plus fameux exemples anciens que nous ayons aux mémoires de notre monde par-deçà[11]. Car, pour ceux qui les ont subjugués, qu'ils ôtent les ruses et batelages[12] de quoi ils se sont servis à les piper[13] et le juste étonnement[14] qu'apportait à ces nations-là de voir arriver inopinément des gens barbus, divers[15] en langage, religion, en
35 forme et en contenance, d'un endroit du monde si éloigné et où ils n'avaient jamais imaginé qu'il y eût habitation quelconque, montés sur des grands monstres inconnus[16], contre ceux qui n'avaient non seulement jamais vu de cheval, mais bête quelconque duite[17] à porter et soutenir homme ni autre charge ; garnis d'une peau luisante et dure[18] et d'une arme tranchante et
40 resplendissante, contre ceux qui, pour le miracle de la lueur d'un miroir ou d'un couteau, allaient échangeant une grande richesse en or et en perles, et qui n'avaient ni science ni matière par où tout à loisir[19] ils sussent percer notre acier ; ajoutez-y les foudres et tonnerres de nos pièces et arquebuses, capables de troubler César même, qui[20] l'en eût surpris autant inexpéri-
45 menté, et à cette heure[21], contre des peuples nus, si ce n'est où l'invention était arrivée de quelque tissu de coton, sans autres armes, pour le plus, que d'arcs, pierres, bâtons (C) et boucliers de bois ; (B) des peuples surpris, sous couleur d'amitié et de bonne foi, par la curiosité de voir des choses étrangè-res et inconnues : comptez, dis-je, aux conquérants cette disparité, vous leur
50 ôtez toute l'occasion de tant de victoires. [...]
Au rebours, nous nous sommes servis de leur ignorance et inexpérience à[22] les plier plus facilement vers la trahison, luxure, avarice et vers toute sorte d'inhumanité et de cruauté, à l'exemple et patron de nos mœurs. Qui mit jamais à tel prix le service de la mercadence[23] et de la trafique[24] ?
55 Tant de villes rasées, tant de nations exterminées, tant de millions de peu-ples passés au fil de l'épée, et la plus riche et belle partie du monde boule-versée pour la négociation des perles et du poivre ! mécaniques[25] victoires. Jamais l'ambition, jamais les inimitiés publiques ne poussèrent les hommes les uns contre les autres à si horribles hostilités et calamités si misérables.

Montaigne, *Essais*, III, 6.

(11) de ce côté-ci (de l'Océan)
(12) singeries, tours de « bateleur »
(13) tromper
(14) stupeur ; coup de « tonnerre »
(15) différents
(16) les chevaux
(17) dressée
(18) la cuirasse
(19) leur permettant de savoir...
(20) si on l'avait
(21) en l'occurrence
(22) pour
(23) mercantilisme
(24) commerce
(25) viles

Pistes de recherche

... la découverte du Nouveau Monde

1 Deux sujets sont abordés, au travers du « bon sauvage » : la ruine apportée par la civilisation ; le bon sens social et politique du primitif. Montrez le contenu de la critique exercée par Montaigne : elle est **une** sous ces deux aspects.

2 1. La dénonciation de la conquête de l'Amérique prend trois formes : un monde pur a été corrompu ; les méthodes guerrières des Européens sont viles ; l'appât du gain a débouché sur un vrai génocide. Reprenez les divers commentaires de Montaigne et montrez que ce sujet lui permet une mise en cause générale de la civilisation européenne.
2. On sent ici que s'exprime la nostalgie de Mon-taigne pour un monde antérieur (« tout nu au giron »), d'avant la décadence. N'oubliez pas que l'huma-nisme (cf. p. 174) est hanté par le besoin de retrou-ver l'âge d'or des cultures antiques et que Mon-taigne est très sévère sur la violence et la « déna-turation » de son époque. Relevez les propos où ce désir de régression et ce rêve sont développés.
3. Montaigne perd un peu de son humour et de son détachement. Le ton est celui de l'indignation : dites où et comment s'exprime cette véhémence.

Gravure du XVIe siècle, *Les Français pillent et brûlent une petite ville indienne*, ph. Roger-Viollet.

Pour aider à comprendre les prémices de la haine de toute certitude chez Montaigne, on comparera avec l'analyse implacable de Cioran, après cinq siècles d'histoire :

En elle-même toute idée est neutre, ou devrait l'être ; mais l'homme l'anime, y projette ses flammes et ses démences ; impure, transformée en croyance, elle s'insère dans le temps, prend figure d'événement : le passage de la logique à l'épilepsie est consommé... Ainsi naissent les idéologies, les doctrines, et les farces sanglantes.

Idolâtres par instinct, nous convertissons en inconditionné les objets de nos songes et de nos intérêts. L'histoire n'est qu'un défilé de faux Absolus, une succession de temples élevés à des prétextes, un avilissement de l'esprit devant l'Improbable. Lors même qu'il s'éloigne de la religion, l'homme y demeure assujetti ; s'épuisant à forger des simulacres de dieux, il les adopte ensuite fiévreusement : son besoin de fiction, de mythologie triomphe de l'évidence et du ridicule. Sa puissance d'adorer est responsable de tous ses crimes : celui qui aime indûment un dieu, contraint les autres à l'aimer, en attendant de les exterminer s'ils s'y refusent. Point d'intolérance, d'intransigeance idéologique ou de prosélytisme qui ne révèlent le fond bestial de l'enthousiasme. Que l'homme perde sa *faculté d'indifférence :* il devient assassin virtuel ; qu'il transforme *son* idée en dieu : les conséquences en sont incalculables. On ne tue qu'au nom d'un dieu ou de ses contrefaçons : les excès suscités par la déesse Raison, par l'idée de nation, de classe ou de race sont parents de ceux de l'Inquisition ou de la Réforme. Les époques de ferveur excellent en exploits sanguinaires : sainte Thérèse ne pouvait qu'être contemporaine des autodafés, et Luther du massacre des paysans. [...]

Lorsqu'on se refuse à admettre le caractère interchangeable des idées, le sang coule... Sous les résolutions fermes se dresse un poignard.

Cioran, *Précis de décomposition,* 1949, « Tel », Gallimard, 1977.

Jean-Jacques Rousseau, qui croit à la conscience, instinct inné en l'homme qui lui donne la certitude morale, réplique au relativisme de Montaigne :

Mais que servent au sceptique Montaigne les tourments qu'il se donne pour déterrer en un coin du monde une coutume opposée aux notions de la justice ? Que lui sert de donner aux plus suspects voyageurs l'autorité qu'il refuse aux écrivains les plus célèbres ? Quelques usages incertains et bizarres fondés sur des causes locales qui nous sont inconnues, détruiront-ils l'induction générale tirée du concours de tous les peuples, opposés en tout le reste, et d'accord sur ce seul point ? Ô Montaigne ! toi qui te piques de franchise et de vérité, sois sincère et vrai, si un philosophe peut l'être, et dis-moi s'il est quelque pays sur la terre où ce soit un crime de garder sa foi, d'être clément, bienfaisant, généreux ; où l'homme de bien soit méprisable, et le perfide honoré.

Jean-Jacques Rousseau, *Émile ou de l'éducation,* 1762 (cf. *le XVIIIᵉ siècle,* pp. 244-263).

Travail de recherche (V)

Montaigne sociologue

Les sociétés : inconstantes (II, 12 ; III, 2) ; connaissent mille formes différentes (II, 37 ; III, 13) ; d'où la « fragilité de la coutume » (I, 23).

La sociabilité : indispensable à l'intelligence (I, 26) ; il faut donc communiquer directement (I, 31) pour fonder son jugement sur des comparaisons (III, 6).

Les doctrines sociales : ont tort de vouloir tout changer (I, 23 et 28 ; III, 9) ; exemple des conséquences néfastes de la Réforme (I, 27 et 56 ; II, 12) ; horreur du fanatisme (II, 12 ; III, 6, 9 et 13) ; dénonciation de la torture (II, 5, 11 et 27) et des hypocrisies sociales (III, 8 et 10).

Les « primitifs » : un modèle ? I, 31 ; III, 6 ; apprendre à redevenir « naturel » (III, 13).

Maître de Tournon de Sainte Croix, *Entrée de Titus et Vespasien à Rome,* château d'Ecouen, ph. H. Josse.

Le remède au doute : l'amour de soi, l'amour d'autrui

Si toutes les connaissances théoriques sont vacillantes et discutables, si la vérité s'éparpille en mille opinions, si l'homme est partout abusé par les apparences et les doctrines, quel sera le recours du penseur ? Bien loin de sombrer dans le désespoir, Montaigne ne reprend pas à son compte les habituelles réponses morales ou religieuses au mystère de notre « misère ». Il n'attend ni solution miracle ni salut hors de l'homme. Il accepte et assume « l'humaine condition » : « sois ce que tu es, sois-le entièrement, connais-toi toi-même et fie-toi à la nature qui t'a fait tel que tu es » (la formule est d'Hugo Friedrich, cf. p. 337). Voilà pourquoi l'anthropologie• de Montaigne est avant tout descriptive, s'attachant à l'homme concret, ordinaire et profane. C'est de cette banalité même que peut jaillir la sagesse. Car l'Homme n'existe pas, il n'existe que *des* hommes. Tout comme Montaigne se plaît à différencier les caractères, les peuples, les coutumes, il se « roule en lui-même » pour recenser et épuiser toutes les possibilités de sa nature : « Le monde regarde toujours vis-à-vis [= face à lui] ; moi, je replie ma vue au-dedans, je la plante, je l'amuse là. Chacun regarde devant soi ; moi, je regarde dedans moi : je n'ai affaire qu'à moi, je me considère sans cesse, je me contrôle, je me goûte. Les autres vont toujours ailleurs, s'ils y pensent bien ; ils vont toujours avant ; moi, je me roule en moi-même » (II, 17). « Oui, je le confesse : la seule variété me paie, et la possession de la diversité » (III, 9).

Le « que sais-je ? » se métamorphose en attitude dynamique : **s'essayer à tout** et **s'ouvrir à tous**.

EXTRAIT

Un exemple du goût de Montaigne pour les exercices de l'esprit et pour le contact avec autrui : sa longue défense de la conversation, dans De l'art de conférer *[= discuter].*

Le plus fructueux et naturel exercice de notre esprit, c'est à mon gré la conférence. J'en trouve l'usage plus doux que d'aucune autre action de notre vie ; et c'est la raison pourquoi, si j'étais à cette heure forcé de choisir, je consentirais plutôt, ce crois-je, de perdre la vue que l'ouïr ou le parler. Les
5 Athéniens, et encore les Romains conservaient en grand honneur cet exercice en leurs académies. De notre temps, les Italiens en retiennent quelques vestiges, à leur grand profit, comme il se voit par la comparaison de nos entendements aux leurs. L'étude des livres, c'est un mouvement languissant et faible qui n'échauffe point, là où la conférence apprend et exerce en un
10 coup. Si je confère avec une âme forte et un roide jouteur, il me presse les flancs, me pique à gauche et à dextre ; ses imaginations élancent les miennes ; la jalousie, la gloire, la contention me poussent et rehaussent au-dessus de moi-même, et l'unisson est qualité du tout[1] ennuyeuse en la conférence.
15 Comme notre esprit se fortifie par la communication des esprits vigoureux et réglés, il ne se peut dire combien il perd et s'abâtardit par le continuel commerce[2] et fréquentation que nous avons avec les esprits bas et maladifs. Il n'est contagion qui s'épande[3] comme celle-là. Je sais par assez d'expérience combien en vaut l'aune[4]. J'aime à contester et à discourir,
20 mais c'est avec peu d'hommes et pour moi, car de servir de spectacle aux grands et faire à l'envi parade de son esprit et de son caquet, je trouve que c'est un métier très messéant à un homme d'honneur.
La sottise est une mauvaise qualité, mais de ne la pouvoir supporter, et s'en dépiter et ronger, comme il m'advient, c'est une autre sorte de maladie
25 qui ne doit guère à la sottise en importunité[5]. [...]
J'entre en conférence et en dispute avec grande liberté et facilité, d'autant que l'opinion trouve en moi le terrain malpropre à y pénétrer et y pousser de hautes racines. Nulles propositions m'étonnent, nulle créance[6] me blesse, quelque contrariété qu'elle ait à la mienne. Il n'est si frivole et si
30 extravagante fantaisie qui ne me semble bien sortable[7] à la production de l'esprit humain.

Montaigne, *Essais*, III, 8.

(1) tout à fait
(2) échange
(3) se répande
(4) ce qu'elle vaut
(5) qui est aussi importune que la sottise
(6) croyance
(7) assortie

Pistes de recherche

1. Pourquoi Montaigne, qui écrit, est-il défenseur de la parole et de la conversation ? Relevez ses arguments. Observez aussi les métaphores• qu'il emploie pour exprimer les avantages de l'« art de conférer ».

2. Ce passage ne nous apprend rien sur le contenu d'un dialogue. Mais il reflète le tempérament de Montaigne et, plus encore, sa conception de la vérité : montrez ces enjeux fondamentaux.

3. Montaigne est-il disposé à « conférer » avec n'importe qui ? S'il exclut les « sots » risque-t-il vraiment d'être confronté à des « créances » qui le « blessent » ?

Montaigne traduit, Montaigne trahi ?

À la défense de l'amour et de la philanthropie correspond, chez Montaigne, une horreur absolue des rapports humains fondés sur la cruauté : il dénonce la torture (II, 5 : la «géhenne») et semble convaincu de la décadence de son époque à cause des exemples d'atrocités qu'elle ne cesse d'offrir (guerres de Religion, troubles civils, massacre de la Saint-Barthélemy en 1572, etc.).

Nous donnons ici un exemple de cette dénonciation, accompagné (à droite) de sa traduction en français moderne : on verra par là que le texte original ne gagne rien à être manipulé et qu'il faut tâcher de le saisir dans sa forme propre «ondoyante et diverse».

Je vis en une saison en laquelle nous foisonnons en exemples incroyables de ce vice, par la licence de nos guerres civiles; et ne voit-on rien aux histoires anciennes de plus extrême que ce que nous en essayons tous les jours. Mais cela ne m'y a nullement apprivoisé. À peine me pouvais-je persuader, avant que je l'eusse vu, qu'il se fût trouvé des âmes si monstrueuses, qui, pour le seul plaisir du meurtre, le voulussent commettre : hacher et détrancher les membres d'autrui; aiguiser leur esprit à inventer des tourments inusités et des morts nouvelles, sans inimitié, sans profit, et pour cette seule fin de jouir du plaisant spectacle des gestes et mouvements pitoyables, des gémissements et voix lamentables d'un homme mourant en angoisse. Car voilà l'extrême point où la cruauté puisse atteindre.

De moi, je n'ai pas su voir seulement sans déplaisir poursuivre et tuer une bête innocente, qui est sans défense et de qui nous ne recevons aucune offense. Et comme il advient communément que le cerf, se sentant hors d'haleine et de force, n'ayant plus autre remède, se rejette et rend à nous-mêmes qui le poursuivons, nous demandant merci par ses larmes, ce m'a toujours semblé un spectacle très déplaisant.

Je ne prends guère bête en vie à qui je ne redonne les champs.

Je vis à une époque où nous trouvons à foison des exemples incroyables de ce vice (= la cruauté), par le laisser-aller propre à nos guerres civiles; et on ne voit dans l'histoire ancienne aucun excès semblable à ceux dont nous avons quotidiennement l'expérience. Je ne m'y suis pas habitué pour autant. J'avais du mal à me convaincre, avant d'en avoir été le témoin, qu'on puisse trouver des esprits si monstrueux qui, pour le seul plaisir de commettre un meurtre, en aient la volonté : hacher et couper les membres d'un autre homme, aiguiser leur esprit à inventer des tortures inhabituelles et des mises à mort nouvelles, sans haine, sans intérêt, et dans le seul but de jouir du plaisant spectacle qu'offrent les gestes et les soubresauts pitoyables, les gémissements et cris lamentables d'un homme à l'agonie. Voilà la dernière limite que puisse atteindre la cruauté.

Pour moi, je n'ai même jamais pu voir sans déplaisir la chasse ou la mort d'un animal innocent, qui est sans défense et qui ne nous fait aucun mal. Quand on voit, comme c'est fréquent, un cerf qui se sent hors d'haleine et sans forces, faute de solution, se porter vers nous et se livrer à nous qui le poursuivons, nous demandant grâce en pleurant, ce spectacle m'a toujours paru très désagréable.

Je n'attrape guère d'animal vivant sans lui rendre sa liberté.

Montaigne, *Essais*, II, 12.

◄ Cronenburch (XVIe siècle), *Dame et Enfant*, Madrid, musée du Prado, ph. Oroñoz-Artephot.

Bernhard Strigel (1460?-1528), *Les Huit Enfants de Konrad Rehlinger*, Munich, Alte Pinakothek, ph. J. Blauel-Artothek. ►

■ Illustrations de l'amour-remède : l'amitié, le voyage

Quand Montaigne décide de faire retraite et d'écrire ses *Essais*, vers 1570, il avoue que sa lassitude du monde a commencé sept ans plus tôt, avec le choc et la douleur d'une perte irréparable : la mort de son ami Étienne de La Boétie (1530-1563). « Depuis le jour que je le perdis [...], je ne fais que traîner languissant ; et les plaisirs mêmes qui s'offrent à moi, au lieu de me consoler, me redoublent le regret de sa perte » (I, 28). La plupart des critiques modernes mettent l'accent sur le fait que Montaigne avait trouvé en l'**amitié de La Boétie** le vrai dénouement à sa difficulté d'être, une guérison à ses vues trop lucides et trop ironiques• sur les fausses valeurs de ce monde. L'expérience bouleversante de cet amour partagé et brusquement détruit rend alors nécessaire l'**écriture** qui **est**, avant tout, **une sorte de long dialogue avec un interlocuteur idéal** et irremplaçable. Montaigne n'existerait peut-être pas pour nous, sans le besoin qu'il a ressenti de louer l'amitié comme la plus haute des valeurs — thème classique des penseurs anciens — et de chercher, une fois cette amitié perdue, sur quelles valeurs substitutives fonder une vie. Le voyage joue sans doute ce rôle de « produit de remplacement » : à défaut de l'intimité, qui n'est qu'exception rarissime, le voyage permet de continuer à se rapprocher des autres et de « **fréquenter le monde** ».

(A) Au demeurant, ce que nous appelons ordinairement amis et amitiés, ce ne sont qu'accointances et familiarités nouées par quelque occasion ou commodité, par le moyen de laquelle nos âmes s'entretiennent[1]. En l'amitié de quoi je parle, elles se mêlent et confondent l'une en l'autre d'un mélange si universel qu'elles effacent et ne retrouvent plus la couture qui les a jointes. Si on me presse de dire pourquoi je l'aimais, je sens que cela ne se peut exprimer (C) qu'en répondant : « Parce que c'était lui ; parce que c'était moi. »

(A) Il y a, au-delà de tout mon discours et de ce que j'en puis dire particulièrement, ne sais quelle force inexplicable et fatale, médiatrice de cette union. (C) Nous nous cherchions avant que de nous être vus, et par des rapports que nous oyions l'un de l'autre, qui faisaient en notre affection plus d'effort[2] que ne porte la raison des rapports, je crois par quelque ordonnance du ciel : nous nous embrassions par nos noms. Et à notre première rencontre, qui fut par hasard en une grande fête et compagnie de ville, nous nous trouvâmes si pris, si connus, si obligés[3] entre nous, que rien dès lors ne nous fut si proche que l'un à l'autre. Il écrivit une satire latine excellente, qui est publiée, par laquelle il excuse et explique la précipitation de notre intelligence[4], si promptement parvenue à sa perfection. Ayant si peu à durer[5], et ayant si tard commencé, car nous étions tous deux hommes faits, et lui plus de quelques années, elle n'avait point à perdre temps, et à se régler au patron des amitiés molles et régulières, auxquelles il faut tant de précaution de longue et préalable conversation. Celle-ci n'a point d'autre idée[6] que d'elle-même, et ne se peut rapporter qu'à soi, (A) ce n'est pas une spéciale considération, ni deux, ni trois, ni quatre, ni mille : c'est je ne sais quelle quintessence de tout ce mélange, (C) qui, ayant saisi toute ma volonté, l'amena se plonger et se perdre dans la sienne ; qui, ayant saisi toute sa volonté, l'amena se plonger et se perdre en la mienne, d'une faim, d'une concurrence[7] pareille. (A) Je dis perdre, à la vérité, ne nous réservant rien qui nous fût propre, ni qui fût ou sien ou mien.

Montaigne, *Essais*, I, 28.

Pistes de recherche

1. Quels sont les traits principaux, les caractères essentiels de l'amitié qui liait Montaigne et La Boétie ? En quoi cette affection réciproque diffère-t-elle d'une « accointance ou familiarité » banale ou, au contraire, de l'amour véritable ?

2. Trouvez-vous artificiel, « littéraire », trop affecté, un tel compte rendu ou y percevez-vous les accents indéniables de l'émotion vécue, sincère, troublante ? Aidez-vous de l'observation attentive des additions de l'édition (C). Relevez les expressions les plus saisissantes.

La Boétie professait une éthique• de stoïcien•, dont Montaigne se souviendra dans certaines de ses réflexions sur la douleur ou la mort. La Lettre sur la mort de La Boétie *(1563) révèle en tout cas combien le courage du mourant fit impression à Montaigne.*

[...] Sur l'heure j'eus le cœur si serré que je ne sus rien lui répondre. Mais deux ou trois heures après, tant pour lui continuer cette grandeur de courage que aussi parce que je souhaitais, pour la jalousie que j'ai eue toute ma vie de sa gloire et de son honneur, qu'il y eût plus de témoins de tant et de si belles preuves de magnanimité, y ayant plus grande compagnie en sa chambre, je lui dis que j'aurais rougi de honte de quoi le courage m'avait failli à ouïr ce que lui, qui était engagé dans ce mal, avait eu courage de me dire : que, jusque lors, j'avais pensé que Dieu ne nous donnât guère si grand avantage sur les accidents humains, et croyais malaisément ce que quelquefois j'en lisais parmi les histoires ; mais, qu'en ayant senti une telle preuve, je louais Dieu de quoi ce avait été en une personne de qui je fusse tant aimé, et que cela me servirait d'exemple pour jouer ce même rôle à mon tour. Il m'interrompit pour me prier d'en user ainsi, et de montrer par effet que les discours que nous avions tenus ensemble pendant notre santé, nous ne les portions pas seulement en la bouche, mais engravés bien avant au cœur et en l'âme, pour les mettre en exécution aux premières occasions qui s'offriraient, ajoutant que c'était la vraie pratique de nos études, et de la philosophie.

Montaigne est un homme qui se déplace, malgré sa volonté de ne pas se compromettre. C'est surtout le grand voyage des années 1580-1581 qui inspire les ajouts de l'édition [B] (cf. p. 337) : Montaigne, pour soigner ses coliques néphrétiques (calculs dans les reins et la vessie), fait la tournée des villes d'eau, en France, en Suisse, en Allemagne et en Italie. C'est l'occasion de faire des rencontres et de **noter les différences de mœurs**. La preuve que Montaigne voit bien le voyage comme un exercice d'humaniste, c'est qu'il ne fait, dans son récit, aucune place au commentaire « touristique ». Lui qui est si sensible à la nature ne nous apprend quasiment rien de l'environnement, des paysages, des architectures. Il s'agit surtout de donner une nouvelle vigueur et d'autres perspectives à l'intelligence d'autrui, à l'**échange humain**.

Tapisserie des sept cuirs, XVIᵉ siècle, « Héros romains », château d'Ecouen, ph. H. Josse.

EXTRAIT

L'art de voyager.

(B) Moi, qui le plus souvent voyage pour mon plaisir, ne me guide pas si mal. S'il fait laid à droite, je prends à gauche ; si je me trouve mal propre à monter à cheval, je m'arrête. Et faisant ainsi, je ne vois à la vérité rien qui ne soit aussi plaisant et commode que ma maison. Il est vrai que je trouve
5 la superfluité toujours superflue, et remarque de l'empêchement[1] en la délicatesse[2] même et en l'abondance. Ai-je laissé quelque chose à voir derrière moi ? J'y retourne ; c'est toujours mon chemin. Je ne trace aucune ligne certaine[3] ni droite ni courbe. Ne trouvé-je point où je vais ce qu'on m'avait dit ? Comme il advient souvent que les jugements d'autrui ne s'accordent
10 pas aux miens, et les ai trouvés le plus souvent faux, je ne plains[4] pas ma peine ; j'ai appris que ce qu'on disait n'y est point.

J'ai la complexion du corps libre[5] et le goût commun autant qu'homme du monde. La diversité des façons d'une nation à autre ne me touche que par le plaisir de la variété. Chaque usage a sa raison. Soient des assiettes
15 d'étain, de bois, de terre, bouilli ou rôti, beurre ou huile de noix ou d'olive, chaud ou froid, tout m'est un, et si un que, vieillissant, j'accuse cette généreuse faculté, et aurais besoin que la délicatesse[6] et le choix arrêtât l'indiscrétion de mon appétit et parfois soulageât mon estomac. (C) Quand j'ai été ailleurs qu'en France et que, pour me faire courtoisie, on m'a demandé si
20 je voulais être servi à la française, je m'en suis moqué et me suis toujours jeté aux tables les plus épaisses d'étrangers.

(1) embarras
(2) recherche
(3) prédéterminée
(4) regrette
(5) souple, qui s'adapte

(B) J'ai honte de voir nos hommes enivrés de cette sotte humeur et s'effaroucher des formes contraires aux leurs ; il leur semble être hors de leur élément quand ils sont hors de leur village. Où qu'ils aillent, ils se tiennent à 25 leurs façons et abominent les étrangères. Retrouvent-ils un compatriote en Hongrie, ils festoient cette aventure[7] : les voilà à se rallier et à se recoudre ensemble, à condamner tant de mœurs barbares qu'ils voient. Pourquoi non barbares, puisqu'elles ne sont françaises ? Encore sont-ce les plus habiles[8] qui les ont reconnues, pour en médire. La plupart ne prennent l'aller 30 que pour le venir[9]. Ils voyagent couverts et resserrés d'une prudence taciturne et incommunicable, se défendant de la contagion d'un air inconnu. Ce que je dis de ceux-là me ramentoit[10] ce que j'ai parfois aperçu en certains de nos jeunes courtisans. Ils ne tiennent qu'aux hommes de leur sorte, nous regardent comme gens de l'autre monde, avec dédain et pitié. Otez 35 leur les entretiens des mystères de la cour, ils sont hors de leur gibier, aussi neufs[11] pour nous et malhabiles comme nous sommes à eux. On dit bien vrai qu'un honnête homme, c'est un homme mêlé.

Montaigne, *Essais*, III, 9.

(6) raffinement
(7) ils fêtent cette rencontre
(8) intelligents, avisés
(9) retour
(10) rappelle
(11) naïfs

Pistes de recherche

1. Comme toujours, c'est un portrait de Montaigne que trace ce passage, sous couvert d'un récit de voyage. On n'apprend rien sur ce qui est visité, mais on montre la vraie nature d'un voyageur : comment se manifeste-t-elle ?

2. En exprimant son état d'esprit, Montaigne condamne le chauvinisme et la crainte de tout ce qui est différent : faites le bilan de sa leçon et expliquez, en l'illustrant, la dernière phrase.

3. Sur l'apologie• du cosmopolitisme•, vous pouvez comparer avec l'esprit d'ouverture des penseurs du Siècle des Lumières (*Le XVIIIᵉ siècle*, p. 30 et suivantes, par exemple).

Raphaël (1483-1520), *L'École d'Athènes*, Vatican, ph. Scala.

■ Le leitmotiv des *Essais* : savoir mourir pour savoir vivre

L'égotisme•, l'amitié, le voyage : chacune de ces réponses aux conjonctures humaines n'est qu'une échappatoire, une « diversion » (III, 4). Montaigne, dont on sait la conscience aiguë qu'il a des simulations (cf. p. 326), a vite dénoncé deux attitudes opposées face à la mort : s'aveugler, par lâcheté ou sottise, sur sa certitude et son mystère ; ou, à l'inverse, s'en obséder en jouant les héros ou les bravaches. En réalité, toute la pensée de Montaigne sur la mort est conditionnée par sa recherche de la meilleure façon de vivre. Le **vouloir-vivre** est toujours le plus fort dans cette méditation, ininterrompue tout au long des *Essais* (cf. le document plus bas, p. 354), sur nos réactions face aux fins dernières. Sur ce sujet, plus que sur tout autre, **le refus de l'esprit de système** (cf. p. 342), propre à Montaigne, se révèle totalement. Au fur et à mesure de son expérience de la vie, **ses réflexions s'adaptent et évoluent**. Il a été séduit par le courage moral de La Boétie et a cru que se préparer constamment à endurer la souffrance de la mort pouvait être libérateur : « Qui a appris à mourir, il a désappris à servir. » Mais il n'est guère enthousiaste et se refuse à faire de la mort le but de la vie : « Il m'est avis que c'est bien le bout, non pourtant le but de la vie ; c'est sa fin, son extrémité, non pourtant son objet » (III, 12).

Au siècle des guerres civiles et de la peste, il n'est pas difficile de trouver autour de soi des raisons de profiter de la vie. Une chute de cheval où il croit mourir (II, 6), les douleurs parfois insoutenables de sa « maladie de la pierre » (cf. p. 350) ont aidé aussi Montaigne à renoncer aux belles théories morales et philosophiques qui nous disent comment mourir. Il s'agit surtout d'apprendre à fuir le mal, à maîtriser l'angoisse, pour vivre mieux. Comme les humbles nous en donnent l'exemple, il faut, paradoxalement, ignorer la mort pour savoir mourir.

EXTRAITS

Étapes de l'apprentissage de la mort : de l'affrontement à l'indifférence.

La tentation intellectuelle de la doctrine stoïcienne•, chère à La Boétie : « Que philosopher, c'est apprendre à mourir ».

(1) Dans les *Tusculanes*.
(2) quelque peu
(3) occupent
(4) ce mot
(5) même si elle est
(6) ... de l'idée de mourir
(7) passer mon temps
(8) à l'improviste et sans défense

(A) Cicéron dit que philosopher ce n'est autre chose que s'apprêter à la mort[1] ; c'est d'autant que l'étude et la contemplation retirent aucunement[2] notre âme hors de nous, et l'embesognent[3] à part du corps, ce qui est quelque apprentissage et ressemblance de la mort ; ou bien, c'est que toute la
5 sagesse et discours du monde se résout enfin à ce point, de nous apprendre à ne craindre point à mourir. De vrai, ou la raison se moque, ou elle ne doit viser qu'à notre contentement, et tout son travail doit tendre en somme à nous faire bien vivre, et à notre aise, comme dit la Sainte Écriture. Toutes les opinions du monde en sont là, (C) que le plaisir est notre but, (A) quoi-
10 qu'elles en prennent divers moyens ; [...]

Le but de notre carrière, c'est la mort, c'est l'objet nécessaire de notre visée ; si elle nous effraye, comment est-il possible d'aller un pas en avant sans fièvre ? Le remède du vulgaire, c'est de n'y penser pas. Mais de quelle brutale stupidité lui peut venir un si grossier aveuglement ? [...]
15 (C) Parce que cette syllabe frappait trop rudement leurs oreilles, et que cette voix[4] leur semblait malencontreuse, les Romains avaient appris de l'amollir ou de l'étendre en périphrases : au lieu de dire, « il est mort », « il a cessé de vivre », disent-ils, « il a vécu ». Pourvu que ce soit vie, soit-elle[5] passée, ils se consolent. [...]
20 (A) Qu'importe-t-il, me direz-vous, comment que ce soit, pourvu qu'on ne s'en donne point de peine[6] ? Je suis de cet avis, et, en quelque manière qu'on se puisse mettre à l'abri des coups, fût-ce sous la peau d'un veau, je ne suis pas homme qui y reculasse ; car il me suffit de passer[7] à mon aise ; et le meilleur jeu que je me puisse donner, je le prends, aussi peu glorieux
25 au reste et exemplaire que vous voudrez. [...]
Mais c'est folie d'y penser arriver par là. Ils vont, ils viennent, ils trottent, ils dansent ; de mort, nulles nouvelles. Tout cela est beau. Mais aussi, quand elle arrive ou à eux ou à leurs femmes, enfants et amis, les surprenant en dessoude et à découvert[8], quels tourments, quels cris, quelle rage et quel
30 désespoir les accable ! Vîtes-vous jamais rien si rabaissé, si changé, si confus ? Il y faut pourvoir de meilleure heure ; et cette nonchalance bestiale, quand elle pourrait loger en la tête d'un homme d'entendement, ce que je trouve entièrement impossible, nous vend trop cher ses denrées. Si c'était

ennemi qui se pût éviter, je conseillerais d'emprunter les armes de la couar-
35 dise. Mais puisqu'il ne se peut, (B) puisqu'il[9] vous attrape fuyant et pol-
tron aussi bien qu'honnête homme, et que nulle trempe de cuirasse ne vous
couvre, (A) apprenons à le soutenir de pied ferme et à le combattre. Et pour
commencer à lui ôter son plus grand avantage contre nous, prenons voie
toute contraire à la commune. Otons-lui l'étrangeté, pratiquons-le[10], accou-
40 tumons-le, n'ayons rien si souvent en la tête que la mort. À tous instants
représentons-la à notre imagination et en tous visages. Au broncher[11] d'un
cheval, à la chute d'une tuile, à la moindre piqûre d'épingle, remâchons soudain : «Eh bien, quand ce serait la mort même?» et là-dessus, raidissons-
nous, et efforçons-nous. Parmi les fêtes et la joie, ayons toujours ce refrain
45 de la souvenance de notre condition, et ne nous laissons pas si fort emporter au plaisir, que parfois il ne nous repasse en la mémoire en combien de
sortes cette nôtre allégresse est en butte à la mort, et de combien de prises
elle la menace. Ainsi faisaient les Égyptiens, qui, au milieu de leurs festins,
et parmi leur meilleure chère, faisaient apporter l'anatomie sèche[12] d'un
50 corps d'homme mort, pour servir d'avertissement aux conviés : *imagine-toi
que chaque jour qui luit est pour toi le dernier : tu recevras avec gratitude
l'heure que tu n'espéreras plus*[13]. Il est incertain où la mort nous attende ;
attendons-la partout. La préméditation de la mort est préméditation de la
liberté. Qui a appris à mourir, il a désappris à servir[14]. Le savoir mourir
55 nous affranchit de toute sujétion et contrainte. (C) Il n'y a rien de mal en
la vie pour celui qui a bien compris que la privation de la vie n'est
pas un mal.

Montaigne, *Essais*, I, 20.

(9) l'ennemi (la mort)
(10) fréquentons-le
(11) faux pas
(12) squelette
(13) *Omnem crede diem
tibi diluxisse supremum,
Grata superveniet, quae
non sperabitur hora.*
Horace, *Épîtres*, I, 4, v. 13.
(14) être esclave

Les condamnés à mort...

*Face à la rugueuse
théorie, le bon sens
populaire : inconscience
ou grande sagesse des
petites gens, à l'instant
de la mort.*

(A) Combien voit-on de personnes populaires[1], conduites à la mort, et non
à une mort simple, mais mêlée de honte et quelquefois de graves tourments,
y apporter une telle assurance, qui par opiniâtreté, qui par simplesse naturelle, qu'on n'y aperçoit rien de changé de leur état ordinaire ; établissant
5 leurs affaires domestiques, se recommandant à leurs amis, chantant, prêchant et entretenant le peuple, voire[2] y mêlant quelquefois des mots pour
rire, et buvant à leurs connaissants[3] aussi bien que Socrate. Un qu'on
menait au gibet disait que ce ne fût pas par telle rue, car il y avait danger
qu'un marchand lui fît mettre la main sur le collet à cause d'une vieille
10 dette. Un autre disait au bourreau qu'il ne le touchât pas à la gorge de peur
de le faire tressaillir de rire, tant il était chatouilleux. L'autre répondit à
son confesseur qui lui promettait qu'il souperait ce jour-là avec Notre Seigneur : «Allez-vous y en, vous, car de ma part je jeûne». Un autre ayant
demandé à boire et le bourreau ayant bu le premier, dit ne vouloir boire
15 après lui de peur de prendre la vérole. Chacun a ouï faire le conte du Picard
auquel, étant à l'échelle[4], on lui présenta une garce[5], et que (comme notre
justice permet quelquefois) s'il la voulait épouser, on lui sauverait la vie ;
lui l'ayant un peu contemplée et aperçu qu'elle boitait : «Attache, attache»,
dit-il, «elle cloche[6]». Et on dit de même qu'en Danemark, un homme

(1) du peuple
(2) et même
(3) à la santé de ceux qu'ils
connaissent, comme
Socrate, avant de boire la
ciguë (399 av. J.-C.)
(4) échafaud
(5) jeune fille
(6) elle boite

condamné à avoir la tête tranchée, étant sur l'échafaud, comme on lui présenta une pareille condition, la refusa parce que la fille qu'on lui offrit avait les joues avalées[7] et le nez trop pointu. Un valet à Toulouse, accusé d'hérésie, pour toute raison de sa créance[8] se rapportait à celle que son maître, jeune écolier prisonnier avec lui, et aima mieux mourir que se laisser persuader que son maître pût faillir[9]. Nous lisons de ceux de la ville d'Arras, lorsque le roi Louis onzième la prit, qu'il s'en trouva bon nombre parmi le peuple qui se laissèrent pendre plutôt que de dire : « Vive le roi ».

(7) tombantes
(8) pour expliquer sa croyance
(9) avoir tort

Montaigne, *Essais*, I, 14.

DOCUMENT

La peste...

J'en vis qui craignaient de demeurer derrière, comme en une horrible solitude, et n'y connus communément autre soin[1] que des sépultures : il leur fâchait de voir les corps épars parmi les champs, à la merci des bêtes, qui y peuplèrent[2] incontinent. (C) (Comment les fantaisies humaines se découpent[3] : les Néorites, nation qu'Alexandre subjugua, jettent les corps des morts au plus profond de leurs bois pour y être mangés, seule sépulture estimée entre eux heureuse.) (B) Tel, sain, faisait déjà sa fosse, d'autres s'y couchaient encore vivants. Et un manœuvre des miens avec ses mains et ses pieds attira sur soi la terre en mourant : était-ce pas s'abriter pour s'endormir plus à son aise? D'une entreprise en hauteur aucunement[4] pareille à celle des soldats romains qu'on trouva, après la journée de Cannes, la tête plongée dans des trous qu'ils avaient faits et comblés de leurs mains en s'y suffoquant.

Montaigne, *Essais*, III, 12.

_____

(1) préoccupation
(2) pullulèrent
(3) se diversifient
(4) presque
(5) Défaite des Romains face à Hannibal, en 216 av. J.-C.

Pistes de recherche

1. Nous sommes loin des grands penseurs et des fortes philosophies. Quelle leçon Montaigne veut-il donner avec ces exemples?

2. Il y a une gradation dans les anecdotes, fondée sur la nature des délits sanctionnés. Pour en comprendre l'intérêt, rappelez-vous ce que dit Montaigne des fondements de la croyance, pp. 338 à 343.

3. Que penser de ces « bons mots »? A-t-on affaire à des idiots, à l'expression du bon sens populaire? Le message est ambigu, d'autant que le ton est fortement teinté d'humour noir. Pourquoi?

Une expérience personnelle — une chute de cheval — vient confirmer Montaigne dans ce sentiment qu'il n'est pas si difficile de glisser dans la mort. Dès lors, pourquoi s'en laisser terroriser?

Je ne savais pourtant ni d'où je venais, ni où j'allais; ni ne pouvais peser et considérer ce qu'on me demandait : ce sont des légers effets que les sens produisaient d'eux-mêmes, comme d'un usage[1], ce que l'âme y prêtait[2], c'était en songe, touchée bien légèrement, et comme léchée seulement et arrosée par la molle impression des sens. Cependant mon assiette[3] était à la vérité très douce et paisible; je n'avais affliction ni pour autrui ni pour moi : c'était une langueur et une extrême faiblesse, sans aucune douleur. Je vis ma maison sans la reconnaître. Quand on m'eut couché, je sentis une infinie douceur à ce repos, car j'avais été vilainement tirassé[4] par ces pauvres gens, qui avaient pris la peine de me porter sur leurs bras par un long et très mauvais chemin, et s'y étaient lassés deux ou trois fois les uns après les autres. On me présenta force remèdes, de quoi je n'en reçus aucun, tenant pour certain que j'étais blessé à mort par la tête. C'eût été sans mentir une mort bien heureuse : car la faiblesse de mon discours me gardait d'en rien juger, et celle du corps d'en rien sentir. Je me laissais couler si doucement et d'une façon si douce et si aisée que je ne sens guère autre action moins pesante que celle-là était. Quand je vins à revivre et à reprendre mes forces, ce qui fut deux ou trois heures après, je me sentis tout d'un train[5] renganger aux douleurs, ayant les membres tous moulus et froissés de ma chute; et en fus si mal deux ou trois nuits après, que j'en cuidai remourir encore

(1) comme par habitude
(2) fournissait
(3) état
(4) tiraillé
(5) tout d'un coup
(6) consciente
(7) Auteur latin.

un coup, mais d'une mort plus vive[6], et me sens encore de la secousse de cette froissure. Je ne veux pas oublier ceci, que la dernière chose en quoi je me pus remettre, ce fut la souvenance de cet accident ; et me fis redire plusieurs fois où j'allais, d'où je venais, à quelle heure cela m'était advenu, avant que de le pouvoir concevoir. Quant à la façon de ma chute, on me la cachait en faveur de celui qui en avait été cause, et m'en forgeait-on d'autres. Mais longtemps après, et le lendemain, quand ma mémoire vint à s'entrouvrir et me représenter l'état où je m'étais trouvé en l'instant que j'avais aperçu ce cheval fondant sur moi (car je l'avais vu à mes talons et me tins pour mort, mais ce pensement avait été si soudain que la peur n'eut pas loisir de s'y engendrer), il me sembla que c'était un éclair qui me frappait l'âme de secousse et que je revenais de l'autre monde.

Ce conte d'un événement si léger est assez vain, n'était l'instruction que j'en ai tirée pour moi : car, à la vérité, pour s'apprivoiser à la mort, je trouve qu'il n'y a que de s'en avoisiner. Or, comme dit Pline[7], chacun est à soi-même une très bonne discipline, pourvu qu'il ait la suffisance de s'épier de près. Ce n'est pas ici ma doctrine, c'est mon étude ; et n'est pas la leçon d'autrui, c'est la mienne.

Montaigne, *Essais*, II, 6.

Pistes de recherche

1. L'art de l'écrivain qui cherche à formuler un état indicible, vague et presque inconscient : relevez les expressions les plus originales. On a l'impression que Montaigne veut surtout insister sur une sorte de volupté dans le glissement vers la mort et l'absence de sensation : montrez-le.

2. À l'inverse, le retour à la conscience est une épreuve douloureuse, comme si l'on quittait la mort à regret. Quel est l'intérêt, dans le cadre de la réflexion de Montaigne sur l'apprentissage de la mort, de cette insistance ?

3. Les dernières lignes permettent de définir ce qu'est un **« essai »** : montrez-le. Que pensez-vous de la dernière phrase, pour conclure sur un tel sujet ?

Luis Tristan (1586-1624), *Un vieillard,* Madrid, musée du Prado, ph. Oroñoz-Artephot.

Conclusion : la mort est moins pénible que notre pensée ou nos exercices pour nous y préparer. Laissons faire la nature et vivons « constamment et tranquillement ».

(B) Nous troublons la vie par le soin[1] de la mort, et la mort par le soin de la vie. (C) L'une nous ennuie, l'autre nous effraie. (B) Ce n'est pas contre la mort que nous nous préparons ; c'est chose trop momentanée. (C) Un quart d'heure de passion[2] sans conséquence, sans nuisance, ne mérite pas des préceptes particuliers. (B) À dire vrai, nous nous préparons contre les préparations de la mort. La philosophie nous ordonne d'avoir la mort toujours devant les yeux, de la prévoir et considérer avant le temps et nous donne après les règles et les précautions pour pourvoir à ce que cette prévoyance et cette pensée ne nous blessent. Ainsi font les médecins qui nous jettent aux maladies, afin qu'ils aient où employer leurs drogues et leur art.

(C) Si nous n'avons su vivre, c'est injustice de nous apprendre à mourir et de difformer[3] la fin de son tout. Si nous avons su vivre constamment et tranquillement, nous saurons mourir de même. Ils[4] s'en vanteront tant qu'il leur plaira. *Toute la vie des philosophes est préparation de la mort[5].* Mais il m'est avis que c'est bien le bout, non pourtant le but de la vie ; c'est sa fin, son extrémité, non pourtant son objet. Elle[6] doit être elle-même à soi sa visée, son dessein ; son droit étude est se régler, se conduire, se souffrir[7]. Au nombre de plusieurs autres offices[8] que comprend ce général et principal chapitre de savoir vivre, est cet article de savoir mourir, et des plus légers si notre crainte ne lui donnait poids. [...]

(B) A les juger par l'utilité et par la vérité naïve, les leçons de la simplicité ne cèdent guère à celles que nous prêche la doctrine[9], au contraire. Les hommes sont divers en goût et en force ; il les faut mener à leur bien selon eux, et par routes diverses. [...] Je ne vis jamais paysan de mes voisins entrer en cogitation de quelle contenance et assurance il passerait cette heure dernière. Nature lui apprend à ne songer à la mort que quand il se meurt.

Montaigne, *Essais*, III, 12.

(1) le souci
(2) souffrance
(3) déformer
(4) les philosophes
(5) *Tota philosophorum vita commentatio mortis est.* Cicéron, *Tusculanes*, 1, 30.
(6) la vie
(7) se supporter
(8) devoirs
(9) la philosophie

Pistes de recherche

1. Ici, l'évolution est assez sensible : pourquoi faut-il renoncer à « apprivoiser » la mort ou à l'« avoisiner » ?
2. Quels reproches Montaigne fait-il à la « philosophie » et à la « doctrine » ?
3. Montrez comment on est passé d'une philosophie de la mort à une philosophie de la vie, en vous inspirant de la dernière phrase.

DOCUMENT

Pour Jean Rousset, le va-et-vient de Montaigne entre conscience de la mort et désir des choses de la vie est la forme originelle de la pensée et de l'art baroques :

Montaigne est en sourde connivence avec la mort ; son appétit de vie s'est établi sur les ruines d'une obsession de la mort ; de là sa fraîcheur, son avidité frémissante ; de là aussi son insécurité, la conscience que tout tient dans la minute présente, mais d'un présent qui s'échappe sans cesse ; hédonisme• héroïque, épicurisme• d'écorché ; « esjouissance constante » mais sous la menace, parce que tout est placé sous la loi du changement ; un sentiment aigu de précarité contribue à tendre, à charger cette volonté de joie, qui n'est légère qu'en apparence. [...] La « volubilité » montaignienne et le tragique macabre, qui paraissaient d'abord s'exclure, agissent donc l'un sur l'autre et forment un composé bien lié qui joue à l'égard du Baroque un rôle à la fois d'accélérateur et de frein : rien n'est plus favorable au Baroque que le sentiment profond de la mobilité et de la métamorphose en l'homme et dans le monde ; mais l'angoisse de la mort renferme l'homme en lui-même, le replie sur l'être, l'entrave dans le mouvement baroque vers l'extérieur, vers son moi de parade et le détourne de se projeter dans un personnage assez détaché de lui pour lui servir de masque et de jeu.

J. Rousset, *Histoire de la littérature baroque en France*, Corti, 1953.

Travail de recherche (VI)

Variations sur le thème de la mort dans les *Essais*.

Son expérience de la mort : II, 28 (La Boétie) ; la guerre et la peste (III, 12) ; son accident (II, 6) ; la mort des humbles (I, 14 ; III, 12) et autres exemples (II, 11, 17, 21, 35 ; III, 4) ; le « génocide » du Nouveau Monde (III, 6).

Comment mourir ? : le suicide (II, 3) ; s'y préparer (I, 20 ; II, 6) ; même si c'est peut-être illusoire (II, 13 ; III, 12) ; la meilleur façon de mourir (I, 19 ; II, 13 ; III, 4, 9 et 13).

Ne pas la craindre : I, 7, 14 et 20 ; II, 3.

La condition humaine dans son épanouissement : l'enfant, l'adulte

Les *Essais* sont **l'histoire d'une éducation.** L'auteur y fait la revue de ses expériences pédagogiques ou formatrices — face à la mort, par exemple (cf. p. 354) ; il énumère les étapes de cette étude méthodique ; il nous révèle comment s'est façonnée l'idée qu'il se fait peu à peu de lui-même ; il nous dit son art de vivre patiemment conquis et sciemment élaboré. Tel est bien son objet : «l'étude que je fais, duquel le sujet, c'est l'homme» (II, 17), d'autant que «chaque homme porte la forme entière de l'humaine condition» (III, 2).

Se souvenant de sa propre enfance, Montaigne nous propose même un modèle d'«institution des enfants». Après avoir dénoncé les enseignements trop abstraits et les inutiles «bourrages de crânes», dans *Du pédantisme* (I, 25), il adresse une lettre à une de ses amies, Diane de Foix, comtesse de Gurson, qui sera bientôt mère, où il expose ses vues sur la manière d'élever un enfant unique et de bonne noblesse. Les répercussions de cette missive, transformée en *essai* (I, 26), dépassent l'intention de l'auteur qui voulait simplement, au passage et pour complaire à sa noble correspondante, apporter sa contribution à une question très débattue en son temps, à commencer par Rabelais (cf. p. 221). Il s'agit simplement de tracer quelques principes qui n'ont rien de révolutionnaire et que chacun peut faire siens : former un être loyal, sportif, nourrir son esprit critique au lieu de l'abrutir de connaissances inutiles, l'obliger à fréquenter les réalités du monde, etc. Cette synthèse sur la bonne éducation annonce «l'honnête homme» du XVIIᵉ siècle. Son principal intérêt est **d'illustrer une philosophie de la vie,** fuyant toute aliénation, prônant la liberté du corps, cherchant les joies de l'existence dans la tempérance, le libre arbitre et l'ouverture d'esprit. Puisque «l'enfant est le père de l'homme», il faut entrer en contact avec la philosophie de la vie au plus tôt : «On a grand tort de la peindre [= la philosophie] inaccessible aux enfants, et d'un visage renfrogné, sourcilleux et terrible. Qui me l'a masquée de ce faux visage, pâle et hideux ? Il n'est rien plus gai, plus gaillard, plus enjoué, et à peu que je ne dise folâtre. Elle ne prêche que fête et bon temps» (I, 26).

EXTRAITS

Quelques principes pour choisir un bon éducateur.

(A) **La charge du gouverneur**[1] que vous lui donnerez, du choix duquel dépend tout l'effet de son institution, elle a plusieurs autres grandes parties, mais je n'y touche point pour n'y savoir rien apporter qui vaille ; et de cet article sur lequel je me mêle de lui donner, il m'en croira autant qu'il y verra d'apparence[2]. À un enfant de maison[3] qui recherche les lettres, non pour le gain (car une fin si abjecte est indigne de la grâce et faveur des Muses, et puis elle regarde[4] et dépend d'autrui), ni tant pour les commodités externes que pour les siennes propres, et pour s'en enrichir et parer au-dedans, ayant[5] plutôt envie d'en tirer un habile homme qu'un homme savant, je voudrais aussi qu'on fût soigneux de lui choisir un conducteur qui eût plutôt la tête bien faite que bien pleine, et qu'on y requît tous les deux[6], mais plus les mœurs et l'entendement que la science ; et qu'il se conduisît en sa charge[7] d'une nouvelle manière.

On ne cesse de criailler à nos oreilles, comme qui verserait dans un entonnoir, et notre charge ce n'est que redire ce qu'on nous a dit. Je voudrais qu'il corrigeât cette partie et que, de belle arrivée[8], selon la portée de l'âme qu'il a en main, il commençât à la mettre sur la montre[9], lui faisant goûter les choses, les choisir et discerner d'elle-même ; quelquefois lui ouvrant chemin, quelquefois le lui laissant ouvrir. Je ne veux pas qu'il invente et parle seul ; je veux qu'il écoute son disciple parler à son tour. (C) Socrate, et, depuis, Arcésilas[10] faisaient premièrement parler leurs disciples, et puis ils parlaient à eux. *L'autorité de ceux qui enseignent nuit souvent à ceux qui veulent apprendre*[11].

Il est bon qu'il le fasse trotter devant lui, pour juger de son train ; et juger jusques à quel point il se doit ravaler[12] pour s'accommoder à sa force. À faute de cette proportion, nous gâtons tout ; et de la savoir choisir, et s'y conduire bien mesurément, c'est l'une des plus ardues besognes que je sache ; et est l'effet d'une haute âme et bien forte, savoir condescendre à ses allures puériles et les guider. Je marche plus sûr et plus ferme à mont qu'à val[13]. Ceux qui, comme porte notre usage, entreprennent, d'une même leçon et pareille mesure de conduite, régenter plusieurs esprits de diverses mesures et formes, ce n'est pas merveille si en tout un peuple d'enfants ils en rencontrent à peine deux ou trois qui rapportent quelque juste fruit[14] de leur discipline[15].

(1) précepteur
(2) d'apparence de raison
(3) noble
(4) s'adresse à
(5) comme j'ai...
(6) «bien faite» et «bien pleine»
(7) tâche
(8) tout de suite
(9) sur la piste, le trottoir
(10) Philosophe grec du IIIᵉ siècle av. J.-C.
(11) *Obest plerumque eis qui discere volunt auctoritas eorum qui docent.* Cicéron, *De la nature des dieux,* I, 5.
(12) s'abaisser, s'adapter
(13) en montant qu'en descendant
(14) tirent profit
(15) enseignement

₃₅ (A) Qu'il ne lui demande pas seulement compte des mots de sa leçon, mais du sens et de la substance; et qu'il juge du profit qu'il aura fait, non par le témoignage de sa mémoire mais de sa vie. Que ce qu'il viendra d'apprendre, il le lui fasse mettre en cent visages et accommoder à autant de divers sujets, pour voir s'il l'a encore bien pris et bien fait sien, (C) prenant ₄₀ l'instruction de son progrès des pédagogismes de Platon. (A) C'est témoignage de crudité et indigestion[16] que de regorger la viande comme on l'a avalée. L'estomac n'a pas fait son opération s'il n'a fait changer la façon et la forme à ce qu'on lui avait donné à cuire[17].

(B) Notre âme ne branle qu'à crédit[18], liée et contrainte à l'appétit des ₄₅ fantaisies d'autrui, serve et captivée sous l'autorité de leur leçon. On nous a tant assujettis aux cordes que nous n'avons plus de franches allures. Notre vigueur et liberté est éteinte.

(16) manger cru, mal digérer
(17) digérer
(18) en se fiant à autrui

Montaigne, *Essais*, I, 26.

Pistes de recherche

1. Faites un plan des idées pédagogiques ici exposées, au travers de plusieurs objets d'approche : le précepteur ; le contenu de l'enseignement ; la méthode ; le but à atteindre. En quoi ces grands principes sont-ils originaux ?
2. « Habile »/« savant » ; « bien faite »/« bien pleine » ; les « mots »/le « sens », etc. : quel est l'enjeu principal de toute cette théorie ? Pourquoi Montaigne s'y intéresse-t-il si fort ? Les dernières lignes sont très nettes, sur ce point.
3. Comparez avec Rabelais p. 210 (*Pantagruel*, VIII et *Gargantua* XXIII-XXIV) : malgré les apparences, les différences sont plus nombreuses que les points communs. N'oubliez pas que Montaigne parle d'un enfant aristocratique, pour qui l'étude n'est pas un moyen de conquérir une position dans le monde. L'influence des pensées de la Pléiade (« innutrition• », etc.) n'est pas négligeable non plus : cf. p. 244.
4. Relevez les métaphores• utilisées par Montaigne (équitation, nourriture, etc.).

Le grand livre du monde.

Il se tire une merveilleuse clarté, pour le jugement humain, de la fréquentation du monde. Nous sommes tous contraints et amoncelés[1] en nous, et avons la vue raccourcie à la longueur de notre nez. On demandait à Socrate d'où il était. Il ne répondit pas : « D'Athènes »; mais : « Du monde ». Lui, ₅ qui avait son imagination plus pleine et plus étendue, embrassait l'univers comme sa ville, jetait[2] ses connaissances, sa société et ses affections à tout le genre humain, non pas comme nous qui ne regardons que sous nous. Quand les vignes gèlent en mon village, mon prêtre en argumente l'ire de Dieu sur la race humaine, et juge que la pépie[3] en tienne déjà les Canni- ₁₀ bales. À voir nos guerres civiles, qui ne crie que cette machine[4] se boule-verse et que le jour du Jugement nous prend au collet, sans s'aviser que plusieurs pires choses se sont vues, et que les dix mille parts du monde ne laissent pas de galler le bon temps[5] cependant ? Moi, selon leur licence et impunité, admire de les voir si douces et molles. À qui il grêle sur la tête, ₁₅ tout l'hémisphère semble être en tempête et orage. Et disait un Savoyard que, si ce sot de Roi de France eût su bien conduire sa fortune[6], il était homme pour devenir maître d'hôtel de son Duc. Son imagination ne concevait autre plus élevée grandeur que celle de son maître. Nous sommes insensiblement tous en cette erreur : erreur de grande suite et préjudice. Mais qui ₂₀ se présente[7], comme dans un tableau, cette grande image de notre mère nature en son entière majesté, qui lit en son visage une si générale et constante variété, qui se remarque là-dedans, et non soi, mais tout un royaume, comme un trait d'une pointe très délicate, celui-là seul estime les choses selon leur juste grandeur.

₂₅ Ce grand monde, [...] c'est le miroir où il nous faut regarder pour nous connaître de bon biais. Somme, je veux que ce soit le livre de mon écolier. Tant d'humeurs, de sectes, de jugements, d'opinions, de lois et de coutumes nous apprennent à juger sainement des nôtres, et apprennent notre jugement à reconnaître son imperfection et sa naturelle faiblesse : ce qui

(1) resserrés
(2) étendait
(3) la soif
(4) de terre
(5) se donner du bon temps
(6) les hasards de sa carrière
(7) ne présente

³⁰ n'est pas un léger apprentissage. Tant de remuements d'État et changements de fortune[8] publique nous instruisent à ne faire pas grand miracle de la nôtre. Tant de noms, tant de victoires et conquêtes ensevelies sous l'oubliance, rendent ridicule l'espérance d'éterniser notre nom par la prise de dix argolets[9] et d'un pouillier[10] qui n'est connu que de sa chute.
³⁵ L'orgueil et la fierté de tant de pompes[11] étrangères, la majesté si enflée de tant de cours et de grandeurs, nous fermit[12] et assure la vue à soutenir l'éclat des nôtres sans siller les yeux. Tant de milliasses d'hommes, enterrés avant nous, nous encouragent à ne craindre d'aller trouver si bonne compagnie en l'autre monde. Ainsi du reste.

Montaigne, *Essais,* I, 26.

(8) hasard
(9) arquebusiers
(10) poulailler
(11) cérémonies
(12) affermit

Pistes de recherche

1. On retrouve ici des idées chères à Montaigne et déjà aperçues par d'autres biais (le voyage, p. 350 ; l'approche relativiste de la vérité, p. 342 ; la tolérance, p. 344, etc.) : résumez les bienfaits de la « fréquentation du monde », et montrez à quels aveuglements ou erreurs sont condamnés ceux qui s'y refusent.

2. Les dernières lignes renvoient à leur tour au thème baroque du « remuement » et de la diversité (cf. p. 329). On peut donc cerner tout ce qui obsède Montaigne dans cette page : sa pédagogie résume sa vue du monde. Essayez de le démontrer.

Pinturicchio (1454-1513), *Portrait d'un jeune garçon,* musée de la ville de Dresde, ph. Gerhard Reinhold.

Si Montaigne veut **former un enfant** à jamais **doué pour le bonheur,** c'est qu'il veut lui épargner les fausses pistes : ambition destructrice, passions excessives, présomption des connaissances livresques, etc. Vieille ritournelle qui voudrait que le jeune soit assagi avant d'avoir vécu ! Mais, contrairement à bien des moralistes, habituels dispensateurs de ces édifiants propos, Montaigne prêche surtout par l'exemple : il s'est créé lui-même et a réussi à être heureux. Revenu des « inhumaines sagesses » (du stoïcisme• en particulier), il s'en tient à quelques évidences simplistes et à quelques sobres principes : danger de tout excès, dilettantisme, aimable égoïsme.

DOCUMENT

Ils veulent se mettre hors d'eux et échapper à l'homme. C'est folie : au lieu de se transformer en anges, ils se transforment en bêtes, au lieu de se hausser, ils s'abattent. Ces humeurs transcendantes m'effraient, comme les lieux hautains et inaccessibles ; et rien ne m'est à digérer fâcheux en la vie de Socrate que ses extases et ses démoneries, rien si humain en Platon que ce pour quoi ils disent qu'on l'appelle divin. Et de nos sciences, celles-là me semblent plus terrestres et basses qui sont le plus haut montées. Et je ne trouve rien si humble et si mortel en la vie d'Alexandre que ses fantaisies autour de son immortalisation.
Essais, III, 13.

Les textes dans lesquels Montaigne définit son art de vivre tournent tous autour d'une même idée : l'homme doit réapprendre ce qui est « naturel ». Le concept de « nature » est très flou. Il ne peut s'agir de l'environnement, de la campagne ou des saisons. Montaigne n'en parle presque jamais. « Notre mère nature » englobe surtout toutes les lois de la vie, contre lesquelles l'homme ne peut rien et qu'il a eu bien tort de vouloir refuser. Par exemple, c'est le temps qui passe : les hommes inventent une abstraite éternité au lieu de vivre au jour le jour. « Nous ne sommes jamais chez nous, nous sommes toujours au-delà ; la crainte, le désir, l'espérance nous élancent vers l'avenir, et nous dérobent le sentiment et la considération de ce qui est » (I, 3 ; cf. *Le XVIIᵉ siècle*, p. 180). La nature, c'est aussi les fonctions naturelles et leur plaisir, que Montaigne refuse de trop restreindre ou de condamner. Enfin, c'est une sorte de totalité harmonieuse, d'équilibre, dont la civilisation nous éloigne dangereusement : Montaigne, en précurseur du XVIIIᵉ siècle, fait l'**éloge du bonheur des primitifs,** des **« bons sauvages ».**

EXTRAIT

L'homme « naturel »

Nature est un doux guide, mais non pas plus doux que prudent et juste.

(B) J'ai un dictionnaire tout à part moi[1] : je *passe* le temps, quand il est mauvais et incommode ; quand il est bon, je ne le veux pas *passer,* je le retâte[2] ; je m'y tiens. Il faut courir le mauvais et se rasseoir[3] au bon. Cette phrase[4] ordinaire de *passe-temps* et de *passer le temps* représente l'usage
5 de ces prudentes gens, qui ne pensent point avoir meilleur compte de leur vie que de la couler et échapper, de la passer, gauchir[5] et, autant qu'il est en eux, ignorer et fuir, comme chose de qualité ennuyeuse et dédaignable. Mais je la connais autre, et la trouve et prisable et commode, même en son dernier décours[6], où je la tiens[7], et nous l'a Nature mise en main, garnie
10 de telles circonstances et si favorables, que nous n'avons à nous plaindre qu'à nous si elle nous presse[8] et si elle nous échappe inutilement. [...] Principalement à cette heure, que j'aperçois la mienne[9] si brève en temps, je la veux étendre en poids ; je veux arrêter la promptitude de sa fuite par la promptitude de ma saisie, et par la vigueur de l'usage compenser la hâtiveté
15 de son écoulement. À mesure que la possession du vivre est plus courte, il me la faut rendre plus profonde et plus pleine. [...]

Pour moi donc, j'aime la vie et la cultive telle qu'il a plu à Dieu nous l'octroyer. Je ne vais pas désirant qu'elle eût à dire[10] la nécessité de boire et de manger, (C) et me semblerait faillir[11] non moins excusablement de dési-
20 rer qu'elle l'eût double : *le sage est un avide chercheur de richesses naturelles*[12], ni (B) que nous nous sustentassions mettant seulement en la bouche un peu de cette drogue par laquelle Épiménide[13] se privait d'appétit et se maintenait, ni qu'on produisît stupidement des enfants par les doigts ou par les talons, mais, parlant en révérence[14], plutôt qu'on les produise encore
25 voluptueusement par les doigts et par les talons, ni que le corps fût sans désir et sans chatouillement. Ce sont plaintes ingrates (C) et iniques. (B) J'accepte de bon cœur, (C) et reconnaissant, (B) ce que Nature a fait pour moi, et m'en agrée et m'en loue. On fait tort à ce grand et tout-puissant donneur de refuser son don, l'annuler et défigurer. (C) Tout bon, il
30 a fait tout bon. [...]

La gentille[15] inscription de quoi les Athéniens honorèrent la venue de Pompeius en leur ville se conforme à mon sens : *D'autant es-tu Dieu comme tu te reconnais homme.* C'est une absolue perfection, et comme divine, de savoir jouir loyalement de son être. Nous cherchons d'autres conditions,
35 pour n'entendre[16] l'usage des nôtres, et sortons hors de nous, pour ne savoir quel il y fait. (C) Si[17], avons-nous beau monter sur des échasses, car sur des échasses encore faut-il marcher de nos jambes. Et au plus élevé trône du monde, si ne sommes assis que sus notre cul.

(B) Les plus belles vies sont, à mon gré, celles qui se rangent au modèle
40 commun (C) et humain, avec ordre, mais (B) sans miracle et sans extravagance.

Montaigne, *Essais*, III, 13.

(1) très personnel
(2) savoure
(3) s'arrêter
(4) expression
(5) esquiver
(6) déclin
(7) où j'en suis
(8) nous pèse
(9) ma vie
(10) qu'elle fût privée de
(11) faire erreur
(12) *Sapiens divitiarum naturalium quæsitor acerrimus.* Sénèque, *Lettres,* 119.
(13) Un des sept sages de la Grèce.
(14) pour parler poliment
(15) noble
(16) comprendre
(17) aussi

Pistes de recherche

1. **La conscience du temps.** Analysez l'art de vivre que Montaigne fonde sur le bon usage du temps : l'« ignorer ou s'y « rasseoir » ; saveur de la vieillesse ; saisie des instants de plaisir ; refus des prétentions à l'éternité ; éloge de la « médiocrité », etc.

2. Montaigne reprend un thème cher à son siècle : le *« carpe diem »* (cf. p. 274). Mais son interprétation en est assez personnelle et moins hédoniste• . Essayez de préciser ces différences.

3. Qu'est-ce que la **nature** d'après ces lignes ? Quelle place Montaigne y fait-il à Dieu et quelle vous semble sa religion ? Voyez le document de Sainte-Beuve.

4. Une écriture toute vouée à l'expressivité : relevez la coïncidence du discours épicurien• et « naturel » avec son expression. Attachez-vous en particulier aux images, à la justesse vivace et savoureuse du ton, au sens de la formule qui va se fixer dans la mémoire du lecteur, etc. Soyez attentif aux additions de l'édition (C).

5. Cet idéal de vie peut-il vous suffire ?

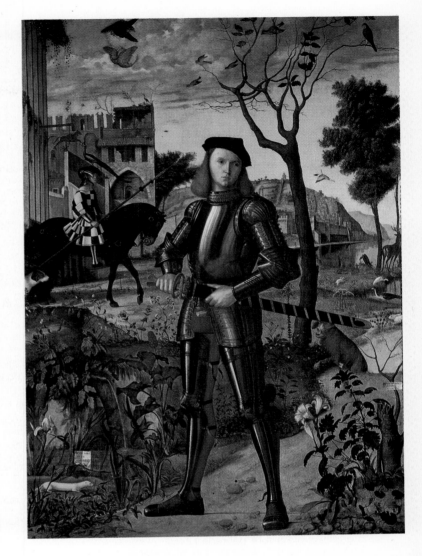

Vittore Carpaccio (1460-1526 ?), *Jeune Chevalier dans un paysage*, Lugano, coll. Thyssen-Bornemisa, ph. E. Lessing-Magnum.

DOCUMENT 1

Les penseurs chrétiens, surtout au XVIIe siècle, ont soupçonné Montaigne de glisser vers une sorte d'athéisme• en remplaçant Dieu par la nature, avant Spinoza (cf. Le XVIIIe siècle, pp. 21-22).

Montaigne, ce n'est pas un système de philosophie, ce n'est pas même avant tout un sceptique, un pyrrhonien : non, Montaigne, c'est tout simplement la nature :

La nature pure, et civilisée pourtant, dans sa large étoffe, dans ses affections et dispositions générales moyennes, aussi bien que dans ses humeurs et ses saillies les plus particulières, et même ses manies ; — *La Nature au complet sans la Grâce.*

L'instinct, une fois éveillé, ne trompe pas ; ce que les Jansénistes haïssent surtout dans Montaigne, c'est qu'il est, par excellence, l'homme naturel.

Sainte-Beuve, *Port-Royal*, I, 1840.

DOCUMENT 2

Une personnalité (je devrais dire : une impersonnalité) facticement et laborieusement construite, et avec contention, selon la morale, la décence, la coutume et les préjugés, il n'est rien à quoi Montaigne répugne davantage. On dirait que l'être véridique que tout ceci gêne, cache ou contrefait, garde pour lui une sorte de valeur mystique et qu'il en attende on ne sait quelle révélation.

André Gide, *Essai sur Montaigne*, 1929.

De la vanité (Essais, III, 9)

1. Structure détaillée

Les chiffres en italique renvoient aux pages de l'édition du Livre de Poche, tome III (n° 1397)

C'est dans cet essai que Montaigne avoue le «vagabondage» de son style et de son esprit (cf. p. 336), comme s'il prenait ici conscience de ses digressions et de ses greffes qui déconcertent tant le lecteur *(262-264)*. Mais Montaigne revendique cette apparente anarchie comme un ordre supérieur, dont il reste le maître et qui exige de son lecteur une attention véritable : «Qui est celui qui n'aime mieux n'être pas lu que de l'être en dormant ou en fuyant?» *(263)*. Essayons, en dégageant la démarche ou le fil conducteur de l'essai, d'arriver à cette lecture active et attentive qui est le but de la méthode choisie par l'auteur.

Introduction : le sens du titre «De la vanité»
vanité de la littérature
> qu'il est dérisoire d'écrire «si vainement» sur un tel sujet rebattu ! *(201)*
> les publications inutiles et futiles prolifèrent *(202)*
> mais au fond la littérature est un moindre mal ; elle est inutile, mais non pas nuisible ou dangereuse comme son siècle *(202-203)*
> de toute façon, Montaigne est incorrigible : il ne peut se passer d'écrire, en une époque si désolée et décevante *(203)*.

Thème directeur : «remuements et changements»; le voyage
pourquoi voyager?
> l'homme a une «humeur avide des choses nouvelles et inconnues» *(204)*
> mais Montaigne voyage d'abord pour fuir...
>> ... les tracas de la vie domestiques *(205)* qu'il n'apprécie guère, d'où un développement sur son désinté-rêt pour la gestion de sa maison et de son domaine *(206-213)*
>>> il a assez d'argent et ne cherche pas à économiser *206)*
>>> «les épines domestiques» lui sont insupportables *(207)*
>>> contrairement à son père, il n'a pas le goût d'agrandir ou d'embellir ses demeures *(208-209)*
>>> il préfère vivre sa vie à l'écart *(210)*
>>> aussi fait-il confiance à son intendant *(211)*
>>> le bienfait du voyage est de lui faire oublier toute autre préoccupation *(212-213)*
>>> ... et qu'importe l'opinion d'autrui! *(213-214)*
>> ... les guerres civiles et le désordre politique *(214-215)*, d'où un développement sur les déséquilibres de l'État :
>>> la guerre civile a tout dégradé *(215)*
>>> il n'y a pas de gouvernement idéal imaginable *(216)*
>>> respectons la coutume ; méfions-nous de l'innovation car l'homme aime inconsidérément le chan-gement *(218-219)*
>>> mais, rassurons-nous, l'agitation est naturelle et générale : «tout ce qui branle ne tombe pas» *(220)*.

Digression : Montaigne se rend compte que son plan est difficile à suivre
l'art d'écrire
> Montaigne déteste la répétition *(222)*, il préfère divaguer
> l'usage de la mémoire doit être discret pour sauvegarder la spontanéité *(223)*
> la méthode de Montaigne : «j'ajoute, mais je ne corrige pas» *(224)*
>> car l'ouvrage appartient au public et non plus à l'auteur et il n'est pas certain que l'on gagne à corriger *(225)*
>> d'autant que, par goût, le public tolère les imperfections ; d'ailleurs Montaigne ne se relit guère *(226)* et déteste jouer les puristes tatillons.

Retour au thème directeur : voyager pour échapper aux engagements
l'horreur des guerres civiles
> il a su rester neutre et sauvegarder sa maison avec prudence *(226-227)*
> il a horreur de toute obligation, des convictions qui entravent la liberté
> il ne veut être redevable à personne, surtout pas aux Grands *(228-229)*
> car toute dépendance est une servitude, même la reconnaissance *(230)*
> si bien qu'il évite les intermédiaires et préfère donner que recevoir *(231-232)*

comment supporter les guerres civiles ?
    leur violence continuelle finit par devenir une habitude *(232)*
        qui les rend tolérables *(233)*
        et en s'accoutumant à cette insécurité, on s'acclimate à la mort *(234)*
le voyage est donc une fuite avant tout
    pour s'éloigner du pire, en souhaitant trouver mieux *(234-235)*
    d'autant que les maux vécus par les étrangers nous touchent moins que ceux qui affectent notre pro-
        pre patrie *(235)*,
        patrie que Montaigne aime tendrement *(235)*
    ce qui ne l'empêche pas d'« estimer tous les hommes [s]es compatriotes »
mais voyager est aussi un sain exercice
    pour former l'esprit, tenir en éveil sa curiosité intellectuelle *(236)*
    pour fortifier le corps *(236-237)*.

Réponses à ceux qui lui reprochent son goût des voyages *(237)*

Comment Montaigne peut-il ainsi abandonner son épouse ?
    le devoir de la femme est la gestion de la maison : cette vertu domestique ne rend pas indispensable la pré-
        sence du mari *(238)*
    quant à l'amour conjugal, la séparation l'avive, et même on est souvent mieux uni sentimentalement et
        spirituellement quand les corps sont séparés *(238-239)* : telle est la vraie amitié *(240)*.
Montaigne n'est-il pas trop âgé pour cette vie de bohème ?
    quand on est vieux, on n'a plus aucun plaisir à se refuser *(241)*
    Montaigne aimerait mourir loin de chez lui *(242)*, et non dans son lit, avec la douleur de quitter consciem-
        ment son entourage *(243)*
    car il déteste la compassion affectée d'autrui et se sent capable d'affronter la souffrance ou la maladie tout
        seul *(244)* d'où une digression : pourquoi faire tous ces aveux au public ? il veut une confession sincère
        pour se montrer, à lui-même avant tout, tel qu'il est, et pour s'obliger à être meilleur, sans laisser aux
        autres le soin de trouver ses défauts *(244-245)*
    bref, il est préférable de ne pas offrir aux autres le pitoyable spectacle de la décrépitude et de
        l'agonie *(246)*.
Montaigne ne craint-il pas quelque accident qui le laisserait démuni ?
    non : il garde sur lui le nécessaire et prend toutes précautions *(247)* — ici encore une digression : s'il donne
        tous ces détails privés, c'est qu'il préfère éviter que d'autres les imaginent à sa place, après sa mort, et
        trahissent sa vérité *(248)*
    d'ailleurs il choisit toujours un lieu d'étape de qualité, où il pourrait mourir convenablement *(248-249)* —
        digression : quelle forme de mort Montaigne souhaite-t-il ? *(249)* — divers exemples et conclusion : mou-
        rir sans causer « ni de plaisir ni de déplaisir à personne » *(250)*
    mais, au fond, Montaigne n'est pas très exigeant
        il veut un logis propre *(250)*
        il s'adapte partout et respecte les usages étrangers *(251-252)*
        car « un honnête homme, c'est un homme mêlé » *(252)*
        et Montaigne recherche l'échange et la compagnie *(252-253)*.
Mais le sage sait trouver le bonheur chez soi ! *(253)*
    Montaigne le reconnaît : « ce plaisir de voyager porte témoignage d'inquiétude et d'irrésolution » *(254)*
    mais il aime la diversité *(255)* et, malgré la « vanité » de cet « amusement », il ne peut y résister : c'est là
        une contradiction qui est l'image de tout ce qui vient des hommes *(256)*.

Retour au sujet principal, dont le voyage a été l'illustration : la vanité

    — cette reprise est annoncée par la dernière objection : « il y a de la vanité, dites-vous, en cet amusement.
        — Mais où non ? Et ces beaux préceptes sont vanité et vanité toute la sagesse » *(255)*
    — « Les hommes vont ainsi... » *(256)* : l'incohérence règne ; il n'y a guère d'adéquation entre les beaux
        principes et l'action et même les grands hommes sont pleins de contradictions *(256-257)*
    — la politique, surtout, révèle la faillite des principes théoriques et l'adaptation aux circonstances
        (258-259) : voilà pourquoi, d'ailleurs, Montaigne se sent « dégoûté » de cette « vacation ». Un homme
        aussi libre et sceptique que lui ne saurait être un bon politique *(259-260)*
    — d'où un commentaire général sur la relativité des opinions, des mœurs et des vertus *(261)* qui conclut en
        rappelant que les lois sont sans doute peu raisonnables mais qu'il faut bien y obéir *(262)*.
Dernière digression : Montaigne s'est laissé emporter par son propos et s'en justifie *(262)* en expliquant son
    art d'écrire (reportez-vous pp. 336-337).
Reprise du sujet : vanité de la raison [« j'avais à dire que je veux mal à cette raison trouble-fête... »] *(264)*
    — les circonstances *(265)* et, plus encore, notre plaisir, nous guident plus que la raison ; il en fournit un
        exemple personnel : son affection pour Rome, qui enflamme son imagination *(265-266)*, le transporte
        dans un siècle qui n'est pas le sien, ville universelle *(266-267)*
    — d'ailleurs, Montaigne, qui n'a pas à se plaindre des hasards du destin, a connu certains honneurs, stéri-
        les et dérisoires, « faveurs venteuses », et, malgré leur vanité, il en est fier et réjoui *(268)* ; par exemple,
        rien ne l'a plus comblé que d'être fait citoyen d'honneur de Rome *(269)*
        « inanité », « fadaises » : « nous en sommes tous confits, tant les uns comme les autres » *(270-271)*.

2. Classement thématique

■ L'autoportrait et l'aparté
« Je ne suis pas philosophe... » (207)... « ne pèse ni à moi ni à autrui » (210)
refus de la vie domestique, du « ménage » (210-212)
rester soi-même (210 ; 223 ; 226-227 ; 258-259 ; 268) et s'avouer (244-245).

■ La perpétuelle balançoire
les troubles civils (214-215 ; 232 ; 258)
la manie du changement (218-219 ; 255)
désordres et contradictions (256 ; 270-271)

■ L'univers livresque : attirance et répulsion
vanité de la littérature (201-203)
savoir lire, savoir oublier (222-224)

■ La méthode des Essais : une nouvelle écriture
dérision ? (201)
le naturel et la spontanéité (222-224) ; l'écriture « automatique » (225-226)
l'allure poétique (262) [extrait p. 336]

■ Les certitudes en miettes
faillites des valeurs (202-203 ; 256-257)
refus des solutions politiques (216 ; 258 ; 261)
désir de fuite, faute de certitudes (234-235 ; 254-256 ; 265-267)
ambiguïtés des relations humaines (238-239)

■ Conservatisme et tolérance
admettons la coutume (218-220) et les lois (261-262)
évitons les engagements (210 ; 226-228 ; 259)
respect des différences (251)

■ Amour de soi, amour d'autrui
égocentrisme (204 ; 210 ; 226 ; 238)
se former constamment (236-237) et affronter par soi-même les épreuves (244 ; 253)
le besoin d'échanger (235 ; 252-253 ; 267-268)
mais ne pas être dépendant (230-232)

■ L'amitié ; le voyage
les vrais sentiments (240) ; les faux (243-244)
l'homme « mêlé » (204 ; 212-213 ; 250-253) [extrait p. 350]
cosmopolitisme et universalité : l'exemple de Rome (265-267)

■ Savoir mourir pour savoir vivre
suivre sa pente (210 ; 213-214 ; 224) et les fantaisies du hasard (265)
rester en éveil (236 ; 247)
apprendre à mourir (242-244 ; 248-250), grâce à l'insécurité ambiante (233-234)

■ La condition humaine dans son épanouissement
l'éducation permanente (236-237 ; 256-257)
les plaisirs naturels (210 ; 241 ; 250 ; 268)

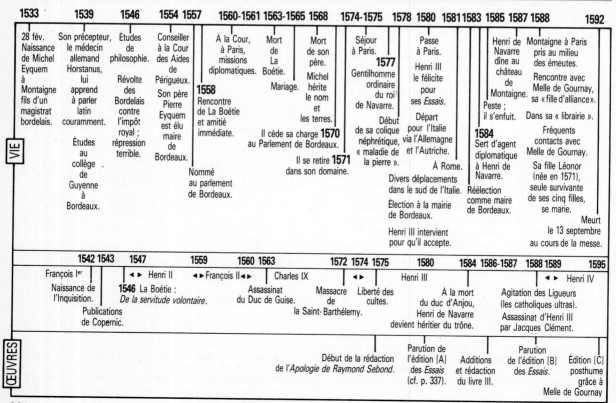

Biographie de Montaigne

VIE

1533	1539	1546	1554 1557	1560-1561	1563-1565 1568	1574-1575	1578 1580	1581 1583	1585 1587 1588	1592
28 fév. Naissance de Michel Eyquem à Montaigne fils d'un magistrat bordelais.	Son précepteur, le médecin allemand Horstanus, lui apprend à parler latin couramment. Études au collège de Guyenne à Bordeaux.	Études de philosophie. Révolte des Bordelais contre l'impôt royal ; répression terrible.	Conseiller à la Cour des Aides de Périgueux. Son père Pierre Eyquem est élu maire de Bordeaux. **1558** Rencontre de La Boétie et amitié immédiate. Nommé au parlement de Bordeaux.	À la Cour, à Paris, missions diplomatiques.	Mort de La Boétie. Mariage. Il cède sa charge **1570** au Parlement de Bordeaux. Il se retire **1571** dans son domaine. Mort de son père. Michel hérite le nom et les terres.	Séjour à Paris. **1577** Gentilhomme ordinaire du roi de Navarre. Début de sa colique néphrétique, « maladie de la pierre ». Divers déplacements dans le sud de l'Italie. Élection à la mairie de Bordeaux. Henri III intervient pour qu'il accepte.	Passe à Paris. Henri III le félicite pour ses Essais. Départ pour l'Italie, via l'Allemagne et l'Autriche. À Rome. Réélection comme maire de Bordeaux.	Henri de Navarre dîne au château de Montaigne. Peste ; il s'enfuit. **1584** Sert d'agent diplomatique à Henri de Navarre.	Montaigne à Paris pris au milieu des émeutes. Rencontre avec Melle de Gournay, sa « fille d'alliance ». Dans sa « librairie ». Fréquents contacts avec Melle de Gournay. Sa fille Léonor (née en 1571), seule survivante de ses cinq filles, se marie.	Meurt le 13 septembre au cours de la messe.

ŒUVRES

1542 1543	1547	1559	1560 1563	1572 1574 1575	1580	1584 1586-1587	1588 1589	1595
François Ier	◄ ► Henri II	◄ ► François II ◄ ►	Charles IX	◄ ►	Henri III		◄ ► Henri IV	
Naissance de l'Inquisition. Publications de Copernic.	**1546** La Boétie : De la servitude volontaire.		Assassinat du Duc de Guise.	Massacre de la Saint-Barthélemy. Liberté des cultes.	À la mort du duc d'Anjou, Henri de Navarre devient héritier du trône.		Agitation des Ligueurs (les catholiques ultras). Assassinat d'Henri III par Jacques Clément.	
				Début de la rédaction de l'Apologie de Raymond Sebond.	Parution de l'édition [A] des Essais (cf. p. 337).	Additions et rédaction du livre III.	Parution de l'édition [B] des Essais.	Édition [C] posthume grâce à Melle de Gournay.

Abîme ou **Abyme** : en terme de blason, le centre de l'écu — où sont représentées les armoiries — est «mis en abîme» lorsqu'il simule lui-même un autre écu; il y a «mise en abîme» du récit quand des éléments représentatifs de l'ensemble sont insérés dans le récit. Pour la peinture, voyez p. 159.

Académisme : doctrine selon laquelle il suffit d'appliquer strictement des règles pour réussir une œuvre d'art.

Actant : tout ce qui est partie prenante dans le développement d'une action; il peut s'agir d'êtres animés (les personnages), de collectivités (la nation), d'abstractions (la passion).

Allégorie : personnification d'une abstraction, par exemple : la Mort.

Allitération : répétition à des fins expressives du même phonème consonantique.

Analogie : rapport entre deux ou plusieurs choses qui présentent des similitudes.

Anaphore : répétition d'un mot ou d'une formule au début de plusieurs vers ou phrases qui se suivent.

Animisme : croyance en la présence d'âmes, d'esprits animant tous les êtres et la nature elle-même.

Anthropocentrisme : pensée ou doctrine qui fait de l'homme le centre et la finalité du monde.

Anthropologie : étude scientifique de la nature humaine.

Anthropomorphisme : représentation de tout être ou objet sous des traits humains.

Antinomie : conflit ou contradiction entre deux phénomènes qui obéissent à des lois contraires.

Antiphrase : figure de rhétorique• qui consiste à exprimer le contraire de ce qu'on veut signifier.

Antithèse : figure de rhétorique• qui rapproche dans un même énoncé deux termes désignant des réalités éloignées ou contraires (voir aussi **Dialectique**).

Aphorisme : maxime dont la formulation est très concise.

Apologétique (*adj.* ou *subst. fém.*) : partie des études religieuses consacrée à la défense de la religion chrétienne, à l'argumentation contre ceux qui l'attaquent.

Apologie : texte ou propos visant à défendre une personne ou une idée, à en faire l'éloge, à en justifier les raisons.

Aporie : difficulté logique qui paraît sans issue.

Assonance : répétition, à des fins expressives, du même phonème vocalique.

Athéisme : attitude ou doctrine de l'athée, qui nie l'existence de Dieu.

Casuisme ou **Casuistique** : le casuiste résoud les cas de conscience qui se posent au croyant.

Clerc : homme lié à l'état ecclésiastique, lettré et savant, par qui se transmet tout ce qui s'écrit jusqu'à la fin du XVe siècle (cf. p. 13).

Connotation/Dénotation : la connotation désigne ce que suggère un mot ou un propos, au-delà de son sens propre (dénotation), par suggestion ou allusion.

Cosmopolitisme : manière de vivre ou de penser qui reçoit l'influence de l'étranger.

Cynisme : philosophie grecque qui prétendait revenir à la nature en méprisant les conventions sociales, l'opinion publique et la morale; par extension : mépris des convenances, voire provocation.

Déisme : système de ceux qui admettent l'existence de Dieu en rejetant toute révélation, toute structure religieuse exclusive, tout dogme•.

Dénotation : voir **Connotation**.

Diachronie/Synchronie : un phénomène est envisagé de façon diachronique quand on étudie son évolution dans le temps, et de façon synchronique quand on l'étudie à un moment précis, défini.

Dialectique : démarche intellectuelle qui affirme (thèse), puis critique (antithèse), le but étant finalement de dépasser les contradictions (synthèse).

Didactique : qui vise à instruire, à démontrer.

Diégétique : qui concerne la «diégèse», c'est-à-dire le contenu organisé de l'histoire, en tant qu'acte narratif dont l'auteur reste le maître; le mode diégétique du récit «dit» et condense; voir **Mimétique**.

Diérèse : prononciation d'une diphtongue en deux syllabes distinctes; ex. : le mot *passion*, dans ce cas, peut être décompté en trois syllabes. (Cf. **Synérèse**.)

Dogmatisme : attitude de celui qui, admettant des vérités et des principes fixes (des **dogmes**), prétend les imposer.

Égotisme : définition du Littré : (*néologisme*) habitude de parler de soi, de mettre sans cesse en avant le pronom moi.

Ellipse : omission de termes (verbes ou noms) faciles à suppléer.

Emblème : figure concrète qui représente symboliquement une collectivité ou une abstraction.

Emphase : formulation très forte ou solennité excessive dans l'expression.

Enjambement : moyen expressif qui consiste, dans un poème, à ne pas faire coïncider le vers avec une unité syntaxique (phrase, groupe de mots, proposition, etc.). Exemple : «Mais tout n'est pas détruit et vous en laissez vivre/Un...» (*Phèdre*).

Épicurisme : doctrine d'Épicure (341-270 av. J.-C.) qui invitait à fuir la douleur; par déformation : recherche du plaisir et de la volupté.

Épopée (*adj.* : épique) : narration, originellement en vers, d'actions grandes et héroïques.

Ésotérisme : croyances et doctrines secrètes, réservées à des initiés.

Éthique : *adj.* : qui concerne la morale; *subst.* : science qui détermine les principes moraux ou les fondements de la valeur.

Euphonie : plaisir auditif recherché par l'écrivain pour rendre la prononciation douce, coulante, expressive.

Évolutionnisme : vision de l'histoire du monde selon laquelle rien n'est fixe ou immuable mais passe sans cesse d'une forme — voire d'une espèce — à une autre.

Fantasme ou **Phantasme** : vision qui, selon la psychanalyse, renvoie à une scène imaginaire récurrente• figurant un scénario où s'accomplit un désir inconscient.

Fantastique : contrairement au merveilleux, qui s'exprime dans un univers utopique•, factice et incroyable, le fantastique cherche à montrer les surprises de notre propre monde. Le lecteur est saisi par un doute, une incertitude créée par l'ambiguïté du récit et hésite entre une solution rationnelle et une solution irrationnelle.

Géocentrisme : doctrine de ceux qui croient que la Terre est au centre de l'Univers, ou de sa partie connue.

Gnose : initiation aux réalités divines qui, à condition d'être reçue comme révélation intérieure, permettrait de comprendre les secrets et les mystères, notamment ceux des livres saints.

Hagiographie : études et ouvrages consacrés à la vie et à la pensée des saints.

Hédonisme : attitude de vie ou doctrine morale qui fait du plaisir le but de l'existence.

Héliocentrisme : doctrine de ceux qui croient que le Soleil est au centre de l'Univers, ou de sa partie connue.

Hémistiche : chacune des moitiés d'un vers, séparées par la césure.

Hermétisme : ce terme renvoie étymologiquement à Hermès Trismégiste (= trois fois très grand), le dieu égyptien Toth, maître de tous les arts, de l'écriture, de la parole, de la science des nombres et des chiffres, en particulier du langage des sciences occultes•, celles des alchimistes ; d'où le sens de mystérieux, impénétrable.

Hiatus : heurt provoqué par la juxtaposition de deux voyelles non élidées.

Humour : état d'esprit à la fois satirique et indulgent, fait de détachement amusé, qui feint de trouver naturelle une situation anormale. Contrairement à celui qui pratique l'ironie•, l'humoriste ne renverse pas le sens des mots (antiphrase) et ne s'exclut pas de ce qui provoque son sourire.

Hyperbole : mise en valeur d'une idée par une expression qui la dépasse par son exagération ou sa force.

Idéalisme : en philosophie, système qui sur le plan de l'existence et de la connaissance ramène l'être à la pensée et les choses à l'esprit ; en esthétique, conception qui donne pour fin à l'art non l'imitation du réel, mais la représentation d'une nature idéale plus satisfaisante pour l'esprit et le cœur.

Idéologie : ensemble des idées et des valeurs communes propres à une société ou à un groupe social donnés.

Idiome : langage particulier ; caractères spéciaux d'un langage.

Innutrition : forme profonde de l'imitation qui vise à « se nourrir » de divers auteurs anciens jugés essentiels, pour en exploiter, prolonger ou revivifier personnellement les plus grandes réussites.

Ironie : figure de style qui consiste à dire, par raillerie, le contraire de ce que l'on pense ou de ce que l'on veut faire penser. Les sources en sont l'observation, la comparaison et le doute, c'est-à-dire le scepticisme•.

Itératif : un récit itératif raconte en une seule fois plusieurs événements considérés dans leur seule ressemblance.

Kabbale ou **Cabale** : tradition juive, riche et complexe, de l'interprétation biblique.

Libelle : court écrit satirique et diffamatoire.

Litote : atténuation de l'expression en en disant le moins possible ou en évitant une formulation qui pourrait déplaire.

Locuteur : personne à laquelle l'auteur prête un langage oral et qui intervient au style direct.

Lyrisme : forme de poésie destinée à être chantée avec accompagnement musical (souvent la lyre) ; par extension : expression des sentiments, des émotions.

Manichéisme : doctrine fondée sur la coexistence du Bien et du Mal. Par extension, attitude qui tranche définitivement et catégoriquement entre bien et mal, bon et mauvais, etc.

Matérialisme : le matérialiste croit qu'il n'existe d'autre substance que la matière, dont la fermentation et les mutations expliquent toute vie, même celle de l'esprit.

Merveilleux : dans le merveilleux, des événements surnaturels interviennent et sont acceptés comme tels, alors que dans le fantastique• le lecteur hésite entre une solution irrationnelle et une solution rationnelle.

Métaphore/Métonymie : la métaphore est une figure de style qui consiste à substituer un signifié à un autre signifié, tous deux étant dans un rapport de similitude. Dans la métonymie, ils sont dans un rapport de contiguïté (contenant/contenu ; partie/tout). Dans la comparaison ils gardent leur autonomie.

Métrique : science qui étudie les éléments numériques dont sont formés les vers.

Mimétique : qui concerne la « mimèse », c'est-à-dire les relations de l'œuvre et de l'univers, et tout particulièrement l'imitation de la réalité par les personnages, la description, etc. ; le mode mimétique du récit montre et étale ; voir **Diégétique.**

Mysticisme : croyances et pratiques se donnant pour objet une union intime de l'homme et de la divinité.

Mythe : récit fabuleux, le plus souvent d'origine populaire, mettant en scène des êtres incarnant des forces de la nature, des aspects de la condition humaine.

Naturalisme : pensée de ceux qui voient dans la nature le principe universel et qui s'intéressent à la réalité naturelle ; par extension : description sans illusion de l'homme conditionné par les causes naturelles.

Néologisme : mot de création récente.

Occultisme : sciences qui reposent sur le mystère et l'irrationnel (magie, astrologie, etc.).

Orphique : selon la légende, Orphée, par le pouvoir magique de sa poésie, a pu vaincre la mort. L'orphisme croit aussi aux migrations successives de l'âme qui n'échappera à la réincarnation que par une totale purification.

Oxymore : jonction, à des fins expressives, de deux mots ou notions contradictoires : « cette obscure clarté qui tombe des étoiles » *(Le Cid)* ; voyez p. 268.

Paganisme : par opposition au christianisme, se dit des diverses religions polythéistes de toutes les époques.

Pamphlet : court écrit satirique et violent inspiré par l'actualité ; *adj.* : pamphlétaire.

Panthéisme : doctrine surtout vulgarisée par Spinoza, selon laquelle Dieu et la Nature ne font qu'un : « deus sive natura ». En remplaçant ensuite la notion de Dieu par celle d'énergie de la vie matérielle, on débouche sur le matérialisme•.

Paraboles : récits brefs du Nouveau-Testament, de caractère symbolique•, qui visent à communiquer un enseignement sans le dévoiler totalement.

Paradigme/Syntagme : les rapports entre les signes d'une langue sont de deux types : l'axe paradigmatique est celui du choix des signes ; l'axe syntagmatique est celui de la combinaison des signes.

Parodie : contrefaçon ou travestissement moqueur d'un ouvrage littéraire.

Paronomase : rapprochement de deux mots de son semblable, quoique de sens différents.

Pastiche : œuvre dans laquelle l'auteur a imité le style d'un maître, souvent dans une intention parodique.

Pathétique : *n. ou adj. :* qui suscite une forte émotion, la pitié, etc.

Périphrase : figure de style qui consiste à utiliser au lieu d'un mot, un ensemble de mots qui forme le même sens ; ex. : « L'oiseau de Jupiter » pour « l'aigle ».

Philologie : étude des documents écrits d'une langue, des belles lettres, de la transmission des textes anciens, etc.

Platonisme : qui appartient à Platon ; en amour, caractère non charnel, idéal et désintéressé du sentiment.

Polémique : *subst. :* débat violent ; *adj. :* violent, agressif, qui implique un combat.

Polysémie : un terme est polysémique quand, dans un contexte donné, il peut comporter plusieurs significations.

Prosopopée : figure de style qui consiste à faire parler ou agir les absents, les morts, les êtres surnaturels ou les êtres inanimés.

Pyrrhonien : disciple de Pyrrhon (IVe s. av. J.-C.) qui nie la possibilité d'atteindre la vérité et préconise le doute ; au mieux, l'homme peut atteindre l'ataraxie (l'absence de trouble).

Rationalisme : doctrine d'après laquelle tout ce qui existe a sa raison d'être et peut donc être considéré comme intelligible.

Réception : accueil d'une œuvre par la critique, le public, la société.

Récurrence : répétition.

Redondance : tout phénomène de répétition dans l'élaboration du message linguistique.

Rejet : rejet d'un mot au-delà d'une pause (milieu de vers ou fin de vers) pour le mettre en valeur.

Rhétorique : autrefois, enseignement de l'art de persuader ; parmi les techniques enseignées : l'invention (recherche d'arguments) ; la disposition (agencement de ces arguments) ; l'élocution (règles de mise en valeur des idées grâce à des figures de style) et la prononcia-

tion. Actuellement, la rhétorique, fondée sur les travaux de la linguistique, consiste en une analyse de tous les discours littéraires ou non, afin d'en dégager les structures formelles.

Rhétoriqueurs : poètes de la fin du XIVe siècle et du début du XVe siècle qui pratiquent des genres à forme fixe (ballades, rondeaux, virelais) et recherchent des effets stylistiques fondés sur une technique savante.

Scepticisme : voir **Ironie.**

Scolastique : philosophie enseignée du XIe siècle au XVIIe siècle, fondée sur la logique formelle et la pensée d'Aristote.

Sémantique : *subst. :* étude du sens des mots ; *adj. :* relatif au sens.

Sorbonne : cette Faculté s'occupe de théologie et intervient comme tribunal ecclésiastique pour censurer les ouvrages contraires à la croyance officielle.

Spiritualisme : à l'inverse du matérialisme•, il admet l'existence de l'esprit comme réalité supérieure et substantielle.

Stoïcien : qui cultive le **stoïcisme,** qui se montre **stoïque,** en pratiquant l'austérité, la fermeté dans la douleur, la sévère recherche de la vertu.

Sublimation : élévation, épuration d'un sentiment ou d'une passion. La sublimation permet à certaines pulsions de se transformer en s'attachant à des valeurs idéales et/ou positives, socialement autorisées.

Symbole : le « sumbolon » des Grecs était un objet coupé en deux constituant un signe de reconnaissance quand les porteurs pouvaient assembler les morceaux ; donc, entre les deux éléments du tout existait un rapport de complémentarité. Il y a symbole quand il y a coexistence de deux sens : ces rapports peuvent exister entre les choses, entre ce qui est visible et invisible.

Synérèse : prononciation de deux syllabes distinctes en une seule émission de voix ; ex. : le mot *passion,* dans ce cas, peut être décompté en deux syllabes. (Cf. Diérèse.)

Synchronie : voir **Diachronie.**

Syntagme : voir **Paradigme.**

Utopie : description imaginaire d'une société idéale.

Aubin Imprimeur
LIGUGÉ, POITIERS

Achevé d'imprimer en juillet 1987
N° de collection 05 / N° d'édition 01 / N° d'impression P 24906
Dépôt légal 5764-7-1987 / Imprimé en France
13/4697/2